Ana Maria Trinconi Borgatto

Mestra em Letras pela Universidade de São Paulo (USP)
Pós-graduada em Estudos Comparados de Literaturas de Língua Portuguesa pela USP
Licenciada em Letras pela USP
Pedagoga graduada pela USP
Professora universitária
Professora de Língua Portuguesa do Ensino Fundamental e Médio
Atuação em processos de formação de professores

Terezinha Costa Hashimoto Bertin

Mestra em Ciências da Comunicação pela Universidade de São Paulo (USP)
Pós-graduada em Comunicação e Semiótica pela Pontifícia Universidade Católica de São Paulo (PUC-SP)
Licenciada em Letras pela USP
Atuou como professora universitária e professora de Língua Portuguesa do Ensino Fundamental e Médio
Atuação em processos de formação de professores

Vera Lúcia de Carvalho Marchezi

Mestra em Letras pela Universidade de São Paulo (USP)
Pós-graduada em Estudos Comparados de Literaturas de Língua Portuguesa pela USP
Licenciada em Letras pela Universidade Estadual Paulista "Júlio de Mesquita Filho" (Unesp – Araraquara, SP)
Professora universitária
Professora de Língua Portuguesa do Ensino Fundamental e Médio
Atuação em processos de formação de professores

O nome *Teláris* se inspira na forma latina *telarium*, que significa "tecelão", para evocar o entrelaçamento dos saberes na construção do conhecimento.

TELÁRIS

PORTUGUÊS

9

editora ática

editora ática

Direção Presidência: Mario Ghio Júnior

Direção de Conteúdo e Operações: Wilson Troque

Direção editorial: Luiz Tonolli e Lidiane Vivaldini Olo

Gestão de projeto editorial: Mirian Senra

Gestão de área: Alice Ribeiro Silvestre

Coordenação: Rosângela Rago

Edição: Ana Paula Enes, Carolina von Zuben, Emílio Satoshi Hamaya, Lígia Gurgel do Nascimento, Solange de Oliveira, Valéria Franco Jacintho (editores) e Débora Teodoro (assist.).

Planejamento e controle de produção: Patrícia Eiras e Adjane Queiroz

Revisão: Hélia de Jesus Gonsaga (ger.), Kátia Scaff Marques (coord.), Rosângela Muricy (coord.), Ana Curci, Ana Paula C. Malfa, Arali Gomes, Brenda T. M. Morais, Célia Carvalho, Claudia Virgilio, Flavia S. Vênezio, Gabriela M. Andrade, Heloísa Schiavo, Hires Heglan, Lilian M. Kumai, Maura Loria, Patricia Cordeiro, Patrícia Travanca, Paula T. de Jesus, Rita de Cássia C. Queiroz, Sueli Bossi; Amanda T. Silva e Bárbara de M. Genereze (estagiárias)

Arte: Daniela Amaral (ger.), Catherine Saori Ishihara e Erika Tiemi Yamauchi (coord.), Katia Kimie Kunimura, Tomiko Chiyo Suguita e Nicola Loi (edição de arte)

Diagramação: Renato Akira dos Santos, Estúdio Anexo, Typegraphic e YAN Comunicações

Iconografia e tratamento de imagem: Sílvio Kligin (ger.), Claudia Bertolazzi (coord.), Evelyn Torrecilla, Jad Silva, Monica de Souza/Tempo Composto (pesquisa iconográfica), Cesar Wolf e Fernanda Crevin (tratamento)

Licenciamento de conteúdos de terceiros: Thiago Fontana (coord.), Liliane Rodrigues (licenciamento de textos), Erika Ramires, Luciana Pedrosa Bierbauer, Luciana Cardoso e Claudia Rodrigues (analistas adm.)

Ilustrações: Alexandre Camanho, Carlos Araujo, Filipe Rocha, Gustavo Grazziano, Gustavo Ramos, Jean Galvão, Mauricio Pierro, Neruuu, Nik Neves, Sylvain Barré e Theo Szczepanski

Cartografia: Eric Fuzii (coord.) e Robson Rosendo da Rocha (edit. arte)

Design: Gláucia Correa Koller (ger.), Adilson Casarotti (proj. gráfico e capa), Erik Taketa (pós-produção), Gustavo Vanini e Tatiane Porusselli (assist. arte)

Fotos de capa: Robert Daly/Caiaimage/Getty Images

Dados Internacionais de Catalogação na Publicação (CIP)

```
Trinconi, Ana
   Teláris língua portuguesa 9º ano / Ana Trinconi,
Terezinha Bertin, Vera Marchezi. - 3. ed. - São Paulo :
Ática, 2019.

   Suplementado pelo manual do professor.
   Bibliografia.
   ISBN: 978-85-08-19340-0 (aluno)
   ISBN: 978-85-08-19341-7 (professor)


   1.   Língua Portuguesa (Ensino fundamental). I.
Bertin, Terezinha. II. Marchezi, Vera. III. Título.


2019-0172                          CDD: 372.6
```

Julia do Nascimento - Bibliotecária - CRB-8/010142

2021
Código da obra CL 742180
CAE 654369 (AL) / 654372 (PR)
3ª edição
5ª impressão
De acordo com a BNCC.

Impressão e acabamento: A.R. Fernandez

Uma publicação **SOMOS** EDUCAÇÃO

Apresentação

Interagir, compreender as mudanças trazidas pelo tempo, conviver com diferentes linguagens e comunicar-se são desafios que enfrentamos em nosso dia a dia.

Esta obra foi feita pensando em você e tem por finalidade ajudá-lo nesses desafios e contribuir para sua formação como leitor e produtor de textos. Também tem outros objetivos: aguçar a imaginação, informar, discutir assuntos polêmicos, contribuir para aflorar emoções, estimular o espírito crítico e, principalmente, tornar prazerosos seus estudos.

O que você encontrará aqui? Textos de diferentes tipos e gêneros: letras de canção, histórias, notícias, reportagens, relatos, textos expositivos ou argumentativos, debates, charges, quadrinhos, poesia e outras artes... E muita reflexão sobre usos e formas de organizar a língua portuguesa, instrumento fundamental para você interagir e se comunicar cada vez melhor.

Além disso, há uma novidade: o acréscimo de atividades voltadas para as tecnologias digitais de informação e comunicação, que você encontrará, nesta coleção, na seção *Interatividade*.

Venha participar de atividades diferenciadas, que podem ser realizadas ora sozinho, ora em dupla, ora em grupo, ora em projeto interativo que envolve todos os alunos na construção de um produto final.

O convite está feito! Bom estudo!

As autoras

CONHEÇA SEU LIVRO

Estudar a língua portuguesa é fundamental para dominar habilidades de leitura e de produção de textos apropriadas a diversas situações comunicativas. É essencial também para que você reflita sobre aspectos linguísticos e se habitue a identificar os contextos de produção e de circulação dos gêneros textuais.

Esse estudo é proposto também para encantá-lo com a linguagem: lendo, ouvindo textos, interpretando significados, estudando os usos da nossa língua, conversando informalmente sobre música e fotografia, dando opiniões...

Abertura das unidades

As imagens de abertura de cada unidade e as questões que as acompanham são propostas com a intenção de aguçar sua curiosidade e convidá-lo a explorar os conteúdos das seções ao longo da unidade.

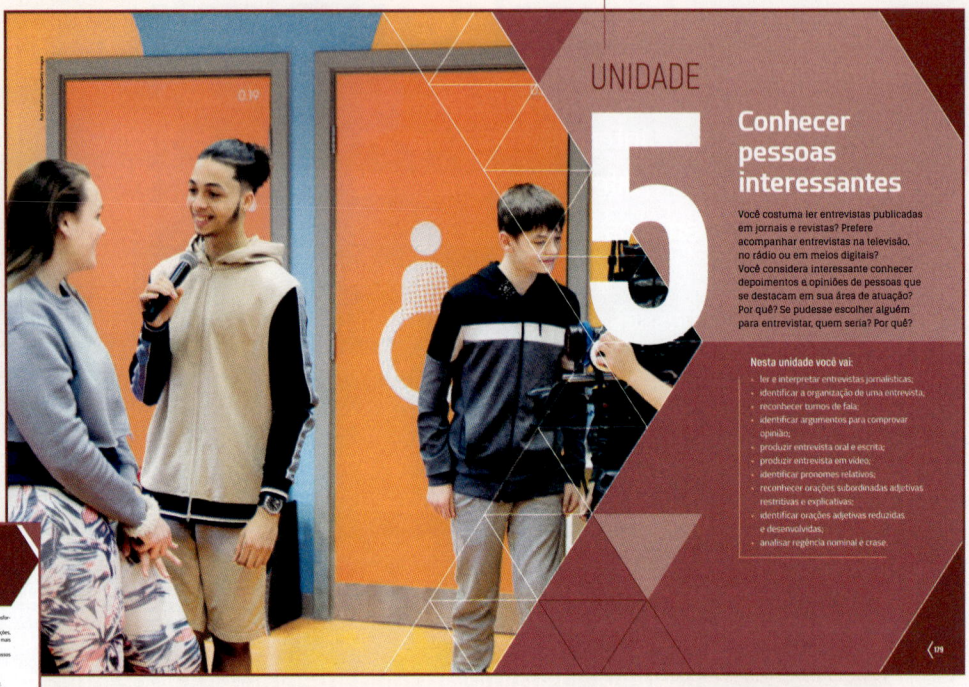

Leitura

Cada unidade concentra o estudo em um gênero textual, tendo como base o texto proposto como **Leitura**. A **Interpretação do texto** é dividida em dois momentos – **Compreensão inicial** e **Linguagem e construção do texto** – para que você possa desenvolver com mais eficiência suas habilidades de leitura.

Prática de oralidade

Essa seção conta sempre com dois momentos: **Conversa em jogo**, com questões que propõem uma troca de ideias e opiniões sobre assuntos da unidade, e **produção de gêneros orais** afinados com uma situação comunicativa proposta (debate, exposição oral, sarau...).

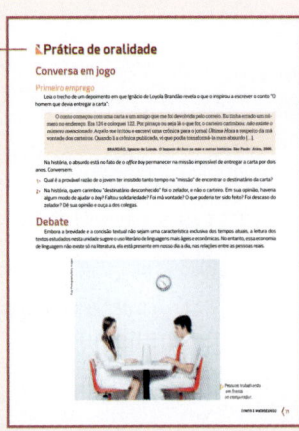

Interatividade

Nessa seção, presente em algumas unidades, você terá a oportunidade de interagir com tecnologias digitais e participar mais ativamente de práticas contemporâneas de linguagem: produzindo *podcasts*, *vlog*, videopoemas, *playlist*, etc.

Conexões entre textos, entre conhecimentos

A seção traz textos em diferentes linguagens verbais e não verbais, indicando relações entre o texto de leitura e muitos outros e favorecendo, sempre que possível, as relações entre língua portuguesa, outras linguagens e outras disciplinas.

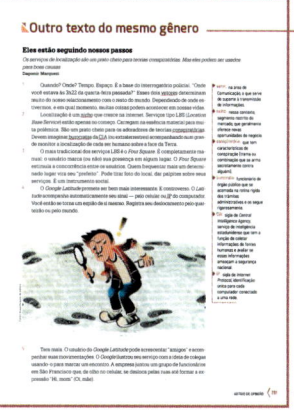

Outro texto do mesmo gênero

Nessa seção, é apresentado outro texto, ou mais de um, do mesmo gênero estudado na unidade, para você interpretar, apreciar e também para ajudá-lo na produção de texto.

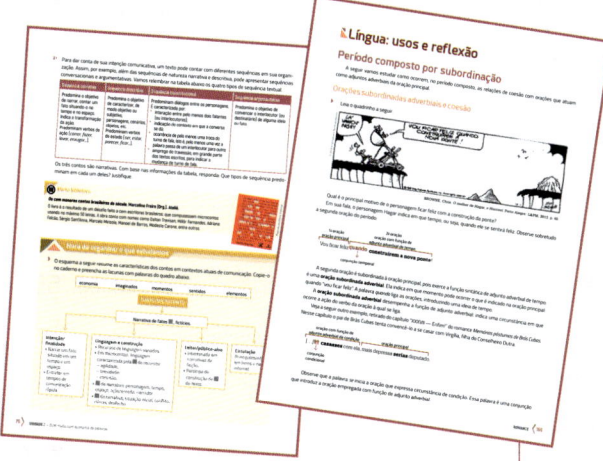

Produção de texto

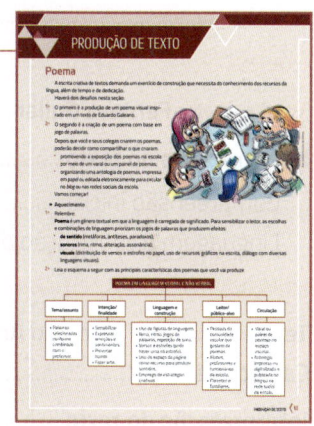

Aqui você será convidado a produzir textos escritos e orais, relacionados aos gêneros estudados, com uso de roteiros que vão ajudá-lo a criar textos com mais autonomia e facilidade.

Língua: usos e reflexão

Nessa seção você estuda as estruturas linguísticas fundamentais do gênero trabalhado na unidade.
Você ainda encontra: **No dia a dia**, com foco nos usos da língua cada vez mais presentes no cotidiano do português brasileiro; **Hora de organizar o que estudamos**, que traz um mapa conceitual que vai ajudá-lo a organizar seus conhecimentos sobre os conceitos linguísticos estudados; **Desafios da língua**, em que são apresentados conteúdos de ortografia, acentuação e convenções da escrita.

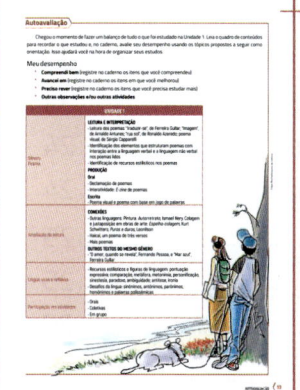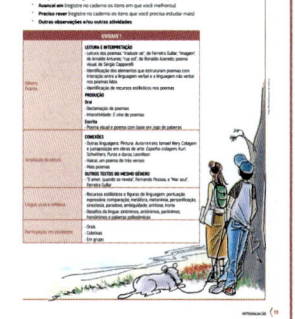

Autoavaliação

Presente no final de cada unidade, o quadro de autoavaliação vai ajudá-lo a rever o que você aprendeu e o que precisa retomar.

De olho na tela
Contém sugestões de filmes que se relacionam com o conteúdo estudado na unidade.

Minha biblioteca
Apresenta indicações de leitura que podem enriquecer os temas estudados.

Mundo virtual
Apresenta indicações de *sites* que ampliam o que foi estudado.

Ouça mais
Contém sugestões de músicas ou álbuns musicais que se relacionam com o conteúdo estudado.

PROJETO DE LEITURA

Com base em uma coletânea de textos disposta no final do livro, o **Projeto de Leitura** é um convite para você participar de atividades lúdicas e interativas.

SUMÁRIO

Unidade 3

Unidade 4

Unidade 5

Conhecer pessoas interessantes ... 178

Unidade 6

Uma crônica diferente ... 214

Crônica jornalística ... 216

Unidade 7

Para defender ideias: palavras 250

Unidade 8

Uma carta a quem possa interessar... 286

Projeto de Leitura – Um conto, outros gêneros e diferentes formas de defender a opinião

Bibliografia

A língua na era da informação

Igor Aleks/Shutterstock; Henglein and Steets/Image Source/Fotoarena; Sasa Prudkov/Shutterstock; Monkey Business Images/ Shutterstock; Chris Ryan/Caiaimage/Getty Images; skyNext/Shutterstock; Andrey Armyagov/Shutterstock; Marc Ward/Shutterstock

Conversar, escrever bilhetes e cartas, enviar um *e-mail* ou uma mensagem instantânea pelo celular, gravar um áudio ou fazer uma chamada por vídeo com um *smartphone*, realizar uma ligação telefônica... Com imagens em tempo real ou não, é possível interagir com outras pessoas de muitas maneiras.

Que meios vocês usam no dia a dia para se comunicar com as pessoas com quem convivem?

O ser humano sempre buscou formas de se comunicar. Dos tambores e da fumaça às comunicações a longa distância em tempo real que conhecemos hoje, como a telefonia ou a internet, a humanidade percorreu um longo caminho. Nesse percurso houve alguns marcos responsáveis por grandes transformações nas relações entre as pessoas e nas relações das pessoas com o mundo que as cerca, com o conhecimento.

Vocês sabem qual foi a primeira grande revolução nas comunicações?

Um dos marcos que transformaram não apenas a comunicação em geral, mas também os usos que se fazem da língua, foi a **invenção da escrita**. Além de permitir que as pessoas se comunicassem a distância — por meio de cartas, por exemplo —, a escrita trouxe a possibilidade do registro. Dessa maneira, tornou-se possível saber mais sobre a cultura dos povos que viveram em lugares e épocas distintas, e as descobertas e informações que antes eram transmitidas apenas oralmente puderam ser compartilhadas através dos tempos com mais pessoas. Por esses motivos, a escrita impulsionou a evolução e a propagação dos conhecimentos.

Com a escrita, veio outro grande salto nas comunicações: a **invenção da imprensa**. A prensa de tipos móveis, criada por Johannes Gutenberg, em 1451, foi um dos fatores que impulsionaram a grande revolução nas diversas áreas do conhecimento no mundo ocidental, pois permitiu a impressão de periódicos e livros.

A invenção de Gutenberg favoreceu a difusão da cultura por meio da escrita a um grande número de pessoas ao mesmo tempo. A partir desse fato, a evolução dos meios de comunicação de massa foi rápida e tem contribuído para que a propagação do conhecimento ou da informação se amplie cada vez mais.

Baseada em desenhos, a escrita hieroglífica foi empregada por civilizações antigas, como os egípcios e os maias. Trata-se provavelmente do mais antigo sistema organizado de escrita.

Escrita hieroglífica sobre papiros, que eram os suportes para a escrita usados pelas civilizações antigas.

Retrato de Johannes Gutenberg (c. 1398-1468), alemão que inventou a prensa de tipos móveis, impulsionando o início da imprensa.

Prensa de tipo móvel é um dispositivo que aplica pressão em uma superfície com tinta, transferindo-a para uma superfície de impressão.

A invenção de Gutenberg, a prensa de tipos móveis, conforme a ilustrou o artista J. L. Beuzon para o livro *Primeiro livro da História francesa*, de A. Aymard, publicado pela editora francesa Hachette em 1933.

Avanços nas comunicações

À imprensa, seguiram-se outros inventos ligados à comunicação: telégrafo, rádio, telefone, cinema, telex, televisão, computador e redes por internet, que possibilitam não só rapidez na transmissão de dados como também o acesso a eles por um número gigantesco de pessoas. E essa revolução não para...

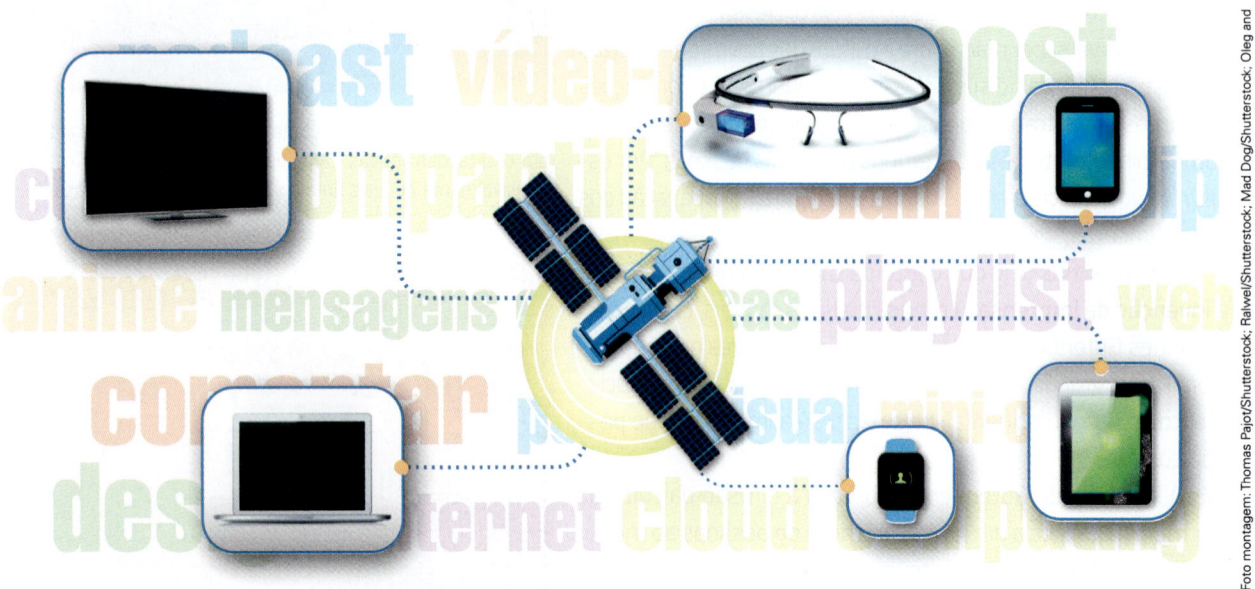

As novas tecnologias alteraram também formas de arte:

"Autorretrato", da série *Retratos de revistas*, de Vik Muniz, 2003. Fotografia de 254 cm × 182,8 cm a partir de colagem de pedaços de revistas.

Invenção da cor (Penetrável Magic Square #5), 1977, de Hélio Oiticica (1937-1980). Brumadinho, MG, 2015. A obra *Invenção da cor* é uma instalação, uma forma de arte contemporânea que utiliza elementos que constroem um ambiente, como em um cenário. Nesse tipo de obra, o espectador participa de modo ativo de sua apresentação, podendo passar por ela, percorrê-la de algum modo.

Novos formatos, novas formas de expressão estão presentes também na arte literária. Leiam estes poemas visuais:

Sérgio Capparelli/Editora Kuarup

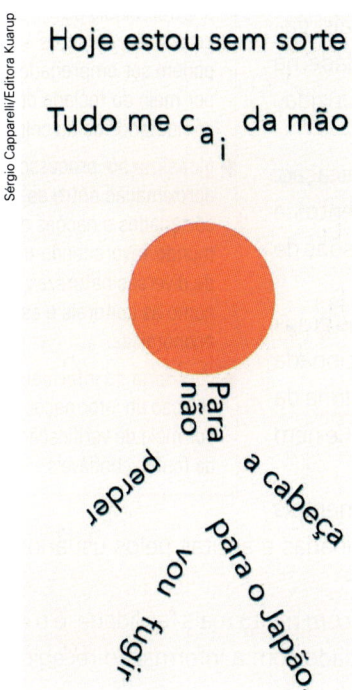

Hoje estou sem sorte
Tudo me cai da mão
Para não perder a cabeça
vou fugir para o Japão.

"Falta de sorte". CAPPARELLI, Sérgio. In: *Tigres no quintal*. Porto Alegre: Kuarup, 1989. p. 58.

Augusto de Campos/Acervo do autor

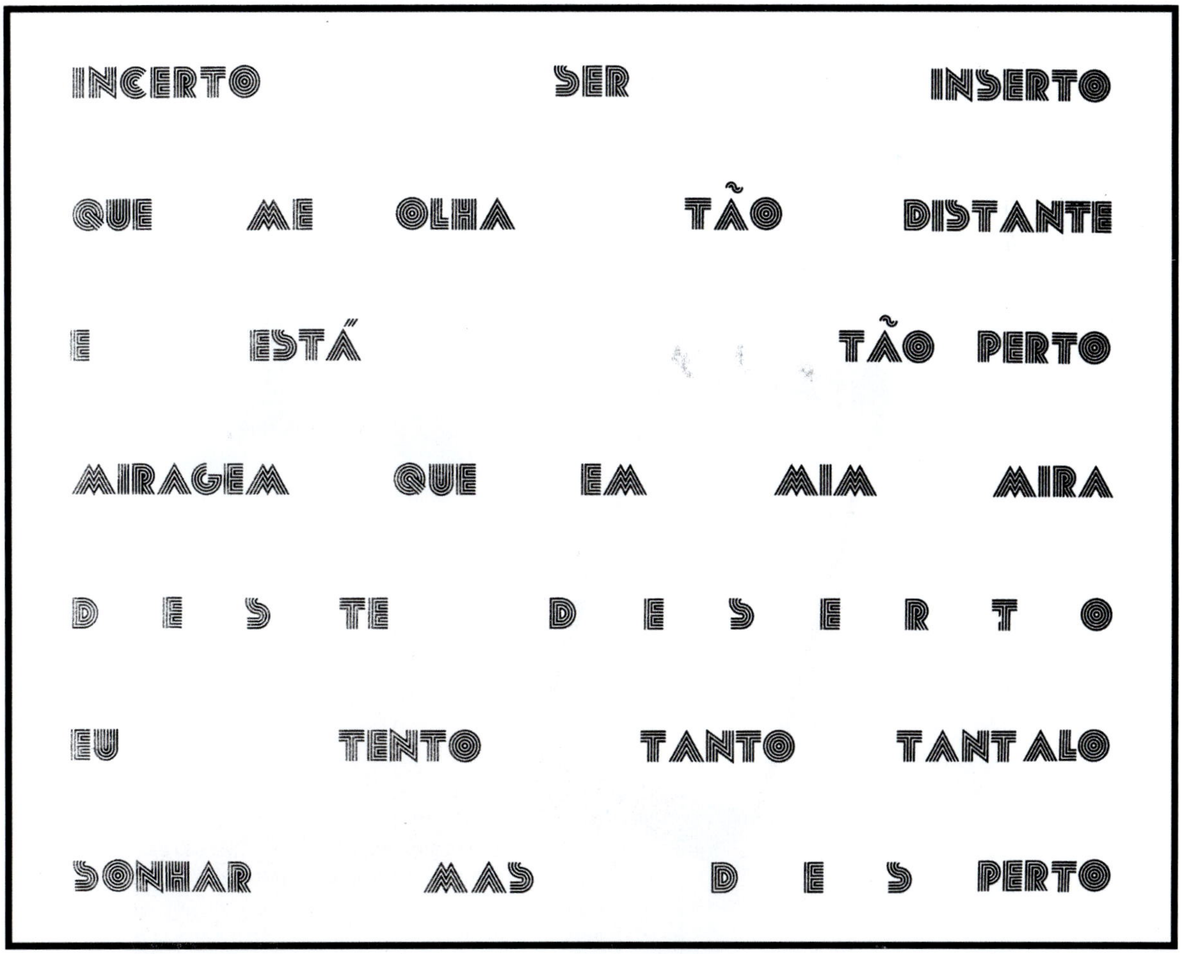
INCERTO SER INSERTO
QUE ME OLHA TÃO DISTANTE
E ESTÁ TÃO PERTO
MIRAGEM QUE EM MIM MIRA
D E S TE D E S E R T O
EU TENTO TANTO TANTALO
SONHAR MAS D E S PERTO

CAMPOS, Augusto de. "Miragem". In: *Caixa preta*. São Paulo: Edição dos autores, 1975.

Hoje, os recursos de aplicativos de mensagens instantâneas em *smartphones*, *tablets* e computadores possibilitam outra maneira de aliar texto a imagens, como o uso de figuras e de combinação de <u>caracteres</u> que representam emoções e expressões faciais, garantindo mais expressividade às conversas virtuais. Além disso, com a velocidade na comunicação, as mensagens passaram a ser mais curtas, e as palavras foram reduzidas para serem digitadas mais agilmente.

O avanço tecnológico permitiu o surgimento de redes mundiais de comunicação: trata-se da <u>globalização</u> das informações, que favorece que manifestações, eventos e catástrofes sejam compartilhados em tempo real, permitindo que milhões de pessoas de diferentes partes do mundo participem, mesmo a distância.

Entretanto, essa revolução na comunicação também trouxe problemas. Um dos grandes desafios dos dias atuais é **selecionar**, na avalanche de informações proporcionada pela internet, o que é confiável e verdadeiro. Fazer essa seleção é exercitar a <u>curadoria da informação</u>. É fundamental que os usuários dessas redes tenham consciência de que nem todos os dados ou informações que recebem são confiáveis ou verdadeiros.

Em várias partes do mundo, há instituições, pessoas e até órgãos governamentais preocupados com a veiculação de notícias falsas na internet, que são compartilhadas e aceitas pelos usuários de redes sociais sem nenhuma verificação ou reflexão crítica.

A internet favorece também que as pessoas criem e compartilhem conteúdo com muito mais facilidade: é o caso dos *posts* nas redes sociais, *vlogs*, *blogs*, *microblogs*. Portanto, além de ter cuidado com a informação recebida, é importante que os usuários tenham cuidado com o conteúdo que criam.

"Curtir", "seguir", "compartilhar"... Você sabia que um simples "curtir" em um *post* de rede social pode significar que você concorda ou aceita como verdadeiro o que está sendo veiculado?

É preciso muito cuidado ao participar de redes sociais, principalmente com relação aos seus dados pessoais, como endereço, número de telefone ou escola em que estuda: quando são expostas essas informações, podem ser utilizadas por grupos ou pessoas mal-intencionadas.

As novas tecnologias de comunicação trouxeram avanços nos campos das ciências, da medicina, da arte, do lazer... Mas vieram acompanhadas de vários perigos, entre eles o controle e o monitoramento de tudo o que se faz por meio das redes de comunicação.

> **caractere:** na informática, é cada um dos símbolos – letras, sinais de pontuação, números – que podem ser empregados por meio do teclado do computador ou do celular.

> **globalização:** processo de aproximação entre as sociedades e nações do mundo, favorecendo trocas de diversas naturezas, como as culturais e as econômicas.

> **curadoria da informação:** seleção de informações por meio de verificação de fontes confiáveis.

A letra da canção "Admirável *chip* novo", da cantora Pitty, propõe uma reflexão sobre esse controle. Leiam a seguir e, caso conheçam a melodia, cantem juntos.

Admirável *chip* novo
Pitty

Pane no sistema, alguém me desconfigurou
Aonde estão meus olhos de robô?
Eu não sabia, eu não tinha percebido
Eu sempre achei que era vivo

Parafuso e fluido em lugar de articulação
Até achava que aqui batia um coração
Nada é orgânico, é tudo programado
E eu achando que tinha me libertado

Mas lá vêm eles novamente, eu sei o que vão fazer
Reinstalar o sistema

Pense, fale, compre, beba
Leia, vote, não se esqueça
Use, seja, ouça, diga
Tenha, more, gaste, viva

Pense, fale, compre, beba
Leia, vote, não se esqueça
Use, seja, ouça, diga

Não, senhor, sim, senhor
Não, senhor, sim, senhor

Estúdio Tambor, Rio de Janeiro, 2003.
Gravadoras Deckdisc/Polysom.

> **orgânico:** aquilo que pertence ao organismo de um ser vivo.

Carlos Araujo/Arquivo da editora

Tiago Queiroz/Agência Estado

Pitty, nome artístico de Priscilla Novaes Leone, nasceu em 1977, em Salvador, Bahia. É cantora, compositora, escritora, instrumentista e apresentadora, considerada uma das representantes do *rock* nacional contemporâneo.

Reprodução/Polysom

▶ Conversem sobre as questões a seguir.
   a) Nesta introdução, vocês leram sobre compartilhamento de informações. Que ideias a letra de canção de Pitty acrescenta ao que foi lido?
   b) Comentem se gostaram ou não da letra dessa canção e justifiquem a posição de vocês. Não se esqueçam de respeitar posições diferentes das suas.

UNIDADE

1

Transgressões de linguagem e multiplicidade de sentidos

Você já se sentiu como se fosse dois: um que vive a realidade e outro que quase ninguém conhece, que sonha, sente, imagina, voa...?
Já tentou escrever sobre isso?
Que linguagem seria melhor para expressar o que está nesse seu outro lado que quase ninguém conhece?

Nesta unidade você vai:

- ler e interpretar poemas em linguagem verbal e poemas que misturam linguagem verbal e não verbal;
- identificar recursos estilísticos em poemas;
- produzir poema visual e poema inspirado por jogo de palavras;
- produzir *e-zine* com os poemas da turma;
- relacionar entonação à pontuação;
- declamar poemas;
- identificar figuras de linguagem e outros recursos estilísticos;
- diferenciar sinônimos, antônimos, parônimos, homônimos e palavras polissêmicas.

POEMA

O avanço tecnológico e o aperfeiçoamento dos meios de comunicação trazem para o nosso cotidiano transformações que acabam alterando nosso jeito de empregar as linguagens em geral e, entre elas, a língua.

Nesta unidade, você vai ler vários poemas e observar as escolhas de linguagem utilizadas para traduzir emoções, estranhamentos, dúvidas, desilusões ou expectativas que, de formas diferentes, refletem mudanças cada vez mais rápidas da realidade e, consequentemente, das formas de expressão.

Será que é fácil traduzir nossas emoções, transpor em palavras o que sentimos, revelar nosso ser, nossos pensamentos, nossos valores, nossos segredos, nossas contradições, nossos conflitos, nossos sonhos?

O poeta Ferreira Gullar faz desse desafio um poema. Leia:

◣ Leitura

Poema em linguagem verbal

Traduzir-se

Ferreira Gullar

Uma parte de mim
é todo mundo:
outra parte é ninguém:
fundo sem fundo.

Uma parte de mim
é multidão:
outra parte estranheza
e solidão.

Uma parte de mim
pesa, <u>pondera</u>:
outra parte
<u>delira</u>.

Uma parte de mim
almoça e janta:
outra parte
<u>se espanta</u>.

> **ponderar:** considerar, examinar com atenção; refletir.
>
> **delirar:** estar ou ficar fora de si; disparatar.
>
> **espantar-se:** encher-se de admiração, maravilhar-se, assustar-se, surpreender-se.

Filipe Rocha/Arquivo da editora

Uma parte de mim
é permanente:
outra parte
se sabe de repente.

Uma parte de mim
é só <u>vertigem</u>:
outra parte,
linguagem.

Traduzir uma parte
na outra parte
— que é uma questão
de vida ou morte —
será arte?

GULLAR, Ferreira. Traduzir-se. In: *Os melhores poemas de Ferreira Gullar*. Seleção e apresentação de Alfredo Bosi. 6. ed. São Paulo: Global, 2000. p. 144-145. © Ferreira Gullar.

Filipe Rocha/Arquivo da editora

▶ **vertigem:** sensação de que tudo gira ao redor de si, tontura, desfalecimento; desvario.

Ana Carolina Fernandes/Folhapress

Ferreira Gullar é pseudônimo de José Ribamar Ferreira, que nasceu em São Luís, no Maranhão, em 1930. Aos 18 anos já era colaborador no *Diário de S. Luís*. Aos 19 anos publicou seu primeiro livro de poemas. Dois anos depois, mudou-se para o Rio de Janeiro, onde trabalhou como revisor de textos e crítico de arte. Foi um dos mais importantes representantes do Concretismo, movimento artístico que valoriza o poema-objeto, com aproveitamento de recursos sonoros e visuais. Faleceu na cidade do Rio de Janeiro em 2016.

Reprodução/Editora Global

Interpretação do texto

Compreensão inicial

1▸ No caderno, copie a alternativa que apresenta uma afirmação correta em relação à organização do poema "Traduzir-se", de Ferreira Gullar.

a) Tem 7 estrofes e todas têm 4 versos.

b) Tem 6 estrofes de 4 versos e uma estrofe de 5 versos.

c) Tem 7 estrofes de 4 versos e uma estrofe de um verso.

d) Tem 4 estrofes e todas têm 7 versos.

e) Tem 5 estrofes de 4 versos e 2 estrofes de 5 versos.

2▸ **Com a turma toda.** A palavra *traduzir* geralmente é empregada com o sentido de "transpor de uma língua para outra". Mas pode significar também "revelar, deixar transparecer, explicar, transparecer, manifestar". Responda: Qual significado a palavra *traduzir* pode ter no poema? Explique sua escolha aos colegas e conversem sobre o significado que cada um atribuiu a essa palavra no texto.

O autor do poema é o poeta Ferreira Gullar. Ele foi o responsável pela criação das rimas, pela organização das palavras em versos e estrofes, assim como pela escolha dos recursos de linguagem do texto poético. Entretanto, o autor não deve ser confundido com a "voz que fala no poema". Essa voz é denominada **eu lírico**. É o eu lírico quem fala, sente, sonha, deseja no poema.

> **Eu lírico**, ou **eu poético**, é como nomeamos a voz que fala no poema, também chamada de **voz poética**. O eu lírico não se confunde com o poeta, pois pode se manifestar no poema com gênero, idade, personalidade e demais características diferentes das do autor.

3▸ No poema escrito por Ferreira Gullar, o eu lírico está dividido em duas partes: um **eu** que se mostra mais social e um **eu** mais escondido, mais solitário. Responda em seu caderno:

a) Que dificuldade essa divisão causa ao eu lírico?

b) O que essa dificuldade pode representar para o eu lírico?

4▸ Parece que ao final o eu lírico deixa uma pista sobre como "traduzir" uma parte na outra parte. Que pista pode ser essa?

Linguagem e construção do texto

1▸ No poema "Traduzir-se", de Ferreira Gullar, o eu lírico está dividido em duas partes: "uma parte de mim" e "outra parte". Vamos concretizar essa ideia. Preencha adequadamente, no quadro a seguir, cada coluna com palavras ou expressões retiradas das seis primeiras estrofes, dando sequência ao que já está registrado.

Uma parte	Outra parte
todo mundo	ninguém

2▸ Analise as duas colunas do quadro para responder às questões a seguir. Assinale as alternativas que considerar mais adequadas.

a) Pode-se afirmar que entre as duas colunas se estabelecem relações de:
- semelhança;
- oposição.

Explique sua escolha.

b) Considerando sua resposta ao item anterior, é possível concluir que os recursos estilísticos mais utilizados para estruturar as estrofes do poema são:
- hipérbole e repetição de palavras;
- antítese e aliteração;
- antítese e repetição de palavras;
- repetição de palavras e personificação.

Filipe Rocha/Arquivo da editora

3▸ Com os termos *todo mundo* e *multidão*, o eu lírico expressa o seu lado social, que convive com as pessoas e segue as regras da sociedade. E com as palavras *ninguém* e *solidão*, que lado ele pretende revelar?

4▸ *Ponderar* quer dizer "examinar com atenção", "avaliar", "refletir sobre alguma coisa". *Delirar* quer dizer "sair de si", "estar em estado de alucinação", "agir de forma confusa, sem organização, sem pensar". Na sua opinião, é possível ter esses dois lados ao mesmo tempo?

5▸ Releia a penúltima estrofe do poema:

> Uma parte de mim
> é só **vertigem**:
> outra parte,
> linguagem.

Leia o sentido da palavra *vertigem*: tonteira, tontura, sensação de desfalecimento, de desmaio ou fraqueza; perda momentânea do autocontrole. Agora, responda: Por que o eu lírico coloca esses dois aspectos lado a lado, **vertigem** e **linguagem**?

6▸ Releia a última estrofe e responda às perguntas no caderno.

> Traduzir uma parte
> na outra parte
> — que é uma questão
> de vida ou morte —
> será arte?

a) Explique com suas palavras o provável significado de "Traduzir uma parte / na outra parte".

b) Nem sempre é fácil agir de acordo com um desejo pessoal (lado individual) quando se está em grupo (lado social). Em sua opinião, fazer duas partes diferentes se entrosarem "é uma questão de vida ou morte"? Explique sua ideia.

c) Releia: "Traduzir uma parte / na outra parte [...] será arte?". Você acha que o eu lírico conseguiu "traduzir-se", isto é, revelar-se com sua arte? Qual arte ele utilizou para fazer isso? Compare sua resposta com a dos colegas.

Hora de organizar o que estudamos

▸ Copie o esquema no caderno. Converse com os colegas sobre o provável público-alvo e sobre os prováveis leitores de poemas e complete o quadro correspondente.

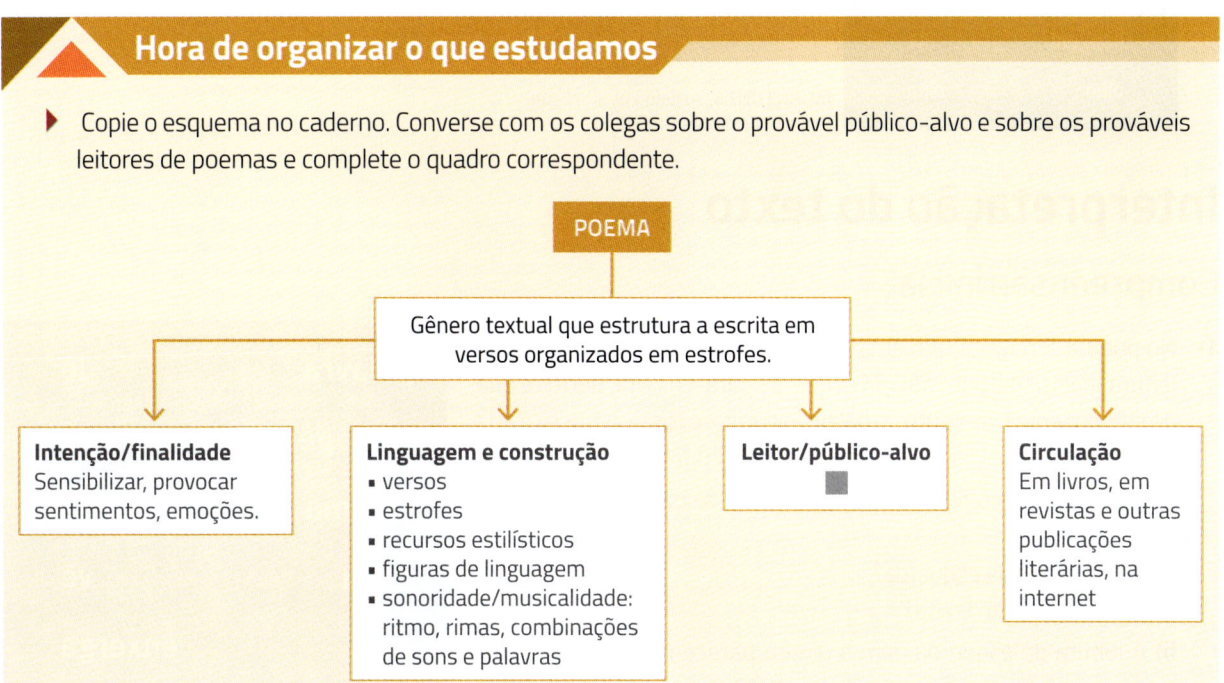

POEMA

Gênero textual que estrutura a escrita em versos organizados em estrofes.

Intenção/finalidade
Sensibilizar, provocar sentimentos, emoções.

Linguagem e construção
- versos
- estrofes
- recursos estilísticos
- figuras de linguagem
- sonoridade/musicalidade: ritmo, rimas, combinações de sons e palavras

Leitor/público-alvo

Circulação
Em livros, em revistas e outras publicações literárias, na internet

Poema em linguagem verbal e não verbal

A seguir, você vai ler poemas em que interagem a linguagem verbal e a linguagem não verbal. Com o desenvolvimento da tecnologia de impressão gráfica, a **disposição das palavras** e a **exploração do espaço** no papel, passaram a ter importância na significação de muitos poemas. Assim, para que o sentido de alguns poemas seja apreendido, não basta ouvi-los, é também necessário visualizá-los na página impressa.

Leia dois poemas criados com base nessa ideia. Um deles foi elaborado por Arnaldo Antunes, depois foi musicado por Péricles Cavalcanti e gravado pelo próprio Arnaldo no seu CD *Nome*. O outro é de Ronaldo Azeredo e foi construído pela associação entre diferentes significados e pela disposição das palavras na página.

Texto 1

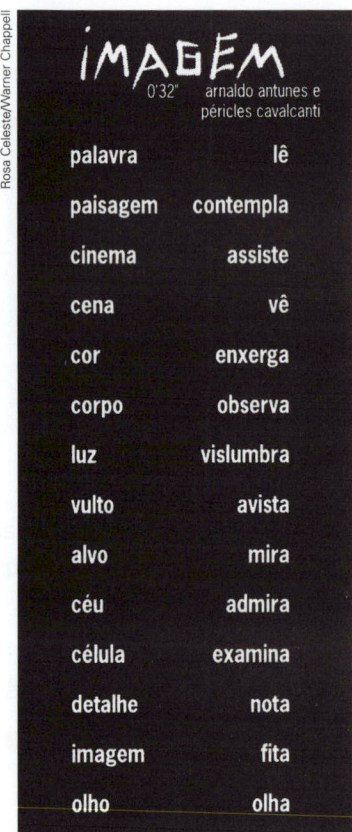

IMAGEM 0'32" arnaldo antunes e péricles cavalcanti

palavra	lê
paisagem	contempla
cinema	assiste
cena	vê
cor	enxerga
corpo	observa
luz	vislumbra
vulto	avista
alvo	mira
céu	admira
célula	examina
detalhe	nota
imagem	fita
olho	olha

In: ANTUNES, Arnaldo et al. *Nome*. [S.l.]: BMG Ariola, 1993.

Arnaldo Antunes nasceu em São Paulo, em 1960. É músico, poeta e artista visual. Tornou-se conhecido por sua participação no grupo de *rock* Titãs.

Péricles da Rocha Cavalcanti nasceu no Rio de Janeiro, em 1947. É compositor, cantor e cineasta.

Interpretação do texto

Compreensão inicial

1 ▸ No poema "Imagem", em um primeiro momento, o movimento de leitura mais usual para nós, da esquerda para a direita, permite que o leitor observe o conjunto de palavras como se fossem frases, cada uma formando um verso. Reveja, ao lado, um trecho do poema.

   a) Em seu caderno responda: A que classe de palavras pertencem os termos:
   - da coluna da esquerda?
   - da coluna da direita?

   b) A leitura da esquerda para a direita parece formar frases que causam certo estranhamento. Por quê?

palavra	lê
paisagem	contempla
cinema	assiste
cena	vê
cor	enxerga

2▸ Retome o poema "Imagem" e observe as palavras de cada coluna.

a) Há um significado comum a todas as palavras da coluna da direita. Que significado é esse?

b) Que possível relação há entre o significado comum a todas as palavras da coluna da direita e as palavras da coluna da esquerda?

c) Relacione a resposta aos itens anteriores com o título do poema: "Imagem". O que é possível perceber?

3▸ Com a turma toda. Há outros modos de ler o poema, percorrendo o texto em direções diferentes? Que leitura você sugere? Converse com os colegas e o professor a esse respeito.

Texto 2

ruaruaruasol
ruaruasolrua
ruasolruarua
solruaruarua
ruaruaruas

Ronaldo Azeredo — 1957

© Literatura comentada – poesia concreta/Arquivo da editora

AZEREDO, Ronaldo. In: *Poesia concreta*. Seleção de textos Iumna Maria Simon e Vinicius de Avila Dantas. São Paulo: Abril Educação, 1962. [s.p.] (Literatura Comentada).

▶ **poesia concreta:** no fim dos anos 1950, alguns poetas se manifestaram no Brasil a favor de uma renovação da poesia. Eles produziam poemas em que as palavras ganhavam uma disposição mais solta no papel ou em outro suporte. Assim, exploravam a visualização do poema trabalhando a forma e o tamanho das letras, os espaços em branco no papel, fazendo com que o espaço gráfico fosse fundamental na organização do poema. Essa proposta, denominada poesia concreta, é adotada ainda por poetas do século XXI.

Reprodução/<www.escamandro.wordpress.com>

Ronaldo Azeredo nasceu no Rio de Janeiro em 1937. Foi um poeta brasileiro que participou do lançamento oficial da poesia concreta em 1956. Na década de 1970, fez poesia em pano, poemas-mapa, poemas-desenho, poemas-partitura e poemas-quebra-cabeça. Faleceu em São Paulo, em 2006, sem ter seus poemas publicados em livro de sua autoria.

Interpretação do texto

Compreensão inicial

1▸ Sobre o poema de Ronaldo Azeredo, responda às questões a seguir:

a) Que palavra(s) se repete(m) no poema?

b) Qual das palavras é empregada apenas uma vez em cada um dos quatro primeiros versos?

c) Fixe seu olhar na palavra *sol* do primeiro verso. Siga-a nos demais versos. O que você observa?

2▸ Considerando a trajetória do Sol em um dia, o que se pode deduzir sobre o poema quanto:

- à colocação inicial da palavra *sol*, à direita do primeiro verso?
- ao deslocamento da palavra *sol* para a esquerda?
- à ausência da palavra *sol* no último verso?

3▸ Que imagem pode ser formada pelo leitor a partir da observação do movimento das palavras no poema?

4▸ Em sua opinião, o que pode explicar o uso da letra **s** junto da palavra *rua*, no fim do último verso? Assinale as alternativas que considerar adequadas.

a) O poema quis mostrar que o plural de *rua* é *ruas*.

b) Eram muitas ruas.

c) O Sol começa a nascer novamente.

d) Restam apenas as ruas depois do pôr do Sol.

e) Faltaram letras para continuar o poema.

Comparando o texto 1 ao texto 2

1▸ O que causa estranhamento na estrutura dos poemas 1 e 2?

2▸ Compare os dois poemas lidos. Apenas um deles tem título.

a) Que efeito o título "Imagem" do texto 1 provoca?

b) O que a ausência de título do texto 2 pode causar?

Texto 3

Leia um poema construído pela associação de **palavras** e **imagem**. Observe de que forma o desenho — a linguagem visual — pode acrescentar sentidos ao texto verbal, ampliando seus significados. Trata-se de um **poema visual**, que combina a linguagem verbal e a linguagem visual — desenhos, fotos, formas geométricas, etc.

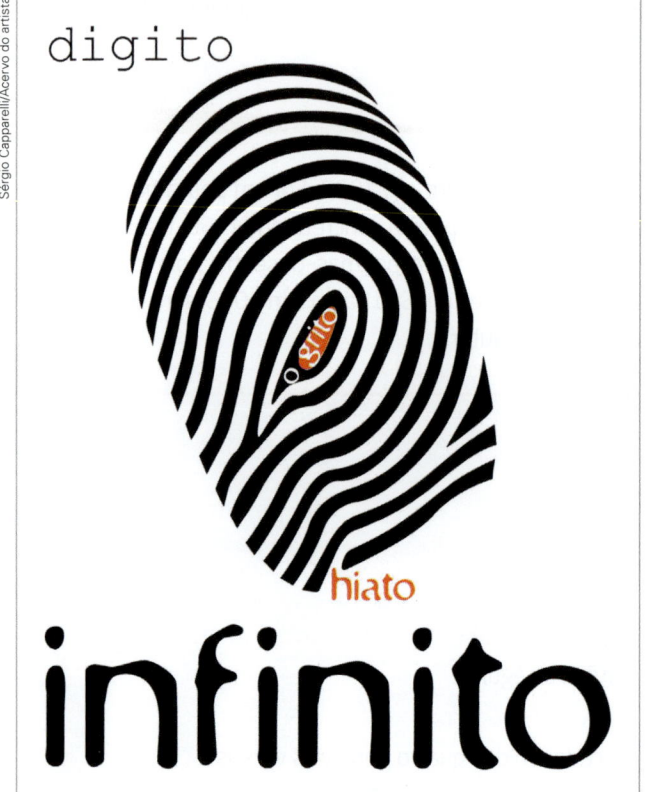

Sérgio Capparelli/Acervo do artista

Maria Alice Pimenta/Acervo do escritor

Sérgio Capparelli nasceu em Uberlândia, Minas Gerais, em 1947. É jornalista, professor universitário e escritor. Já publicou diversos livros, boa parte deles voltada para os públicos infantil e juvenil.

CAPPARELLI, Sérgio. *Poesia visual.* São Paulo: Global, 2002. p. 25.

Interpretação do texto

Compreensão inicial

1▸ Ao ler o poema de Sérgio Capparelli, o que chamou sua atenção primeiro? Por quê? Escreva no caderno.

2▸ Considere o verbo usado no alto da imagem formada pelo poema e responda no caderno:

a) Qual é o sujeito desse verbo?

b) Quais significados podem estar ligados a essa palavra?

3▸ A maior parte do poema é formada pela imagem de uma impressão digital. Responda no caderno: Que sentidos esse desenho cria no poema?

4▸ Há cinco palavras no poema. Observe o tamanho e o formato delas e responda às questões em seu caderno.

a) Qual das palavras ocupa o maior espaço no poema?

b) Ao fazer essa palavra ocupar todo esse espaço no poema, que efeito o poeta provoca?

c) Qual expressão ocupa o centro do poema?

d) Em sua opinião, que efeito o poeta provoca ao fechar essa expressão dentro da impressão digital?

5▸ Leia o significado da palavra *hiato*: "lacuna, fenda, espaço, separação". No poema, a palavra *hiato* está entre a impressão digital e a palavra *infinito*. Responda no caderno: O que a organização desses elementos no papel pode significar?

6▸ Considerando o que você observou no poema visual de Sérgio Capparelli, assinale a(s) alternativa(s) com o(s) tema(s) que pode(m) se relacionar ao texto.

a) Solidão e isolamento.

b) Alegria e amizade.

c) Amizade virtual e amizade real.

d) Dificuldade de comunicação e identidade.

7▸ Conversem sobre se há mais algum tema que poderia ser relacionado a esse poema.

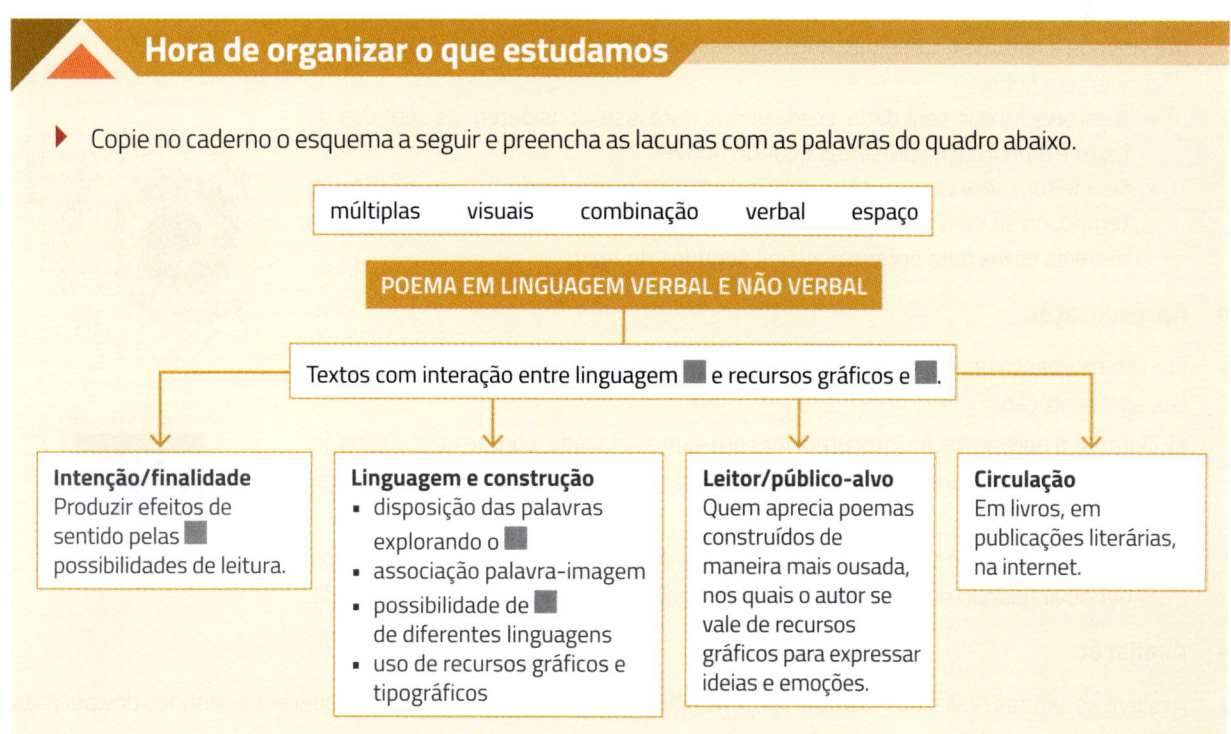

Hora de organizar o que estudamos

▸ Copie no caderno o esquema a seguir e preencha as lacunas com as palavras do quadro abaixo.

| múltiplas | visuais | combinação | verbal | espaço |

POEMA EM LINGUAGEM VERBAL E NÃO VERBAL

Textos com interação entre linguagem ▩ e recursos gráficos e ▩.

Intenção/finalidade
Produzir efeitos de sentido pelas ▩ possibilidades de leitura.

Linguagem e construção
- disposição das palavras explorando o ▩
- associação palavra-imagem
- possibilidade de ▩ de diferentes linguagens
- uso de recursos gráficos e tipográficos

Leitor/público-alvo
Quem aprecia poemas construídos de maneira mais ousada, nos quais o autor se vale de recursos gráficos para expressar ideias e emoções.

Circulação
Em livros, em publicações literárias, na internet.

Prática de oralidade

Conversa em jogo

A arte e a expressão de emoções, pensamentos, sensações...

Nos textos em estudo na seção *Leitura*, foi possível observar diversas maneiras da expressar ideias e sentimentos por meio de poemas, usando apenas a linguagem verbal ou complementando-a com recursos visuais.

Converse com os colegas sobre estas questões:

1▸ Na sua opinião, precisamos traduzir o que sentimos e pensamos por meio da linguagem, mesmo que seja só para nós mesmos? Por quê?

2▸ A arte permite que nos expressemos por meio de várias linguagens: poema, música, pintura, dança, teatro, entre outras. Para você, qual é a forma de arte que melhor pode expressar o que está no "fundo sem fundo", ou seja, no seu interior, no seu íntimo?

3▸ Você provavelmente já ouviu a expressão "fazer arte" em frases como estas:

> Aquele menino só apronta: é uma arte atrás da outra.
> Você não pode ficar sozinha aqui porque é muito arteira.

Qual é a razão de as pessoas empregarem o termo *arte* nessas situações?

Declamação de poemas

Você e seus colegas de turma vão declamar alguns dos poemas lidos nesta unidade. Para isso, sigam as orientações propostas abaixo.

» **Preparação para a declamação**

▸ Formem pequenos grupos para realizar a leitura dos textos 1 e 2.

a) Alguns grupos farão a leitura expressiva do poema "Traduzir-se", de Ferreira Gullar, e outros a leitura do poema "Imagem", de Arnaldo Antunes.

b) Para que a leitura se torne bastante expressiva e significativa, antes de ensaiá-la, conversem sobre:

- a entonação que será dada a cada verso. Para isso, considerem os sentidos do texto e a pontuação presente, quando houver.
- se a leitura será em uníssono, isto é, todos do grupo lendo o texto ao mesmo tempo, ou se será uma leitura jogralizada, fazendo-se diferentes combinações entre as vozes para enfatizar alguns sentidos do texto.

» **Apresentação**

▸ Em um momento previamente combinado com o professor, cada grupo deve fazer sua apresentação.

a) Durante a apresentação, procurem ler com expressividade, conforme combinado. Lembrem-se de manter uma postura corporal adequada à situação de fala voltada para o público.

b) Não se esqueçam do silêncio e estejam atentos durante a apresentação dos grupos. Saber ouvir quando estamos reunidos é uma habilidade que precisa ser exercitada.

» **Avaliação**

▸ Avaliem as leituras realizadas: Quais grupos, na opinião de vocês, conseguiram enriquecer os sentidos dos poemas por meio da entonação expressiva dos versos?

Minha biblioteca

Galáxias. Haroldo de Campos. Editora 34. Livro e CD.
Haroldo de Campos é um dos mais representativos autores da poesia concretista no Brasil. Seu livro *Galáxias* foi escrito ao longo de treze anos. A leitura de fragmentos dos poemas dessa obra foi gravada em áudio pelo autor para o CD *Isto não é um livro de viagem*.

Reprodução/Editora 34

Reprodução/Haroldo de Campos

Outras linguagens: Pintura e colagem

Observe como o artista plástico Ismael Nery traduziu-se em um autorretrato:

Reprodução/Coleção particular

Ismael Nery nasceu em Belém, no Pará, em 1900, foi pintor e desenhista. Em viagem à Europa (1927), entrou em contato com uma das figuras mais importantes do movimento surrealista, Marc Chagall, que influenciou seus trabalhos. Ismael é considerado o primeiro surrealista brasileiro. Faleceu no Rio de Janeiro em 1934.

surrealista: relativo ao Surrealismo, movimento da arte e da literatura que defendia a espontaneidade da expressão, para que prevalecessem o inconsciente e o sonho.

Autorretrato, de Ismael Nery, 1927. Óleo sobre tela, 129 cm × 84 cm.

1 ▸ Converse com os colegas sobre o que vocês veem na imagem, observando:

- a figura do homem em primeiro plano;
- os elementos da paisagem ao fundo;
- o perfil de dois rostos que ladeiam a cabeça do homem em primeiro plano e que parecem pressioná-la;
- a diferença entre as paisagens em que cada um dos rostos de perfil parece estar inserido;
- o título dado ao quadro, *Autorretrato*, que é uma forma de representação do **eu** retratado na pintura.

2 ▸ Ismael Nery denominou esse quadro de *Autorretrato*. Na sua opinião, que dado biográfico do artista pode se relacionar com os elementos que compõem o cenário desse quadro?

3 ▸ No poema "Traduzir-se", de Ferreira Gullar, o **eu** está dividido entre um **eu** que se mostra, que é mais social ("todo mundo"), e um **eu** mais escondido, solitário ("ninguém"). Na sua opinião, podem ser estabelecidas relações entre esse poema e o quadro *Autorretrato*, de Ismael Nery?

Nesta unidade, você leu poemas em que a disposição das palavras não segue um padrão convencional. De forma geral, elas foram justapostas, criando um sentido diferente. Um processo semelhante de criação pode ser observado nas artes plásticas. Você verá a seguir obras que reúnem elementos visuais em uma colagem.

Observe abaixo dois exemplos de colagem, criados por artistas de lugares e de épocas diferentes:

▶ **justaposto:** que está junto ou próximo.

▶ **colagem:** é o nome dado à criação visual que utiliza a composição feita a partir do uso de matérias de diferentes texturas, superpostas ou colocadas lado a lado, para criar uma imagem.

Kurt Schwitters/Museu de Arte Moderna da Cidade de Paris, França.

▷ *Espelho-colagem*, Kurt Schwitters, 1920-1922.

Kurt Schwitters nasceu em Hannover, na Alemanha, em 1887. Foi poeta e pintor. Faleceu em 1948.

Eduardo Brandão/Coleção Theodorino Torquato Dias e Carmen Bezerra Dias, São Paulo, SP.

▷ *Puros e duros*, Leonilson, 1991. Bordado e pedras sobre tecido, 15,5 cm × 8,5 cm.

José Leonilson Bezerra Dias nasceu em Fortaleza, no Ceará, em 1957. Foi artista plástico, pintor e escultor. Faleceu em 1993.

No quadro abaixo, observe os elementos dessas duas criações artísticas.

Características	Obra *Espelho-colagem*	Obra *Puros e duros*
Objetos do cotidiano usados como "tela"	Espelho.	Pedaço de tecido, pano.
Reunião de objetos para compor a obra	Escolha de folhas, recortes de jornais e revistas, galhos, pedaços de cerâmica que parecem fazer parte do cotidiano.	Escolha de tecido, pedras, arame trançado e linha de bordar.
Técnica usada	Colagem de elementos sobrepostos.	Costura e bordado dos elementos, de forma espaçada.
Presença da linguagem verbal	Palavras incompletas, que desafiam o leitor a fazer relações e produzir hipóteses de sentido e significados.	Palavras e expressões que desafiam o leitor a fazer relações e produzir hipóteses de sentido e significados.

4▶ Conversem sobre o que cada um achou dessas obras: se houve uma cujo resultado agradou mais do que outra, que ideias ou sensações elas despertaram.

Haicai: um poema de três versos

A concentração de sentidos no mínimo espaço de texto sempre existiu. Essa concentração caracteriza, por exemplo, o **haicai**, poema de origem japonesa composto de apenas três versos. O haicai costuma apresentar como tema momentos captados da natureza ou do cotidiano. Nesta página, você vai ler dois haicais, separados no tempo por três séculos.

A seguir, há uma tradução do poeta Oldegar Franco Vieira para um haicai do poeta japonês Bashô, escrito originalmente no século XVII.

Ploc! Uma rã pula
no silêncio da lagoa
e o silêncio ondula

BASHÔ. In: VIEIRA, Oldegar
Franco. *Gravuras no vento.*
São Paulo: Massao Ohno, 1994.

1 ▸ Que palavra se repete nesse haicai?

2 ▸ Que palavra do haicai representa uma oposição a essa palavra que se repete? Explique.

Este haicai, do poeta paranaense Paulo Leminski, foi escrito no século XX.

Vazio agudo
Ando meio
Cheio de tudo

LEMINSKI, Paulo. *Melhores
poemas.* São Paulo: Global,
2001. p. 195.

3 ▸ A forma verbal *ando* (do verbo *andar*) tem qual sentido nesse haicai? Assinale a opção que considerar adequada.

a) Caminhar, dar passos.

b) Portar-se de determinado modo.

4 ▸ O outro sentido do verbo *andar* pode estar relacionado com a disposição visual do haicai. Explique essa afirmação.

Poemas de diferentes épocas

A velocidade e a economia da linguagem, aliadas à possibilidade de múltiplos significados, sempre fascinaram o ser humano. Assim, produções poéticas de tempos anteriores ao da comunicação eletrônica já apresentavam uma linguagem rápida, objetiva e muitas vezes transgressora de alguns padrões mais convencionais. Leia a seguir quatro poemas de diferentes épocas.

Da primeira metade do século XX

O escritor paulistano Oswald de Andrade viveu de 1890 até 1954 e é um dos principais nomes do Modernismo no Brasil. Os escritores ligados a esse estilo propunham um modo de produzir poemas e prosa com base na precisão da linguagem: poucas palavras, de modo que ajudassem o leitor a formar logo uma ideia do que se queria dizer.

Ilustrações: Filipe Rocha/Arquivo da editora

Leia a seguir o poema "Balada do Esplanada", do escritor Oswald de Andrade. Observe a organização do poema: ele é longo, mas composto de versos curtos.

Balada do Esplanada

Oswald de Andrade

Ontem à noite
Eu procurei
Ver se aprendia
Como é que se fazia
Uma balada
Antes de ir
Pro meu hotel.

É que este
Coração
Já se cansou
De viver só
E quer então
Morar contigo
No Esplanada.

Eu qu'ria
Poder
Encher
Este papel
De versos lindos
É tão distinto
Ser menestrel

No futuro
As gerações
Que passariam
Diriam
É o hotel
Do menestrel

Pra m'inspirar
Abro a janela
Como um jornal
Vou fazer
A balada
Do Esplanada
E ficar sendo
O menestrel
De meu hotel

Mas não há poesia
Num hotel
Mesmo sendo
'Splanada
Ou Grand-Hotel

Há poesia
Na dor
Na flor
No beija-flor
No elevador

Oferta:

Quem sabe
Se algum dia
Traria
O elevador
Até aqui
O teu amor

> **balada:** composição poética popular antiga, acompanhada ou não de música.
>
> **menestrel:** na Idade Média, poeta e músico ambulante.

ANDRADE, Oswald de. *A alegria é a prova dos nove*. Rio de Janeiro: Globo, 2001.

▶ O eu lírico está em um hotel e pretende escrever um poema sentimental. Ele afirma que "há poesia na dor, na flor, no beija-flor, no elevador".

a) Considerando que, para escrever um poema sentimental, é comum o eu lírico se inspirar em objetos poéticos relacionados a sensibilidade e beleza, qual desses elementos citados por ele parece ser incomum, estranho como objeto poético?

b) De que modo o eu lírico justifica esse objeto poético incomum como elemento capaz de despertar a inspiração poética?

Da segunda metade do século XX

O carioca Chacal, apelido de Ricardo Duarte, nasceu no Rio de Janeiro em 1951. Seus poemas também costumam ter versos curtos, em geral sugerindo ideias divertidas.

Sara
Chacal

Se sara sarar d● saramp●
sara será sereia
p●is sara nã● é feia
emb●ra nã● seja um anj●
merece um s●l● de banj●

CHACAL. *Letra elétrika.*
Rio de Janeiro:
Diadorim, 1994.

Ilustrações: Filipe Rocha/
Arquivo da editora

1▸ Nesse poema foi usado um recurso gráfico que substitui uma letra em várias palavras. Explique essa afirmação.

2▸ Que efeito o uso desse recurso gráfico provoca no poema?

O poeta mineiro Antônio Carlos de Brito, conhecido como Cacaso, viveu de 1944 a 1987. Em seus textos, já fazia referência ao consumo de publicações populares, como as fotonovelas. Brincava com a língua empregando variados recursos de escrita, muitos deles incomuns na época.

Leia um de seus poemas a seguir.

Fotonovela
Cacaso

Quando você quis eu não quis
Qdo eu quis você ñ quis
Pensando mal quase q fui
Feliz

CACASO. *Lero-lero.* São Paulo/
Rio de Janeiro: Cosac & Naify/
7 Letras, 2002.

3▸ Que recurso de escrita foi usado nesse poema, semelhante ao que se costuma empregar nesta nossa era da comunicação eletrônica?

Do início do século XXI

O escritor mineiro Leo Cunha nasceu em 1966. Além de escrever diversos livros infantis e juvenis, gosta de compor poemas associando recursos da linguagem verbal e da linguagem visual. Observe este:

Leo Cunha/Editora Paulinas

CUNHA, Leo. *XXII!!*. São Paulo: Paulinas, 2003.

▶ O emprego de recursos visuais tem importância fundamental na construção desse poema.

a) Na sua opinião, qual é a importância da imagem do *mouse* nessa produção?

b) Que efeito é provocado pelo uso de duas cores diferentes nas letras do texto?

Da Antiguidade: 300 a.C.

Embora possa parecer novidade para algumas pessoas, o uso de recursos visuais na composição de um poema ocorre há muito tempo. A seguir, você pode ver um poema escrito em 300 a.C., em grego, pelo poeta Símias, de Rodes, na Grécia. O título é "O ovo" e tem os versos organizados na forma de um ovo:

Símias de Rodes/Editora Ática

MENEZES, Philadelpho. *Poesia concreta e visual*. São Paulo: Ática, 1998. p. 64.

 **De olho na tela**

O carteiro e o poeta. **Buena Vista Picture. DVD** Neste filme de ficção, o poeta chileno Pablo Neruda fica exilado em uma ilha da Itália. Lá, começa uma amizade com o carteiro encarregado de suas correspondências, que lhe pede ajuda para aprender a escrever versos e conquistar uma moça do povoado.

Cecchi Gori Group Tiger Cinematografica/ Photo 12/Glow Images

⬛ Língua: usos e reflexão

Recursos expressivos no poema

Um aspecto do texto que nos faz reconhecer um poema à primeira vista é sua organização em **versos**.

Outra característica marcante do poema é a **sonoridade**, isto é, a musicalidade obtida com base nas combinações de ritmos e de palavras que produzem efeitos de harmonia sonora e sentido.

De acordo com seus propósitos de comunicação, o escritor faz escolhas de linguagem (palavras, pontuação, etc.) e estabelece, no texto, uma organização dos elementos escolhidos. Os **efeitos de sentido** são o resultado desse processo, que chega ao leitor por meio do texto.

Nesta seção, você terá oportunidade de refletir sobre algumas escolhas e formas de organização na linguagem dos poemas.

Pontuação, expressividade e efeitos de sentido

1▸ Releia o poema de Cacaso e ensaie uma leitura expressiva desse texto. Alguns alunos poderão apresentar a leitura em voz alta para os colegas. Observe essas diversas leituras e analise semelhanças e diferenças entre elas.

Fotonovela
Cacaso

Quando você quis eu não quis
Qdo eu quis você ñ quis
Pensando mal quase q fui
Feliz

Cacaso. *Lero-lero*, op. cit.

Filipe Rocha/Arquivo da editora

Que efeito a ausência de pontuação produziu nas diversas leituras que você ouviu e na leitura que você fez?

2▸ A seguir, o poema foi reescrito com três possibilidades diferentes de pontuação. Em voz alta, leia cada uma das versões reescritas do poema:

I.

> Quando você quis... eu não quis...
> Qdo eu quis... você ñ quis...
> Pensando mal... quase q fui
> Feliz.

III.

> Quando você quis, eu não quis?
> Qdo eu quis, você ñ quis.
> Pensando mal... quase q fui
> Feliz...

II.

> Quando você quis, eu não quis!?
> Qdo eu quis, você ñ quis!
> Pensando mal, quase q fui
> Feliz...

Responda no caderno:

a) Houve alteração entre a primeira leitura feita por você, sem os sinais de pontuação, e essas três últimas leituras com a pontuação presente?

b) Qual das possibilidades de pontuação produziu um sentido bastante diferente daquele que você percebeu na primeira leitura?

3▸ A partir dessas leituras, como você explica a diferença entre o texto com os sinais de pontuação explícitos e o texto sem os sinais?

A ausência ou a presença de sinais de pontuação no texto poético é uma escolha do autor, de acordo com sua intenção ou com o que pretende comunicar.

Observe que a ausência de sinais de pontuação no poema "Fotonovela" deixa mais livre sua leitura expressiva. Deixar o texto mais livre para a leitura é uma escolha do escritor, que assim possibilita que cada leitor atribua sentidos diferentes ao texto. Alguns preferem orientar mais a leitura, deixando mais explícitos os efeitos de sentido que pretendem produzir; por isso, usam mais sinais de pontuação, levando o leitor a atribuir sentidos mais específicos para o texto.

Recursos estilísticos: figuras de linguagem

Dominar os mecanismos da língua permite ao produtor do texto surpreender ou emocionar o leitor criando ou compondo imagens inusitadas, inesperadas. Entre esses mecanismos estão as **figuras de linguagem**.

- **Comparação**

Leia estes versos de Mario Quintana:

O poema
Mario Quintana

Um poema como um gole dágua bebido no escuro.
Como um pobre animal palpitando ferido.
Como pequenina moeda de prata perdida para sempre na floresta noturna.
Um poema sem outra angústia que a sua misteriosa condição de poema.
Triste.
Solitário.
Único.
Ferido de mortal beleza.

Filipe Rocha/Arquivo da editora

QUINTANA, Mario. *80 anos de poesia*. Seleção e organização de Tatiana Franco Carvalhal. 9. ed. São Paulo: Globo, 1998. p. 84.

Nesse poema há uma clara **comparação** entre o poema e outros elementos: "um gole dágua bebido no escuro", "um pobre animal palpitando ferido", "pequenina moeda de prata perdida para sempre na floresta noturna".

A conjunção *como* faz a ligação entre o poema e esses elementos. Observe o esquema:

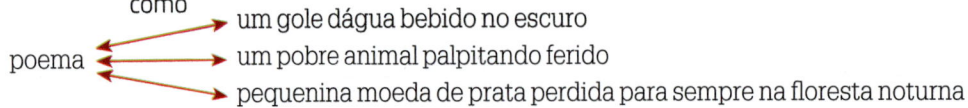

poema — como → um gole dágua bebido no escuro
poema → um pobre animal palpitando ferido
poema → pequenina moeda de prata perdida para sempre na floresta noturna

Ao construir os versos com a palavra *como* explícita na frase, o eu lírico produziu uma comparação que acrescenta novos sentidos à palavra *poema*. Poderia haver outros elementos explícitos, no lugar de *como*, para produzir essa comparação: *tal qual, assim como,* etc.

> **Comparação** é a relação que se estabelece entre dois ou mais termos por meio de um elemento explícito aproximando as características desses termos e produzindo um significado.

▸ No poema de Mario Quintana, o eu lírico faz comparações para expressar sua ideia de poema. Qual é o sentimento do eu lírico sobre o que é um poema?

- **Metáfora**

Observe a seguir de que modo ficaria um verso do poema de Mario Quintana se a conjunção *como* fosse retirada e colocássemos a forma verbal *é*:

> Um poema é um gole d'água bebido no escuro.

Continua havendo uma relação de sentido entre os dois termos — *poema* e *gole d'água bebido no escuro*; entretanto, não há uma palavra fazendo a ligação entre eles. Nesse caso, há uma **metáfora**.

Leia, a seguir, o trecho de um poema de Castro Alves (1847-1871), consagrado poeta brasileiro do século XIX.

O gondoleiro do amor
Dama negra
Castro Alves

Teus olhos são negros, negros,
Como as noites sem luar...
São ardentes, são profundos,
Como o negrume do mar;
[...]
Teu sorriso é uma aurora,
Que o horizonte enrubesceu
— Rosa aberta com o biquinho
Das aves rubras do céu.
[...]

Filipe Rocha/Arquivo da editora

gondoleiro: indivíduo que conduz a gôndola (tipo de barco pequeno).

aurora: claridade que aponta o início da manhã, antes do nascer do Sol; o amanhecer.

enrubescer: avermelhar; corar (ficar acanhado).

rubro: avermelhado.

In: DANTAS, Luiz; SIMPSON, Pablo (Org.). *Espumas flutuantes*: os escravos. São Paulo: Martins Fontes, 2001.

1 ▸ Na primeira estrofe há comparações. Copie o esquema em seu caderno, substituindo o ■ pelo termo comparado:

a) Olhos negros ←—*como*—→ ■

b) Olhos ardentes e profundos ←—*como*—→ ■

2 ▸ **Em dupla.** Junte-se a um colega e releiam:

> Teu sorriso é uma aurora,
> Que o horizonte enrubesceu
> — Rosa aberta com o biquinho
> Das aves rubras do céu.

Notem que é estabelecida uma relação de semelhança entre sorriso e aurora, entre sorriso e rosa aberta. Agora, observem os esquemas a seguir e, no caderno, copiem esses esquemas escrevendo, no lugar do ■, o que pode haver em comum entre os termos. Indiquem também os significados construídos na relação entre sorriso e "aurora, que o horizonte enrubesceu" e entre sorriso e "rosa aberta com o biquinho das aves rubras do céu".

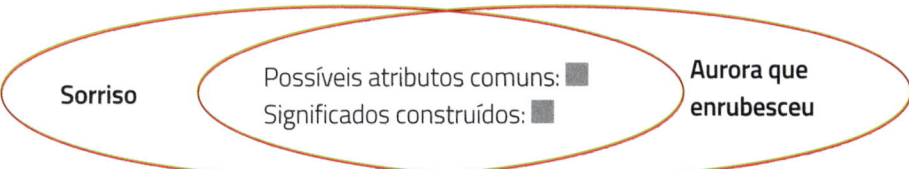

Sorriso — Possíveis atributos comuns: ■ / Significados construídos: ■ — Aurora que enrubesceu

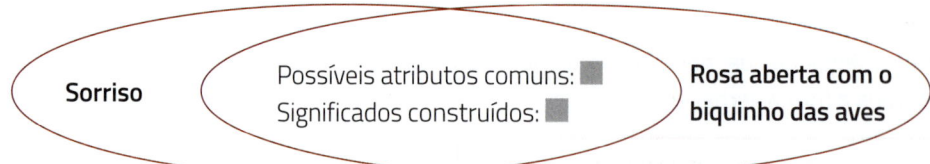

Sorriso

Possíveis atributos comuns: ■
Significados construídos: ■

Rosa aberta com o biquinho das aves

Nessa estrofe há uma relação de semelhança entre o sorriso e o amanhecer, a rosa, a cor. Foi construída uma **metáfora**. Observe que nessa estrofe não está presente uma ligação com a palavra *como*.

No dia a dia as metáforas são muito empregadas; no entanto, por estarem incorporadas à nossa fala, às vezes não as percebemos. Observe alguns casos desse tipo:

Cheguei tarde e meu pai ficou **uma fera**. (bravo, nervoso)
Aquele menino é **um gato**! (bonito, atraente)

Metáfora é a figura de linguagem que, sem um elemento de ligação explícito, constrói significados estabelecendo uma relação de semelhança entre termos diferentes.

• **Metonímia**

Leia a seguir os quadrinhos de Suriá, uma menina que vive em um circo com os pais, que são artistas circenses:

LAERTE. Suriá. *Folha de S.Paulo*. São Paulo, 12 jul. 2003. Folhinha, p. F8.

▶ Suriá demonstra que tem dificuldade para produzir um texto do gênero conto de fadas, mas revela que tem domínio sobre um outro gênero de texto. Que gênero é esse? Explique.

Observe a fala da mãe de Suriá no primeiro quadrinho. Para dizer que não está em condições de ajudar Suriá, sua mãe emprega a expressão "tou meio sem cabeça pra isso...".

Não podemos considerar essa afirmação em seu sentido literal: não é a cabeça que está faltando; a mãe apenas está sem condição de ajudar, pois está envolvida em outra atividade.

Assim, a cabeça representa apenas **parte de um todo** que poderia colaborar com Suriá.

A esse recurso de linguagem damos o nome de **metonímia**.

> A **metonímia** consiste na substituição de um termo por outro, por existir entre eles uma relação de proximidade, de interdependência, de inclusão.

Veja a seguir algumas ocorrências de metonímia:

O continente é empregado no lugar do conteúdo	Comeu um **prato de arroz**. (Substitui o arroz/conteúdo do prato pelo prato/continente.)
A parte pelo todo	Eles estão vivendo debaixo do mesmo **teto**. (Substitui a casa/o todo pelo teto/parte da casa.)
O autor pela obra	Ele gosta de ler **Ziraldo**. (Substitui os livros/a obra por Ziraldo/o autor.)

Você estudará mais detalhadamente a metonímia na Unidade 3.

- **Personificação**

Leia uma estrofe da letra da canção "Paciência", do compositor pernambucano Lenine, reproduzida a seguir.

> Enquanto **o tempo acelera**
> **E pede pressa**
> Eu me recuso, faço hora
> Vou na valsa
> A vida é tão rara [...]
>
> LENINE. *Na pressão*. [S.l.]: Sony BMG, 1999.

Observe os trechos em destaque: a palavra *tempo* é apresentada como um sujeito que faz ações típicas de seres vivos — *acelera* — e, particularmente, de seres humanos: *pede pressa*. Ou seja, o tempo é tratado como se fosse uma pessoa, ele tem atitudes de ser humano. É uma **personificação** ou **prosopopeia**.

As personificações também podem ser encontradas nas fábulas, em que os animais agem como seres humanos.

> **Personificação** ou **prosopopeia** é uma figura de linguagem em que se atribuem características do ser humano a seres não humanos.

Leia um trecho do poema "Não me deixes!", de Gonçalves Dias (1823-1864). Veja como a flor é personificada nestes versos:

Não me deixes!
Gonçalves Dias

Debruçada nas águas dum regato
A flor dizia em vão
À corrente, onde ela se mirava...
"Ai, não me deixes, não!

"Comigo fica ou leva-me contigo
"Dos mares à amplidão;
"Límpido ou turvo, te amarei constante;
"Mas não me deixes, não!"

Nik Neves/Arquivo da editora

▶ **regato:** corrente de água pouco volumosa e de pequena extensão; ribeiro, riacho, córrego.

▶ **turvo:** escuro, não transparente.

DIAS, Gonçalves. Não me deixes! Disponível em: <www.jornaldepoesia.jor.br/gdias04.html>. Acesso em: 24 out. 2018.

- **Sinestesia**

Leia esta estrofe do poema "O amor, quando se revela", do poeta português Fernando Pessoa (1888-1935), em que o eu lírico expressa um desejo que parece fugir à razão, pois mistura sentidos diferentes. Observe a expressão destacada em negrito:

Ah, mas se *ela* adivinhasse,
Se pudesse **ouvir o olhar**,
E se um olhar lhe bastasse
P'ra saber que a estão a amar!

PESSOA, Fernando. In: BUENO, Alexei (Org.). *Poemas de amor.* Rio de Janeiro: Ediouro, 2006. p. 31.

Nesse trecho há **sinestesia**, uma figura de linguagem em que se misturam sensações de naturezas diferentes. Observe os sentidos misturados no trecho "ouvir o olhar":

- **ouvir**: sensação auditiva, sonora;
- **olhar**: sensação visual.

> A **sinestesia** associa, em uma só imagem ou em uma só figura, sensações produzidas por diferentes órgãos do sentido.

Releia o haicai do poeta japonês Bashô:

Ploc! Uma rã pula
no silêncio da lagoa
e o **silêncio ondula**.

BASHÔ. In: VIEIRA, Oldegar Franco, op. cit.

Observe a combinação de uma sensação auditiva (*silêncio*) — algo que se percebe ouvindo — com uma sensação visual ou tátil (*ondula*) — algo que se percebe vendo ou tateando.

- **Paradoxo**

Leia outra estrofe do poema "O amor, quando se revela", de Fernando Pessoa:

O amor, quando se revela,
Não se sabe revelar.
Sabe bem olhar p'ra *ela*,
Mas não lhe sabe falar.

PESSOA, Fernando. In: BUENO, Alexei (Org.), op. cit.

É possível observar que nesses versos o eu lírico reúne ideias aparentemente contraditórias: quando se revela o amor, não se sabe revelá-lo.

Essas ideias são contrárias do ponto de vista lógico, mas é assim que o eu lírico **sente** o amor, como uma contradição. E esses sentimentos, aparentemente contraditórios, coexistem — existem ao mesmo tempo, simultaneamente. Por reunir ideias contrárias, dizemos que nesse trecho foi construído um **paradoxo**.

> **Paradoxo** é uma figura construída com expressões de sentidos contrários ou contraditórios, mas que coexistem em uma mesma imagem ou figura, dando novo sentido à imagem criada.

Leia outra estrofe desse poema de Fernando Pessoa em que se manifestam os paradoxos, sentimentos contraditórios que convivem no eu lírico. Nessa estrofe, o eu lírico afirma que o poema (*isto*) fala o que ele acredita não conseguir falar. Veja:

> Mas se isto puder contar-lhe
> O que não lhe ouso contar,
> Já não terei que falar-lhe
> Porque lhe estou a falar...
>
> PESSOA, Fernando. In: BUENO, Alexei (Org.), op. cit.

Filipe Rocha/Arquivo da editora

▶ Releia este haicai de Paulo Leminski:

> Vazio agudo
> Ando meio
> Cheio de tudo
>
> LEMINSKI, Paulo. *Melhores poemas*, op. cit.

Copie no caderno os termos que constroem o paradoxo expresso pelo eu lírico do poema. Explique por que se trata de um paradoxo.

• **Ambiguidade**

Nestes versos de Fernando Pessoa, já citados anteriormente, como você viu, existe um paradoxo: quando se revela o amor, não se sabe revelá-lo.

> O amor, quando se revela,
> Não se sabe revelar.

Essa compreensão do texto está correta. Entretanto, é possível ler de outro modo esses versos, deduzindo sentidos diferentes. Por exemplo, é possível entender que o amor se revela sem saber revelar a si mesmo. Nesse caso, o amor, sujeito reflexivo, pratica e recebe ao mesmo tempo a ação do verbo *revelar*.

Percebe-se então que há dois modos de compreender esses versos:

• Quando se descobre o amor, não sabemos revelá-lo, expressá-lo.

ou

• O amor não sabe revelar a si mesmo.

Parece até uma contradição, mas são duas maneiras possíveis de compreender os mesmos versos. É a própria construção do poema que permite essas interpretações, esses sentidos diferentes.

Por haver mais de uma possibilidade de compreensão, dizemos que os versos construídos produzem **duplo sentido**. Chamamos esse efeito de **ambiguidade**.

> **Ambiguidade** é uma figura construída com a intenção de produzir sentidos diferentes para uma mesma frase.

▶ Leia este texto humorístico de Luis Fernando Verissimo:

VERISSIMO, Luis Fernando. Família Brasil. *O Estado de S. Paulo*. São Paulo, 12 fev. 2012. p. D14. Caderno 2.

a) Observe a expressão do neto no último desenho. O que pode revelar essa expressão diante da resposta recebida?

b) Releia a resposta do avô à questão do menino:

> Não enquanto eu estiver aqui.

Explique qual é ambiguidade, isto é, o duplo sentido dessa fala, responsável pelo efeito humorístico.

c) Qual dos dois sentidos foi o entendido pelo neto?

Quando a ambiguidade não é empregada com a intenção de produzir efeitos de sentido diferenciados, pode se tornar um problema para a compreensão do texto, causando confusão de interpretação.

- **Antítese**

Leia este trecho de letra de canção:

> Não existiria **som** se não
> Houvesse o **silêncio**
> Não haveria **luz** se não
> Fosse a **escuridão**
> A vida é mesmo assim
> Dia e noite, **não** e **sim**
>
> SANTOS, Lulu; MOTTA, Nelson. Certas coisas.
> In: SANTOS, Lulu. *Tudo azul.* WEA, 1984.

Observe as palavras destacadas e as relações entre os pares:
- som — silêncio
- luz — escuridão
- dia — noite
- não — sim

Note que esses pares constroem ideias de oposição. Por exemplo, a ideia de som é contrária à de silêncio.

A esse recurso de reunir ideias opostas no mesmo verso ou em versos próximos, acentuando as diferenças entre elas, dá-se o nome de **antítese**.

> A **antítese** consiste na construção de um sentido por meio do emprego de palavras que têm sentidos opostos.

- **Ironia**

▶ Leia a tira a seguir.

BROWNE, Dik. *Hagar, o horrível — 1*. Porto Alegre: L&PM, 2002. v. 80. p. 60.

a) Explique no caderno o que provoca o humor na tira.

b) Releia em voz alta a fala do último quadrinho, dando a ela a entonação que você imagina que a personagem usou.

c) Ao dizer a Hamlet "Você é tão romântico!", qual foi a intenção de Hérnia? Assinale a resposta adequada:

- elogiar
- criticar
- comentar

Na tirinha acima, você percebeu que a personagem Hérnia, no último quadrinho, fala o contrário do que sente. Ela diz uma coisa querendo, na verdade, dizer outra. Esse uso da linguagem ocorre quando o usuário tem uma intenção sarcástica, zombeteira.

Essa escolha de linguagem sugere uma crítica, conhecida como **ironia**.

> **Ironia** é um recurso de linguagem em que se afirma o contrário do que se quer realmente dizer para produzir uma crítica, ser sarcástico ou até zombeteiro.

Hora de organizar o que estudamos

▶ Copie o esquema no caderno para facilitar a consulta sempre que precisar analisar os recursos estilísticos de um texto.

FIGURAS DE LINGUAGEM

Recursos estilísticos que produzem efeitos de sentido/significado diferentes do sentido literal de palavras e expressões.

- comparação
- metáfora
- metonímia
- personificação ou prosopopeia
- sinestesia
- paradoxo
- ambiguidade
- antítese
- ironia

Atividades: recursos estilísticos — figuras de linguagem

1▸ Leia alguns versos do poema "Soneto do amor maior", de Vinicius de Moraes, reproduzidos a seguir. Responda no caderno: Que figura de linguagem você identifica neles?

> Maior amor nem mais estranho existe
> Que o meu, que não sossega a coisa amada
> E quando a sente alegre, fica triste
> E se a vê descontente, dá risada.
>
> MORAES, Vinicius. *Antologia poética*. São Paulo: Círculo do Livro, [s.d.]. p. 124.

2▸ A seguir, leia alguns versos do poeta Paulo Leminski.

> Bom dia, poetas velhos.
> Me deixem na boca
> o gosto de versos
> mais fortes que não farei.
> [...]
>
> LEMINSKI, Paulo. *Melhores poemas*. São Paulo: Global, 2001. p. 33.

Nesses versos de Leminski há sinestesia. Identifique essa figura e explique-a no caderno.

3▸ Você estudou que sinestesia indica o cruzamento dos sentidos, a união de planos sensoriais diferentes. Observe novamente esta imagem:

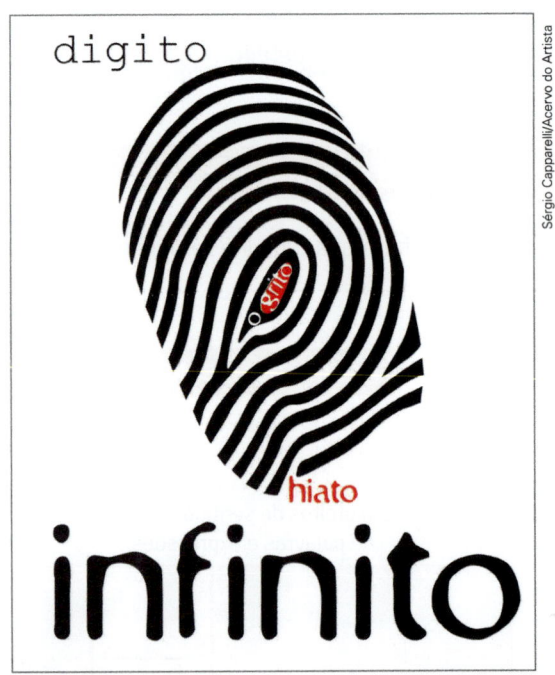

Sérgio Capparelli/Acervo do Artista

CAPPARELLI, Sérgio. *Poesia visual*. São Paulo: Global, 2002. p. 25.

Quais são os sentidos que se cruzam no poema visual de Sérgio Capparelli?

4▸ Leia a frase abaixo em voz alta, com expressividade, para produzir efeito irônico.

> Você fez um **excelente** serviço, hein! Mal saí com o carro da garagem, e ele encrencou!

Com a turma toda. Converse com os colegas: A palavra destacada recebeu uma expressividade especial na leitura? Por quê?

5▸ Assinale as alternativas com as frases que apresentam ironia.

a) O jogo foi ótimo: perdemos de 3 a 0.

b) A multidão gritava enraivecida para que abrissem os portões.

c) Que bela lição de cidadania: parar o carro em lugar proibido!

d) "Um carro começa a buzinar... talvez seja um amigo que venha me desejar Feliz Natal. Levanto-me, olho a rua e sorrio: é um caminhão de lixo. Bonito presente de Natal!" (Rubem Braga)

6▸ O poema do escritor paulistano Nelson Ascher, reproduzido a seguir, é construído sobre paradoxos. Copie no caderno dois dos paradoxos desse texto.

Soneto

Nelson Ascher

Fiz o que não devia,
o que devia, não;
compus uma canção
sem letra ou melodia.

À meia-noite ardia
meu sol que, sem razão,
legara de antemão
trevas ao meio-dia.

E enquanto lia tudo
que não dizia nada,
ouvindo na calada

da noite um eco mudo,
pensava, sobretudo,
que pouco sobrenada

ASCHER, Nelson. *O sonho da razão*. São Paulo: Editora 34. p. 39.

Filipe Rocha/Arquivo da editora

▸ **calada:** substantivo que significa silêncio absoluto, ausência de ruídos.

7▸ Leia as tiras a seguir e identifique as metáforas construídas nesses textos.

a)

THAVES, Bob. Frank & Ernest. *O Estado de S. Paulo*. São Paulo, 6 jan. 2012. Caderno 2.

b)

THAVES, Bob. Frank & Ernest. *O Estado de S. Paulo*. São Paulo, 23 dez. 2011. Caderno 2.

8▸ Na tira abaixo, pode-se afirmar que há uma personificação visual. Explique-a no caderno.

SOUSA, Mauricio de. Turma da Mônica. *O Estado de S. Paulo*. São Paulo, 26 dez. 2011. Caderno 2.

9▸ Leia esta tira:

SCHULZ, Charles. Minduim. *O Estado de S. Paulo*. São Paulo, 18 jan. 2012. Caderno 2.

Responda no caderno: Qual é a figura de linguagem empregada nessa história?

▸ **donut**: rosquinha doce recheada ou coberta com glacê.

Desafios da língua

Sinônimos, antônimos, parônimos, homônimos e palavras polissêmicas

Confundir o sentido de palavras parecidas na sonoridade, mas diferentes no sentido, é comum; porém, os "tropeços" provocados por essa confusão exigem do interlocutor alguma "ginástica mental" para compreender o que é dito. É o que você vai comprovar lendo a crônica a seguir, e rindo muito com os exemplos desses "tropeços" linguísticos.

Tropeços

A graça e a lógica de certos enganos da fala
Ivan Ângelo

O compenetrado pintor de paredes olhou as grandes manchas que se expandiam por todo o teto do banheiro do nosso apartamento, as mais antigas já negras, umas amarronzadas, outras esverdeadas, pediu uma escada, subiu, desceu, subiu, apalpou em vários pontos e deu seu diagnóstico:

— Não adianta pintar. Aqui tem muita "humildade".

Levei segundos para compreender que ele queria dizer "umidade". E consegui não rir. Durante a conversa, a expressão surgiu outras vezes, não escapara em falha momentânea.

Há palavras que são armadilhas para os ouvidos, mesmo de pessoas menos humildes. São captadas de uma forma, instalam-se no cérebro com seu aparato de sons e sentidos — sons parecidos e sentidos inadequados — e saltam frescas e absurdas no meio de uma conversa. São enganos do ouvido, mais do que da fala. Como o tropeção de uma pessoa de boas pernas não é um erro do caminhar, mas do ver.

Resultam muitas vezes formas hilárias. O zelador do nosso prédio deu esta explicação por não estar o elevador automático parando em determinados andares:

— O computador entrou em "pânico".

Não sei se ele conhece a palavra "pane". Deve ter sido daquela forma que a ouviu e gravou. Sabemos que é "pane", ele assimilou "pânico" — a coisa que nomeamos é a mesma, a comunicação foi feita. Tropeço também é linguagem.

O cheque bancário é frequentemente vítima de um tropicão desses. Muita gente diz, no final de uma história de esperteza ou de desacordo comercial, que mandou "assustar" um cheque. Pois outro dia encontrei alguém que mandou "desbronquear" o cheque. Linguagens — imagino a viagem que a palavra "desbloquear" fez na cabeça da pessoa: a troca comum do "l" pelo "r", a estranheza que se seguiu, o acréscimo de um "n" e aí, sim, a coisa ficou parecida com alguma coisa, bronca, desbronquear, sem bronca. Muita palavra com *status* de dicionário nasceu assim.

Já ouvi de um mecânico que o motor do carro estava "rastreando", em vez de "rateando". Talvez a palavra correta lhe lembrasse rato e a descartara como improvável. "Rastrear" parecia ter melhor raiz, traz aquela ideia de vai e volta e vacila, como quem segue um rastro… Sabe-se lá. Há algum tempo, quando eu procurava um lugar pequeno para morar, o zelador mostrou-me um quarto e sala "conjungal". Tem lógica, não? Muitos erros são elaborações. Não teriam graça se não tivessem lógica.

A personagem Magda, da televisão, nasceu deles. Muito antes, nos anos 1970, um grupo de jornalistas, escritores e atores criou Pônzio, personagem de mesa de bar que misturava sentidos das palavras pela semelhança de sons. Há celebridades da televisão que fazem isso a sério. Na Casa dos artistas, uma famosa queria pôr um "cálcio" no pé da mesa. Uma estrela da Rede TV! falou em "instintores" de incêndio. A mesma [pessoa] disse que certo xampu tinha "Ph.D." neutro.

▶ **hilário:** hilariante, muito engraçado.

▶ **Magda:** personagem de programa de televisão famosa por suas tiradas linguísticas, em que se misturavam inadequações gramaticais e ideias absurdas. Seu bordão era *Me inclui fora dessa!*.

▶ **Casa dos artistas:** programa de televisão feito para mostrar o cotidiano de homens e mulheres — alguns deles, artistas —, que ficam confinados em uma mesma casa por semanas.

▶ **ph.D.:** indivíduo que tem curso de doutorado (grau acadêmico).

Estudantes candidatos à universidade também tropeçam nos ouvidos. E não apenas falam, mas registram seus equívocos. Nas provas de avaliação do ensino médio apareceram coisas como "a gravidez do problema", "micro-leão-dourado" e, esta é ótima, "raios ultraviolentos".

Crianças cometem coisas tais, para a delícia dos pais. O processo é o mesmo: ouvir, reelaborar, inserir em uma lógica própria e falar. Minha filha pequena dizia "água solitária", em vez de "sanitária". A sobrinha de uma amiga, que estranhava a irritação mensal da tia habitualmente encantadora, ouviu desta uma explicação que era quase uma desculpa e depois a repassou para a irmã menorzinha:

—A tia Pat está "misturada".

ÂNGELO, Ivan. *Veja São Paulo*. São Paulo: Abril, 23 abr. 2003.

Minha biblioteca

Certos homens. Ivan Ângelo. Arquipélago.

Nesse livro de crônicas, o jornalista e escritor Ivan Ângelo reúne casos bem-humorados e outros mais melancólicos, retrata tipos humanos e comportamentos diversos, relata relações amorosas, cenas urbanas e crítica social. Histórias aparentemente comuns ganham um toque especial pelas mãos do cronista.

Reprodução/Editora Arquipélago

Vamos conversar sobre a crônica respondendo às questões propostas a seguir:

1▸ Com a turma toda. Em sua opinião, qual é a causa das confusões que os personagens da crônica de Ivan Ângelo fazem com as palavras? Entre as alternativas a seguir, assinale a(s) que considerar adequada(s) e explique sua escolha para a turma. Ouça a explicação dos colegas.

a) As brincadeiras com as palavras.

b) Palavras com sons semelhantes, mas significados diferentes.

c) Desconhecimento do significado de algumas palavras.

d) Falta de atenção na hora de falar.

2▸ Com a turma toda. Procure se lembrar de alguma ocasião em que uma palavra foi utilizada em lugar de outra, e que tenha produzido uma mensagem errada. Conte aos colegas como isso aconteceu.

3▸ Releia este trecho da crônica:

> Há palavras que são armadilhas para os ouvidos [...].

O que o cronista quis dizer com essa afirmação?

4▸ Releia esta frase e observe os destaques:

> Nas provas de avaliação do ensino médio apareceram coisas como "**a gravidez do problema**", "**micro-leão-dourado**" e, esta é ótima, "**raios ultraviolentos**".

Que expressões deveriam ser empregadas no lugar de cada uma das expressões destacadas? Reescreva o trecho fazendo as correções necessárias.

5▸ Releia o que afirma o narrador da crônica a respeito das "armadilhas para os ouvidos":

> Há palavras que são armadilhas para os ouvidos, mesmo de pessoas menos humildes. São captadas de uma forma, instalam-se no cérebro com seu aparato de sons e sentidos — sons parecidos e sentidos inadequados — e saltam frescas e absurdas no meio de uma conversa. São enganos do ouvido, mais do que da fala.

O que poderia nos ajudar a não cair nas "armadilhas para os ouvidos"?

Antes de responder a essa pergunta, reflita sobre o significado das palavras. Releia esta frase do texto:

O cheque bancário é frequentemente **vítima** de um **tropicão** desses.

Ao procurar no dicionário as palavras destacadas para saber quais podem substituí-las, é possível ler:

vítima: 1 ser humano ou animal sacrificado a uma divindade ou em algum rito sagrado; **2** pessoa ferida, violentada, [...] executada por outra; [...]; **6** quem ou o que sofre algum dano ou prejuízo [...]
tropicão: 1 ato ou efeito de tropicar; tropeção [...]

Dicionário eletrônico Houaiss da língua portuguesa multiusuário.
Rio de Janeiro: Objetiva, 2009.

Se fossem aplicados os significados desses verbetes à frase do texto, sem refletir, seria possível apresentar estas interpretações absurdas:

O cheque não vê algum obstáculo e leva um tropeção!
O cheque é executado por um tropeção!

Provavelmente você percebeu que esses significados não se aplicam à frase do texto. Nem sempre o dicionário reúne todos os significados de que precisamos. Muitas vezes, para deduzir os sentidos das palavras, é preciso observar o contexto em que elas são empregadas.

6▸ Agora responda no caderno: Considerando o contexto, como poderia ser reescrita esta frase do narrador, substituindo os termos em destaque?

O cheque bancário é frequentemente **vítima** de um **tropicão** desses.

7▸ Reescreva no caderno os períodos a seguir, substituindo a palavra ou a expressão destacada por outra que possa ser considerada equivalente quanto ao sentido. Consulte o dicionário para verificar se o significado atende à sua necessidade:

a) "O compenetrado pintor de paredes olhou as grandes manchas que se **expandiam** por todo o teto do banheiro do nosso apartamento [...]."

b) "Durante a conversa, a expressão surgiu outras vezes, **não escapara em falha momentânea**."

c) "Há palavras que são **armadilhas para os ouvidos**, mesmo de pessoas menos humildes."

Filipe Rocha/Arquivo da editora

A área que estuda o significado das palavras é a **semântica**. Cabe à semântica, por exemplo, analisar se uma palavra é ou não adequada em determinado contexto.

Semântica é o ramo de estudos da língua que tem por finalidade analisar o sentido das diversas formas linguísticas: palavras, frases, sufixos, prefixos, etc.

A seguir, são propostos estudos semânticos referentes às palavras sinônimas, antônimas, parônimas, homônimas e polissêmicas.

Sinônimos e antônimos

Palavras sinônimas são aquelas com significados semelhantes, podendo uma substituir a outra em determinados contextos.

Ao estudar sinônimos é importante lembrar que **não existem sinônimos perfeitos**, pois sempre há pequenas diferenças de sentido entre uma palavra e outra. Observe os casos apresentados a seguir:

Morrer e fenecer

- **morrer**: perder a vida.
- **fenecer**: perder a vida, mas em alguns casos pode ser empregado com o sentido de "extinguir aos poucos".

Exemplo:

> O rosado das faces da menina feneceu após o verão. (*feneceu* = acabou aos poucos)

Chamar, clamar, bradar, gritar

Esses verbos são considerados sinônimos — alguns têm a mesma origem (*clamar*) —, mas o emprego de cada um ocorre em situações ou contextos distintos e com intensidades diferentes. Exemplos:

> A professora **chamava** pelos alunos em ordem alfabética.
>
> A multidão **clamava** por justiça.
>
> A multidão **bradava** contra o governo.

▶ Releia em voz alta as frases acima trocando os termos destacados por um sinônimo. O sentido permaneceu o mesmo?

Palavras antônimas são palavras com significados opostos.

Exemplos de palavras antônimas:

grande	×	pequeno
chegar	×	partir
legal	×	ilegal
alto	×	baixo
claro	×	escuro
largo	×	estreito

Jean Galvão/Arquivo da editora

Parônimos

Palavras parônimas são as que têm grafia muito semelhante e significados diferentes.

Veja alguns termos parônimos que costumam causar confusão:

tráfego: trânsito	**tráfico:** comércio (geralmente ilegal)
ratificar: confirmar, reafirmar	**retificar:** corrigir
descrição: caracterização, ato de descrever	**discrição:** qualidade do que é discreto; sobriedade
iminente: próximo de acontecer	**eminente:** ilustre, importante
enumerável: que pode ser enumerado, contado	**inumerável:** em grande quantidade
fruir: desfrutar, usufruir	**fluir:** escorrer
lustro: período de cinco anos, quinquênio	**lustre:** candelabro; polimento
flagrante: o que é visto no momento em que acontece	**fragrante:** aromático, cheiroso
emigrante: pessoa que sai de sua pátria para viver em outro país	**imigrante:** pessoa que entra em um país para se estabelecer
infringir: transgredir, desobedecer	**infligir:** causar, aplicar
sortir: prover, abastecer	**surtir:** resultar, dar origem

Homônimos

Palavras homônimas são as que têm a mesma pronúncia, por vezes a mesma grafia, mas seus significados são diferentes.

Observe os exemplos:

cerrar: fechar	**serrar:** cortar com serra
cozer: cozinhar	**coser:** costurar
conserto: reparo	**concerto:** apresentação de peça musical extensa
espiar: olhar	**expiar:** sofrer as consequências ou cumprir pena por um erro cometido
esterno: osso do corpo humano	**externo:** exterior
viagem: (substantivo) ato de partir de um lugar para outro	**viajem:** (verbo) 3ª pessoa do plural do presente do subjuntivo do verbo *viajar*
taxar: cobrar imposto	**tachar:** apontar defeitos, criticar

Palavras polissêmicas

1▸ **Em dupla.** Você gosta do jogo de adivinha? Então, junte-se a um colega e tentem solucionar as questões propostas a seguir. Dica: Se acharem que está muito difícil resolvê-las, fazer primeiro a atividade 2 pode ajudar a encontrar as respostas.

a) O que é que é inteiro, mas tem nome de pedaço?

b) Qual é o nome do lugar em que o relógio dorme?

c) Como é feita uma pilha de rádio?

d) O que é que pode estar presente tanto no assoalho de uma casa quanto em uma mesa de sinuca?

e) Qual é o lençol que você não pode dobrar?

2▸ **Em dupla.** Conseguiram responder? Então, agora, copiem as frases a seguir no caderno, substituindo os sinais ■ por palavras relacionadas às adivinhas da atividade anterior.

a) ■ é o nome do aposento utilizado normalmente para dormir, mas é também o nome de cada uma das quatro partes iguais em que um todo pode ser dividido.

b) ■ é o nome do pedaço de madeira curto e retangular usado para revestir pisos, mas é também o nome que se dá ao bastão de madeira comprido e roliço que se usa para tocar a bola no jogo de sinuca.

c) ■ é o nome do dispositivo que armazena energia química para ser transformada em energia elétrica, mas é também o nome da reunião de coisas dispostas umas sobre as outras.

d) ■ é o numeral, no feminino, que indica a metade de um inteiro dividido em duas partes iguais, mas é também o nome de uma peça do vestuário feita de tecido e utilizada para cobrir os pés.

e) ■ é o nome da peça de tecido usada para forrar a cama e para cobrir o corpo, mas é também o nome que se dá ao depósito líquido que se encontra na superfície do solo, em depressão de terreno ou sob a terra.

A diversão desse jogo de adivinha é produzida pelo uso de palavras ou expressões que têm mais de um significado. Cabe ao leitor o esforço de ir de um significado a outro levando em conta os diferentes contextos em que os termos podem ser utilizados.

As palavras utilizadas nessas atividades são, portanto, palavras polissêmicas.

> **Palavras polissêmicas** são aquelas que podem ser empregadas com mais de um significado.

Observe os exemplos de uso de palavras polissêmicas apresentados a seguir. Note que o contexto é essencial para ajudar o leitor a perceber em que sentido tal palavra está sendo empregada.

As **mangas** muito maduras estão caindo da árvore.

Você sujou a **manga** da camisa com tinta.

Marcos bateu a **cabeça** no galho da árvore.

O esconderijo ficava na **cabeça** da montanha.

Compre três **cabeças** de repolho.

O **cabeça** do grupo não assumiu a culpa pelo estrago.

Quantos **metros** de comprimento tem a cauda desse vestido de noiva?

O estudo do **metro** — forma rítmica de uma obra poética — chama-se métrica.

> **⚠ Atenção**
>
> As figuras de linguagem que você estudou são também polissêmicas, pois são palavras ou expressões às quais se atribuem múltiplos significados.

Atividade: sinônimos, antônimos, parônimos, homônimos e palavras polissêmicas

▶ Reescreva as frases abaixo no caderno, substituindo o sinal ■ pela palavra com a grafia adequada:

a) O chefe ■ o subordinado de preguiçoso. (*tachou* ou *taxou*)

b) Os prisioneiros conseguiram fugir das ■. (*selas* ou *celas*)

c) O prédio, com todos aqueles fios desencapados, estava na ■ de sofrer um incêndio. (*iminência* ou *eminência*)

d) Essa ■ não poderá ser feita à noite, pois as estradas são perigosas. É mais seguro que vocês ■ durante o dia. (*viajem* ou *viagem*)

e) O jogador ■ o regulamento, por isso ficará suspenso durante os próximos jogos. (*infringiu* ou *infligiu*)

f) Sua estratégia ■ efeito: todos os presentes se retiraram sem reclamar. (*sortiu* ou *surtiu*)

g) Terminado o espetáculo, todos estranharam por que as cortinas não foram ■. (*serradas* ou *cerradas*)

h) Precisaremos de carona, pois nosso carro foi para o ■. (*conserto* ou *concerto*)

i) No aniversário da cidade haverá um ■ ao ar livre. (*conserto* ou *concerto*)

j) Os depoimentos das testemunhas ■ as suspeitas: fora ele mesmo quem planejara o sequestro do empresário. (*retificaram* ou *ratificaram*)

k) Com o ■ intenso de veículos pela cidade, aumentam cada vez mais os níveis de poluentes. (*tráfico* ou *tráfego*?)

◣ Outros textos do mesmo gênero

O poema em estrofes de quatro versos, escrito pelo poeta português Fernando Pessoa, mostra o drama que pode ser vivido por quem ama alguém.

O amor, quando se revela
Fernando Pessoa

O amor, quando se revela,
Não se sabe revelar.
Sabe bem olhar p'ra *ela*,
Mas não lhe sabe falar.

Quem quer dizer o que sente
Não sabe o que há de dizer.
Fala: parece que mente...
Cala: parece esquecer...

Ah, mas se *ela* adivinhasse,
Se pudesse ouvir o olhar,
E se um olhar lhe bastasse
P'ra saber que a estão a amar!

Mas quem sente muito, cala;
Quem quer dizer quanto sente
Fica sem alma nem fala,
Fica só, inteiramente!

Mas se isto puder contar-lhe
O que não lhe ouso contar,
Já não terei que falar-lhe
Porque lhe estou a falar...

PESSOA, Fernando. In: BUENO, Alexei (Org.), op. cit., p. 31.

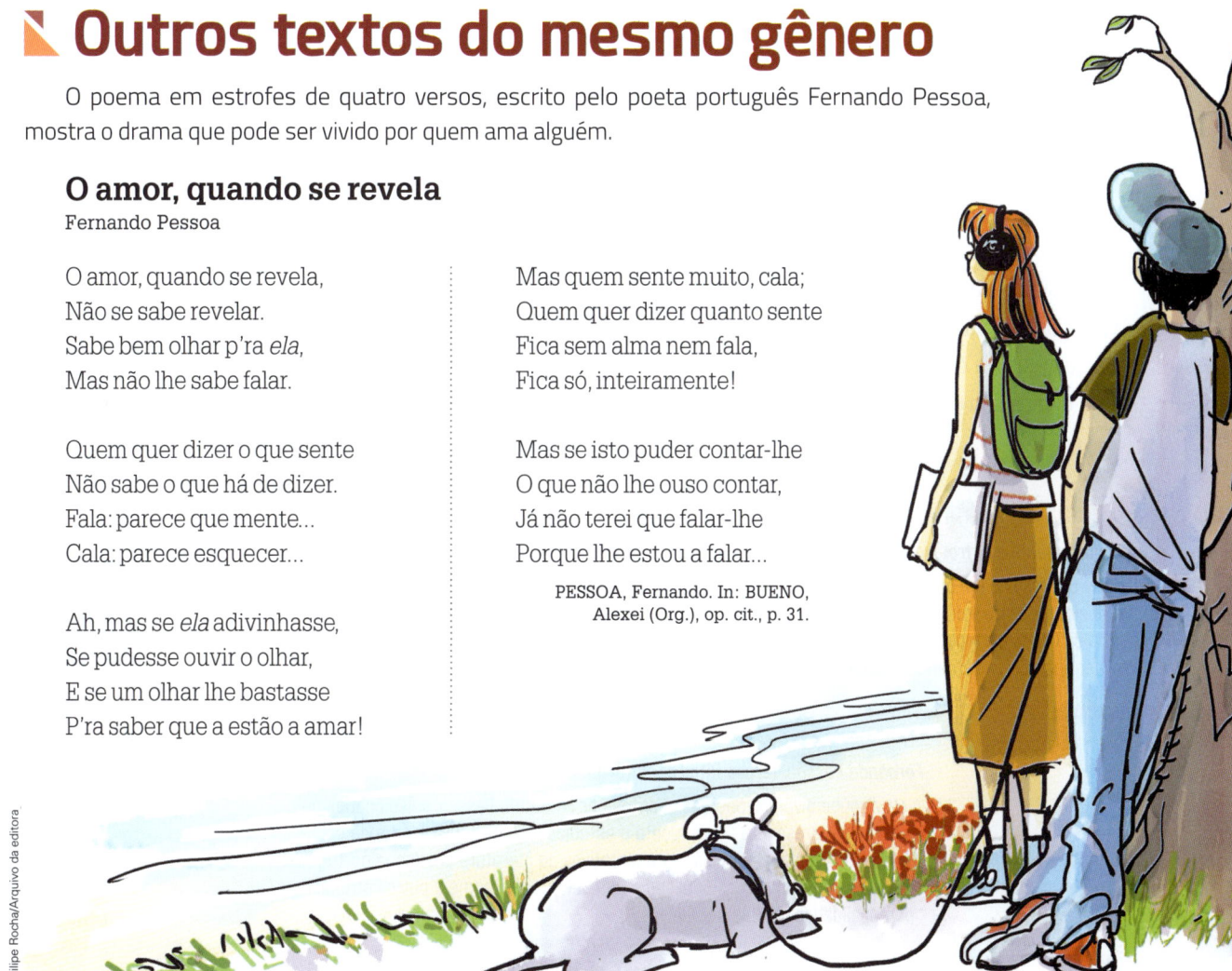

Filipe Rocha/Arquivo da editora

1ᐳ Com a turma toda. Converse com os colegas sobre o poema de Fernando Pessoa considerando estas questões:

a) Note que a palavra *ela* é escrita de um jeito diferente no poema. Qual é o provável motivo de essa palavra ter sido escrita diferentemente das demais?

b) Na última estrofe, o eu lírico afirma que não ousa falar do seu amor à pessoa amada. Porém acrescenta que não terá de lhe falar porque já está falando a ela. O que você entendeu disso? De que modo o eu lírico "já está falando" do seu amor à pessoa amada?

c) Você gostou do poema de Fernando Pessoa? Concorda com a postura do eu lírico desse poema em relação ao amor? Explique.

Leia outro poema de Ferreira Gullar, o mesmo autor de "Traduzir-se".

Fernando Pessoa nasceu em Lisboa, Portugal. Foi escritor, jornalista, comerciante, crítico literário e tradutor. É considerado um dos maiores poetas da literatura em língua portuguesa.

Mar azul
Ferreira Gullar

MAR AZUL
MAR AZUL MARCO AZUL
MAR AZUL MARCO AZUL BARCO AZUL
MAR AZUL MARCO AZUL BARCO AZUL ARCO AZUL
MAR AZUL MARCO AZUL BARCO AZUL ARCO AZUL AR AZUL

GULLAR, Ferreira. *Melhores poemas*. São Paulo: Global, 2004.

2ᐳ Com a turma toda. Converse com os colegas sobre o poema "Mar azul", de Ferreira Gullar, levando em consideração as questões a seguir:

a) No poema, vários grupos de palavras se repetem. Quais são eles?

b) Qual palavra se repete em todos os grupos?

c) Quais substantivos são utilizados nesses grupos de palavras:

d) Que palavra é possível ver/ouvir em todos esses substantivos?

e) A disposição das palavras no espaço da página resulta em um efeito visual que faz lembrar o quê?

📖 Minha biblioteca

A lua no cinema e outros poemas. Vários autores. Companhia das Letras.

Este livro é dividido em quatro partes: "O verbo ser e outros verbos", "Não sei se isto é amor e outras dúvidas", "Na ribeira deste rio e outras paisagens" e "Não coisa e outras coisas". Entre os 19 escritores que representam a poesia de língua portuguesa, estão os brasileiros Cacaso e José Paulo Paes e os portugueses Sophia de Mello Breyner Andresen e Fernando Pessoa. Os poemas abordam questões e valores que têm tudo a ver com os jovens.

Fernando Pessoa. Teresa Rita Lopes (Org.). Global.

A obra reúne diversos poemas escritos por Fernando Pessoa, selecionados pela portuguesa Teresa Rita Lopes, poeta e estudiosa da literatura produzida por Pessoa. Um dos poetas mais representativos da literatura em língua portuguesa, Pessoa escreveu poemas publicados em seu próprio nome e outros atribuídos a personalidades criadas por ele.

Poema

A escrita criativa de textos demanda um exercício de construção que necessita do conhecimento dos recursos da língua, além de tempo e de dedicação.

Haverá dois desafios nesta seção:

1▸ O primeiro é a produção de um poema visual inspirado em um texto de Eduardo Galeano.

2▸ O segundo é a criação de um poema com base em jogo de palavras.

Depois que você e seus colegas criarem os poemas, poderão decidir como compartilhar o que criaram:

- promovendo a exposição dos poemas na escola por meio de um varal ou um painel de poemas;
- organizando uma antologia de poemas, impressa em papel ou editada eletronicamente para circular no *blog* ou nas redes sociais da escola.

Vamos começar!

Jean Galvão/Arquivo da editora

↠ Aquecimento

1▸ Relembre:

Poema é um gênero textual em que a linguagem é carregada de significado. Para sensibilizar o leitor, as escolhas e combinações de linguagem priorizam os jogos de palavras que produzem efeitos:

- **de sentido** (metáforas, antíteses, paradoxos);
- **sonoros** (rima, ritmo, aliteração, assonância);
- **visuais** (distribuição de versos e estrofes no papel, uso de recursos gráficos na escrita, diálogo com diversas linguagens visuais).

2▸ Leia o esquema a seguir com as principais características dos poemas que você vai produzir.

POEMA EM LINGUAGEM VERBAL E NÃO VERBAL				
Tema/assunto	**Intenção/ finalidade**	**Linguagem e construção**	**Leitor/ público-alvo**	**Circulação**
▪ Palavras selecionadas conforme combinado com o professor.	▪ Sensibilizar. ▪ Expressar emoções e sentimentos. ▪ Provocar humor. ▪ Fazer arte.	▪ Uso de figuras de linguagem. ▪ Rima, ritmo, jogos de palavras, repetição de sons. ▪ Versos e estrofes (pode haver uma só estrofe). ▪ Uso do espaço da página como recurso para produzir sentidos. ▪ Emprego de estratégias criativas.	▪ Pessoas da comunidade escolar que gostem de poemas. ▪ Alunos, professores e funcionários da escola. ▪ Parentes e familiares.	▪ Varal ou painel de poemas no espaço escolar. ▪ Antologia impressa ou digitalizada e publicada no *blog* ou na rede social da escola.

Proposta 1: poema visual

❯❯ **Preparação**

1▸ Leia o texto a seguir, do escritor uruguaio Eduardo Galeano. Esse conto trata do processo de construção de um texto literário:

Janela sobre a palavra (IV)

Eduardo Galeano

Magda Lemonier recorta palavras nos jornais, palavras de todos os tamanhos, e as guarda em caixas. Numa caixa vermelha guarda as palavras furiosas. Numa verde, as palavras amantes. Em caixa azul, as neutras. Numa caixa amarela, as tristes. E numa caixa transparente guarda as palavras que têm magia.

Às vezes, ela abre e vira as caixas sobre a mesa, para que as palavras se misturem do jeito que quiserem. Então, as palavras contam a Magda o que acontece e anunciam o que acontecerá.

GALEANO, Eduardo. *As palavras andantes*. Porto Alegre: L&PM, 1994.

Filipe Rocha/Arquivo da editora

2▸ Prepare-se: você será convidado a empregar a estratégia descrita no texto para alimentar sua imaginação com palavras.

❯❯ **Versão inicial**

1▸ **Em grupo.** Sob a orientação do professor, combinem um modo de realizar as atividades seguintes.

a) Selecionar as palavras que desencadearão o processo de criação:
- escreva palavras em tiras de papel;
- ou recorte palavras de jornais e revistas.

b) Classificar as palavras selecionadas:
- como no texto de Galeano: palavras "furiosas", "amantes", "neutras", "tristes", "mágicas";
- ou de outra forma: palavras "calmas", "engraçadas", "alegres", "científicas", "estranhas", "rudes".

c) Reunir as palavras:
- em caixas coloridas ou em sacos plásticos etiquetados;
- ou todas juntas em apenas um recipiente que sirva para a classe, ou cada grupo reúne as suas em recipiente próprio.

d) Partilhar as palavras reunidas:
- cada participante joga com a sorte ao retirar a(s) palavra(s) da caixa ou do saco;
- ou cada participante escolhe as palavras para atender às suas **intenções** quando chegar sua vez;
- ou cada grupo separa as palavras que possam **alimentar sua produção**.

2▸ Pensem no texto a ser produzido: um poema visual. Para construí-lo, vocês devem associar:
- linguagem verbal (palavras);
- linguagem gráfica (fotos, desenhos, formas geométricas, mancha gráfica formada pelas letras das palavras, etc.).

Lembrem-se de que a imagem que o poema formar ou a mancha gráfica que ele ocupar no espaço do papel deve agregar sentido ao texto poético e ampliar seus significados.

3▸ Escolham uma das estratégias para o trabalho em grupo:

a) cada participante apresenta sua sugestão e o grupo decide por uma.

b) um participante começa e os demais colaboram na sequência.

c) cada participante produz individualmente e, depois de lidas em grupo, escolhe-se a melhor produção.

d) um participante é eleito para registrar o que todos sugerirem e votarem oralmente.

4▸ Após decidirem, mãos à obra!

❱ Revisão e reescrita

1▸ Releiam o texto produzido. Considerem os seguintes pontos:

a) Se é necessário reescrever alguma parte, fazendo escolhas mais adequadas de palavras e construções de frases.

b) Se a distribuição das palavras no espaço do papel está adequada: título, versos, estrofes.

c) Se a relação entre imagem (linguagem visual) e texto escrito (linguagem verbal) cria o efeito de sentido esperado.

d) Se há necessidade de ampliação ou aprimoramento dos efeitos de sentido em relação a:

- sonoridade: ritmo e melodia obtidos pela combinação de palavras com sons parecidos;
- múltiplos significados produzidos pelas construções utilizadas e pelo uso de figuras de linguagem;
- aspecto visual: efeitos produzidos pela distribuição das palavras no papel ou com a forma e o tamanho das letras empregadas.

2▸ Façam as correções que considerarem necessárias.

❱ Circulação

1▸ Combinem com o professor como os poemas serão expostos: em um varal de poemas ou em um painel. Antes, porém, produzam também o poema proposto na próxima atividade para expor juntamente os dois tipos de poemas.

2▸ Caso decidam fazer um varal de poemas, prendam um barbante no espaço da classe e organizem os poemas nesse varal, prendendo-os com pregadores de roupa.

3▸ Se optarem pela organização dos poemas em um painel, combinem um espaço disponível no corredor da sala de aula ou no pátio da escola.

4▸ Para que os poemas possam ser lidos/vistos por um público bem maior, aguardem as instruções do professor para decidirem o que fazer depois da produção 2.

Proposta 2: poema

❱ Preparação

1▸ No diagrama ao lado observe uma possibilidade de combinação de palavras a partir do jogo entre letras e fonemas de uma palavra, produzindo um texto poético. No caso, a palavra inspiradora foi *cata-vento*.

C	A	T	A	V	E	N	T	O
C	A	T	A					
				V	E	N	T	O
	A	T	A					
			A				T	O
			A	V	E			
		T	A				T	O
				V	E			
				V	E	M		
		T				E	N	T	O
		T	A				N	T	O
	A	T				E	N	T	O

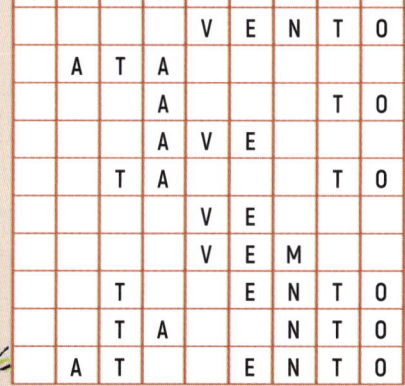

2▸ Veja agora um poema inspirado pelas palavras compostas no diagrama:

Cata-vento

Cata-vento	Ata o vento	Vem no ato
Vem atento	Ata a ave	Cata o vento
Cata o vento	E a ave	Ata e vem
Venta e tanto	Que tem tato	Vem e ata
E tanto venta	Vem no vento	Cata-vento

Texto produzido pelas autoras desta coleção.

3▸ Use o processo do diagrama como ponto de partida para a escrita de um poema.

a) Em uma folha de papel quadriculado, escreva uma das palavras que o professor vai sugerir, colocando uma letra em cada quadradinho.

b) Forme o maior número possível de outras palavras com as letras da palavra escolhida.

⇥ Versão inicial

1▸ **Em dupla.** Junte-se a um colega que criou palavras a partir de uma palavra diferente da sua.

2▸ Escolham palavras que possam ser combinadas de modo a produzir efeitos de sentido significativos a partir de:
- múltiplos significados produzidos pelas construções utilizadas e pelo uso de figuras de linguagem;
- sonoridade: ritmo e melodia obtidos pela combinação de palavras com sons parecidos ou pela repetição de alguns;
- aspecto visual: efeitos produzidos pela distribuição das palavras no papel ou com a forma e o tamanho das letras empregadas.

3▸ Escrevam as várias possibilidades de verso e refaçam tantas vezes quantas forem necessárias para obter um texto de caráter poético, com as associações que as palavras formadas possibilitarem.

4▸ Leiam e releiam o texto em voz alta, fazendo alterações para produzir os efeitos de significado e de sonoridade desejados.

⇥ Revisão e reescrita

1▸ Releiam a produção que fizeram em dupla, observando:
- se ela está adequada ao que foi proposto;
- se a pontuação está de acordo com a entonação desejada;
- se o ritmo marcado pela divisão em versos (ou estrofes), pelas rimas, assonâncias ou aliterações está garantido.

2▸ Deem um título ao poema e não se esqueçam de colocar os nomes dos autores: seus nomes.

3▸ Façam as mudanças que acharem necessárias e passem a limpo a produção final em folha para ser exposta no varal ou painel de poemas.

⇥ Circulação das produções escritas

1▸ Organizem uma antologia, isto é, uma publicação, impressa ou eletrônica, com os poemas produzidos nas duas propostas de produção.

2▸ Para organizar a antologia, sigam estes passos:

a) Leiam todos os poemas e escolham como organizar o material: por tema ou por ordem alfabética de título.

b) Escolham um título para a antologia.

c) Organizem um sumário com os títulos do poema.

d) Produzam um texto de apresentação da antologia relatando o processo criativo utilizado pela turma para a produção dos poemas.

3▸ Caso tenham optado por uma antologia impressa em papel, o material pode circular entre os familiares e depois ser doado à biblioteca da escola. Se a opção for uma antologia eletrônica, ela pode ser publicada no *blog* ou nas redes sociais da escola.

E-zine de poemas

Na seção anterior, você se dedicou à escrita criativa e produziu poemas: um em dupla e outro em grupo. Agora vai fazer a edição digital do poema de sua dupla e confeccionar sua página para o *e-zine* de poemas da turma.

> No termo *e-zine*, o *e-* remete à palavra em inglês *electronic* (eletrônico), e o *zine*, à redução de *magazine* (revista).

E-zine é uma publicação em formato digital produzida e divulgada de forma independente por seus autores. Os *e-zines*, ou revistas eletrônicas, costumam ser compartilhados na internet, em *blogs*, redes sociais, páginas pessoais ou enviados por *e-mail* a pessoas interessadas em seu conteúdo.

Os *e-zines* podem ser produzidos com diferentes objetivos. Várias dessas publicações se dedicam à divulgação da literatura. Hoje em dia, por exemplo, diversos escritores iniciantes começam a divulgar seus poemas e contos em *e-zines*.

O *e-zine* produzido nesta atividade poderá circular no *blog* da escola e/ou ser encaminhado por *e-mail* aos familiares, amigos e demais alunos e funcionários do colégio.

Siga as orientações do professor e as etapas propostas abaixo e bom trabalho!

➤ Planejamento e produção coletiva

1▸ O professor vai apresentar a ferramenta de publicação digital que vocês utilizarão nesta atividade. Investigue os recursos disponíveis e esclareça possíveis dúvidas.

2▸ **Com a turma toda.** Nesse momento, vocês vão criar coletivamente a identidade da revista e elaborar os elementos gerais da publicação, de acordo com os itens a seguir.

- Avaliem as opções que a ferramenta apresenta para o formato das páginas e escolham aquele que vão utilizar.
- Combinem o tipo e o tamanho de letra para os textos internos da publicação.
- Selecionem um dos modelos de capa disponíveis.
- Elaborem um título para o *e-zine* da turma. O professor vai digitar, no modelo de capa escolhido, esse título e a autoria da revista eletrônica, bem como o nome da escola onde estudam e o ano da publicação.
- Ajudem o professor a montar o sumário da publicação. Para isso, pensem em um critério de organização. Uma possibilidade é listar os poemas pelos títulos em ordem alfabética.
- Produzam a página de apresentação, com um breve texto que servirá de introdução do *e-zine* e de convite à leitura dos poemas.
- Para fechar a revista, vocês podem dar dicas de seus livros de poemas preferidos, indicando autor, título da obra, editora. Cada dica deve ser acompanhada de um comentário, explicando, em poucas palavras, por que vale a pena ler essa obra.
- Revisem e editem todo o conteúdo produzido para essas partes da revista. Encerrada essa etapa do trabalho, o professor vai salvá-lo na própria ferramenta de trabalho, criando o projeto do *e-zine* de poemas da turma.

> **! Atenção**
>
> As escolhas para a revista relacionadas ao formato do papel, às cores e ao tipo e tamanho de letra devem ser seguidas pelos alunos quando forem produzir, individualmente, suas páginas. Isso vai garantir a identidade e a harmonia visual da publicação.

> **! Atenção**
>
> É possível mencionar, na indicação de autoria, o nome da turma ou, ainda, criar uma identificação para o grupo de poesia de vocês. Usem a criatividade!

⇥ Produção das duplas

1▸ **Em dupla.** Em dia e horário combinados, dirijam-se ao laboratório de informática ou a outro local com computador conectado à internet e, sob a orientação do professor, acessem a ferramenta de publicação digital. Em seguida, poderão entrar no projeto da turma: vocês vão começar a produzir suas páginas para o *e-zine*.

2▸ Digitem o poema produzido pela dupla no espaço reservado para essa produção. Releiam o texto digitado, corrigindo-o, se necessário.

⚠ Atenção

Usem cores e outros destaques para realçar o título do poema ou outros elementos e trechos.

3▸ Revisem o poema de vocês, fazendo as escolhas que enriqueçam os sentidos da composição.

4▸ Incluam imagens, cores e texturas de fundo em suas páginas, com o objetivo de deixá-las atrativas visualmente. Lembrem-se, contudo, de considerar as escolhas da turma para a identidade visual da revista.

5▸ Indiquem a autoria do texto, inserindo o nome de vocês junto ao poema.

6▸ Façam a última revisão. Para isso, analisem o conjunto da página, observando a organização dos elementos: linguagem, verbal, imagens, etc. Verifiquem se está de acordo com o esperado por vocês e se poderá agradar ao leitor.

7▸ Salvem a atualização do projeto na ferramenta.

⇥ Finalização e divulgação do *e-zine*

1▸ Após todos os alunos terem inserido e editado seus poemas no projeto de *e-zine* da turma, o professor vai salvar a última versão da revista e efetuar o *download* dela. É possível também publicá-la ou compartilhá-la por meio da própria ferramenta de criação. Isso vai depender do recurso utilizado.

Download: em uma rede de computadores, ação de copiar, para uma máquina ou dispositivo local, informação disponível em máquina remota.

2▸ Conversem como preferem divulgar o *e-zine* de poemas da turma e escolham a melhor maneira de compartilhar suas produções!

Página de um *e-zine* (revista eletrônica *Pólen*) em que são publicados textos classificados por temas, como juventude, família, futuro, identidade, etc. escrito por diversos autores.

Chegou o momento de fazer um balanço de tudo o que foi estudado na Unidade 1. Leia o quadro de conteúdos para recordar o que estudou e, no caderno, avalie seu desempenho usando os tópicos propostos a seguir como orientação. Isso ajudará você na hora de organizar seus estudos.

Meu desempenho

- **Compreendi bem** (registre no caderno os itens que você compreendeu)
- **Avancei em** (registre no caderno os itens em que você melhorou)
- **Preciso rever** (registre no caderno os itens que você precisa estudar mais)
- **Outras observações e/ou outras atividades**

UNIDADE 1	
Gênero Poema	**LEITURA E INTERPRETAÇÃO** · Leitura dos poemas "Traduzir-se", de Ferreira Gullar; "Imagem", de Arnaldo Antunes; "rua sol", de Ronaldo Azeredo; poema visual, de Sérgio Capparelli · Identificação dos elementos que estruturam poemas com interação entre a linguagem verbal e a linguagem não verbal nos poemas lidos · Identificação de recursos estilísticos nos poemas **PRODUÇÃO** **Oral** · Declamação de poemas · Interatividade: *E-zine* de poemas **Escrita** · Poema visual e poema com base em jogo de palavras
Ampliação de leitura	**CONEXÕES** · Outras linguagens: Pintura: *Autorretrato*, Ismael Nery. Colagem e justaposição em obras de arte: *Espelho-colagem*, Kurt Schwitters; *Puros e duros*, Leonilson · Haicai, um poema de três versos · Mais poemas **OUTROS TEXTOS DO MESMO GÊNERO** · "O amor, quando se revela", Fernando Pessoa, e "Mar azul", Ferreira Gullar
Língua: usos e reflexão	· Recursos estilísticos e figuras de linguagem: pontuação expressiva; comparação, metáfora, metonímia, personificação, sinestesia, paradoxo, ambiguidade; antítese, ironia · Desafios da língua: sinônimos, antônimos, parônimos, homônimos e palavras polissêmicas
Participação em atividades	· Orais · Coletivas · Em grupo

Filipe Rocha/Arquivo da editora

UNIDADE

2

Dizer muito com economia de palavras

As transformações trazidas pelos avanços tecnológicos apontam para uma comunicação mais rápida. Você percebe isso no seu dia a dia? Em quais situações? Essa rapidez pode ser observada também na forma de contar histórias. Você se lembra de algum conto curto que leu? Qual?

Nesta unidade você vai:

- ler e interpretar contos;
- localizar elementos e momentos da narrativa;
- identificar tipos de sequência discursiva e modos de citação do discurso;
- comparar contos elaborados com diferentes recursos;
- produzir miniconto ou microconto;
- reconhecer elementos de coesão em períodos compostos;
- ampliar o conceito de período composto;
- diferenciar período composto por coordenação e por subordinação;
- identificar orações coordenadas com auxílio de conectivos.

CONTO E MICROCONTO

Se as inovações tecnológicas, por um lado, facilitam o acesso a variadas informações, por outro, exigem novas atitudes relacionadas à forma pela qual nos comunicamos, já que vivemos em uma época caracterizada pela **rapidez da informação**.

Isso revela que as escolhas de linguagem são determinadas não só pela intenção de quem escreve, mas também pelas circunstâncias e pelo contexto da vida moderna, exigindo mais velocidade também nas formas de comunicação.

Os recursos de linguagem empregados na atualidade muitas vezes procuram se adequar também a essas transformações, apresentando textos mais ágeis, concisos, isto é, mais breves ou "econômicos".

Às vezes, essa economia produz textos que procuram dizer muito com o mínimo de palavras. Buscam assim, de modo sucinto, mostrar como as relações humanas são marcadas pelas circunstâncias históricas e sociais.

Leia o título do conto a seguir. O que pode acontecer com um homem incumbido de entregar uma carta? Quem seria esse homem? Que carta seria essa?

Leitura

Texto 1

O homem que devia entregar a carta
Ignácio de Loyola Brandão

Era sua primeira missão como *office boy*. Estava com dezoito anos, mas não tinha conseguido nenhum emprego. Apesar dos jornais garantirem que não havia crise, ele simplesmente batera o nariz em dezenas de portas e tinha enfrentado filas de até dois quilômetros. O patrão pediu que ele entregasse uma carta com protocolo. E avisou: a pessoa que receber precisa assinar esse papelzinho. Só entregue mesmo ao destinatário, a ninguém mais, esta carta é da maior importância.

Foi. Ao chegar, verificou o endereço: era de um terreno baldio. Comparou, indagou. Não havia engano mesmo. O número correspondia ao terreno. Voltou ao patrão, contou.

E o patrão:

— Eu sei que é um terreno. Mas vão construir um prédio ali.

5 — Vão! E o que faço?

— Você entrega a carta como mandei.

O patrão era um homem ocupado, dispensou o *boy*. Ele voltou ao local. Nada. Um terreno sujo, cheio de mato. O que fazer? Sentou-se, pensando que, se alguém chegasse ali, poderia dar uma informação. No fim do dia, foi embora.

Na manhã seguinte, ao subir no elevador, encontrou o patrão.

— Como é, entregou a carta?

10 — Não tem prédio nenhum lá.

> *office boy:* do inglês, empregado em escritório, encarregado de fazer trabalhos de entregas e serviços de banco.
>
> **protocolo:** registro de recebimento de documentos, comprovante.
>
> **indagar:** averiguar, investigar; perguntar; observar atentamente.

— Mas vão construir. Já conseguiram até financiamento da Caixa Econômica.

O *boy* voltou ao terreno. Naqueles e nos outros dias seguintes. Nas semanas e meses. E o patrão, já inquieto, querendo saber da carta, o *boy* mais inquieto ainda, já sem saber por que não construíam logo o tal edifício. Um dia, viu homens carpindo o mato. No outro dia, ergueram um tapume. Em seguida, instalaram placas. Logo vieram tratores e máquinas. Cavaram, cavaram, caminhões basculantes levaram a terra, chegou cimento, aço, pedras. As fundações ficaram prontas.

E o *boy* ali, todos os dias, firme, à espera. Fazendo amizade com os operários, capatazes da obra, aprendendo como se mistura o cimento, como se processa a concretagem, acompanhando os andares que subiam, as lajes sendo terminadas.

O prédio subiu. A essa altura o patrão, irritadíssimo com o *boy*, ameaçava despedi-lo.

15 — Que porcaria você é que nem consegue entregar uma carta?

O *boy*, ferido no orgulho, plantou-se então, dia e noite, sentado num dos andaimes. Amigo de todos os operários, comia e bebia com eles, contava casos, ouvia histórias do Nordeste, lendas da Bahia, conhecia a miséria que ia pelo interior, os dramas de fome e doença, o abandono, a seca. A parte mais demorada, lenta. Colocar portas, janelas, armários, rebocar, passar massa corrida, pintar, instalar pias, torneiras, vasos, tacos. Então, a festa da inauguração, chope. E as faixas, os corretores ansiosos por enganar alguém com as compras maravilhosas que terminavam em pesadelo.

As pessoas começaram a se mudar. Todos os dias, o *boy* batia à porta do apartamento 114. O destinatário ainda não tinha se mudado. Agora, o *boy* já tinha feito vinte anos e o patrão tinha lhe dado um prazo fixo, fatal, irreversível. Ou entregava a carta, ou era despedido.

> **tapume:** cerca feita de tábuas para vedar a entrada em uma construção.
>
> **capataz:** chefe de um grupo de trabalhadores braçais.
>
> **andaime:** armação de madeira ou de metal com estrado, sobre o qual trabalham os operários nas construções quando já não é possível trabalhar apoiado no chão.
>
> **irreversível:** que não pode ser desfeito.

Gustavo Grazziano/Arquivo da editora

Ele batia à porta, ninguém atendia. Até que um caminhão trouxe mudança para o 114. Mas a porta continuava fechada, muda.

Batia, e nada.

20 Uma tarde, abriram. Um senhor grisalho, ar sonolento. O *boy*, triunfante, estendeu a carta. O homem olhou o destinatário.

— Não sou eu. Nem sei quem é.

— Como? O senhor comprou o apartamento de alguém?

— Não. Comprei na planta. Não teve nenhum dono antes de mim.

— Que faço?

25 — Passa na portaria, fala com o zelador.

O *boy* passou, explicou a situação. O zelador apanhou um carimbo, bateu no envelope: DESTINATÁRIO DESCONHECIDO.

E devolveu a carta ao *boy*.

BRANDÃO, Ignácio de Loyola. *Cadeiras proibidas*. São Paulo: Global, 1988. p. 83-85.

Ignácio de Loyola Brandão nasceu em 1936, em Araraquara, SP. Jornalista e escritor, tem mais de 40 livros publicados, entre romances, contos e crônicas. Seus livros foram traduzidos em várias línguas. Em 2016, recebeu o prêmio Machado de Assis pelo conjunto de sua obra. Em 2019, foi eleito para a Academia Brasileira de Letras, tornando-se um "imortal".

Interpretação do texto

Compreensão inicial

1▸ Depois de ler o conto, você já sabe o que aconteceu com o homem que devia entregar a carta. Responda:

a) Quem era esse homem?

b) Qual era sua idade no início da história?

c) Qual era sua missão?

d) Qual foi o primeiro empecilho encontrado pelo homem?

2▸ O fator surpresa desse conto liga-se, entre outras coisas, ao tempo decorrido do início ao final da narrativa.

a) Transcreva no caderno a frase do texto que mostra por quanto tempo o empregado continuou tentando entregar a carta todos os dias, enquanto o terreno ainda estava vazio.

b) Transcreva no caderno a frase do texto que mostra o tempo que passou até o empregado chegar ao destinatário.

3► Qual foi o primeiro sinal de mudança no terreno vazio?

4► Reescreva as frases no caderno, substituindo as expressões em destaque por outras correspondentes, sem modificar o sentido:

a) "Apesar dos jornais garantirem que não havia crise, ele simplesmente **batera o nariz em dezenas de portas** e tinha enfrentado filas de até dois quilômetros."

b) "O *boy*, ferido no orgulho, **plantou-se** então, dia e noite, sentado num dos andaimes."

5► Releia estes trechos:

> E o patrão, já inquieto, querendo saber da carta [...].

> A essa altura o patrão, irritadíssimo com o *boy*, ameaçava despedi-lo.

> [...] o patrão tinha lhe dado um prazo fixo, fatal, irreversível. Ou entregava a carta, ou era despedido.

Por essas atitudes, como você caracteriza esse patrão?

6► Releia estes outros trechos:

> Ele voltou ao local.

> O *boy* voltou ao terreno. Naqueles e nos outros dias seguintes. Nas semanas e meses.

> E o *boy* ali, todos os dias, firme à espera.

> O *boy*, ferido no orgulho, plantou-se então, dia e noite, sentado num dos andaimes.

Por essas atitudes, como você caracteriza o *boy*?

7► Copie no caderno a passagem do conto que indica a intenção crítica do narrador em relação à atitude dos corretores de imóveis.

8► No decorrer da narrativa é possível saber que o *boy* se identificava com os operários da construção. O que os identificava?

9► Releia o título do conto:

> O homem que **devia** entregar a carta

O tempo indicado pela forma verbal destacada é o pretérito imperfeito, empregado para indicar que a ação não foi concluída.

Assinale as alternativas que mostram qual foi o fator mais importante que frustrou as tentativas de entrega da carta.

a) A demora da construção do prédio.

b) As pessoas terem demorado para se mudar.

c) Não haver nenhum morador no endereço indicado.

d) O morador do apartamento do endereço de entrega não ser o destinatário da carta.

e) A falta de ajuda do zelador.

Linguagem e construção do texto

O conto "O homem que devia entregar a carta" difere dos contos a que estamos acostumados a ler, pois apresenta como naturais situações que desorganizam a normalidade cotidiana. Há uma mescla entre elementos absurdos (como a obrigação de entregar uma carta em um prédio que ainda não existe) e aspectos da realidade ordinária, corriqueira, o que caracteriza o realismo fantástico.

Paralelamente, a construção do texto utiliza recursos formais diferenciados.

1▸ Observe este trecho, atentando para os verbos em destaque:

> **Colocar** portas, janelas, armários, **rebocar**, **passar** massa corrida, **pintar**, **instalar** pias, torneiras, vasos, tacos.

Assinale as alternativas que mostram o que se pode notar nessa construção:

a) Frases curtas e rápidas.

b) Frases longas.

c) Palavras e frases lado a lado.

d) Várias frases no mesmo período.

Esse processo de construção é chamado de **justaposição**. O autor justapõe frases, separadas apenas pela pontuação. Aparentemente, não há ligação entre elas.

▸ **justapor:** pôr lado a lado; pôr junto.

2▸ Releia outro exemplo de justaposição extraído do conto:

> Cavaram, cavaram, caminhões basculantes levaram a terra, chegou cimento, aço, pedras.

Qual é o efeito produzido por essa justaposição?

3▸ Releia as passagens destacadas a seguir.

> Foi.

> O prédio subiu.

> Voltou ao patrão, contou.

> Batia, e nada.

Gustavo Grazziano/Arquivo da editora

Assinale as alternativas que indicam o tipo de linguagem empregado na narrativa.

a) Linguagem direta, econômica, rápida.

b) Linguagem elaborada, mais formal.

c) Linguagem com frases curtas, que dificultam o entendimento.

d) Linguagem com frases curtas, que aceleram o ritmo.

A história é contada por um **narrador**. Ele pode participar dos acontecimentos como personagem (narração em 1ª pessoa) ou narrar de um ponto de vista distanciado, sem tomar parte das ações (narração em 3ª pessoa). O narrador também pode comentar os fatos.

4▸ Depois de ler o conto, é possível identificar o tipo de narrador que conta a história. O que você observou sobre ele?

5▸ Responda no caderno: Qual é o **espaço** ou contexto social em que se desenrolam as ações dos personagens?

6▸ Com relação à passagem do **tempo**, há referências claras, diretas. No caderno dê exemplos de marcadores temporais presentes no conto.

7▸ Releia:

> Agora, o *boy* já tinha feito vinte anos...

A que conclusão é possível chegar sobre o período de tempo em que se passam as ações do conto?

8▸ Os **personagens** principais são o patrão e o *office boy*, referido como *boy*. Não se sabe o nome de nenhum deles. Qual terá sido a provável intenção de não se dar nomes próprios aos personagens?

9▸ Quanto ao **enredo**, chegou a hora de identificar os momentos da narrativa. Escreva em seu caderno o que ocorre nas partes destacadas a seguir.

a) **Situação inicial**: Qual é a situação inicial?

b) **Conflito ou desequilíbrio**: Qual é o primeiro desequilíbrio?

c) **Clímax**: A situação de desequilíbrio abrange grande parte do texto, entretanto há um momento de maior tensão. Qual é ele?

d) **Desfecho**: O desfecho quebra a expectativa de um final feliz. Por quê?

10▸ Depois de ler esse conto com elementos de realismo fantástico, em uma visão absurda da realidade (*nonsense*), qual é sua apreciação? Você gostou do conto? Tem interesse por esse gênero? Indicaria essa leitura? Por quê? Converse com a turma fazendo sua apreciação e ouvindo a dos colegas.

> ▸ **nonsense**: do inglês, ilógico, sem sentido.
> ▸ **microconto**: conto muito curto.

Considerando que na atualidade é comum o emprego de linguagens mais ágeis e "econômicas", a seguir leia um microconto que o desafiará a deduzir o que acontece por trás da história.

> **No messenger.** *No*: em português indica preposição *em + o*; em inglês significa "não", "nenhum". *Messenger*: no Brasil, pode ser uma referência a um programa que permite conversas por escrito, instantâneas, por meio da internet; em inglês, o termo significa "mensageiro".

Texto 2

No messenger

Leonardo Brasiliense

Dois anos de forte amizade virtual, e agora aquele "silêncio" constrangedor: não havia o que teclar, era a hora do "ombro amigo".

> BRASILIENSE, Leonardo. *Adeus conto de fadas*: minicontos juvenis. Rio de Janeiro: 7 Letras, 2007. p. 23.

Gustavo Grazziano/ Arquivo da editora

Reprodução/Arquivo pessoal

Leonardo Brasiliense nasceu em 1972, em São Gabriel, no Rio Grande do Sul. Formado em Medicina, é escritor e roteirista. Recebeu o prêmio Jabuti de melhor livro juvenil, em 2007, com o livro *Adeus conto de fadas*.

Reprodução/7 Letras

Interpretação do texto

Compreensão inicial

1▸ No único parágrafo que constitui esse microconto é possível observar várias informações. Indique em seu caderno:

- o tipo de amizade;
- o tempo de duração da amizade;
- o que acontece.

2▸ Uma palavra e uma expressão no texto destacam-se pelo uso de aspas.

Relembre:

> **Aspas**: sinal empregado para destacar palavras ou expressões; indicar citações e pensamentos; destacar palavras de origem estrangeira ou gírias; indicar que uma palavra está empregada em sentido diferente do usual ou do que era esperado.

No caderno indique com que intenção foram empregadas aspas em:

- "silêncio";
- "ombro amigo".

3▸ Observando os significados possíveis para as palavras do título, que outro título você escolheria para o microconto?

Leia a seguir outro conto mínimo, de apenas três linhas. Será que é possível contar uma história em um espaço tão pequeno? Confira.

Texto 3

Pelo vidro, os olhares se cruzaram.
"Achei meu verdadeiro amor".
O metrô partiu. Ela foi, ele ficou.

ROSSATTO, Edson. *Cem toques cravados.*
São Paulo: Andross, 2010. p. 30.

Gustavo Grazziano/Arquivo da editora

Reprodução/Arquivo pessoal

Edson Rossatto nasceu na cidade de São Paulo, em 1978. É escritor, editor de livros e roteirista de HQ. Também atua como palestrante e organizador de eventos culturais. Seu conto "Cartas a um irmão" foi adaptado para o cinema.

Reprodução/Editora Europa

Interpretação do texto

Compreensão inicial

1▶ Nesse pequeno conto é possível observar várias informações. Indique em seu caderno:

- personagens;
- espaço;
- tempo;
- o que acontece.

2▶ Uma frase do microconto destaca-se pelo uso de aspas. O que indicam as aspas na frase?

3▶ O microconto se inicia com a expressão "pelo vidro".

a) Há uma relação entre esse início e o desfecho do microconto. O que se pode inferir dessa relação?

b) O desfecho indica um final feliz? Por quê?

4▶ Esse microconto não tem título. Que título você daria a ele?

Gustavo Grazziano/Arquivo da editora

Comparando os contos

1▶ Faça um quadro comparativo em seu caderno como o que segue. Depois, copie, no respectivo espaço, o que pode ser observado em cada um dos contos.

Texto 1 "O homem que devia entregar a carta"	Texto 2 "No messenger"	Texto 3 sem título

a) Breves diálogos.

b) Texto dividido em parágrafos, marcando a divisão em unidades de ação.

c) Predominância de verbos de ação no presente.

d) Emprego de verbos no pretérito.

e) Intenção de contar um fato em um tempo e um espaço.

f) Intenção de criticar as formas de relacionamento entre as pessoas.

g) Emprego de justaposições.

2▶ Pelo quadro comparativo da atividade anterior, percebe-se que as escolhas feitas para estruturar as narrativas estudadas nesta unidade são bem diversificadas. Quais dos itens a seguir mostram o que há em comum entre essas narrativas? Assinale-os.

a) Não são histórias completas, pois foram escritas em espaço reduzido.

b) Apresentam os elementos da narrativa: personagens, tempo, espaço, ação/enredo, narrador.

c) São histórias completas que apresentam "economia" de linguagem.

d) Exigem a participação do leitor para a construção de sentidos.

3▸ Para dar conta de sua intenção comunicativa, um texto pode contar com diferentes sequências em sua organização. Assim, por exemplo, além das sequências de natureza narrativa e descritiva, pode apresentar sequências conversacionais e argumentativas. Vamos relembrar na tabela abaixo os quatro tipos de sequência textual.

Sequência narrativa	Sequência descritiva	Sequência conversacional	Sequência argumentativa
Predomina o objetivo de narrar, contar um fato situando-o no tempo e no espaço. Indica a transformação da ação. Predominam verbos de ação (*correr, fazer, lavar, enxugar...*).	Predomina o objetivo de caracterizar, de modo objetivo ou subjetivo, personagens, cenários, objetos, etc. Predominam verbos de estado (*ser, estar, parecer, ficar...*).	Predominam diálogos entre os personagens. É caracterizada por: • interação entre pelo menos dois falantes (ou interlocutores); • indicação do contexto em que a conversa se dá; • ocorrência de pelo menos uma troca do turno de fala, isto é, pelo menos uma vez a palavra passa de um interlocutor para outro; • emprego do travessão, em grande parte dos textos escritos, para indicar a mudança de turno de fala.	Predomina o objetivo de convencer o interlocutor (ou destinatário) de alguma ideia ou fato.

Os três contos são narrativas. Com base nas informações da tabela, responda: Que tipos de sequência predominam em cada um deles? Justifique.

 Minha biblioteca

***Os cem menores contos brasileiros do século.** Marcelino Freire (Org.). Ateliê.*

O livro é o resultado de um desafio feito a cem escritores brasileiros: que compusessem microcontos usando no máximo 50 letras. A obra conta com nomes como Dalton Trevisan, Millôr Fernandes, Adriana Falcão, Sérgio Sant'Anna, Marcelo Mirisola, Manoel de Barros, Modesto Carone, entre outros.

Hora de organizar o que estudamos

▸ O esquema a seguir resume as características dos contos em contextos atuais de comunicação. Copie-o no caderno e preencha as lacunas com palavras do quadro abaixo.

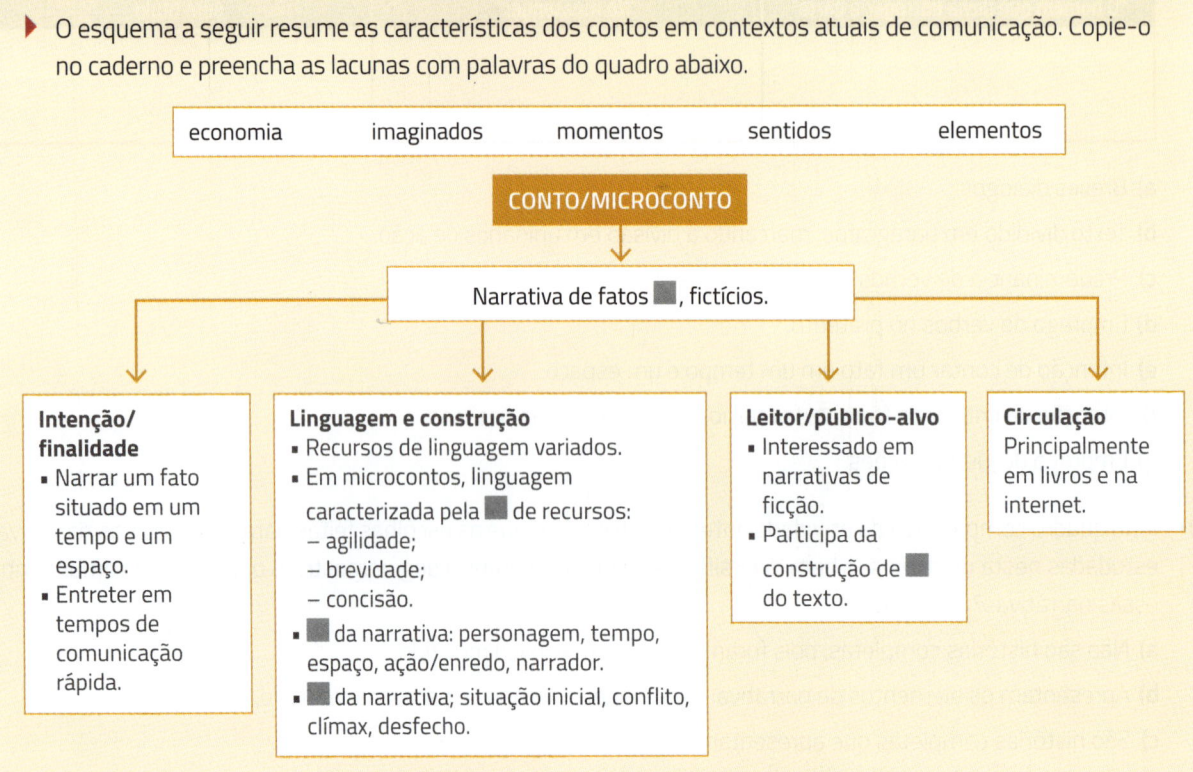

economia   imaginados   momentos   sentidos   elementos

CONTO/MICROCONTO

Narrativa de fatos ▮, fictícios.

Intenção/finalidade
- Narrar um fato situado em um tempo e um espaço.
- Entreter em tempos de comunicação rápida.

Linguagem e construção
- Recursos de linguagem variados.
- Em microcontos, linguagem caracterizada pela ▮ de recursos:
  – agilidade;
  – brevidade;
  – concisão.
- ▮ da narrativa: personagem, tempo, espaço, ação/enredo, narrador.
- ▮ da narrativa: situação inicial, conflito, clímax, desfecho.

Leitor/público-alvo
- Interessado em narrativas de ficção.
- Participa da construção de ▮ do texto.

Circulação
Principalmente em livros e na internet.

◣ Prática de oralidade

Conversa em jogo

Primeiro emprego

Leia o trecho de um depoimento em que Ignácio de Loyola Brandão revela o que o inspirou a escrever o conto "O homem que devia entregar a carta":

> O conto começou com uma carta a um amigo que me foi devolvida pelo correio. Eu tinha errado um número no endereço. Era 124 e coloquei 122. Por pirraça ou seja lá o que for, o carteiro carimbou: *não existe o número mencionado*. Aquilo me irritou e escrevi uma crônica para o jornal *Última Hora* a respeito da má vontade dos carteiros. Quando li a crônica publicada, vi que podia transformá-la num absurdo [...].
>
> BRANDÃO, Ignácio de Loyola. *O homem do furo na mão e outras histórias*. São Paulo: Ática, 2000.

Na história, o absurdo está no fato de o *office boy* permanecer na missão impossível de entregar a carta por dois anos. Conversem:

1▸ Qual é a provável razão de o jovem ter insistido tanto tempo na "missão" de encontrar o destinatário da carta?

2▸ Na história, quem carimbou "destinatário desconhecido" foi o zelador, e não o carteiro. Em sua opinião, haveria algum modo de ajudar o *boy*? Faltou solidariedade? Foi má vontade? O que poderia ter sido feito? Foi descaso do zelador? Dê sua opinião e ouça a dos colegas.

Debate

Embora a brevidade e a concisão textual não sejam uma característica exclusiva dos tempos atuais, a leitura dos textos estudados nesta unidade sugere o uso literário de linguagens mais ágeis e econômicas. No entanto, essa economia de linguagem não existe só na literatura, ela está presente em nosso dia a dia, nas relações entre as pessoas reais.

▷ Pessoas trabalhando em frente ao computador.

Pulp Photography/Getty Images

Pensando nisso, a proposta desta seção é que a turma, reunida em grupos, discuta a seguinte questão:

Como as formas de comunicação marcadas pelo excesso de informações, pela economia e pela agilidade excessiva afetam nossas relações pessoais?

Antes de se posicionar sobre a questão, reflita com base no roteiro a seguir.

➡ Preparação para o debate

1▸ Em sua opinião, de que modo as relações sociais, familiares e de amizade são afetadas pela comunicação ágil que se pratica hoje em dia, sobretudo no mundo virtual, com as redes sociais, os celulares, a internet?

2▸ Você diria que essa linguagem, às vezes muito econômica, pode afastar as pessoas?

3▸ Você já se sentiu de alguma maneira prejudicado por esses modos de comunicação marcados pela pressa ou pelo descaso?

➡ Organização e desenvolvimento do debate

1▸ Sob a orientação do professor, a turma deve se dividir em grupos, que assumirão diferentes pontos de vista sobre a questão em debate. Por exemplo:

Grupo A: Vai elaborar argumentos em defesa da comunicação veloz e econômica, predominante nos ambientes virtuais.

Grupo B: Vai elaborar argumentos críticos em relação a esse tipo de comunicação.

Grupo C: Vai elaborar argumentos favoráveis a essa modalidade de comunicação apressada de hoje, mas com ressalvas.

2▸ Organizados os grupos, inicia-se o debate sob as seguintes condições:

- Os grupos devem anotar todos os argumentos que darão sustentação ao seu ponto de vista.
- O professor estipula um tempo determinado para cada grupo apresentar seus argumentos.
- Cada grupo deverá escolher um representante para fazer essa apresentação.
- Um aluno ficará encarregado de anotar na lousa os argumentos de todos os grupos.
- Depois das apresentações, a turma toda deverá analisar o conjunto dos argumentos apresentados a fim de tirar suas conclusões.

Theo Szczepanski/Arquivo da editora

Outras linguagens: História em quadrinhos

Assim como um texto verbal pode ser construído pelo processo de justaposição de frases, uma história em quadrinhos pode ser elaborada por meio da justaposição de imagens, deixando para o leitor a tarefa de construir os sentidos. Veja a seguir um exemplo.

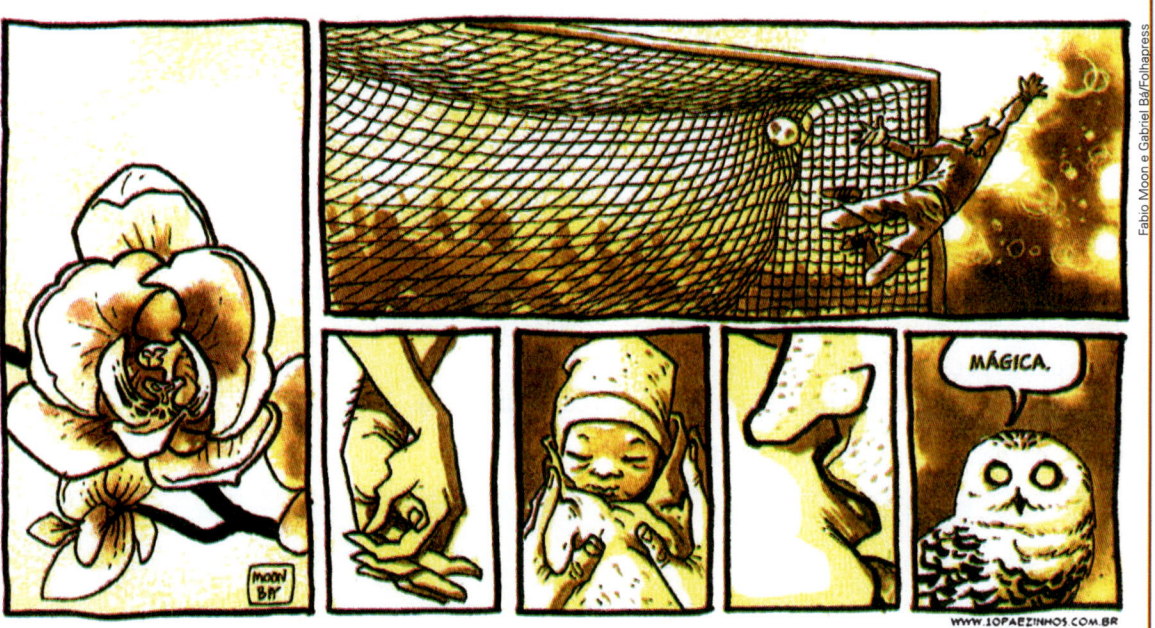

MOON, Fábio; BÁ, Gabriel. Quase nada. *Folha de S.Paulo.* São Paulo, 17 dez. 2011. Ilustrada, p. E-19.

Todos os quadrinhos exibem momentos de intensidade, de emoção ou de beleza. Observe:

Quadrinhos maiores

- O primeiro, à esquerda, em formato vertical, indica um momento intenso propiciado pela ação da natureza: o desabrochar de uma flor.
- O segundo mostra um momento intenso provocado pela ação humana: a realização de um gol.

Quadrinhos menores

- Também indicam cenas de intensidade: situações de contato interpessoal afetivo (entrelaçar as mãos, segurar um bebê, beijar).
- O último quadrinho é o único que contém um elemento verbal, uma palavra pronunciada por uma coruja, indicando o aspecto comum entre todas as imagens: "mágica".

A sequência de imagens não compõe uma narrativa, não há encadeamento temporal ou relação de causalidade entre as cenas. No entanto, a ligação entre os quadrinhos é dada pela palavra do quadrinho final, "mágica", que destaca um significado comum para as imagens justapostas.

▶ A palavra *mágica* está ligada às ideias de encanto, fascínio, algo extraordinário. Se você fosse acrescentar um quadrinho à série, que outro momento escolheria? Converse com os colegas sobre outras relações possíveis entre as imagens.

Nesta unidade, foram trabalhados recursos de construção próprios de textos curtos, como economia de linguagem e justaposição. Leia um pouco mais a respeito, a seguir.

Um dos mais famosos microcontos

O microconto a seguir foi escrito por Augusto Monterroso (1921-2003), escritor da Guatemala. Trata-se de um dos mais citados exemplos de microconto, que se destaca pela extrema brevidade: apenas uma frase, com sete palavras, somando 37 letras! Confira:

> Quando acordou, o dinossauro ainda estava lá.
>
> MONTERROSO, Augusto. In: FREIRE, Marcelino (Org.).
> *Os cem menores contos brasileiros do século.* São Paulo: Ateliê, 2004.

▶ Esse texto exige a participação ativa do leitor para inferir o contexto e construir os significados. Como você o entende? Expresse a sua interpretação aos colegas e ouça a deles.

Outros suportes textuais

Textos de natureza literária também podem ocupar outros suportes além do livro impresso, como as páginas de jornais e revistas, os luminosos, os *blogs*, o celular, as faixas, os para-choques de caminhão, as camisetas e outras peças de roupa.

Veja exemplos de suportes não convencionais para a literatura:

- em paradas de ônibus, janelas de ônibus e de trens;

Em Porto Alegre, RS, algumas empresas de transporte público afixam poemas nos veículos de sua frota. A Secretaria Municipal de Cultura realiza um concurso destinado a selecionar textos com essa finalidade.

- em ambientes virtuais (internet).

A literatura existe também na internet, frequentemente usando recursos disponíveis nesses ambientes, como os *hyperlinks* e recursos de animação.

Literatura Digital é uma página da internet com vários projetos, como literatura para *tablets* e audiocontos.
Disponível em: <www.literaturadigital.com.br>.
Acesso em: 29 ago. 2018.

Alguns dos poemas de Paulo Aquarone propõem interação com o internauta, como o assinalado abaixo.

Página na internet com poemas multimídia de Paulo Aquarone, um dos precursores da poesia digital no Brasil.
Disponível em: <www.pauloaquarone.com/projeto.html>.
Acesso em: 6 ago. 2018.

Nas fotos a seguir, é possível acompanhar a sequência de exibição desse poema, que se desdobra a cada clique do leitor.

 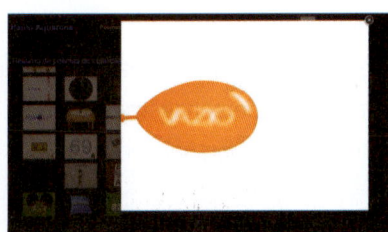 

Poema multimídia de Paulo Aquarone. Disponível em: <www.pauloaquarone.com/projeto.html>.
Acesso em: 6 ago. 2018.

▌Língua: usos e reflexão

Período composto

Antes de iniciar o estudo desta seção, é importante retomar alguns conceitos:

> **Frase:** enunciado ou unidade de sentido que se expressa por uma ou por várias palavras; apresenta ou não forma verbal.
>
> **Oração** ou **período simples:** enunciado ou frase organizados em torno de verbo.
>
> **Período composto:** enunciado ou frase organizados com mais de uma oração.

Determinados efeitos de sentido produzidos pelo conto "O homem que devia entregar a carta" só são possíveis porque a construção desse texto foi planejada com orações elaboradas de modo especial: orações curtas que são "juntadas", isto é, orações que se **justapõem** uma após a outra.

Observe:

> Comparou, indagou. Não havia engano mesmo. O número correspondia ao terreno. Voltou ao patrão, contou.

1▸ Pelo número de verbos é possível saber quantas orações há nesse trecho. Quantas são as orações?

No exemplo abaixo, temos um **período simples**:

frase formada por uma oração ou período simples

O número **correspondia** ao terreno.

↓
um só verbo

> O **período simples** é formado com um só verbo; é chamado de **oração absoluta**.
> O **período composto** é formado com mais de uma oração.

Veja este outro exemplo:

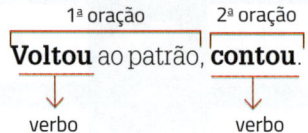

1ª oração   2ª oração

Voltou ao patrão, **contou**.

↓   ↓
verbo   verbo

Considerando que cada oração se organiza em torno de um verbo, temos nesse exemplo um **período composto** por duas orações. E as duas orações, em sequência, também estão justapostas, isto é, organizadas uma depois da outra, sem elementos de ligação, apenas a vírgula separando-as. A justaposição foi a forma de organização escolhida pelo autor para indicar ações do conto praticadas em determinado ritmo.

2▸ **Em grupo.** Conversem sobre a pergunta a seguir e assinalem a alternativa que melhor responde a ela: Que efeito de sentido foi obtido pela justaposição dessas duas orações?

a) Impressão de lentidão, pois a justaposição sugere o personagem agindo devagar.

b) Impressão de um ritmo regular para a ação do personagem.

c) Impressão de rapidez na sequência de ações do personagem.

Analisar o modo como os termos de um período — palavras ou orações — se relacionam ajuda a perceber de que maneira as ideias se encadeiam em um texto, ou seja, como as relações entre as ideias se estabelecem. A seguir, portanto, estudaremos os tipos de relação existentes entre as orações que formam o período composto. Essas relações ajudam a garantir a **coesão do texto**.

Coordenação e subordinação: recursos de coesão no período composto

1▸ Leia a tirinha:

WATTERSON, Bill. Disponível em: <https://novaescola.org.br/conteudo/3621/calvin-e-seus-amigos>. Acesso em: 7 nov. 2018.

O efeito de humor da tirinha não está nas palavras, mas na imagem. Qual é a justificativa?

Leia o que disse Calvin:

> Eu não quero aprender a nadar! Eu não preciso disso. Eu vou ficar em terra firme o resto da vida.

As três falas estão encadeadas, justapostas: as duas frases coloridas estão ligadas à terceira, que esclarece o sentido delas ("eu não quero nem preciso aprender a nadar, pois jamais abandonarei a terra firme").

2▸ Observe esta outra tirinha:

ZIRALDO. *O Menino Maluquinho*. Disponível em: <http://www.omeninomaluquinho.com.br/PaginaTirinha/PaginaAnterior.asp?da=18062018>. Acesso em: 14 nov. 2018.

Qual é o efeito de humor produzido pela tirinha?

Leia o que disse Maluquinho:

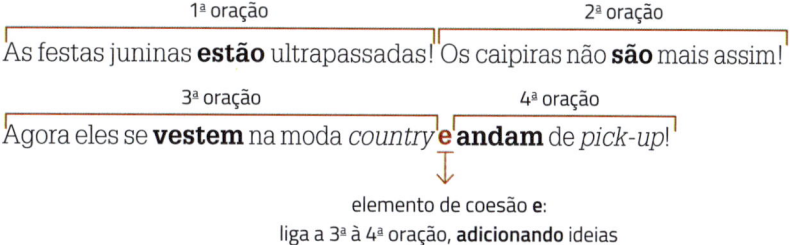

A palavra *e* liga as orações e estabelece relações de sentido entre elas. É chamada de **conjunção** ou **conectivo**.

> **Conjunção**, ou **conectivo**, é a classe de palavras cuja função é ligar termos de uma oração ou orações, isto é, estabelecer relações de coesão e de sentido entre elas.

Os períodos compostos, considerando as variadas formas de encadeamento de ideias, podem ser organizados por processos de coordenação ou de subordinação.

Período composto por coordenação

Leia estas orações justapostas:

| 1ª oração | 2ª oração | 3ª oração | 4ª oração |

[...] **comia** e **bebia** com eles, **contava** casos, **ouvia** histórias [...]

Considerando que a oração se organiza em torno de um verbo, nesse período com quatro verbos há quatro orações justapostas. Nenhuma delas depende sintaticamente de outra; cada oração é independente em relação às demais.

Nesse modo de organizar o período, as orações têm independência sintática e são chamadas de orações **coordenadas**. Veja a seguir como se encadeiam as orações quando não são independentes.

Período composto por subordinação

Nem todo período é formado por orações independentes. Em alguns casos, uma oração tem função sintática dentro de outra. Por exemplo:

| 1ª oração | 2ª oração |

O patrão pediu / que ele entregasse uma carta com protocolo.

exige complemento / complementa a anterior

A primeira oração, "O patrão pediu", não tem sentido sozinha, sendo complementada pela segunda: "que ele entregasse uma carta com protocolo". Observe que o verbo *pedir* exige objeto direto. E é a segunda oração que exerce a **função de objeto direto** da primeira. Reveja:

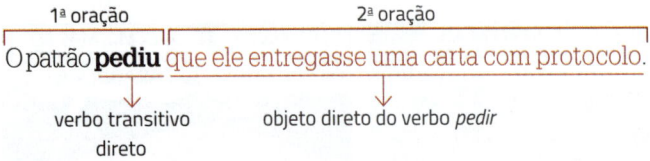

| 1ª oração | 2ª oração |

O patrão **pediu** / que ele entregasse uma carta com protocolo.

verbo transitivo direto / objeto direto do verbo *pedir*

A segunda oração é **subordinada** à primeira, isto é, tem com ela uma relação de dependência. Pode-se dizer que esse período é organizado por orações que dependem uma da outra para fazer sentido. Algumas orações desempenham função sintática em relação a outras do período e por esse motivo são chamadas de orações **subordinadas**.

Hora de organizar o que estudamos

▶ O esquema a seguir apresenta os diferentes tipos de período. Copie-o no caderno e preencha as lacunas com palavras do quadro abaixo.

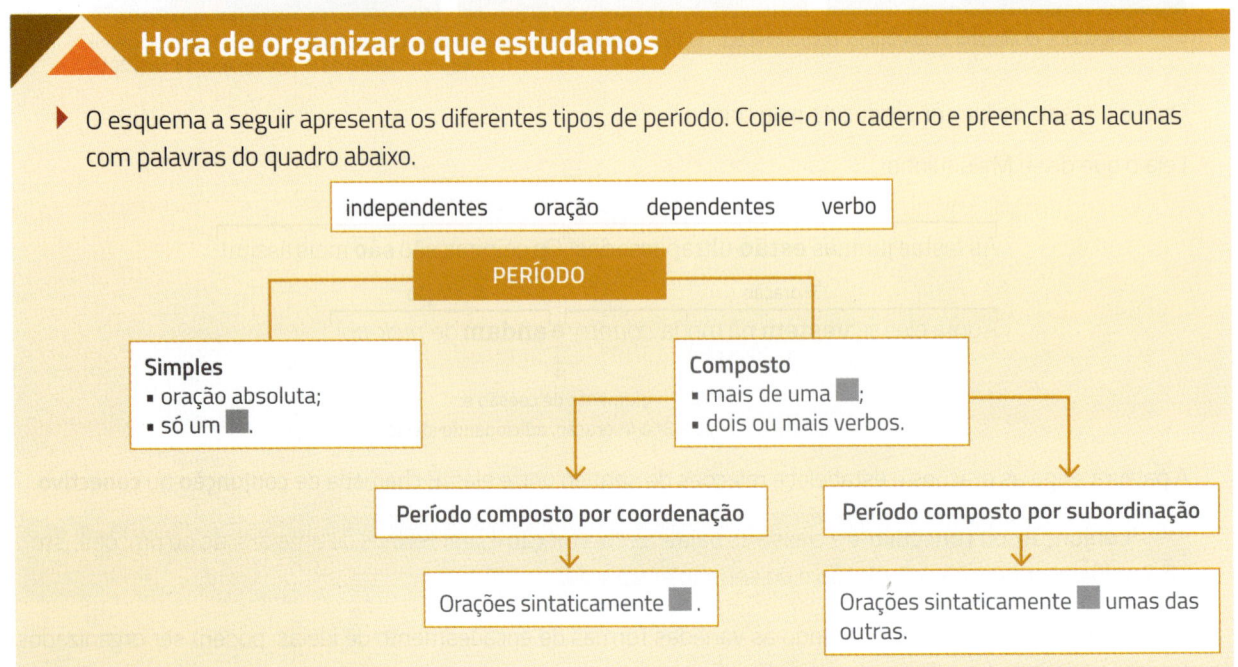

| independentes | oração | dependentes | verbo |

PERÍODO

Simples
- oração absoluta;
- só um ▮.

Composto
- mais de uma ▮;
- dois ou mais verbos.

Período composto por coordenação → Orações sintaticamente ▮.

Período composto por subordinação → Orações sintaticamente ▮ umas das outras.

Orações coordenadas

Vamos retomar o estudo das orações coordenadas. Para isso, releia esta frase do conto de Ignácio de Loyola Brandão:

1ª oração 2ª oração

Comparou, **indagou**.

Não há conjunção entre as orações, isto é, não há coesão explícita. A ligação entre as orações é feita apenas por sinal de pontuação, no caso, a vírgula.

> Orações coordenadas de um mesmo período sem um conectivo que as ligue são classificadas como **orações coordenadas assindéticas**.

Retome outro exemplo, da tirinha do Calvin, de período composto por coordenação, formado de orações coordenadas assindéticas. Note que, neste caso, em vez da vírgula, foram usados outros sinais de pontuação para separar as orações: o ponto de exclamação e o ponto final.

1ª oração

Eu não quero aprender a nadar!

2ª oração

Eu não preciso disso.

3ª oração

Eu vou ficar em terra firme o resto da vida.

© 1986 Bill Watterson/Dist. By Atlantic Syndication/Dist. by Andrews McMeel Syndication

Agora, releia este trecho do conto:

1ª oração 2ª oração

[...] ele simplesmente **batera** o nariz em dezenas de portas **e tinha enfrentado** filas de até dois quilômetros.

elemento de ligação entre as duas orações

Se retirássemos a conjunção *e*, o sentido não seria alterado. Observe:

> [...] ele simplesmente batera o nariz em dezenas de portas, tinha enfrentado filas de até dois quilômetros.

Embora haja um elemento coesivo explícito (a palavra *e*) entre as orações desse período, elas são independentes, nenhuma delas desempenha função sintática em relação à outra. Dizemos que a segunda oração está apenas coordenada em relação à primeira, sendo esse um **período composto por coordenação**.

A palavra *e* é uma **conjunção**, ou **conectivo**, que estabelece uma relação de adição entre as orações; por isso, é classificada como **conjunção aditiva**.

Releia a seguir, da tirinha do Menino Maluquinho, um exemplo de período composto por orações coordenadas, ligadas por conjunção:

© Ziraldo Alves Pinto/Acervo do cartunista

1ª oração 2ª oração

Agora eles se **vestem** na moda *country* **e andam** de *pick-up*!

conjunção aditiva (elemento de ligação das orações)

A oração coordenada iniciada por conjunção, ou conectivo, é classificada como **oração coordenada sindética**.

As orações coordenadas sindéticas são classificadas conforme a conjunção ou o conectivo que as interliga, isto é, de acordo com a relação de sentido entre as orações do período. Elas podem ser:

- aditivas;
- adversativas;
- alternativas;
- conclusivas;
- explicativas.

Leiam juntos as informações expostas a seguir.

- **Oração coordenada sindética aditiva**

São **conjunções coordenativas aditivas**: *e, nem, mas também, como também* (as duas últimas precedidas de expressões como *não somente, não só, não apenas*).

Leia:

A segunda oração, destacada, é iniciada pela conjunção *e*, que estabelece, como você já viu, uma relação de adição, de junção, de acréscimo à oração ou à ideia que a precede. A oração iniciada por conjunções desse tipo é classificada como **coordenada sindética aditiva**.

Observe outros dois exemplos:

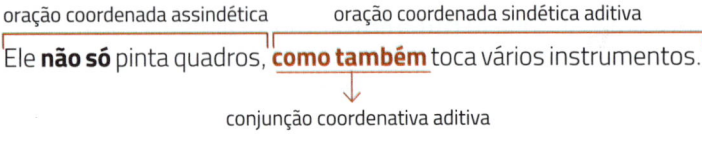

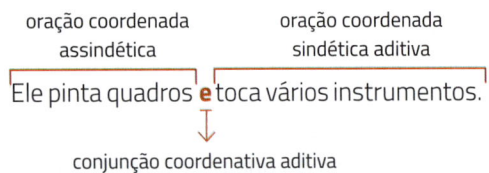

Observe que as conjunções coordenativas aditivas podem também ligar palavras com idêntica função em uma única oração. Por exemplo:

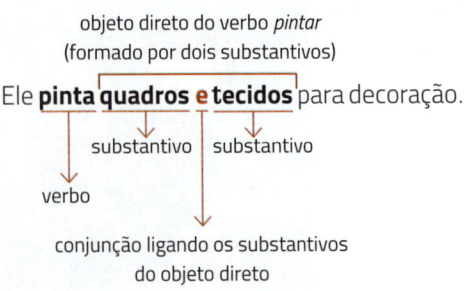

Theo Szczepanski/Arquivo da editora

- **Oração coordenada sindética adversativa**

São **conjunções coordenativas adversativas**: *mas, porém, todavia, contudo, no entanto, entretanto*, etc.

Leia esta tira com o gato Garfield e observe, no período, a oração destacada.

DAVIS, Jim. Garfield. *Folha de S.Paulo*. São Paulo, 17 mar. 2005. p. E11.

▶ Garfield se surpreende com a rapidez do caramujo. Como essa ideia de rapidez do caramujo, que constrói o humor da tira, pode ser percebida visualmente e verbalmente?

No primeiro quadrinho da tira, há uma oração em destaque, iniciada pela conjunção *mas*.

Vamos colocar a fala de Garfield em outra ordem para melhor compreendermos como ela se organiza:

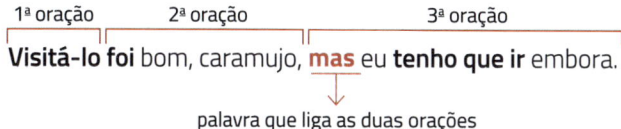

Note que há três verbos (ou formas verbais) destacados: *visitá-lo, foi, tenho que ir* (no caso, uma locução verbal equivalente a tenho de ir, preciso ir). Temos, portanto, três orações.

Observe que a palavra *mas* introduz uma oração que indica **adversidade**, **contradição**, **quebra de expectativa** em relação à oração que a precede. A oração destacada na tira é classificada como **coordenada sindética adversativa**.

Leia esta frase:

Observe que, no lugar da conjunção *mas*, podem ser empregadas outras conjunções adversativas, sem alteração de sentido. Por exemplo:

É pena, → **todavia** / **entretanto** / **no entanto** → hoje não posso, tenho um jantar.

- **Oração coordenada sindética alternativa**

São **conjunções coordenativas alternativas**: *ou, ora... ora, ou... ou, quer... quer*, etc.

Há dois tipos de relação de **alternância**. Um deles se evidencia na tira reproduzida a seguir. Observe as orações destacadas.

SCHULZ, Charles M. Minduim. *O Estado de S. Paulo*, São Paulo, 10 jan. 2005. p. D-4.

▶ No segundo quadrinho, Linus exige o seu lençol de volta e, no último, Snoopy, fazendo-se de desentendido, apressa-se em devolvê-lo com medo das ameaças do menino. Considerando essa situação, como você interpreta a fala de Linus no primeiro quadrinho?

As orações em destaque, iniciadas pela conjunção *ou*, indicam uma relação de alternância de **exclusão**: se uma das ações se concretiza, a outra não pode ocorrer. Reveja:

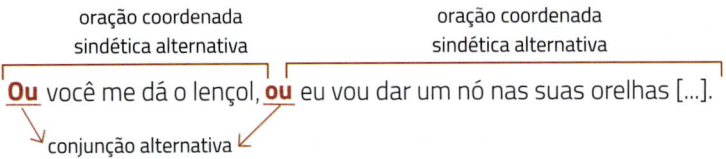

Outro tipo de relação de alternância que se nota em orações coordenadas pode ser exemplificado na frase a seguir. Veja:

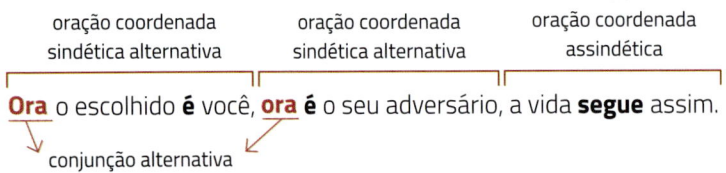

Note que, nesse caso, as duas ações são possíveis, uma não elimina a outra: em um momento da vida o escolhido é você, no outro é o adversário. Trata-se de uma alternância que tem sentido de **troca de posições**: ora um, ora outro.

Assim, as orações coordenadas alternativas podem ter sentido de:

- exclusão de um fato em relação a outro;
- troca de posições, sem que haja exclusão nem anulação de um fato em relação a outro.

- **Oração coordenada sindética conclusiva**

> São **conjunções coordenativas conclusivas**: *então, logo, portanto, pois* (depois do verbo), *por isso, por conseguinte, de modo que.*

Leia o trava-língua:

Para desenferrujar a língua

O compadre compra coco?

Não, compadre. Como pouco coco, **portanto** pouco coco compro.

TORELLY, Aparício [Barão de Itararé]. *Almanhaque* 1955, segundo semestre, ou *Almanaque d'A Manha*. São Paulo: Edusp, 2002. p. 81.

A conjunção destacada estabelece relação de **conclusão** em referência à oração anterior. Conclui algo que estava implícito na outra oração.

A seguir, observe possibilidades de substituição de uma conjunção conclusiva por outra, também conclusiva.

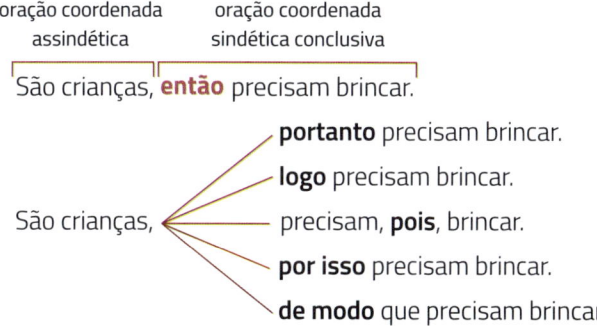

oração coordenada assindética   oração coordenada sindética conclusiva

São crianças, **então** precisam brincar.

São crianças,
- **portanto** precisam brincar.
- **logo** precisam brincar.
- precisam, **pois**, brincar.
- **por isso** precisam brincar.
- **de modo** que precisam brincar.

Conhecer essas possibilidades ajudará você no momento de produzir os próprios textos, dando-lhe mais alternativas para se expressar.

- **Oração coordenada sindética explicativa**

> São **conjunções coordenativas explicativas**: *porque*, *que* (= pois/porque), *pois* (antes do verbo da oração a que pertence).

Leia a tirinha:

SCHULZ, Charles M. *Ser cachorro é um trabalho de tempo integral*. São Paulo: Conrad, 2004.

1▶ Charlie Brown disse que Snoopy não gostou do livro. Que explicação ele deu para devolver o livro?

2▶ De que modo Snoopy manifesta, na tira, que não gosta de gatos?

Observe como Charlie Brown organizou sua fala na tirinha para dar uma explicação:

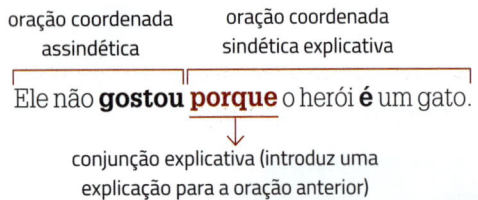

oração coordenada assindética | oração coordenada sindética explicativa

Ele não **gostou porque** o herói **é** um gato.

conjunção explicativa (introduz uma explicação para a oração anterior)

Leia mais um exemplo de texto com oração coordenada sindética explicativa:

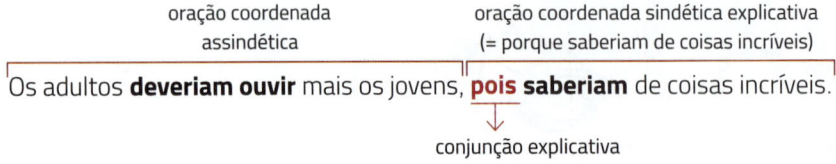

oração coordenada assindética | oração coordenada sindética explicativa (= porque saberiam de coisas incríveis)

Os adultos **deveriam ouvir** mais os jovens, **pois saberiam** de coisas incríveis.

conjunção explicativa

Hora de organizar o que estudamos

▸ Em seu caderno, copie o esquema abaixo e complete-o com exemplos de conjunções. Para isso, consulte o que foi estudado nesta seção.

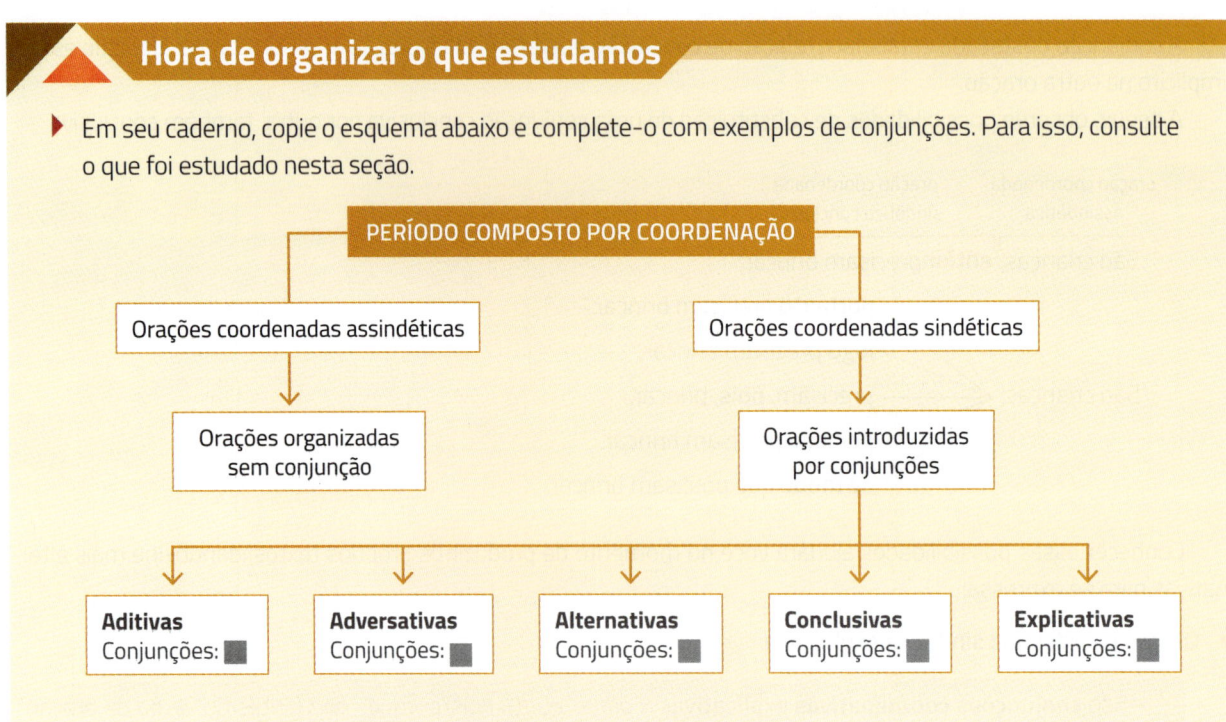

Atividades: período composto por coordenação

1▸ Consulte, nas páginas anteriores, as conjunções que introduzem orações coordenadas. No caderno, reescreva as frases a seguir utilizando as conjunções mais adequadas. Faça as adaptações necessárias.

a) Passe à noite, ainda não fiz o bolo, não está pronto.

b) Ontem choveu muito, hoje faz um calor danado.

c) Espere por mim, mais tarde nós vamos ao cinema.

d) O presidente não fez declarações sobre o caso. O presidente preferiu esperar o resultado das investigações.

e) A atmosfera do planeta dá sinais de desequilíbrio. O ser humano continua agredindo a natureza.

f) O goleiro estava mal posicionado. O goleiro não defendeu o chute fraquinho.

g) Não deixe de vir à minha festa. Quero ficar com você.

h) Nós brigamos ontem. Não sairemos juntos hoje.

i) Você vai para um lado, vai para o outro, nunca fica no lugar.

2▸ Em seu caderno reescreva os períodos completando-os adequadamente. Para isso, acrescente em cada um deles uma oração que atenda à ideia expressa nos parênteses. Utilize a conjunção adequada para estabelecer a coesão entre as orações. Veja abaixo alguns modelos de resposta.

> O aniversário estava bem animado ▪. (adição, sequência de ações)
>
> O aniversário estava bem animado **e** todos ficaram até o amanhecer.
>
> O aniversário estava bem animado, ▪. (adversidade, oposição)
>
> O aniversário estava bem animado, **mas** a maioria preferiu ir a uma balada.
>
> O aniversário estava bem animado, ▪. (explicação)
>
> O aniversário estava bem animado, **pois** a música não parava um só instante.

a) As meninas se aproximaram dos meninos ▪. (adição, sequência de ações)

As meninas se aproximaram dos meninos, ▪. (adversidade, oposição)

As meninas se aproximaram dos meninos, ▪. (conclusão, dedução)

b) Os deputados preferiam votar, ▪. (adversidade, oposição, contrariedade)

Os deputados preferiam votar, ▪. (explicação)

Os deputados ▪ preferiam votar ▪. (alternância)

c) Há jovens se casando muito cedo, ▪. (explicação)

Há jovens se casando muito cedo, ▪. (adversidade, oposição, contrariedade)

Há jovens se casando muito cedo ▪. (adição, sequência de ações)

d) Os jovens querem expressar as próprias ideias, ▪. (adversidade, oposição, contrariedade)

Os jovens querem expressar as próprias ideias, ▪. (conclusão, dedução)

Os jovens querem expressar as próprias ideias, ▪. (explicação)

3▸ No caderno, reescreva as frases a seguir empregando conjunções que possam substituir as que foram destacadas, sem prejudicar a coesão dos períodos.

a) Não tire a blusa aqui dentro, **que** está frio!

b) Quer chova, **quer** faça sol, irei ao *show* de música sertaneja.

c) Todos estranharam sua reação, **no entanto** ninguém falou o que estava pensando, para não contrariá-lo.

d) Mariana não gostou do que você disse; **logo** trate de pedir desculpas.

e) Todos os participantes da competição trouxeram os uniformes **e** as doações de alimentos não perecíveis.

f) O representante da ONG precisa de voluntários para realizar o plantio das mudas de árvore no parque da cidade, **de modo que** devemos ajudá-lo.

g) Gostei muito da sua iniciativa na reunião do grupo ontem, **mas** você precisa ir com mais calma na exposição dos argumentos.

4▶ A seguir leia uma tirinha com os personagens Calvin e Haroldo e, em seu caderno, responda às questões propostas abaixo.

WATTERSON, Bill. O melhor de Calvin. *O Estado de S. Paulo*. São Paulo, 8 jul. 2005. p. D10.

a) No primeiro quadrinho, ao falar do verão, o personagem Calvin descreve as condições do tempo naquele momento. O garoto expressa essas condições por meio de orações. Quantas orações Calvin emprega para isso?

b) Pode-se afirmar que a estrutura do período foi predominantemente composta por um processo de justaposição das orações? Explique.

c) A impressão causada pela sequência de orações no primeiro quadrinho leva o leitor a pensar que Calvin gosta ou não gosta das condições do ambiente? Explique.

d) Na tirinha que elemento de coesão introduz a quebra de expectativa causada no leitor pelo primeiro quadrinho?

5▶ Em seu caderno, reescreva as orações de cada item, organizando-as em um só período e empregando os **elementos coesivos** adequados para ligar as orações. Faça as adaptações necessárias; se preciso, mude a sequência das orações.

a) Muitos países ricos querem a diminuição de poluentes da atmosfera. Muitos desses países ricos não seguem o acordo internacional antipoluição.

b) Muitos jovens anseiam por liberdade. Muitos jovens acham que ter liberdade é poder fazer o que bem quiserem.

c) A água será o bem mais precioso nas próximas décadas. As fontes de água potável estão se esgotando. A conscientização sobre o uso responsável da água é necessária.

d) Decidir namorar. Decidir ficar. O jovem precisa de oportunidades para conhecer o outro. O jovem precisa de oportunidades para se conhecer.

e) No campeonato deste ano, o atleta demonstrou seu talento. Ele também deu provas ao público e aos juízes de sua dedicação aos treinos. Ele mereceu ser premiado.

Desafios da língua
Ortografia e sentido das palavras

Ao escrevermos, constantemente temos dúvida quanto à grafia de certas palavras ou expressões. As dúvidas ocorrem não apenas com as pessoas em geral que usam a língua em seu dia a dia, mas até mesmo com os mais experientes escritores e especialistas em língua portuguesa.

Jovem com expressão de dúvida. ◁

1▶ **Desafio!** Leia um trecho da letra da canção "Proibida pra mim", da banda Charlie Brown Jr. Tente descobrir se a palavra ou expressão que falta é *senão* ou *se não* e reescreva no caderno esse verso, completando-o.

> Eu vou fazer tudo que eu puder
> Eu vou roubar essa mulher pra mim
> Posso te ligar a qualquer hora
> Mas eu nem sei o seu nome
> ▨ eu quem vai fazer você feliz?
>
> CHORÃO. Proibida pra mim. In: CHARLIE BROWN JR. *Transpiração contínua prolongada*. Virgin, 1997.

Mostre sua resposta para a turma, justificando-a. Depois, compare-a com a dos colegas e ouça as justificativas deles.

2▶ Nas frases a seguir, escolha qual das expressões entre parênteses deve ser empregada e reescreva os períodos no caderno com o termo adequado.

a) ▨ um ano recebi um pacote misterioso e demorei para descobrir quem o havia enviado. (acerca de / cerca de / há cerca de)

b) Viajou ▨ de se afastar de seus problemas. (afim / a fim)

c) ▨ sair só com a namorada, levou junto um bando de amigos. (ao invés de / em vez de)

Expressões e significados

Para termos certeza sobre a forma correta de uma palavra ou expressão, é necessário observar seu significado no contexto da frase.

No quadro a seguir, há alguns usos de palavras e expressões cuja grafia pode causar dúvida. Leia-o e consulte-o quando precisar.

Expressões	Significados	Exemplos
senão (conjunção)	de outro modo, caso contrário	Vou embora **senão** chegarei atrasada.
senão (substantivo)	dificuldade, problema	Só há um **senão** em sua fala: é tudo mentira.
se não	caso não (condição)	**Se não** chover muito, iremos.
em vez de	em lugar de	**Em vez de** telefonar, chegou de surpresa.
ao invés de	ao contrário de (**Observação**: nesse sentido de oposição pode ser empregada no lugar de *em vez de*.)	Era um chefe democrático, **ao invés de/em vez de** autoritário.
afim	semelhante, que tem afinidade	Eles se dão bem: têm gostos **afins**.
a fim de	para, com a finalidade de	Comeu correndo **a fim de** chegar mais cedo.
cerca de	mais ou menos, aproximadamente	**Cerca de** mil pessoas assistiam ao evento.
há cerca de	faz mais ou menos, faz aproximadamente	Ele fez a cirurgia **há cerca de** dois anos.
acerca de	a respeito de, sobre	Até hoje eles discutem **acerca da** anulação do gol naquele jogo.
onde	lugar em que	Esta é a casa **onde** moro.

aonde	para o lugar que, ao lugar que (em direção = "para onde")	Quer saber **aonde** pode ir.
de onde/donde	de qual lugar (indica origem)	**De onde** você vem?
nenhum	pode ser substituído pelo pronome *algum* (quantidade indefinida)	Time **nenhum** vai ganhar esse campeonato, a não ser o meu.
nem um	nem ao menos um (quantidade definida)	Não recebeu **nem um** real sequer pelo que fez.
trás	indica lugar na parte posterior	Eles fugiram por **trás** da arquibancada.
atrás	parte posterior; em busca	As crianças se esconderam **atrás** do palco. A polícia está **atrás** dos traficantes.
traz	3ª pessoa do singular do verbo *trazer*	Eu insisto, mas ele não **traz** meu livro de volta.

1▸ Reescreva as frases seguintes em seu caderno, completando-as de modo adequado com uma das alternativas entre parênteses. Consulte a tabela sempre que tiver dúvidas.

Dica: Em duas das frases mais de uma opção é válida.

a) Os alunos não estavam ▇ ir à festa naquela noite porque no dia seguinte teriam prova. (afim/a fim de)

b) A palestra foi ▇ violência no trânsito. (acerca de/cerca de/há cerca de)

c) Todos deverão fazer o treinamento contra incêndios, ▇ faremos bobagens em caso de emergência. (se não/senão)

d) ▇ for pedir muito, empreste-me seu caderno, por favor. (se não/senão)

e) Se eu chegar atrasado, entro por ▇ do prédio. (traz/atrás/trás)

Theo Szczepanski/Arquivo da editora

f) ▇ vinte anos não nos víamos. (acerca de/cerca de/há cerca de)

g) Este é o lugar ▇ foram enterrados os restos mortais dos heróis da guerra. (onde/aonde/donde/de onde)

h) ▇ você deseja jantar hoje? (onde/aonde/donde/de onde)

i) Ele sempre ▇ os livros muito bem cuidados. (traz/trás)

j) Aceitaremos ajuda, venha ▇ vier. (onde/aonde/de onde)

k) Faça alguma coisa ▇ ficar parado, só reclamando. (em vez de/ao invés de)

l) Sente-se ▇ ficar aí em pé olhando desse modo. (em vez de/ao invés de)

m) Minha irmã preferiu ir ao teatro ▇ ir ao cinema. (em vez de/ao invés de)

2▸ Assinale a(s) frase(s) em que a palavra destacada **não** é a forma do presente do verbo *trazer*.

a) Todo ser humano tem, por **trás** da aparência, segredos que nunca serão revelados.

b) A humanidade **traz** consigo o eterno desejo de paz.

c) A tolerância deveria estar por **trás** de todas as ações humanas.

d) A criança **traz** desde cedo a disposição para sonhar.

Outros textos do mesmo gênero

Miniconto

O vizinho

Leonardo Brasiliense

Meu vizinho do outro lado da rua passa a vida olhando a vida — dos outros — pela janela. É um homem velho e acho que doente: não imagino outro motivo para ele ficar o tempo todo assim. E ali onde o vejo deve ser o seu quarto. Uma pessoa como ele não deve sair nunca do quarto. Há de receber muitos cuidados, por uma enfermeira particular, talvez, ou por alguém que o ame. Fico mais tranquilo se pensar que ele é amado. Assim fica menos triste ver passar a vida, ele lá, da sua janela, e eu aqui, da minha.

BRASILIENSE, Leonardo. Disponível em: <http://www.leonardobrasiliense.com.br/?apid=1660&tipo=2&dt=0&wd=&titulo=O%20vizinho>. Acesso em: 6 ago. 2018.

Ilustrações: Gustavo Grazziano/Arquivo da editora

Microconto

Monólogo com a sombra

Rogério Augusto

Não adianta me seguir.
Estou tão perdido quanto você.

AUGUSTO, Rogério. In: FREIRE, Marcelino (Org.). *Os cem menores contos brasileiros do século.* São Paulo: Ateliê, 2004. p. 181.

1▸ Identifique nos textos lidos: os personagens, o tipo de narrador e o espaço em que transcorre a ação.

2▸ O que é possível deduzir de cada um dos desfechos?

Miniconto ou microconto

Nesta seção, o desafio é produzir minicontos ou microcontos: um deles inspirado por título de notícia de jornal, o outro, por uma imagem. A finalidade é que o material produzido seja reunido em uma antologia, ou exposto em um grande painel, com as imagens que estimularam a construção da narrativa, ou ainda lido ou dramatizado em um sarau com a possibilidade de motivar a criação de vídeos a serem veiculados nas redes sociais ou no *site* da escola.

Antes de iniciar sua produção, leia outro microconto, seguido de comentários.

Microconto e elementos da narrativa

Leia o microconto de Wilson Freire reproduzido a seguir. Nele, com economia de linguagem, o autor narra uma história que desafia o leitor a completar com a imaginação o que não está escrito, buscando deduzir os elementos da narrativa.

BALA PERDIDA

Acorda, levanta, vai ganhar a vida...
(Disparos)
... passou tão rápida.

WILSON FREIRE

In: FREIRE, Marcelino (Org.). *Os cem menores contos brasileiros do século.*
São Paulo: Ateliê, 2004. p. 211.

Esse microconto de ficção lembra a você algum fato real? Qual?
Leia a tabela que apresenta os elementos do microconto "Bala perdida":

Elementos da narrativa	O que pode ser inferido
Personagens	Um trabalhador que perde a vida.
Tempo	Tempo condensado: o breve intervalo entre o despertar e a morte do personagem a caminho do trabalho.
Espaço	Doméstico, rua — dentro e fora de casa.
Ação/enredo	Momentos do enredo: situação inicial (acorda, levanta...); clímax (disparo); desfecho (morte do personagem).
Narrador	Narrador em 3ª pessoa.

Observe que, pelo texto, o leitor também pode inferir o contexto histórico-social dos fatos narrados: cotidiano de violência em grandes centros urbanos ou, até mesmo, em pequenas cidades.

Produção de miniconto ou microconto inspirado em título de notícia de jornal

O desafio é escolher um dos títulos de notícia a seguir e, inspirado por ele, produzir um miniconto ou um microconto. Para isso, siga estas orientações:

» Preparação

1› Leia estes títulos de notícias:

Pai solteiro participa de aulas para aprender a fazer penteados em filha de 3 anos	**Homem escreve carta de amor a esposa todos os dias em 40 anos**	**Ele foi deixado dias antes do casamento e agora leiloa o pacote de viagem de lua de mel**
Disponível em: <http://atl.clicrbs.com.br/mundobom/2015/02/12/pai-solteiro-participa-de-aulas-para-aprender-a-fazer-penteados-em-filha-de-3-anos/>. Acesso em: 6 ago. 2018.	Disponível em: <http://atl.clicrbs.com.br/mundobom/2015/02/24/homem-escreve-carta-de-amor-a-esposa-todos-os-dias-em-40-anos/>. Acesso em: 6 ago. 2018.	Disponível em: <http://atl.clicrbs.com.br/mundobom/2015/01/07/ele-foi-deixado-dias-antes-do-casamento-e-agora-leiloa-o-pacote-de-viagem-de-lua-de-mel/>. Acesso em: 6 ago. 2018.

2› Inspirado pelo título de notícia escolhido, defina os elementos de sua narrativa. Faça no caderno uma tabela como a do microconto "Bala perdida", indicando personagens, tempo, espaço, ação, narrador.

3› A narrativa também precisa dar ao leitor indicações das partes principais do enredo:

- situação inicial;
- conflito;
- clímax;
- desfecho.

4› Defina a posição do narrador de sua história.

5› Veja no esquema a seguir um resumo das características desta produção e da próxima, propostas nesta unidade.

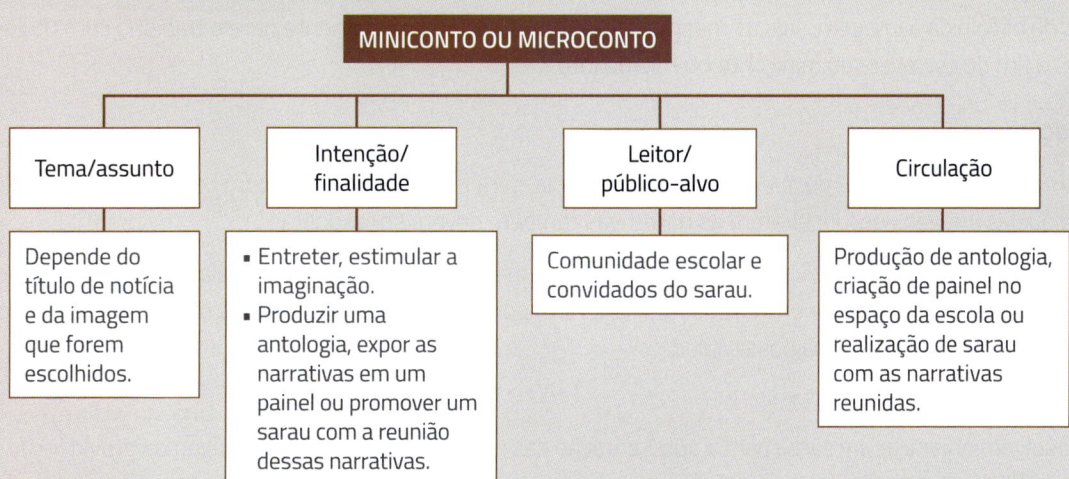

MINICONTO OU MICROCONTO

Tema/assunto	Intenção/finalidade	Leitor/público-alvo	Circulação
Depende do título de notícia e da imagem que forem escolhidos.	• Entreter, estimular a imaginação. • Produzir uma antologia, expor as narrativas em um painel ou promover um sarau com a reunião dessas narrativas.	Comunidade escolar e convidados do sarau.	Produção de antologia, criação de painel no espaço da escola ou realização de sarau com as narrativas reunidas.

» Versão inicial

1› Escreva sua narrativa lembrando-se de que ela deve ser breve, de modo que, com poucas palavras, traga os efeitos desejados. Economize na linguagem, mas não na criatividade.

2› Verifique se a sua narrativa atende às orientações dadas e se há a possibilidade de encurtá-la ainda mais.

1▸ Troque sua narrativa com um colega: leia a dele enquanto ele lê a sua. Faça as anotações necessárias para ajudar o colega a aprimorar a história. Devolva o trabalho para ele e retome o seu, comentado por ele.

2▸ Faça as alterações que julgar necessárias para chegar ao texto final.

Produção de miniconto ou microconto inspirado em imagem

O desafio é inspirar-se em uma das imagens a seguir para produzir um miniconto ou um microconto.

▸ Depois de escolhida a imagem, siga as mesmas etapas propostas anteriormente para o trabalho com títulos de notícias a fim de escrever seu miniconto ou microconto.

❯❯ **Circulação**

1▸ Definam com o professor como, e em que local da escola, será produzido o painel com os textos reunidos, lembrando que as imagens que inspiraram as narrativas também devem ser expostas.

2▸ Combinem, também com o professor, se será produzida uma antologia dos textos, se ela será impressa ou digital, se circulará revezadamente entre seus familiares e depois doada à biblioteca da escola ou se será publicada no *site* da escola, caso haja essa possibilidade.

❯❯ **Apresentação — sarau**

▸ Caso resolvam organizar um sarau para a apresentação das narrativas produzidas, eis algumas providências que podem facilitar a realização dessa atividade:

- Elaborar um roteiro prévio, definindo a sequência de textos a serem lidos.
- Definir a data do evento e pensar em estratégias de divulgação (distribuição de convites para a comunidade escolar, divulgação nas redes sociais, etc.).
- Organizar, no espaço reservado para o evento, as narrativas produzidas para que todos possam lê-las.
- Preparar a leitura em voz alta dos minicontos e dos microcontos para o sarau.

Chegou o momento de fazer um balanço do que foi estudado na Unidade 2. Leia o quadro de conteúdos para recordar o que estudou e, no caderno, avalie seu desempenho usando os tópicos propostos a seguir como orientação. Isso ajudará você na hora de organizar seus estudos.

Meu desempenho

- **Compreendi bem** (registre no caderno os itens que você compreendeu)
- **Avancei em** (registre no caderno os itens em que você melhorou)
- **Preciso rever** (registre no caderno os itens que você precisa estudar mais)
- **Outras observações e/ou outras atividades**

UNIDADE 2	
Gêneros Conto Microconto	**LEITURA E INTERPRETAÇÃO** · Leitura e interpretação dos contos "O homem que devia entregar a carta", Ignácio de Loyola Brandão; "No *messenger*", Leonardo Brasiliense; "Sem título", Edson Rossatto · Elementos e momentos da narrativa em contos de extensão variada · Tipos de sequências discursivas e modos de citação do discurso do outro · Contos elaborados com diferentes recursos **PRODUÇÃO** **Oral** · Conversa em jogo: Primeiro emprego · Debate: Como as formas de comunicação marcadas pelo excesso de informações, pela economia e agilidade excessiva afetam nossas relações pessoais? **Escrita** · Produção de miniconto ou microconto inspirado em títulos de notícias de jornal e imagens fotográficas
Ampliação de leitura	**CONEXÕES** · Outras linguagens: História em quadrinhos · Um dos mais famosos microcontos · Outros suportes textuais **OUTROS TEXTOS DO MESMO GÊNERO** · "O vizinho", Leonardo Brasiliense · "Monólogo com a sombra", Rogério Augusto
Língua: usos e reflexão	· Coordenação e subordinação: recursos de coesão em períodos compostos · Período composto por coordenação e subordinação · Orações coordenadas assindéticas e sindéticas · Desafios da língua: ortografia e sentido das palavras
Participação em atividades	· Orais · Coletivas · Em grupo

Theo Szczepanski/Arquivo da editora

UNIDADE

3

A eterna arte de narrar...

O que você prefere: contar, ouvir ou ler histórias? Por quê? Qual é o seu suporte de leitura preferido: livro impresso ou digital? De que histórias você mais gosta: de amor, de terror, de suspense, de ficção científica? Por quê? Você já leu histórias longas que são narradas em vários capítulos? Qual(is)? Conte aos colegas qual é a sua história preferida.

Nesta unidade você vai:

- ler e interpretar um conto;
- identificar elementos e momentos da narrativa;
- diferenciar tipos de narrador;
- participar de exposição oral;
- produzir conto inspirado em uma notícia;
- produzir um *audiobook* de contos com efeitos sonoros;
- reconhecer período composto por subordinação;
- identificar oração principal, oração subordinada e elementos de coesão;
- identificar e classificar as orações subordinadas substantivas;
- analisar orações reduzidas e desenvolvidas;
- analisar processos de formação de palavras: sufixação, prefixação e composição.

CONTO

Conto e crônica são gêneros narrativos muito presentes na literatura brasileira.

Na crônica, valorizam-se, em geral, as situações corriqueiras do cotidiano. Com base em um fato comum, o cronista escreve seu texto — às vezes com humor, às vezes tecendo críticas, às vezes com poesia e sensibilidade.

O conto é uma narrativa ficcional e, como a crônica, pode ser de curta duração. Os temas tratados no conto não se restringem aos fatos do cotidiano, como costuma ocorrer na crônica.

As semelhanças entre os dois gêneros geraram textos em que a distinção entre um e outro, às vezes, é difícil de ser percebida. É o que acontece no texto a ser lido nesta unidade: um bom exemplo da "mistura" entre conto e crônica.

A história que você vai ler começou como uma crônica publicada em uma revista semanal de variedades chamada *O Cruzeiro*. O texto foi publicado em três quadros e, de uma crônica, nasceu um conto. Caberá a você desvendar um mistério: conhecer um caso de *metonímia* e o que ele tem a ver com a história narrada!

Leia a história toda e perceba como a autora Rachel de Queiroz construiu sua narrativa.

Leitura

Metonímia, ou a vingança do enganado

(Drama em três quadros)

Rachel de Queiroz

Quadro I

Metonímia — a palavra me ficou na memória desde o ano de 1930, quando publiquei o meu livro de estreia, aquele romance de seca chamado *O Quinze*. Um crítico, examinando a obrinha, censurava-me porque, em certo trecho da história, eu falava que o galã saíra a andar "com o peito entreaberto na blusa". "Que disparate é esse?", indagava o sensato homem. "Deve-se dizer é: blusa entreaberta no peito". Aceitei a correção com humildade e acanhamento, mas aí o meu ilustre professor de Latim, Dr. Matos Peixoto, acudiu em meu consolo. Que estava direito como eu escrevera; que na minha frase eu utilizara uma figura de <u>retórica</u>, a chamada metonímia — <u>tropo</u> que consiste em <u>transladar</u> a palavra do seu sentido natural da causa para o efeito, ou do continente para o conteúdo. E citava o exemplo clássico: "taça espumante" — continente pelo conteúdo, pois não é a taça que espuma e sim o vinho. Assim sendo, "peito entreaberto" estava certo, era um simples emprego de metonímia. E juntos, numa nota de jornal, meu mestre e eu silenciamos o crítico. Não sei se o <u>zoilo</u> aprendeu a lição. Eu fui que a não esqueci mais. Volta e meia lá aplico a metonímia — acho mesmo que é ela a minha única ligação com a velha retórica.

> **retórica:** a arte da palavra; a arte do bem dizer.
>
> **tropo:** emprego figurado da palavra.
>
> **transladar (trasladar):** transpor, mudar, transferir (o sentido).
>
> **zoilo:** crítico que, por seu julgamento ácido, revela inveja ou incompetência.

Faz pouco tempo, por exemplo, dei com uma ocorrência de metonímia prática: certa senhora nossa conhecida, há anos hospedada numa pensão, saiu de repente da casa e passou a ser inimiga mortal da senhoria. Indagada da gente por que aquela inimizade repentina, quando todos sabíamos que a dona da pensão era boa alma, lhe dava injeções, lhe emprestava a bolsa de água quente e a acudia nos seus acessos cardíacos, a ofendida explicou:

— O que eu não perdoo a ela é o telefone. Todo dia o telefone da copa me chamava — eu ia ver, era trote.

— Mas não era ela que dava trote!

— Não. Mas de quem era o telefone?

Agora sei de outro caso de metonímia aplicada, que ainda é mais importante, pois se trata de caso de crime. Relação de causa e efeito, ou mesmo culpar o continente pelo conteúdo — qualquer dos dois está certo.

Assim pois aconteceu numa cidade do interior — não conto onde, para não dar lugar a <u>maledicência</u>.

Diga o pecado mas não diga o pecador.

Pois nessa cidade do interior havia um homem; não era velho, mas pior que velho, porque era gasto. Em moço sofrera de <u>beribéri</u>, o que lhe arruinou para sempre o futuro. Tinha as pernas fracas, o peito cansado e asmático, a cor terrosa, o olhar vidrado de doente crônico. Contudo era homem de algumas posses, casa própria com loja <u>contígua</u>, onde instalara o armazém; vivesse ele no Ceará, o armazém se chamaria bodega, em Pernambuco venda, no Pará mercearia, em São Paulo empório. E já que eu não quero designar o local do crime, qualquer nome desses serve. Bodega ou empório, era comércio, e quem tem comércio tem dinheiro; de jeito que, apesar de tão <u>mal-ajambrado</u>, o nosso homem casou. Justiça se faça, que não tentou a Deus com nenhuma beldade: procurou moça pobre, magrinha, operária numa oficina de roupas de homem. Diziam até que ela tinha cara de <u>tísica</u>. Mas não contava o prezado amigo

Theo/Arquivo da editora

maledicência: comentário maldoso; difamação, injúria.

beribéri: nome de uma doença que, por falta de vitamina B1, provoca polineurite, uma inflamação que enfraquece a musculatura e os nervos do corpo, além de causar edemas e problemas cardíacos.

contíguo: que está próximo ou junto, ao lado.

mal-ajambrado: desarrumado, desajeitado.

tísico: tuberculoso.

com os efeitos da boa nutrição no metabolismo feminino. Sei é que a cara-de-tísica, livrando-se das oito horas de trabalho à mesa de costura, passando a comer bem, em casa sua, a boa carne fresca, o seu bom tutu, a sua salada de pepino, os doces de lata, as doces laranjas da serra que o marido comprava aos centos para a freguesia, mudou como se fosse encantada. Começou a botar corpo, a aumentar as polegadas nos lugares certos — parece até que estava crescendo. E as cores do rosto, então! Ainda mais que, com a afluência de dinheiro, deu para se vestir bem, se pintar, ondular cabelo, usar engenho e arte a fim de aumentar os dotes naturais, pois não sei se contei que, de cara mesmo, ela não tinha nada de feia.

E assim bela e assim vestida e assim pintada e formosa, começou a lhe pesar o marido enfermiço, envelhecido antes do tempo. Que, mal fechava o armazém, tomava a janta de leite (tinha cisma com carne), pegava o jornal, sentava na cadeira-preguiçosa até a hora de ir para a cama. Não queria saber de cinema, nem de futebol, nem sequer de rádio. Até mesmo por amor não se interessava grande coisa, que aquele corpo franzino, amarelo, não era de pedir amores. Só a convivência morna, insossa, ité, como se diz em São Paulo.

E foi aí que o destino saiu dos seus cuidados e fez a primeira intervenção: suscitou um sargento.

> QUEIROZ, Rachel de. *100 crônicas escolhidas. O caçador de tatu*. Rio de Janeiro: José Olympio, 1989. v. 4. p. 199-204.

metabolismo: conjunto de transformações químicas e biológicas que produzem a energia necessária ao funcionamento de um organismo.

insosso: sem sal; sem graça; desinteressante, monótono.

ité: que não tem gosto.

suscitar: fazer aparecer; ser a causa do surgimento; ser motivo para.

Interpretação do texto

Compreensão inicial (Quadro I)

Esse texto de Rachel de Queiroz é um exemplo de gênero narrativo misto, pois se trata de um conto dentro de uma crônica. O texto do Quadro I pode ser dividido em duas partes:

- a parte inicial, que apresenta características de **crônica** (narrativa ligada a fatos do cotidiano), aparentemente narra **fatos da realidade** da autora, Rachel de Queiroz;
- o início do **conto** — uma **narrativa** que **prepara** o leitor para ler a história de um crime, a ser contada pela voz de um narrador observador na sequência da narrativa criando um suspense.

1▸ Pela leitura do Quadro I, responda no caderno às questões a seguir:

a) Onde acontecem os fatos narrados no conto propriamente dito?

b) Qual é a explicação dada pelo narrador para não identificar precisamente o lugar?

c) Quais são os personagens do conto?

2▸ O narrador conta que, depois do casamento, a moça "mudou como se fosse encantada". Responda no caderno.

a) Que mudanças foram essas?

b) Qual é a causa dessas mudanças?

3▸ Releia o último parágrafo do Quadro I:

> E foi aí que o destino saiu dos seus cuidados e fez a primeira intervenção: suscitou um sargento.

Esse trecho marca um limite no desenvolvimento da história. Nesse momento um novo personagem é introduzido: um sargento. Por que o aparecimento de um sargento é interpretado como um descuido do destino?

Agora, leia a continuação da história.

Quadro II

Claro, não era justo que a jovem esposa depois de <u>recondicionada</u> graças às finanças do marido tirasse vantagens dessa nova situação de mulher bonita, em prejuízo do <u>supradito</u> marido. Não era justo, mas este mundo vive de injustiças. E o sargento — quer fosse do Exército, da Aeronáutica, da Marinha ou dos Fuzileiros (não digo ao certo, firme no meu propósito de evitar identificação) —, o sargento era simpático, era musculoso, era jovem, era formidavelmente <u>marcial</u> dentro da farda justa ao peito, o andar elástico, a fala <u>ríspida</u> habituada ao comando.

Theo/Arquivo da editora

Aconteceu que, um belo dia, servia a dama ao balcão (segundo era costume do casal, enquanto o marido almoçava), quando sobreveio o sargento. O que houve, o que não houve? Hoje é difícil reconstituir. Parece que ele pediu um maço de cigarros. Depois queria um vermute. Por fim pediu licença para escutar o noticiário esportivo no rádio que tocava perto do balcão. Seria pretexto para se demorar ali, mas a moça consentiu. É difícil negar favores a sargentos, <u>mormente</u> um sargento daqueles. Contudo, naquele dia, além disso ele não pediu mais que olhares. Ou no máximo disse alguma palavra, mas murmurada tão baixo que a não ouviu o resto da freguesia presente, sempre atenta a mexericos.

Com três almoços o namoro pegara firme. E seguindo-se aos almoços uma gripe do marido, os dois caminharam muito além de namoro. Como se encontravam, onde e a que horas, não se apurou. Basta que se diga que eles se amaram de amor proibido, como Tristão e Isolda, como Paolo e Francesca.

E o destino, que não gosta de amores ilegais e costuma castigá-los com maus <u>fados</u>, fez a sua segunda intervenção: suscitou a transferência do sargento.

* * *

Diz que só quem ama conhece a dor da separação. Os bonitos olhos da moça incharam de tanto choro. O apetite diminuiu. Já lhe transparecia, por sob o *rouge* da face, a antiga cara de tísica. E há de ter sido esse desgosto, assim <u>alardeado</u> com pranto e <u>fastio</u>, que acabou por despertar as suspeitas do marido, não acordadas quando o amor florescia e tudo ainda eram rosas.

▶ **recondicionado:** recuperado, restaurado, renovado, posto em melhores condições.

▶ **supradito:** já dito, mencionado acima ou anteriormente.

▶ **marcial:** relativo a quem luta ou guerreia; qualidade de guerreiro.

▶ **ríspido:** severo, áspero, rude.

▶ **mormente:** acima de tudo; principalmente.

▶ **fado:** destino, sorte.

▶ *rouge:* cosmético; pó vermelho que é espalhado na face para dar cor.

▶ **alardeado:** mostrado, exibido.

▶ **fastio:** tédio; aborrecimento.

Passou o bodegueiro a vigiar a esposa; a lhe examinar os silêncios; a lhe escutar os suspiros e os murmúrios durante o sono. Deu para fazer pesquisas e acabou descobrindo um postal e um livro com um nome de homem escrito em ambos — e com a mesma letra. Descobriu um escudo da corporação do sargento — o que provava que o objeto de suspiros, silêncios e murmúrios, além de homem era soldado. E tantas descobertas pequenas levaram-no afinal à maior de todas, que era descobrir que o traíam. Porque descobrira as cartas, as cartas de amor que vinham com carimbo distante, por via aérea, assinadas com aquele nome fatal.

Durante cinco meses o pobre revolveu dentro do seu magro peito doente o punhal venenoso do ciúme. Como menino que descobre um ninho de pássaro e fica diariamente a vigiar escondido o número de ovos que aumenta, e depois os progressos do choco, assim conseguira o marido uma chave falsa para o cofre de guardados da mulher: era uma caixa de madeira do Paraná, com um pinheirinho recortado na tampa, que ele mesmo lhe dera durante a lua de mel, dizendo rindo: "Está aqui, para você guardar os seus segredos…".

E a ingrata obedecera ao pé da letra.

Todos os dias, naquela hora fatal do almoço, quando a mulher o substituía no balcão, ele nem cuidava de comer. Era só correr ao quarto, abrir o <u>camiseiro</u>, tirar a caixa de sob o monte de roupa branca, puxar do bolso a chavinha falsa e abrir ansiosamente a carta nova. E quando não havia carta nova, reler a velha, ou antes, uma das antigas, uma datada de 21 de agosto, tão cheia de recordações realísticas, que até parecia diálogo de filme francês. Depois de ler guardava tudo, corria à cozinha, engolia depressa uma colher de caldo, roía um pedaço de pão — seria impossível comer direito com aquele amor dos dois ladrões atravessado na garganta.

Até que um dia houve provocação maior…

> **camiseiro:** móvel com gavetas, próprio para guardar camisas e outras roupas.

QUEIROZ, Rachel de. *100 crônicas escolhidas. O caçador de tatu.* Rio de Janeiro: José Olympio, 1989. v. 4. p. 199-204.

Theo/Arquivo da editora

Compreensão inicial (Quadro II)

1▸ Que fato provocou uma mudança na situação vivida pela mulher e o sargento?

2▸ Que indícios no comportamento da mulher provocaram a desconfiança do marido?

3▸ Que descoberta do marido lhe deu certeza de haver motivo para sua desconfiança?

4▸ Releia a última frase do Quadro II:

> Até que um dia houve provocação maior…

Essa frase marca na história a passagem para uma tomada de decisão. Qual foi a decisão?

Leia a continuação da história para saber o que aconteceu.

Quadro III

E um dia, como dizíamos na semana passada, houve provocação maior ou o coração do homem enganado saturou-se de ódio e ciúme até ao ponto de não poder contar mais nada. Isso não se explicou. O que se sabe é que ele retirou da gaveta do balcão um revólver que lá guardava há anos, e que fora empenhado por um devedor desaparecido. Junto do revólver estava a caixa de balas. O nosso amigo carregou a arma; e numa manhã de sol claro, eram dez horas em ponto, quando o armazém estava cheio de fregueses, viu-se que o bodegueiro apurava o ouvido, pedia licença aos presentes e transpunha a porta de comunicação da loja com a sua casa.

Daí a pouco se escutou um ruído de altercação, um grito de mulher e três tiros cortaram o ar, em explosões secas.

A freguesia alarmada correu, rodeou a esquina até à porta da frente da casa de moradia. Lá estava armada a tragédia: a mulher na calçada, de joelhos, aos gritos, o marido de revólver na mão, muito trêmulo, tentando soerguê-la, e, atravessado na porta, caído de borco, com o corpo para dentro da sala, um homem. Na posição em que estava não se lhe via cara nem torso, só as botinas pretas e as duas pernas, vestidas em calças cáqui.

E foi o próprio marido quem falou primeiro. Ergueu os olhos para o grupo apavorado, deu com a vista no seu freguês predileto, andou um passo, tapou com o próprio corpo a porta onde jazia o morto e pediu:

— Pode ir chamar a Polícia.

* * *

Na Polícia explicou que matara o homem porque era um marido enganado.

O delegado comentou:

— É raro. Em geral vocês matam as mulheres, que são mais fracas.

Mas o marido protestou, magoado:

— Não, eu não seria capaz de matar minha mulher. Ela é tudo que eu tenho no mundo, bonita, delicada, cuidadosa. Me ajuda no armazém, entende de contas, faz as cartas para os atacadistas. Só ela pode fazer a minha comida — eu só como dieta especial, o senhor sabe. Como é que eu ia matar minha mulher?

— Então — ajudou o delegado — matou o amante dela.

O homem tornou a abanar a cabeça:

— Também não. O amante era um sargento, que foi transferido e está longe. Além do mais eu só descobri o caso depois que ele viajou. Pelas cartas. Li tudo. Sei até uma de cor, a pior delas...

O delegado calava-se, sem entender, esperando o resto.

E o resto veio:

> **saturar-se:** encher-se inteiramente; chegar ao limite da tolerância.
>
> **empenhado:** dado para saldar dívida, como compromisso financeiro, como garantia.
>
> **transpor:** passar de um lado para o outro; ultrapassar.
>
> **altercação:** discussão acalorada.
>
> **soerguer:** levantar.
>
> **de borco:** de bruços, de barriga para baixo.
>
> **torso:** parte do corpo humano que corresponde ao tronco.
>
> **cáqui:** cor marrom, de tom amarelado, usada, em geral, em uniformes militares.

— Cada carta! Se cada carta daquelas tivesse vida, eu matava, de uma em uma. Fazia até vergonha — parecia coisa de livro. Pensei em tomar um avião e liquidar com o sargento. Mas não tenho saúde para andar de avião. Pensei em matar um colega dele, aqui mesmo, para eles tomarem ensino e não transviarem mulher alheia. Mas tive receio de enfrentar a corporação toda — o senhor sabe como eles são unidos. Tinha entretanto que dar um jeito. Já sentia medo de acabar ficando doido. Não tirava aquelas cartas da cabeça; nos dias em que não chegava uma, ficava aflito, mais aflito do que ela, que era a destinatária. Tinha que liquidar aquilo, não era? E hoje, afinal, carreguei o revólver, esperei a hora e, quando vi o desgraçado apontar do outro lado da rua, fui para casa, me escondi atrás da porta do quarto, esperando.

> **transviar:** afastar (do bom caminho, do dever, daquilo considerado de acordo com os padrões morais); desencaminhar, corromper.

— O amante? — indagou o delegado, estupidamente.

O homem se irritou:

— Não, senhor. Não falei que não era o amante? Porém tinha culpa nas cartas. O sargento escrevia — mas era ele que trazia. Quase todo dia estava ali na porta, risonho, com o desgraçado do envelope na mão. Apontei o revólver e atirei três vezes. Ele caiu sem falar. Não, não era o amante, seu delegado. Não era o amante. Mas era o carteiro.

[Rio, 1955]

QUEIROZ, Rachel de. *100 crônicas escolhidas. O caçador de tatu.* Rio de Janeiro: José Olympio, 1989. v. 4. p. 199-204.

Eder Chiodetto/Folhapress

Rachel de Queiroz nasceu em Fortaleza, Ceará, em 1910. Estimulada pela mãe, dedicou-se à leitura desde bem jovem. Foi desse mergulho nos livros que nasceram seus primeiros escritos. Depois de se formar professora, Rachel ingressou no jornalismo. Uma suspeita de tuberculose a obrigou a repousar; foi quando escreveu *O Quinze*, publicado em 1930. Sua carreira de escritora inclui vários romances, algumas incursões na literatura infantojuvenil, peças de teatro e um sem-número de crônicas. Em 1977, tornou-se a primeira mulher a fazer parte da Academia Brasileira de Letras. Faleceu em 2003, no Rio de Janeiro.

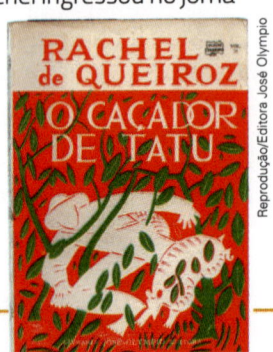
Reprodução/Editora José Olympio

Compreensão inicial (Quadro III)

1▸ Releia o trecho reproduzido a seguir:

> [...] Lá estava armada a tragédia: a mulher na calçada, de joelhos, aos gritos, o marido de revólver na mão, muito trêmulo, tentando soerguê-la, e, atravessado na porta, caído de borco, com o corpo para dentro da sala, um homem. [...]

A partir dessa cena, qual foi a primeira dedução que você, leitor, pôde fazer em relação ao homem que foi morto?

2▸ O marido apresenta várias razões para não matar nem a esposa, nem o sargento. Responda no caderno: Que aspecto da personalidade do marido essas razões revelam?

Linguagem e construção do texto

Formas de organizar o texto

Encadeamento da narrativa

O texto de Rachel de Queiroz está dividido em três unidades narrativas, que a autora chamou de *quadros*. Para encadear os quadros e prender a atenção do leitor — lembre-se de que a história foi inicialmente publicada em partes separadas —, a autora criou uma forma de estabelecer uma ligação entre eles. Fazendo as atividades a seguir, você poderá observar melhor como isso acontece.

1▸ Releia o final do Quadro I.

> E foi aí que o destino saiu dos seus cuidados e fez a primeira intervenção: suscitou um sargento.

No caderno, explique de que modo esse trecho pode prender a atenção do leitor para o quadro seguinte.

2▸ No desenrolar da história, há passagens que atuam como ligações entre as partes do enredo, indicando ou antecipando que haverá alterações significativas no rumo dos acontecimentos. Observe o esquema a seguir: no quadro A foi transcrita a passagem que liga o Quadro I ao Quadro II.

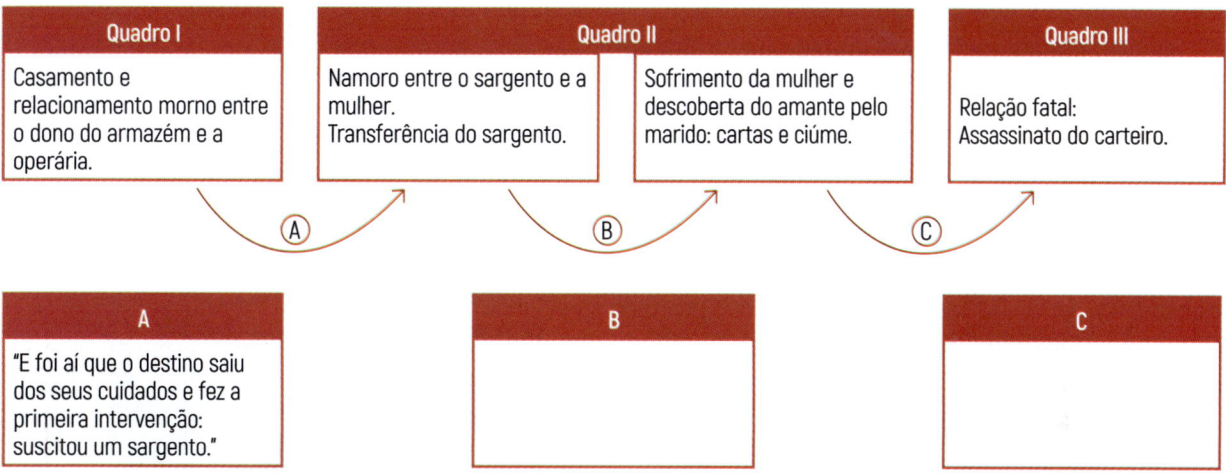

a) Transcreva no caderno as passagens do texto que funcionam como elementos de ligação entre os momentos da narrativa indicados, correspondentes aos quadros **B** e **C** do esquema.

b) Em qual momento da narrativa essas passagens se apresentam?

3▸ Em sua opinião, as passagens que você transcreveu na questão 2 conseguem prender a atenção do leitor para que ele continue a leitura do conto? Explique.

4▸ No Quadro III, o narrador deixa claro que a história está sendo apresentada para o leitor em dias diferentes, como se fosse em capítulos. Localize a passagem que comprova esse fato e transcreva-a no caderno .

5▸ Escolha uma das passagens que fazem a ligação entre as partes da narrativa e reescreva-a no caderno de modo que possa prender a atenção do leitor.

Indícios do desfecho

Além dos recursos usados para encadear as partes ou quadros da história que acabamos de analisar, o narrador emprega a estratégia de dar pistas ou indícios sobre o desfecho para atrair a atenção do leitor.

1▸ Assinale as alternativas que representam esses indícios.

a) Fazer a descrição detalhada dos personagens.

b) Não revelar nomes dos personagens.

c) Utilizar o termo *vingança* no título.

d) Dizer de início que se trata de um caso de crime.

Há um indício do desfecho da história que é apresentado no próprio título, por meio do uso da palavra *metonímia*. Ao ler esse termo, o leitor é convidado a pensar sobre o que é uma metonímia ou sobre a relação que a ideia de metonímia pode ter com a história. Aparentemente, isso pode ser esquecido no decorrer da leitura da narrativa principal, ou seja, do conto que surge dentro da crônica, mas o leitor atento pode recorrer a ela e tentar buscar pistas para compreender a história que acompanha.

2▸ Considerando o que você sabe sobre metonímia, explique no caderno como pode ser interpretado o desfecho da história ao relacioná-lo com essa palavra do título.

Narrador e tipos de narrador

Aquele que narra uma história introduzindo os personagens e contando os fatos que se sucedem em determinado tempo e espaço é chamado de **narrador**.

1▸ Releia o trecho a seguir.

> *Metonímia* — a palavra me ficou na memória desde o ano de 1930, quando publiquei o meu livro de estreia, aquele romance de seca chamado *O Quinze*. [...]

Esse trecho compõe a parte inicial da crônica. Responda em seu caderno: A crônica foi narrada em que pessoa? Transcreva um exemplo que justifique a sua resposta.

Na narrativa analisada nesta unidade, o narrador identifica-se também como a autora do romance *O Quinze* — história de uma família de retirantes do Nordeste que abandona a casa para fugir da seca.

É o autor quem escolhe o tipo de narrador para a sua narrativa. Na literatura, não se deve confundir a figura do autor com a figura do narrador, que é um elemento de ficção no texto, uma invenção literária.

A identificação do tipo de narrador depende do modo como o narrador se comporta na narrativa. É esse comportamento do narrador que define o que se denomina **foco narrativo**, ou seja, se o narrador apenas relatará a história ou se participará dela.

Dependendo do modo como se comporta na narrativa, o **narrador** pode ser:

1. **Narrador observador e neutro**: sua presença não é percebida pelo leitor porque ele apenas conta os fatos, sem se manifestar, interferir ou dar opinião ao longo da narrativa. Nesse caso, o foco narrativo é em 3ª pessoa (*ele/ ela, eles/ elas*).

2. **Narrador-personagem ou narrador em 1ª pessoa**: ao mesmo tempo que narra, ele também participa dos fatos como personagem da história. Por isso, o leitor percebe sua presença, manifestada no uso da 1ª pessoa (*eu/ nós*) — o foco narrativo é em 1ª pessoa.

3. **Narrador intruso**: não faz parte da história como personagem, mas interrompe a narrativa para comentar os fatos, expressar sentimentos e opiniões, julgar as ações e o comportamento dos personagens, entre outras intervenções. O foco narrativo pode ser em 1ª ou 3ª pessoa.

Relembrando: É o autor quem escolhe o tipo de narrador que quer para sua narrativa.

2▸ Releia esta passagem em que o narrador se manifesta:

> [...] era homem de algumas posses, casa própria com loja contígua, onde instalara o armazém; vivesse ele no Ceará, o armazém se chamaria bodega, em Pernambuco venda, no Pará mercearia, em São Paulo empório. E já que eu não quero designar o local do crime [...].

Pode-se afirmar que, nesse trecho, se manifesta um narrador-personagem? Explique em seu caderno.

3▶ Releia as seguintes passagens do texto e responda às questões no caderno.

> [...] não era velho, mas pior que velho, porque era gasto.

> Até mesmo por amor não se interessava grande coisa, que aquele corpo franzino, amarelo, não era de pedir amores. Só a convivência morna, insossa, ité, como se diz em São Paulo.

> Durante cinco meses o pobre revolveu dentro do seu magro peito doente o punhal venenoso do ciúme.

a) Explique o que se pode perceber da participação do narrador nesses trechos.

b) Que imagem você faz do marido a partir da visão apresentada pelo narrador?

4▶ Explique no caderno a opinião do narrador subentendida neste trecho:

> Claro, não era justo que a jovem esposa depois de recondicionada graças às finanças do marido tirasse vantagens dessa nova situação de mulher bonita, em prejuízo do supradito marido. Não era justo, mas este mundo vive de injustiças. [...]

5▶ Você já viu nesta unidade que o narrador também se manifesta dando pistas sobre o desfecho da história. No caderno, escreva qual é a pista dada nesta passagem:

> E o destino, que não gosta de amores ilegais e costuma castigá-los com maus fados, fez a sua segunda intervenção [...].

Recursos estilísticos

Ao escrever um texto, o autor faz escolhas de linguagem para produzir efeitos expressivos diversos. São os **recursos estilísticos**, isto é, os efeitos utilizados no texto que auxiliam na maneira de escrever para expressar o que se deseja.

Nesta unidade, vamos estudar alguns desses recursos empregados por Rachel de Queiroz.

Metonímia

Rachel de Queiroz, no início do texto, dá exemplos de uso da metonímia como um recurso de linguagem. Releia as frases e observe os trechos destacados.

> Um crítico, examinando a obrinha, censurava-me porque, em certo trecho da história, eu falava que o galã saíra a andar "**com o peito entreaberto na blusa**".

- Caso de metonímia em que o efeito (*peito entreaberto*) é usado no lugar da causa (*blusa entreaberta no peito*).

> E citava o exemplo clássico: "**taça espumante**" [...].

- Caso de metonímia em que o continente (*taça*) é usado no lugar do conteúdo (*o vinho que espuma*).

1▶ No Quadro I, há um trecho em que é citado um exemplo de ocorrência de "metonímia prática". Nele, o narrador conta como uma pensionista resolveu acabar com os trotes que recebia por telefone. Localize esse trecho na página 97 e responda às questões a seguir no caderno.

a) Conte o que aconteceu, explicando o caso de metonímia.

b) Por que o narrador chama essa ocorrência de "metonímia prática"?

2▶ Qual é a metonímia que justifica o título do conto: "Metonímia, ou a vingança do enganado"? Explique no caderno.

> A **metonímia** consiste na substituição de um termo por outro, por existir entre eles uma relação de proximidade, de interdependência, de inclusão.

A metonímia é bastante frequente na linguagem do cotidiano. Você, mesmo sem perceber, já deve tê-la usado muitas vezes em suas conversas diárias e nos textos que escreve.

3▸ Leia a propaganda abaixo.

O mundo em boas mãos.

Nosso agradecimento e reconhecimento a todos aqueles
que compartilham conosco o sonho de um mundo melhor.

**05 de junho. Uma homenagem da Setin
ao Dia Mundial do Meio Ambiente.**

Setin Construtora/Arquivo da Editora

Propaganda publicada no jornal *Folha de S.Paulo*. São Paulo, 5 jun. 2005. p. C12.

a) Qual é o *slogan* dessa propaganda?

b) Explique o tipo de metonímia presente na frase do *slogan*.

No quadro a seguir, confira algumas das principais ocorrências de metonímia.

▸ *slogan*: frase curta,
usada em propagandas
e publicidades para
lançar uma marca, um
produto ou uma ideia.

Metonímia: ocorrências	Exemplos
O efeito é usado em lugar da causa.	Por onde o grupo passava eram só **risos e alegria**. (*Risos e alegria* são o efeito das ações praticadas pelo grupo.)
O autor é usado em lugar da obra.	Adoro **Rachel de Queiroz**. (A obra de Rachel de Queiroz.)
O continente é empregado em lugar do conteúdo.	Bebeu quatro **copos de suco**. (Bebeu o conteúdo dos copos, o suco, e não os copos.)
A parte é empregada em lugar do todo.	O bordado foi feito por **mãos habilidosas**. (Foi feito por pessoa habilidosa.)
O todo é usado em lugar da parte.	**O governo** está envolvido no escândalo. (Pessoas que fazem parte do governo.)
O nome de um indivíduo é usado para indicar um grupo.	A ciência espera outros **Einsteins**. (Bons cientistas, como o famoso cientista Albert Einstein.)
O lugar é empregado em vez dos habitantes.	Os **Estados Unidos** rejeitaram o acordo pela preservação ambiental. (Pessoas do país ou do governo estadunidense rejeitaram o acordo.)
O singular é utilizado em vez do plural.	O **jovem** é contra injustiças. (Os jovens em geral.)

Ironia

Na narrativa de Rachel de Queiroz percebe-se a ironia nas escolhas de linguagem ao imprimir aos comentários ou às descrições das ações ou fatos da história um tom jocoso, zombeteiro, debochado. A ironia é demonstrada tanto pela intenção de quem escreve quanto pelo contexto da história. Observe:

> Pois nessa cidade do interior havia um homem; não era velho, mas pior que velho, porque era **gasto**. [...]

O termo *gasto*, geralmente usado para algo deteriorado, que não tem mais uso, é empregado para caracterizar, de um jeito meio debochado, sarcástico a postura e os hábitos do marido ao se casar com a jovem. Essa escolha de linguagem sugere, de forma irônica, uma crítica.

A ironia também pode ser construída falando-se o contrário do que se quer dizer, com intenção sarcástica, como neste exemplo:

> Que bonito exemplo de cidadania: pichar os muros da cidade em época de eleição!

Nessa frase, "Que **bonito exemplo**" está no lugar de "péssimo exemplo".

1▸ Releia o trecho:

> [...] de jeito que, apesar de tão mal-ajambrado, o nosso homem casou. Justiça se faça, que não tentou a Deus com nenhuma beldade: procurou moça pobre [...].

Explique no caderno por que podemos considerar irônico esse comentário do narrador.

> A **ironia** é uma forma de fazer uma crítica satirizando-a, sugerindo o sentido contrário daquilo que é dito.

Outras vezes, mais que na escolha de palavras ou expressões, a ironia é revelada no modo como nos expressamos oralmente.

2▸ Leia a frase, com expressividade, para produzir o efeito irônico.

> Você fez um **excelente** serviço, hein! Mal saí com o carro da garagem, e ele pifou!

Polissíndeto

Na unidade anterior você viu que o recurso da justaposição consiste no encadeamento de palavras, frases ou orações, dispostas lado a lado, em uma sequência de ideias conectadas entre si, ligadas ou não por elementos de coesão — os conectivos/conjunções. Essa maneira de encadear palavras, frases, orações produz no texto efeitos de sentido; por exemplo, a sensação de movimento contínuo, em série.

▸ Observe como, em sua narrativa, Rachel de Queiroz empregou a justaposição neste trecho:

> E assim bela e assim vestida e assim pintada e formosa, começou a lhe pesar o marido enfermiço [...].

a) Que elemento de ligação foi usado nesse trecho para ligar as expressões justapostas?

b) Em sua opinião, que efeito de sentido essa justaposição produz no texto?

Theo/Arquivo da editora

> O recurso de construção que encadeia ou justapõe palavras ou ideias, conectando-as por meio de uma conjunção que se repete de modo enfático (geralmente o *e*), recebe o nome de **polissíndeto**.

▶ Em seu caderno, copie o esquema e substitua os ■ por palavras do quadro.

imaginados	histórias de ficção	narrativas	estilísticos

CONTO

Narrativa de fatos ■.

Intenção/finalidade
Contar fatos criados pela imaginação do autor.

Linguagem e construção
- Recursos ■ (possibilidade de uso): metonímia, ironia, polissíndeto.
- Elementos e momentos da narrativa.
- Encadeamento das unidades ■ de acordo com o estilo do autor.
- Diferentes tipos de narrador.

Leitor/público-alvo
Pessoas que gostam de ler ■ literária.

Circulação
Principalmente livros e internet. Também é comum a publicação em jornais e revistas.

Atividades: recursos estilísticos

1▶ Identifique a metonímia presente na tira a seguir e explique-a no caderno.

BROWNE, Chris. Hagar. *Folha de S.Paulo*. São Paulo, 15 fev. 2005.

2▶ No dia a dia, usam-se muitas expressões formadas com metonímia. A expressão "braço direito", por exemplo, pode significar:
- pessoa imprescindível, indispensável para outra;
- membro superior direito do corpo.

Em seu caderno, construa uma frase com cada significado, indicando aquela que representa uma metonímia.

3▶ Assinale as frases a seguir que apresentam ironia.

a) O jogo foi ótimo: perdemos de 3 a 0.

b) A multidão gritava enraivecida para que abrissem os portões.

c) Que bela lição de cidadania: parar o carro em lugar proibido!

d) "Um carro começa a buzinar... talvez seja um amigo que venha me desejar Feliz Natal. Levanto-me, olho a rua e sorrio: é um caminhão de lixo. Bonito presente de Natal!" (Rubem Braga)

4▶ Observe o cartum.

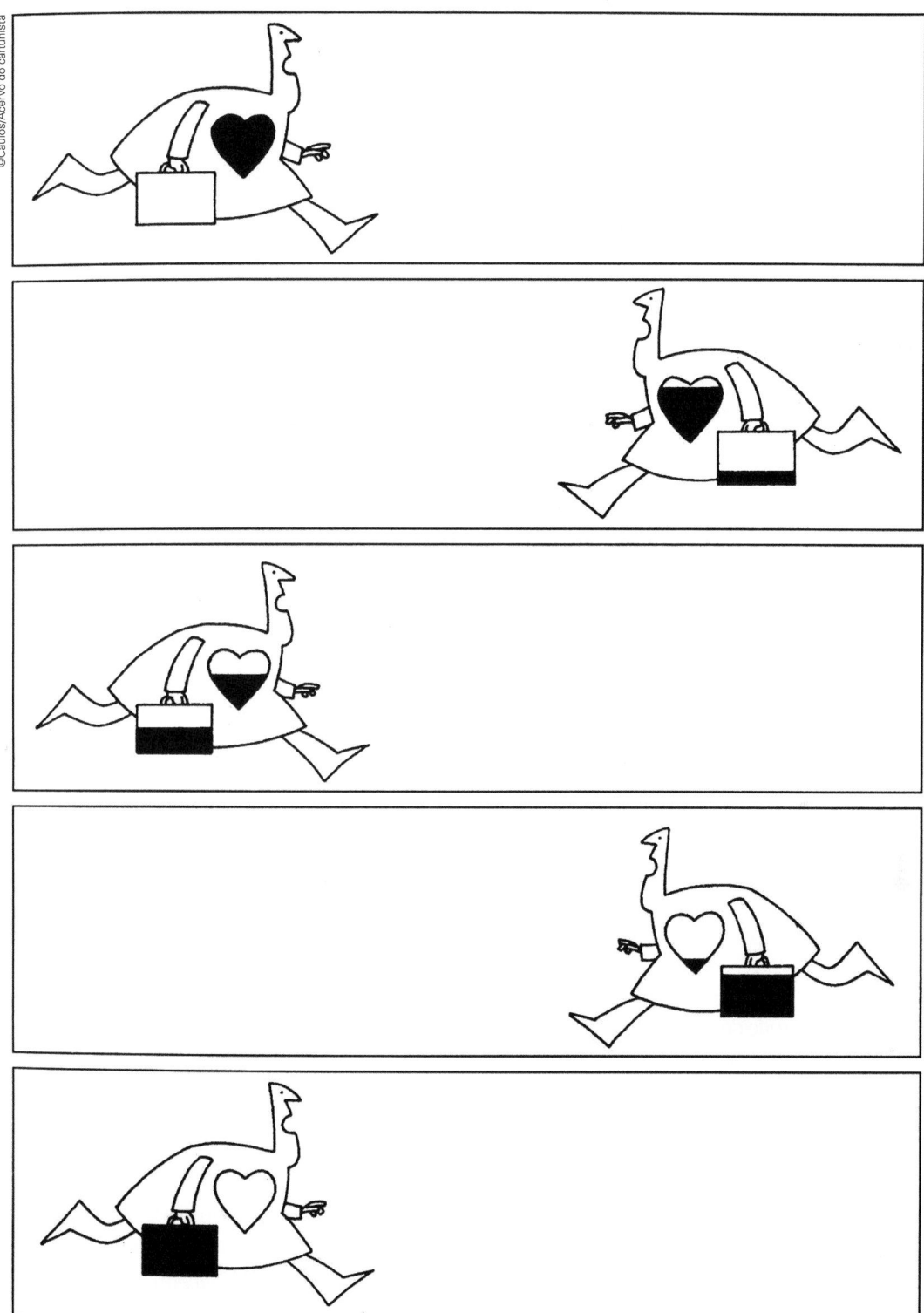

CAULOS. *Só dói quando eu respiro*. Porto Alegre: L&PM, 2001. p. 27.

a) Que elementos se alteram ao longo da sequência?

b) O que cada um desses elementos pode estar representando no cartum?

c) Qual é a provável crítica que se pode inferir dessa sequência de imagens?

d) Pode-se afirmar que o autor empregou o recurso da metonímia para estruturar esse cartum? Explique.

◤Prática de oralidade

Conversa em jogo

Crítica negativa ou positiva?

No início do Quadro I, a autora diz que um crítico, ao ler sua obra, censurou um trecho, considerando-o errado. Ela aceitou a crítica com humildade e acanhamento. Mas seu professor a acudiu. Releia:

> Assim sendo, "peito entreaberto" estava certo, era um simples emprego de metonímia. E juntos, numa nota de jornal, meu mestre e eu silenciamos o crítico. Não sei se o zoilo aprendeu a lição. Eu fui que a não esqueci mais. Volta e meia lá aplico a metonímia — acho mesmo que é ela a minha única ligação com a velha retórica.

Nesse trecho, a escritora mostra como uma crítica, embora injusta, pode ter efeito positivo, dependendo de como é feita e de como é recebida.

1▸ Você já viveu uma situação parecida com a descrita por Rachel de Queiroz? Já transformou uma crítica negativa em uma crítica positiva?

2▸ Como você age quando se coloca na posição de crítico? Toma sempre o cuidado de criticar o problema e não a pessoa?

3▸ Converse com os colegas sobre como fazer e receber críticas de modo construtivo.

Exposição oral

Discriminações e preconceitos

Há um trecho na narrativa "Metonímia, ou a vingança do enganado" em que o delegado, ao se referir à atitude do marido enganado, comenta:

> Em geral vocês matam as mulheres, que são mais fracas.

Reflita sobre o tipo de atitude, crença ou valor que esse personagem deixa transparecer em seu comentário. Que nome você daria a essa atitude do homem em relação à mulher? Converse com os colegas e o professor.

Você e os colegas vão escolher um tema, pesquisar sobre ele para ter conhecimento e embasamento para participarem de uma exposição oral em grupo.

↠ Seleção do tema e pesquisa

1▸ Escolha um destes temas para a pesquisa e a exposição oral:

- De que maneira a sociedade brasileira se posicionava em relação aos direitos da mulher na época da publicação do texto de Raquel de Queiroz. Para isso, tome como base para a pesquisa o ano de 1955.
- A afirmação "homens e mulheres são iguais em direitos e obrigações [...]", que se encontra no Art. 5º, inciso I, da Constituição Federal do Brasil de 1988.
- A declaração "Esta Lei cria mecanismos para coibir e prevenir a violência doméstica e familiar contra a mulher [...]", do Art. 1º da Lei nº 11 340/2006, conhecida como Lei Maria da Penha, que entrou em vigor no dia 22 de setembro de 2006. Investigue a história por trás da lei e a razão desse nome.
- A sociedade brasileira no século XXI, o respeito aos direitos da mulher e os indícios de que as mulheres são discriminadas em nossa sociedade. Para isso, pesquise como ocorre a jornada dupla de trabalho (fora e dentro de casa), se a mulher recebe ou não menor remuneração pelo mesmo trabalho que o homem, etc.

2▸ Busque as informações sobre o tema escolhido em fontes confiáveis impressas e digitais.

⤁ Resultado da pesquisa e socialização das informações

1▸ Junte-se aos colegas que escolherem o mesmo tema que você e forme um grupo com eles.

2▸ Com a sua pesquisa em mãos, troque informações com os colegas de grupo.

3▸ Selecionem os tópicos da pesquisa que poderão ser utilizados na apresentação do grupo.

⤁ Planejamento da exposição oral

1▸ Montem um **roteiro** para estruturar a exposição oral do seu grupo. No roteiro devem constar:
- Introdução: informação do tema e o porquê da escolha dele.
- Desenvolvimento: apresentação das informações colhidas nas pesquisas e das fontes pesquisadas.
- Material de apoio: imagens, reprodução de textos ou gráficos, depoimentos, recortes de jornais ou revistas, gravações em áudio ou vídeo para a apresentação.
- Conclusão: apresentação da conclusão do grupo com relação ao tema.

2▸ Se acharem conveniente, utilizem um esquema em que seja possível visualizar essa organização.

3▸ Decidam quantos colegas vão participar da exposição oral, que parte caberá a cada um e a sequência das falas.

4▸ Preparem todo o material de apoio para uso na apresentação.

5▸ Ensaiem a apresentação observando o ritmo e a entonação das falas, a postura corporal e a direção do olhar, bem como a adequação da linguagem ao público: colegas da sala.

⤁ Exposição oral

1▸ Aguardem as orientações do professor quanto:
- à data, ao local da apresentação e ao tempo para cada exposição oral;
- à definição sobre se haverá tempo para perguntas da plateia e em que momento isso ocorrerá, durante ou após cada apresentação.

2▸ No dia da apresentação, lembrem-se de expor o que planejaram com entonação e postura corporal adequadas e, ao término, agradeçam a atenção de todos.

⤁ Avaliação da exposição

▸ **Com a turma toda.** Com a mediação do professor, conversem sobre a qualidade do conteúdo apresentado e das apresentações: o que ficou faltando, o que foi muito bem realizado, o que poderia ser melhorado, o comportamento da plateia, entre outras questões.

Jean Galvão/Arquivo da editora

Outras linguagens: Pintura em casca de árvore

O ser humano sempre gostou de contar histórias. E, para perpetuar suas narrativas, procurou registrá-las nos mais variados suportes, valendo-se de diferentes linguagens.

Observe a imagem ao lado. Trata-se de uma pintura em casca de árvore, dividida também em três quadros, como o conto que você leu nesta unidade.

1▸ Pelo fato de a imagem estar dividida em três quadros, pode-se imaginar que o artista teve a intenção de contar uma história. Comente com os colegas os elementos da narrativa que você consegue identificar na imagem seguindo os itens abaixo.

a) personagens

b) espaço

c) ações

d) tempo

Kneepad/Rex Reints Collection/Museu Pitt Rivers, Universidade de Oxford, Inglaterra.

Pintura feita pelo artista australiano Kneepad. In: BOWKER, John. *Para entender as religiões*. Trad. Cássio de Arantes Leite. São Paulo: Ática, 2000. p. 182.

2▸ Leia o trecho do texto que acompanha a imagem no livro de onde ela foi extraída.

[...] Esta pintura mostra um mito da criação dos aborígines australianos.

Feita por um artista conhecido como Kneepad, da Terra de Arnhem, ela mostra a lenda de uma mulher (abaixo, à direita) que ainda não é deste mundo e vaga com a estrela Número Dois, procurando um lugar para morar. Mas a estrela Número Dois não é suficientemente brilhante para achar um lugar, e assim as duas juntas requisitam a ajuda da estrela da manhã (a estrela-d'alva), que traz a luz do dia com ela. Juntas, encontram a Terra, desenhada no alto. A estrela da manhã cria então o Sol e um homem, a quem dá uma lança para caçar. A mulher vem depois à existência, acha a Terra um bom lugar e une-se ao homem.

BOWKER, John. *Para entender as religiões*. Trad. Cássio de Arantes Leite. São Paulo: Ática, 2000. p. 182.

Compare os elementos da narrativa que você citou na atividade 1 e os elementos apresentados nesse trecho. Houve alguma semelhança? Comente com os colegas e o professor.

Histórias famosas de amores impossíveis

Você já deve ter lido em algum livro ou visto em novelas de televisão, em filmes ou até mesmo em teatro uma história de amor que termina em tragédia, como a da narrativa de Rachel de Queiroz.

Amores proibidos sempre foram assunto de grandes obras da literatura universal. O narrador do conto "Metonímia, ou a vingança do enganado", que você leu, recorre à intertextualidade ao fazer referência a dois casais famosos da literatura: Tristão e Isolda e Paolo e Francesca. Releia o trecho em que esses personagens foram citados:

> [...]. Como se encontravam, onde e a que horas, não se apurou. Basta que se diga que eles se amaram de amor proibido, como Tristão e Isolda, como Paolo e Francesca.

Conheça um pouco da história de cada um desses casais:

Tristan and Isolde, John Waterhouse, c. 1916/Centro de Renovação de Arte, Nova York, EUA.

Tristão e Isolda com a poção, de John William Waterhouse, 1916. Óleo sobre tela, 109,2 cm × 81,3 cm. Tristão e Isolda, personagens da mitologia celta, tomam uma poção mágica e se apaixonam. Vivem um amor impossível, porque adúltero — Isolda casara com o tio de Tristão — e de final trágico: ele é ferido em batalha por uma flecha envenenada e morre desgostoso por achar que a amada não iria vê-lo em seu leito de morte; e ela, ao chegar e encontrá-lo já sem vida, morre de tristeza logo depois. Como novela de cavalaria, a história de Tristão e Isolda foi registrada por volta de 1200.

Novela de cavalaria é uma narrativa literária em capítulos que conta os grandes feitos de um herói e de seus cavaleiros, entremeados de célebres histórias de amor.

Paolo and Francesca da Rimini, Dante Gabriel Rossetti, 1867/Galeria Nacional de Victoria, Melbourne, Austrália.

Paolo e Francesca da Rimini, de Dante Gabriel Rossetti, 1867. Aquarela, guache e goma arábica sobre papel, 43,7 cm × 36,1 cm. Paolo e Francesca, personagens da *Divina comédia*, do escritor italiano Dante Alighieri (1265-1321), são mortos pelo marido dela, Giovanni, que é irmão de Paolo. Giovanni surpreendera-os beijando-se enquanto liam um romance.

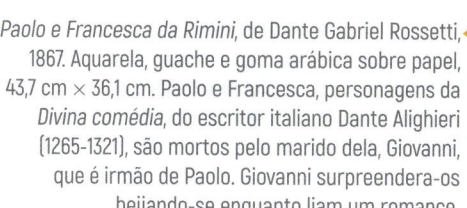

1▸ Converse com os colegas e o professor: O que você sabe dessas duas histórias? Já conhecia alguma delas? Como a conheceu: por meio de livro, de filme, de peça teatral?

2▸ Que outras histórias de amor impossível você conhece? Conte para os colegas e ouça o que eles têm a dizer.

Língua: usos e reflexão

Período composto

Além do emprego da metonímia, da ironia e do polissíndeto, há outros recursos que determinam o estilo de um autor.

Como foi estudado na unidade anterior, um desses recursos diz respeito à maneira como se organizam as frases e os períodos em um texto. A parte da gramática que se dedica a esse estudo é a **sintaxe**, que aborda o modo como as palavras são combinadas e se relacionam em orações e/ou frases.

Observe a seguir a análise de um exemplo de coesão em período do texto de Rachel de Queiroz. Procure perceber a relação de sentido que a conjunção estabelece entre as duas orações.

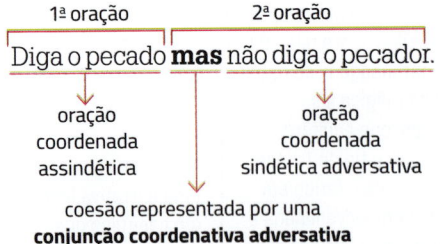

A segunda oração **contraria** a primeira, isto é, expressa uma ideia de **oposição** em relação à primeira.

1▸ Leia um comentário feito pela personagem Mafalda. Depois, responda às questões em seu caderno.

QUINO. *A pequena filosofia da Mafalda*: como vai o planeta?. São Paulo: Martins Fontes, 2014.

a) Pela fala da garota, ela não considera o mundo algo fácil de se vender. De que modo é possível confirmar isso visualmente?

b) Qual é o provável motivo de Mafalda dizer que um comercial, para vender o mundo, precisaria ser convincente?

> **convincente:**
> que convence alguém.

2. Observe de que modo Mafalda começa esta frase:

> Se a gente quisesse colocá-lo à venda [...]

Assinale a(s) alternativa(s) que melhor completa(m) a afirmação a seguir. Essa oração inicial relaciona-se com as demais do período expressando ideia de:

a) condição.

b) certeza.

c) hipótese.

d) tempo.

e) finalidade.

A partícula *se* é uma **conjunção**, uma palavra que, ao conectar uma oração a outra, introduz uma possibilidade, uma **condição** para as orações seguintes. Observe a análise do período:

1ª oração	2ª oração	3ª oração
Se a gente quisesse colocá-lo à venda,	seria bem difícil	fazer um comercial convincente!

Pode-se afirmar que essas orações **são dependentes** uma da outra. Estão sintaticamente ligadas.

A 2ª oração tem seu sentido complementado pela condição que a 1ª oração estabelece, ou seja, a 1ª oração apresenta uma circunstância que altera o sentido das outras orações. Portanto, há entre essas orações um processo de **subordinação**.

A seguir, você vai refletir um pouco mais sobre essas construções.

Processos de subordinação e coesão

Há duas formas de organizar um período composto:

- por coordenação;
- por subordinação.

Releia este trecho do texto de Rachel de Queiroz:

> Na Polícia **explicou** que **matara** o homem porque **era** um marido enganado.

Pelo número de verbos, podemos afirmar que se trata de período composto de três orações.

É possível analisar as relações entre os termos de cada oração estabelecendo algumas questões e usando trechos do texto para responder a elas:

a) Explicou o quê?

> **que** matara o homem

Essa oração complementa o verbo *explicar* da oração anterior.

b) Por quê?

> **porque** era um marido enganado.

Essa última oração apresenta a causa que levou o personagem a matar o homem.

Na organização desse período composto, foram usados elementos de coesão para ligar as ideias: *que* e *porque*.

Releia outro trecho da narrativa:

> Aconteceu que, um belo dia, servia a dama ao balcão [...], quando sobreveio o sargento.

Note que, se organizarmos esse período na ordem direta, ficará mais fácil perceber as relações coesivas:

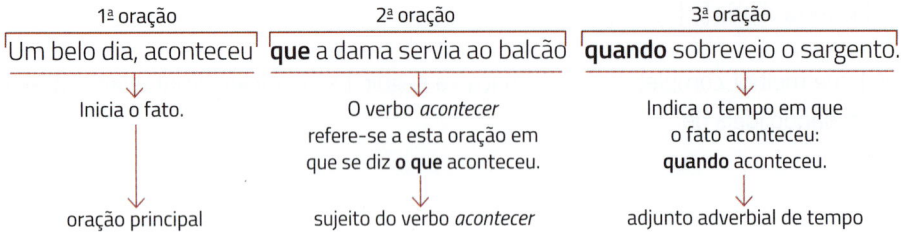

1ª oração	2ª oração	3ª oração
Um belo dia, aconteceu	**que** a dama servia ao balcão	**quando** sobreveio o sargento.
Inicia o fato.	O verbo *acontecer* refere-se a esta oração em que se diz **o que** aconteceu.	Indica o tempo em que o fato aconteceu: **quando** aconteceu.
oração principal	sujeito do verbo *acontecer*	adjunto adverbial de tempo

Observe que, nesse período, apenas uma oração **não** exerce função sintática em relação às demais. Por essa razão é chamada **oração principal**.

A segunda oração exerce a função sintática de **sujeito** do verbo (*aconteceu*) da primeira oração.

A terceira oração exerce a função sintática de **adjunto adverbial de tempo** da primeira oração.

> **Oração principal** é aquela que geralmente apresenta a ideia principal do período. Pode ser o núcleo da comunicação a ser feita ou é responsável por desencadear as outras orações do período.
>
> As outras orações se subordinam à oração principal, isto é, dependem dela e completam-lhe o sentido.

A dependência sintática refere-se ao modo como os termos de uma frase ou de uma oração se combinam, cada qual exercendo uma função na organização do período.

A segunda e a terceira orações desse período não estão apenas justapostas, dispostas uma ao lado da outra. Elas dependem da primeira, pois exercem **funções sintáticas** em relação ao verbo, à forma verbal *aconteceu*.

> Quando há uma relação de dependência sintática entre as orações, afirma-se que se trata de um **período composto por subordinação**.

Esse é um tipo de encadeamento entre as orações diferente do que foi estudado sobre coordenação, pois são necessários elementos de coesão distintos: as **conjunções** chamadas **subordinativas**.

As orações subordinadas são divididas em três grupos, de acordo com a função sintática que exercem: **substantivas**, **adjetivas** e **adverbiais**.

▶ Agora você! Transcreva as orações a seguir no caderno e identifique a oração principal e a oração subordinada em cada frase.

a) O policial chegou à conclusão de que você não teve culpa.

b) "[...] todos sabíamos que a dona da pensão era boa alma [...]"

Theo/Arquivo da editora

O estudo inicial dos tipos de oração subordinada será dedicado às **orações subordinadas substantivas**.

Orações subordinadas substantivas

As orações subordinadas substantivas são assim chamadas porque exercem as mesmas funções sintáticas de um substantivo. Vejamos um exemplo de oração substantiva. Leia a tirinha a seguir.

BROWNE, Chris. Hagar. *Folha de S.Paulo*. São Paulo, 21 maio 2005.

No primeiro quadrinho, a personagem expressa dois desejos:

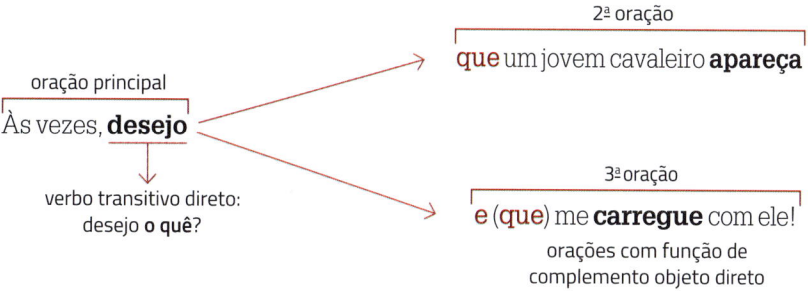

oração principal
Às vezes, **desejo**

verbo transitivo direto:
desejo **o quê?**

2ª oração
que um jovem cavaleiro **apareça**

3ª oração
e (**que**) me **carregue** com ele!
orações com função de
complemento objeto direto

A segunda e a terceira oração complementam o sentido do verbo *desejar*, exercendo a função de complemento objeto direto. Note que a terceira oração começa com a conjunção *e*, portanto, está coordenada à segunda.

Em relação à oração principal, as orações subordinadas substantivas exercem as funções sintáticas próprias de um substantivo: sujeito, objeto direto, objeto indireto, complemento nominal, predicativo do sujeito, aposto. Por isso, classificam-se de acordo com essas funções.

Vamos analisar mais detalhadamente os tipos de orações substantivas conforme a **função sintática** que desempenham no período.

I. Função de sujeito: oração subordinada substantiva **subjetiva**.

Leia este exemplo:

1ª oração   2ª oração (= sujeito da 1ª oração)
É bom que você não chegue muito tarde.

conjunção integrante   **isso**

Observe que a segunda oração faz a função de sujeito da primeira oração e pode ser substituída pela palavra *isso*.

Se substituirmos a oração subjetiva pelo pronome demonstrativo *isso*, teremos na ordem direta a seguinte construção:

sujeito predicado
Isso é bom.

O pronome substantivo *isso* terá o valor de sujeito da oração.

> A oração que exerce a função de sujeito da oração principal é classificada como **oração subordinada substantiva subjetiva**.

(!) Atenção

Em geral, podemos reconhecer uma **oração subordinada substantiva** verificando se é possível substituí-la pelos pronomes substantivos *isto, isso* ou *aquilo*.

(!) Atenção

Nas orações subordinadas substantivas **subjetivas**, o verbo da oração principal geralmente está na 3ª pessoa do singular e em expressões como: "É bom...", "É necessário", "Foi preciso...", etc.

II. Função de objeto direto: oração subordinada substantiva **objetiva direta**.

Leia esta tira:

DAVIS, Jim. Garfield. *Folha de S.Paulo*. São Paulo, mar. 2015.

Releia esta frase:

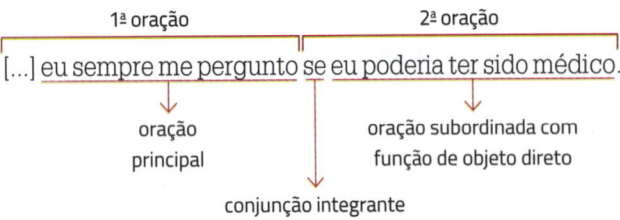

Veja outro exemplo:

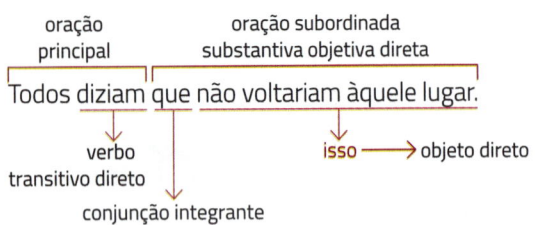

Nos dois exemplos, a segunda oração está completando o sentido de verbos transitivos diretos — *perguntar* e *dizer* —, que necessitam de um complemento, o objeto direto.

> A oração que exerce a função de objeto direto é classificada como **oração subordinada substantiva objetiva direta**.

III. Função de objeto indireto: oração subordinada substantiva **objetiva indireta**.

Leia o exemplo a seguir:

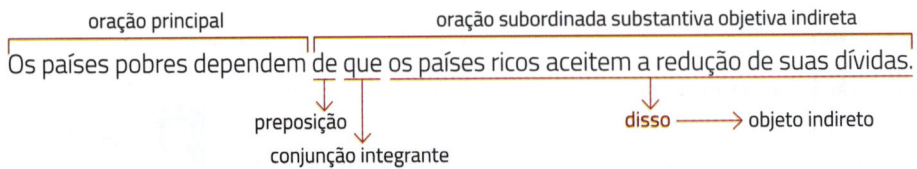

A segunda oração está completando o sentido do verbo *depender*, que, por ser transitivo indireto, necessita de um complemento, o objeto indireto. Observe que, além da conjunção, o verbo *depender* precisou da preposição *de*.

> A oração que exerce a função de objeto indireto é classificada como **oração subordinada substantiva objetiva indireta**.

De acordo com a norma-padrão, a oração subordinada substantiva objetiva indireta deve ser sempre introduzida por preposição.

1▸ Leia o título da notícia a seguir:

> ### Você sabia que Albert Einstein já esteve no Brasil?
>
> Disponível em: <https://www.tribunapr.com.br/arquivo/inovacao/voce-sabia-que-albert-einstein-ja-esteve-no-brasil/>. Acesso em: 31 ago. 2018.

Albert Einstein, 1951.

Observe o esquema:

1ª oração	2ª oração

Você sabia que Abert Einstein já esteve no Brasil?

a) Responda no caderno: Que termo da primeira oração a segunda está complementando?

b) Qual é a função exercida pela segunda oração?

2▸ Copie as orações a seguir no caderno. Identifique a oração principal e classifique a oração subordinada em substantiva subjetiva, substantiva objetiva direta ou substantiva objetiva indireta.

a) Parece que ele pediu um carro.

b) "Não sei se o zoilo aprendeu a lição."

c) Era justo que a menina tirasse vantagens dessa situação.

d) Convenceram-me de que deveríamos sair de casa.

IV. Função de complemento nominal: oração subordinada substantiva **completiva nominal**.

3▸ Leia esta tira:

SCHULZ. *Snoopy. Pausa para a soneca*. Porto Alegre: L&PM, 2013. p. 72-73.

O personagem Charlie Brown dá um conselho para sua irmã, Sally. O conselho parece não obter o resultado esperado. Responda no caderno: De que modo Charlie Brown procura explicar isso?

Releia o período:

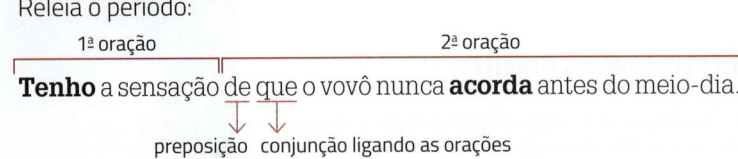

1ª oração 2ª oração

Tenho a sensação de que o vovô nunca **acorda** antes do meio-dia.

preposição   conjunção ligando as orações

Observe que a segunda oração complementa o sentido do substantivo *sensação*, usado na primeira oração: *sensação* de alguma coisa. Essa palavra, *sensação*, é um substantivo. A segunda oração exerce então a função de complemento nominal, é uma **oração subordinada completiva nominal**.

Leia mais uma oração:

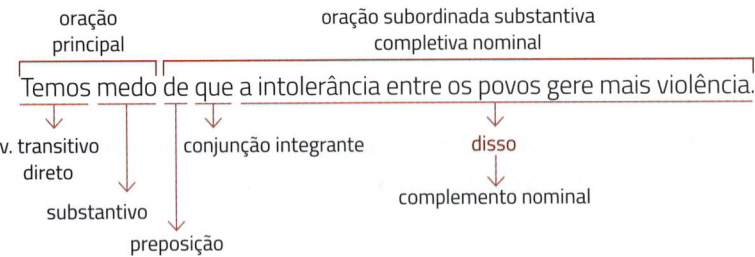

oração principal — oração subordinada substantiva completiva nominal

Temos medo de que a intolerância entre os povos gere mais violência.

v. transitivo direto   conjunção integrante   disso
substantivo   complemento nominal
preposição

A segunda oração está completando o sentido de um nome — o substantivo *medo* — da primeira oração. Observe que o verbo dessa oração, verbo *ter*, é transitivo direto e tem seu sentido completado por um objeto direto (*medo*), que é um nome e precisa de complemento: medo **de** quê?

Assim como as objetivas indiretas, as completivas nominais, de acordo com a norma-padrão da língua, devem sempre ser introduzidas por uma preposição.

> A oração que exerce a função de um complemento nominal é chamada **oração subordinada substantiva completiva nominal**.

4 ▸ Transcreva as frases a seguir no caderno e classifique as orações destacadas em:
- oração subordinada substantiva objetiva indireta;
- oração subordinada substantiva completiva nominal.

a) Estou receoso **de que ele não resista**.

b) Não duvide **de que seus pais ficarão muito bravos com você**.

c) A professora insiste **para que os alunos estudem mais**.

d) Paola recebeu a notícia **de que o filho foi aprovado na universidade**.

V. Função de predicativo do sujeito: oração subordinada substantiva **predicativa**.

Os **verbos de ligação** — *ser, estar, ficar, parecer, permanecer* — são assim chamados porque **estabelecem relação entre o sujeito e o predicativo do sujeito**.

Releia uma sequência descritiva do sargento, personagem do conto "Metonímia, ou a vingança do enganado", para observar a função dos **verbos de ligação** e do **predicativo do sujeito**:

> [...] o sargento **era** simpático, **era** musculoso, **era** jovem, **era** formidavelmente marcial dentro da farda justa ao peito, o andar elástico, a fala ríspida habituada ao comando.

As palavras destacadas são formas conjugadas do verbo de ligação *ser*.
Observe:

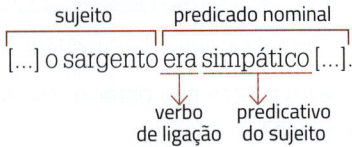

sujeito   predicado nominal

[...] o sargento era simpático [...].

verbo de ligação   predicativo do sujeito

5▸ No caderno, reescreva o trecho a seguir, substituindo as formas verbais destacadas do verbo *ser* por outras correspondentes a outros verbos de ligação: *estar*, *ficar*, *parecer* e *permanecer*.

> [...] o sargento **era** simpático, **era** musculoso, **era** jovem, **era** formidavelmente marcial dentro da farda justa ao peito, o andar elástico, a fala ríspida habituada ao comando.

Agora veja como ficaria essa frase com outros verbos de ligação:

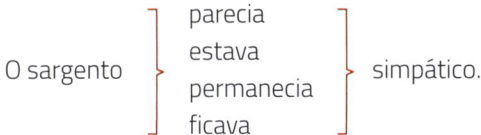

Nessas frases, a função de todos esses verbos é relacionar o sujeito ao predicativo do sujeito, mas o efeito de sentido produzido pelo uso de cada um é diferente.

Agora leia uma oração subordinada substantiva predicativa:

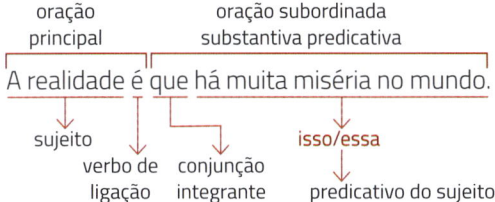

A segunda oração exerce a função de predicativo do sujeito da oração principal.

> A oração que exerce a função de predicativo do sujeito é chamada de **oração subordinada substantiva predicativa**.

VI. Função de aposto: oração subordinada substantiva **apositiva**.

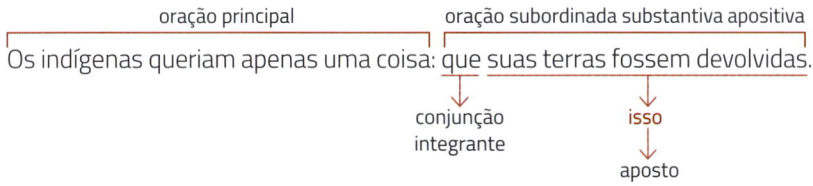

A segunda oração explicita o termo *coisa* da primeira oração; portanto, é um aposto da oração principal.

> A oração que exerce a função de aposto é classificada como **oração subordinada substantiva apositiva**.

Cacique Rony Paresí, aldeia Wazare, Terra indígena Utiariti. Campo Novo do Parecis, MT, 2017.

Como você pôde observar, foi possível substituir as orações subordinadas substantivas pelo pronome substantivo *isso*. Essa é uma maneira fácil de reconhecer uma oração subordinada substantiva. Note que a conjunção frequente nesses períodos foi a conjunção integrante *que*.

> As conjunções *que* e *se*, que geralmente introduzem a oração subordinada substantiva, são chamadas de **integrantes**, pois têm o papel de integrar, de completar algum termo da oração principal.

As orações subordinadas substantivas também podem ser introduzidas por outras palavras, além das conjunções integrantes. Observe os exemplos a seguir.

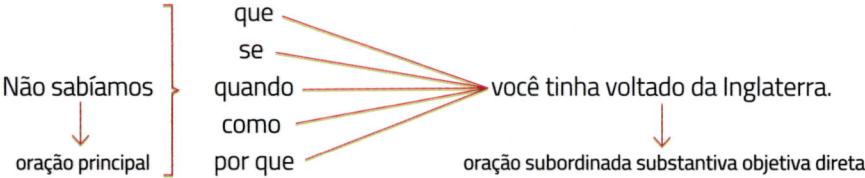

6▸ Leia as frases a seguir. Observe as orações destacadas e assinale o item correspondente à classificação delas.

I.
Os grevistas queriam apenas o seguinte: **que lhes dessem melhores condições de trabalho**.

a) oração subordinada substantiva predicativa

b) oração subordinada substantiva apositiva

c) oração subordinada substantiva objetiva direta

II.
A verdade é **que nem todos vieram**.

a) oração subordinada substantiva predicativa

b) oração subordinada substantiva subjetiva

c) oração subordinada substantiva apositiva

Orações reduzidas e orações desenvolvidas

Uma oração subordinada pode ser classificada como reduzida ou desenvolvida. Vamos entender a diferença entre elas.

Releia um trecho de texto retirado do conto "Metonímia, ou a vingança do enganado":

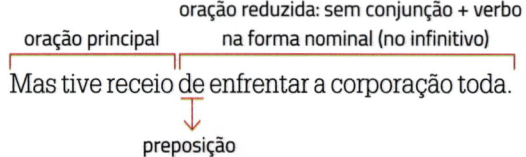

Trata-se de um período composto de duas orações. Na primeira oração, a palavra *receio* pede complemento nominal. Se a segunda oração for substituída pelo pronome *isso*, é possível confirmar que essa segunda oração exerce a função de complemento nominal de *receio*:

Mas tive receio **disso**.

Trata-se, portanto, de uma **oração subordinada substantiva completiva nominal**.

Essa segunda oração, no entanto, **não é introduzida por conjunção** e **tem o verbo no infinitivo** (*enfrentar*); é classificada como **oração reduzida**.

Agora, observe que essa segunda oração pode ser **desenvolvida** em uma oração **com conjunção** e **com verbo flexionado**:

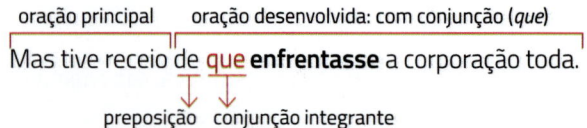

Nas **orações reduzidas**, em lugar de conjunção e verbo flexionado, ocorrem as **formas nominais do verbo —** **infinitivo, gerúndio** ou **particípio**.

Assim, as orações reduzidas podem tornar os textos mais <u>concisos</u>.
Veja outra forma de concisão:

▶ **conciso:** expresso com poucas palavras, resumido, sintético.

Mas tive receio do <u>enfrentamento com a corporação</u>.

↓
expressão nominal

Observe e compare:

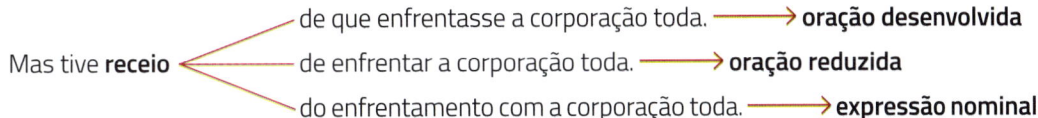

Mas tive **receio**
- de que enfrentasse a corporação toda. ⟶ **oração desenvolvida**
- de enfrentar a corporação toda. ⟶ **oração reduzida**
- do enfrentamento com a corporação toda. ⟶ **expressão nominal**

Note que as três construções acima têm função de complemento nominal do substantivo *receio*.

▶ Reescreva em seu caderno as orações a seguir transformando-as em períodos compostos. Para isso, substitua as partes destacadas por orações subordinadas substantivas desenvolvidas.

a) Os sem-terra reivindicam **a distribuição de terras para plantio**.

b) O problema é **o seu egoísmo**.

c) Os responsáveis autorizaram **a entrada de menores**.

d) Só as crianças não tinham **receio de errar**.

Hora de organizar o que estudamos

▶ Copie o esquema em seu caderno e substitua os ■ pelas palavras que faltam.

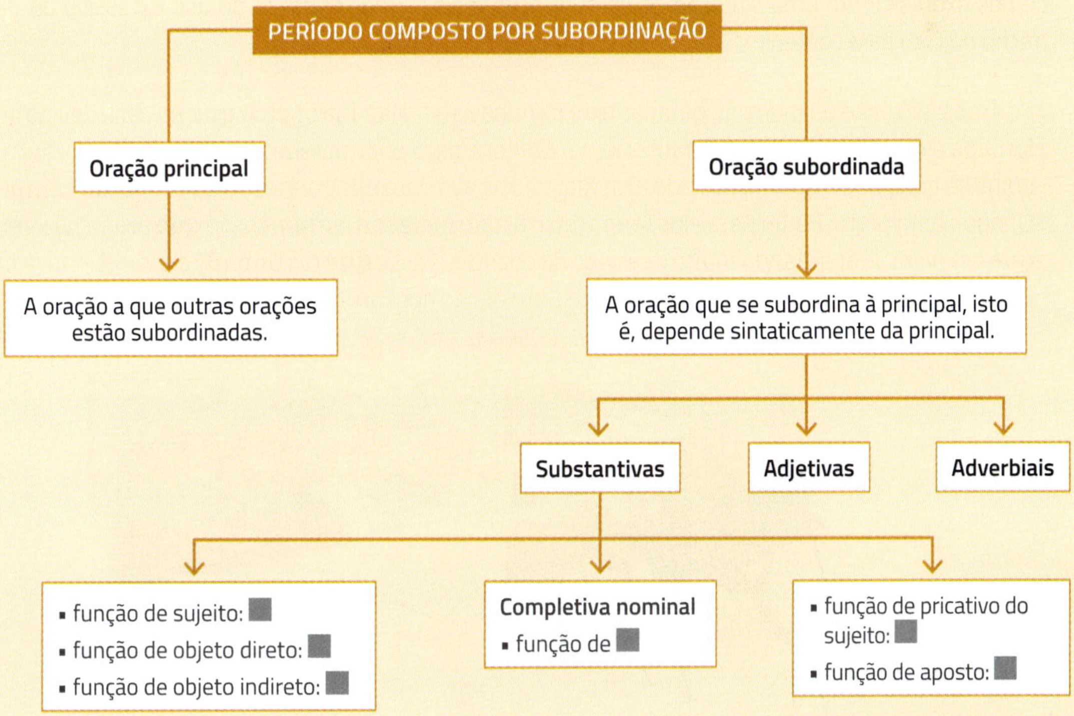

PERÍODO COMPOSTO POR SUBORDINAÇÃO

Oração principal
↓
A oração a que outras orações estão subordinadas.

Oração subordinada
↓
A oração que se subordina à principal, isto é, depende sintaticamente da principal.
↓

Substantivas · **Adjetivas** · **Adverbiais**

Substantivas:
- função de sujeito: ■
- função de objeto direto: ■
- função de objeto indireto: ■
- **Completiva nominal**
  - função de ■
- função de pricativo do sujeito: ■
- função de aposto: ■

Atividades: orações subordinadas substantivas

1▸ Na **linguagem mais formal**, as orações subordinadas substantivas objetivas indiretas e as completivas nominais relacionam-se com a oração principal por meio de preposições. Entretanto, na **linguagem informal**, no dia a dia, muitas vezes elas são empregadas sem a preposição exigida pela norma-padrão da língua. Reescreva as frases a seguir incluindo a preposição de acordo com a linguagem mais formal.

a) Não duvido que você tenha esquecido de me ligar.

b) Gostaríamos que você não fizesse tantas ironias.

c) Lembre-se que as pessoas só respeitam quem as respeita.

d) A comunidade de jovens do meu bairro tem necessidade que todos colaborem para a reforma da sede.

Jean Galvão/Arquivo da editora

2▸ *O livro dos sentidos*, de Ricardo Azevedo, é composto de várias histórias narradas por um menino que expressa suas opiniões, emoções, ideias e fantasias sobre os sentidos. Sendo o narrador um menino, o texto tem a naturalidade da expressão oral de uma criança, e o modo de narrar traz recursos de linguagem próprios da língua falada. Entre eles, há um que, embora seja muito comum na nossa fala cotidiana, deve ser revisto quando tivermos de nos expressar em uma situação de comunicação mais formal: trata-se do uso excessivo do *que*. Leia este trecho do livro para conferir:

> Minha avó, mãe do meu pai, garante **que** formiga sabe falar. Ela contou **que** na casa dela também tinha formiga e **que** cansou de passar inseticida. Elas sumiam por um tempo, mas voltavam belas e formosas, como se nada houvesse acontecido. Um dia, minha avó desanimou e resolveu conversar com as formigas. Chegou bem perto. Pediu para elas terem juízo e irem morar no jardim. Disse **que** assim não era possível e **que** estavam atrapalhando muito o serviço da cozinha. Disse **que** ela tinha 87 anos e já estava muito velha para ficar catando formiga escondida todo santo dia no açucareiro.
>
> AZEVEDO, Ricardo. *O livro dos sentidos*. São Paulo: Ática, 2000. p. 18. (Coleção Menino de Orelha em Pé).

Theo/Arquivo da editora

Em dupla. Respondam às questões a seguir no caderno.

a) Leiam novamente o trecho do texto em voz alta para perceber o efeito que a repetição do *que* produz.

b) Reescrevam o trecho eliminando o excesso de *que*. Para isso, vocês podem:

- empregar outros recursos de coesão;
- fazer adaptações entre as orações, mudando os verbos e a pontuação.

c) Troquem o texto de vocês com o de outra dupla e comparem as soluções encontradas pelos colegas.

d) Qual versão — a de vocês ou a do autor — é mais adequada à situação de comunicação mais formal? Justifiquem a resposta.

3▸ Transcreva as orações a seguir no caderno. Observe que elas têm a função de orações subordinadas substantivas. Classifique-as de acordo com a função que exercem em relação à oração principal.

Dica: Para facilitar, use o recurso de substituir a oração pelo pronome *isso*.

a) Não falei que não era o seu primo?

b) Só lhe digo uma coisa: que você se arrependerá.

c) Convém que você venha logo.

d) Convenceram-me de que deveríamos sair da casa.

e) Meu desejo é que você fique bem.

f) Tenho certeza de que venceremos o campeonato.

4▸ Leia a tira a seguir.

BROWNE, Chris. Hagar. *Folha de S.Paulo*. São Paulo, 2005.

Responda no caderno.

a) Por que a tirinha causa um efeito humorístico?

b) Reescreva a fala da personagem Helga no segundo quadrinho substituindo a oração subordinada substantiva completiva nominal por outra que complemente o sentido da palavra *impressão*.

Desafios da língua

Formação de palavras: produção de sentidos e ortografia

A língua está em constante processo de transformação: palavras deixam de ser usadas, passam a ter novos sentidos, são criadas a partir de outras ou de partes de outras.

O processo de criação e recriação de palavras sempre acontece em qualquer idioma.

No início desta unidade, você leu um conto em que o marido mata o homem que trazia as cartas do amante da esposa: o carteiro. Então pode-se dizer que nesse conto há um homicídio.

A palavra *homicídio* é formada pela junção de dois termos originários do latim, um dos idiomas que deu origem à língua portuguesa. Observe a seguir o processo de formação dessa palavra:

homin(i) + cídio
↓ ↓
homem,   resultado da ação de matar
ser humano

Homicídio significa "destruição da vida de um ser humano".

Quando conhecemos como uma palavra é formada, temos mais facilidade em descobrir o significado de outra.

Leia a frase abaixo, extraída de uma crônica de Rubem Braga, chamada "Os jornais".

> A impressão que a gente tem, lendo os jornais — continuou meu amigo — é que "lar" é um local destinado principalmente à prática de "uxoricídio".
>
> BRAGA, Rubem. *200 crônicas escolhidas*. Rio de Janeiro: Record, 1998. p. 148-149.

A palavra *uxoricídio* é formada também pela junção de dois termos originários do latim:

uxori + cídio
↓ ↓
esposa   resultado da ação de matar

Uxoricídio significa "assassinato da esposa cometido pelo próprio marido".

Observe que, para formar essa palavra, como também para formar a palavra *homicídio*, juntaram-se dois termos, cada um com significado próprio. Por isso, dizemos que *homicídio* e *uxoricídio* são **palavras compostas**.

Várias palavras da língua portuguesa são formadas desta maneira: juntando-se elementos que têm significados diferentes. Essa é uma das maneiras de palavras surgirem no idioma e, além disso, é também uma das formas de se conhecer o significado de outras em que há partes semelhantes na formação: *inseticida* (que serve para matar inseto); *formicida* (que serve para matar formiga), *bactericida* (que serve para matar bactéria), etc.

Observe a formação das seguintes palavras:

lourinha   carteiro   anteontem
↓ ↓   ↓ ↓   ↓ ↓
loura + inha   carta + eiro   ante + ontem

eletrodomésticos   canário-da-terra
↓ ↓   ↓ ↓ ↓
eletro + domésticos   canário + da + terra

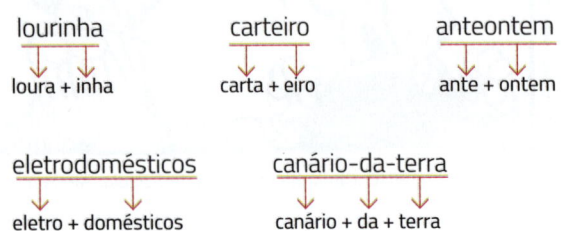

Canário-da-terra. Santo Antônio do Pinhal, SP, novembro de 2017.

Essas palavras foram formadas por processos naturais da língua, dos quais podemos nos servir não só para criar como também para compreender o sentido de muitas dessas composições. A análise da forma nos mostra que existem vários modos de os elementos se juntarem na formação de palavras. Conheça-os a seguir.

- Sufixação

Leia estas palavras:

casinha

casa + inha
palavra primitiva + indicador de tamanho pequeno

barbeiro

barba + eiro
palavra primitiva + indicador de ocupação

As duas palavras do exemplo foram formadas a partir de uma palavra primitiva.

> Palavra **primitiva** é aquela que dá origem a outra ou outras palavras.

Casa e *barba* são palavras primitivas.

> As palavras que se formam a partir de uma palavra primitiva são chamadas **derivadas**.

Casinha e *barbeiro* são palavras derivadas, respectivamente, de *casa* e *barba*.

Nos exemplos dados, para formar outra palavra, juntou-se ao final da palavra primitiva um elemento denominado **sufixo**.

> O processo de formação de palavras por acréscimo de sufixo é chamado de **derivação por sufixação**.

Sufixos mais comuns: *-ada, -ando, -eiro, -esco, -ismo, -íssimo, -ista, -ite, -or, -udo*. Exemplos:

filharada	doutorando	doleiro	vampiresco	bairrismo
gatíssima	surfista	frescurite	trabalhador	pernudo

- Prefixação

Leia estas palavras:

anteontem

ante + ontem
indicador de antecipação + palavra primitiva

desfazer

des + fazer
indicador de sentido contrário + palavra primitiva

As palavras *anteontem* e *desfazer* foram formadas a partir de palavras primitivas (*ontem* e *fazer*), às quais se antepôs um elemento denominado **prefixo**.

> O processo de formação de palavras por acréscimo de prefixo é chamado de **derivação por prefixação**.

Prefixos mais comuns: *ante-, anti-, contra-, hiper-, in-, im-, mini-, semi-, sobre-, sub-, super-*. Exemplos:

antemão	antivírus	contramão	hipermercado	incomunicável	improvável
minipizza	semialfabetizado	sobrecarga	subsolo	superliquidação	

- Composição

Leia novamente estas palavras:

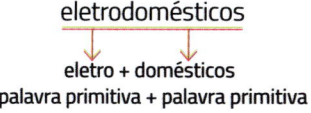

eletrodomésticos

eletro + domésticos
palavra primitiva + palavra primitiva

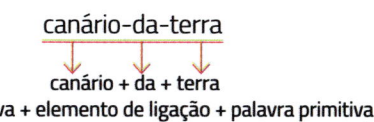

canário-da-terra

canário + da + terra
palavra primitiva + elemento de ligação + palavra primitiva

Essas palavras, assim como os exemplos iniciais — *homicídio* e *uxoricídio* —, foram formadas pela **junção** de duas palavras primitivas. São chamadas de palavras **compostas**.

> O processo de formação de palavras em que ocorre a junção de duas ou mais palavras primitivas é chamado de **composição**.

Às vezes, ao se juntarem, as palavras primitivas sofrem alteração. Veja:

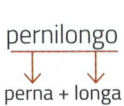

pernilongo
↓ ↓
perna + longa

Maurício Pierro/
Arquivo da editora

No caso acima, houve alteração do primeiro elemento (*perna*) ao se juntar com o segundo (*longa*). Outros exemplos:

alvinegro	aguardente	alviverde	vinagre
fidalgo	embora	lobisomem	pernalta
boquiaberto	planalto	hidrelétrica	pontiagudo

Outras vezes, as palavras primitivas mantêm a forma em que eram escritas na língua de origem e, por isso, é difícil reconhecê-las de imediato. É preciso recorrer a um dicionário. Confira o exemplo a seguir:

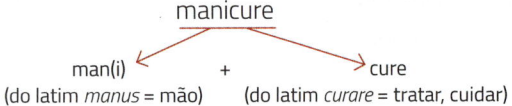

manicure
man(i)   +   cure
(do latim *manus* = mão)   (do latim *curare* = tratar, cuidar)

Algumas palavras são compostas por elementos de formas mais próximas da língua de origem. Exemplos:

-*dromo* (do grego *drómos* = ação de correr, pista): *autódromo*, *hipódromo*; e, por semelhança, as criações recentes: *camelódromo*, *sambódromo*, *fumódromo*, *velódromo*, etc.

-*lândia* (do inglês *land* = terra): *Roselândia*, *Analândia*, *Uberlândia*, *Eletrolândia*, etc.

Novas palavras são formadas continuamente na língua para dar nome a novas descobertas, a novos produtos, renomear o que já existe, enfim, para atender às mais diferentes necessidades dos usuários da língua.

1▸ Sabendo que a palavra *uxoricídio* é assim formada: *uxori-* + -*cídio*, escreva em seu caderno o significado que pode ser deduzido das palavras a seguir:

a) fratricídio

b) matricídio

2▸ O elemento -*cídio* é usado de outra forma, mas com o mesmo significado, na palavra *formicida*, que quer dizer "substância que mata formiga". Suponha que você seja um cientista que precise dar nome às substâncias para matar os bichos relacionados a seguir. Escreva no caderno como você imagina esses nomes, porque muitos deles não existem no dicionário.

a) barata

b) rato

c) pernilongo

d) cobra

e) aranha

f) morcego

3▸ A Ciência é uma das áreas que mais utiliza no dia a dia o processo de formação de palavras, uma vez que os cientistas precisam nomear suas descobertas. Observe, por exemplo, no título da reportagem, a palavra *ciborgue*, relacionada à área científica, que o leitor precisa conhecer para compreender o texto.

A reportagem reproduzida nesta página anuncia o sucesso de uma pesquisa para implante, no cérebro de pacientes imobilizados, de um dispositivo estimulador de movimentos. O jornal informa que um dos autores da pesquisa é um brasileiro, o neurocirurgião Miguel Nicolelis, que integra a equipe de pesquisadores da Universidade Duke (Estados Unidos).

Folha de S.Paulo. São Paulo, 20 mar. 2004. Folha Ciência, p. A17.

Ciborgue é uma forma aportuguesada do inglês *cyborg*, palavra que nomeia um ser biônico, isto é, um ser que tem funções reguladas por meios eletrônicos. O elemento *ciber-*, que compõe a palavra *ciborgue*, deu origem a muitas palavras que entraram em nossa língua por volta da segunda metade do século XX, como, por exemplo, *cibernética*. Leia as definições abaixo tentando descobrir que palavras formadas por composição com *ciber-* correspondem a esses significados. Escreva-as em seu caderno. Dica: todas começam com *ciber-*.

a) espaço virtual de comunicações por rede de computação

b) pirata eletrônico ou *hacker*

c) navegador (nauta) do espaço virtual

d) café-bar que aluga o acesso a seus computadores com conexão, em geral, com a internet

4▸ Leia o texto que está escrito acima do título da reportagem e que traz a síntese das informações apresentadas no texto:

> **NEUROCIÊNCIA**
>
> *Grupo nos Estados Unidos repete com pessoas parte de experimento em que cérebro de macaco moveu braço robótico*
>
> Folha de S.Paulo. São Paulo, 20 mar. 2004. Folha Ciência, p. A17.

Identifique nesse trecho duas palavras em que se percebe a junção de elementos em sua formação. Sem consultar o dicionário, tente descobrir o significado dessas palavras no texto pela análise dos elementos que as compõem. Escreva no caderno o que você descobriu que as palavras significam e compartilhe com os colegas e o professor a sua descoberta.

5▸ Relacione no caderno outras palavras que tenham, em sua formação, algum dos elementos que entram na composição das palavras da atividade anterior. Organize com o professor uma lista dessas palavras.

6▸ Leia o quadro "Como foi testada a interface homem-máquina" da reportagem.

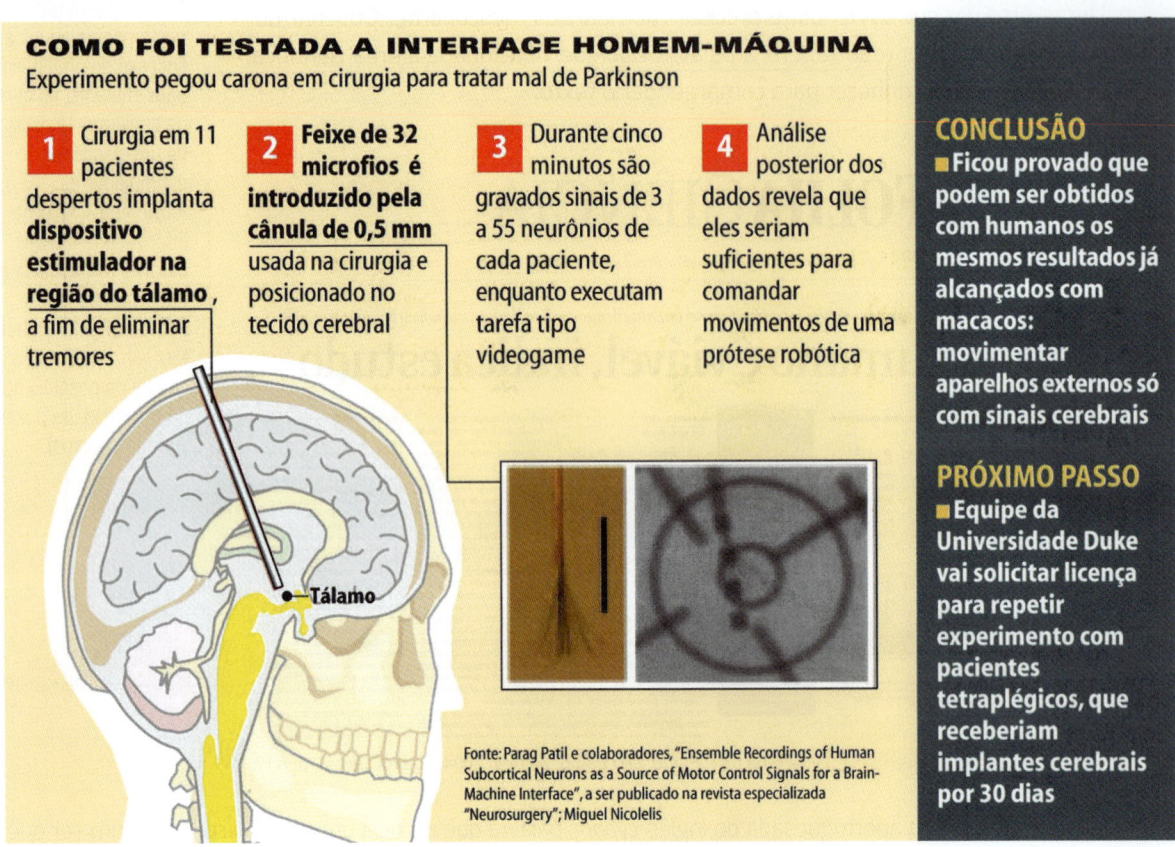

COMO FOI TESTADA A INTERFACE HOMEM-MÁQUINA
Experimento pegou carona em cirurgia para tratar mal de Parkinson

1 Cirurgia em 11 pacientes despertos implanta **dispositivo estimulador na região do tálamo**, a fim de eliminar tremores

2 **Feixe de 32 microfios é introduzido pela cânula de 0,5 mm** usada na cirurgia e posicionado no tecido cerebral

3 Durante cinco minutos são gravados sinais de 3 a 55 neurônios de cada paciente, enquanto executam tarefa tipo videogame

4 Análise posterior dos dados revela que eles seriam suficientes para comandar movimentos de uma prótese robótica

Tálamo

Fonte: Parag Patil e colaboradores, "Ensemble Recordings of Human Subcortical Neurons as a Source of Motor Control Signals for a Brain-Machine Interface", a ser publicado na revista especializada "Neurosurgery"; Miguel Nicolelis

CONCLUSÃO
■ Ficou provado que podem ser obtidos com humanos os mesmos resultados já alcançados com macacos: movimentar aparelhos externos só com sinais cerebrais

PRÓXIMO PASSO
■ Equipe da Universidade Duke vai solicitar licença para repetir experimento com pacientes tetraplégicos, que receberiam implantes cerebrais por 30 dias

LEITE, Marcelo. *Folha de S.Paulo*. São Paulo, 20 mar. 2004. Folha Ciência.

Em seu caderno, transcreva do texto do quadro as palavras pedidas:

a) Substantivo composto que denomina a combinação do ser humano com recurso tecnológico.

b) Palavra que nomeia aqueles que têm paralisia nos quatro membros (Dica: Quem é campeão quatro vezes é um *tetracampeão*).

c) Palavra formada por mais de um elemento e que denomina fios extremamente finos.

d) Palavra aportuguesada do inglês que indica o elemento que possibilita uma ligação entre dois sistemas que não poderiam se relacionar diretamente.

e) Palavra formada a partir da palavra *plantar*.

7▸ A figura de ciborgues é comum em filmes de ficção científica e em desenhos animados. Você conhece algum filme ou desenho em que aparecem ciborgues? Comente com os colegas e o professor.

8▸ Embora o assunto da reportagem seja da área da Ciência, a matéria foi escrita para os leitores comuns do jornal, e não para especialistas. O quadro explicativo com a imagem do cérebro é um recurso do jornal para ajudar o leitor a entender o texto.
Responda no caderno: Em sua opinião, as expressões "ciborgue humano" e "braço robótico", próprias da ficção científica, poderiam ser recursos para atrair o interesse do leitor para a reportagem?

9▸ Palavras formadas com prefixos ou sufixos são comuns no uso diário. Em seu caderno copie dos títulos de notícias a seguir as palavras assim formadas e indique a palavra primitiva correspondente a cada uma.

a) "Desigualdade afeta crianças nos EUA" (Disponível em: <https://oglobo.globo.com/opiniao/desigualdade-afeta-criancas-nos-eua-14840936>. Acesso em: 1º set. 2018.)

b) "Desmatamento aumentou 282% na Amazônia Legal em fevereiro" (Disponível em: <https://www.estadao.com.br/noticias/geral,desmatamento-aumentou-282-na-amazonia-legal-em-fevereiro,1655430>. Acesso em: 1º set. 2018.)

c) "Descoberta estrela mais antiga orbitada por planetas do tamanho da Terra" (Disponível em: <https://noticias.uol.com.br/ciencia/ultimas-noticias/afp/2015/01/27/descoberta-estrela-mais-antiga-orbitada-por-planetas-do-tamanho-da-terra.htm>. Acesso em: 1º set. 2018.)

d) "Governo japonês reforça medidas antiterroristas em aeroportos para Olimpíadas de 2020" (Disponível em: <http://agenciabrasil.ebc.com.br/internacional/noticia/2015-10/japao-reforca-medidas-antiterroristas-em-aeroportos-para-olimpiadas-de>. Acesso em: 1º set. 2018.)

10 ▸ *Planetoide* é uma palavra formada com o sufixo *-oide*. O sufixo *-oide*, segundo o dicionário, é de origem grega e, ao juntar-se a uma palavra, acrescenta-lhe a ideia de "ter a forma ou o aspecto de". Com essa informação, e sem recorrer ao dicionário, em seu caderno indique o provável sentido de:

a) planetoide

b) humanoide

c) esferoide

d) intelectualoide

Maurício Pierro/Arquivo da editora

11 ▸ Em dupla. No caderno, criem uma palavra com o sufixo *-oide*. Observem a ideia que esse sufixo acrescenta ao sentido da palavra primitiva.

12 ▸ Algumas palavras que você copiou dos títulos de notícias da atividade 9 é formada com o prefixo *des-*. Esse prefixo e também o prefixo *in-* acrescentam às palavras o sentido de negação, de ideia contrária. Empregando um desses prefixos, escreva em seu caderno as palavras que têm o sentido contrário de:

a) negável

b) transferível

c) entender

d) enrolar

e) dependente

f) estabilizar

g) controlável

h) vendável

i) centralizado

j) feliz

k) amor

l) consciente

◣ Outro texto do mesmo gênero

O que você imagina ao ler o título do conto a seguir? Leia a história e verifique se o que pensou sobre o título se confirmará ou não.

Um dia na vida do cartão inteligente

Moacyr Scliar

Não eram ainda dez horas quando ele recebeu, pelo correio especial, o seu novo cartão inteligente. Foi com emoção que ele abriu o envelope — não tinha a menor ideia de como seria esse novo cartão, que, dizia a publicidade, inovava tudo o que se conhecia em matéria de cartões de crédito.

E era diferente mesmo. Não apenas pelo formato — um pouco maior do que os cartões comuns — como também pelo mostrador, semelhante ao das calculadoras. Havia ali uma mensagem: "Bom dia. Sou o seu cartão inteligente. Aqui estou para lhe prestar todos os serviços de que necessite".

Entusiasmado, ele resolveu ir às compras. Foi ao *shopping*, passou por diversas lojas. De repente, avistou um belo paletó, um paletó importado, elegantíssimo. Entrou, experimentou. Caiu-lhe muito bem. Sacou do bolso o cartão inteligente e já ia entregá-lo ao vendedor, quando no mostrador apareceu uma mensagem: "Não compre esse paletó. Você não precisa dele. Você já tem muitos paletós e, além disso, o preço está exagerado. Não compre".

Perturbado, guardou o cartão no bolso, deu uma desculpa qualquer ao intrigado vendedor e bateu em retirada.

Foi para o escritório, trabalhou um pouco — mas não podia deixar de pensar no que tinha acontecido. Teria mesmo o cartão lhe dado um conselho?

Decidiu tentar novamente. Saiu, entrou numa livraria, apanhou um livro de economia. Foi ao caixa, com o cartão na mão — mas, de novo, ali estava um aviso: "Não compre esse livro. As ideias do autor estão completamente superadas. As revistas norte-americanas há muito o esqueceram". Deixou o livro sobre o balcão e saiu correndo.

Passou a tarde em casa, com dor de cabeça. E sabia por quê. Tinha um encontro marcado com uma moça que conhecera numa convenção de negócios. Sentira-se muito atraído por ela; convidara-a para jantar, naquela mesma noite. Seria, esperava, o início de uma bela ligação. Mas — e aí vinha a atroz dúvida — o que diria o cartão, na hora em que fosse pagar a conta do jantar? O que faria se aparecesse no mostrador algo como: "Não pague a conta para essa mulher, ela não é para você"?

Telefonou para a moça, cancelando o encontro. E aí, com dor de cabeça, foi para a cama. Mas não podia dormir — sobretudo porque não podia sonhar. O que diria o cartão inteligente de seus sonhos, absurdos como todos os sonhos?

SCLIAR, Moacyr. *O imaginário cotidiano*. São Paulo: Global, 2002. © herdeiros de Moacyr Scliar.

Theo Szczepanski/Arquivo da editora

Converse com os colegas e com o professor sobre as questões a seguir.

1▸ Releia este trecho:

> [...] não tinha a menor ideia de como seria esse novo cartão, que, dizia a publicidade, inovava tudo o que se conhecia em matéria de cartões de crédito.

Qual era essa inovação?

2▸ Releia o título:

> **Um dia na vida do cartão inteligente**

Qual é a provável intenção da escolha da palavra vida para o cartão?

3▸ Releia o trecho final:

> [...] O que diria o cartão inteligente de seus sonhos, absurdos como todos os sonhos?

Qual é a sua opinião sobre esse desfecho?

4▸ Qual é o tipo de narrador nesse conto? Explique.

5▸ Você gostou do conto? Por quê?

 Minha biblioteca

O imaginário cotidiano. **Moacyr Scliar.**

O livro reúne contos publicados por Moacyr Scliar no jornal *Folha de S.Paulo*. As notícias que circulavam nos jornais serviam de inspiração para o autor escrever histórias de ficção explorando a riqueza do cotidiano, com seus dramas, tragédias e comédias.

Reprodução/Editora Global

Conto inspirado em notícia

Nesta unidade você leu um texto de Rachel de Queiroz dividido em três unidades narrativas que a autora chamou de quadros. Para encadear os quadros e prender a atenção do leitor, a autora empregou frases que criam uma expectativa em relação ao que vai acontecer na sequência do texto. Tomou como ponto de partida fatos de seu cotidiano.

A proposta aqui é que você, junto com um colega, produza um conto inspirado em uma notícia de jornal, tomando o cuidado de encadear as unidades narrativas de forma a prender a atenção de seu leitor.

❱❱ Aquecimento

1▸ Leia o que o escritor gaúcho Moacyr Scliar (1937-2011), autor do conto que você leu na seção *Outro texto do mesmo gênero,* escreveu na introdução de seu livro sobre a criação de histórias inspiradas em notícias de jornais:

> [...]
>
> As histórias que compõem o presente volume foram escritas para a seção "Cotidiano", do jornal *Folha de S.Paulo.* Quando recebi o convite para fazê-lo fiquei, a princípio, em dúvida: eu deveria escrever histórias — ou crônicas, como muitos outros colaboradores da imprensa brasileira? A resposta do editor foi taxativa: tratava-se de ficção, de narrativas imaginárias. Lancei-me então à tarefa que, no começo, se revelou difícil. Como ficcionista, eu estava habituado a trabalhar meu "noticiário" interno, com minhas próprias ideias. De repente, porém, a coisa começou a funcionar [...]: atrás de muitas notícias esconde-se uma história pedindo para ser contada. É a história virtual que complementa ou amplia a história real (se é que sabemos exatamente o que é uma história real). A partir daí eu tinha uma nova fonte de inspiração — e de prazer. [...]
>
> SCLIAR, Moacyr. *O imaginário cotidiano.* São Paulo: Global, 2001.

2▸ Agora leia o título da notícia publicada em jornal que serviu de inspiração para Moacyr Scliar escrever o conto "Um dia na vida do cartão inteligente".

> **Preço menor viabiliza cartão inteligente**
>
> *Folha de S. Paulo.* São Paulo, 26 ago. 1999. Dinheiro.

Assim como Moacyr Scliar, você e seus colegas também escreverão um conto com base em uma notícia. Vejam como isso será feito nas orientações a seguir.

❱❱ Planejamento

1▸ **Em dupla.** Pesquisem em jornais impressos ou eletrônicos notícias que vocês considerem inspiradoras para uma história.

2▸ Anotem a fonte e a data de cada notícia selecionada. Se possível, guardem um recorte da notícia, retirando-a do jornal impresso ou imprimindo cópia da versão eletrônica.

3▸ Troquem ideias sobre personagens, espaço, tempo e ações imaginadas por vocês.

4▸ Discutam sobre qual será o enredo da história e como ela se desenvolverá.

5▸ Lembrem-se de que a história que vocês vão produzir deverá atrair a atenção de pessoas habituadas a ler notícias, que normalmente adotam uma linguagem mais concisa e ágil.

6▸ Decidam qual será o tipo de narrador: narrador observador, narrador-personagem (em 1ª pessoa) ou narrador intruso.

7▸ Planejem o desenvolvimento da história, considerando os momentos: situação inicial, desequilíbrio, clímax e desfecho.

8▸ Verifiquem o esquema, que sintetiza as características desta produção:

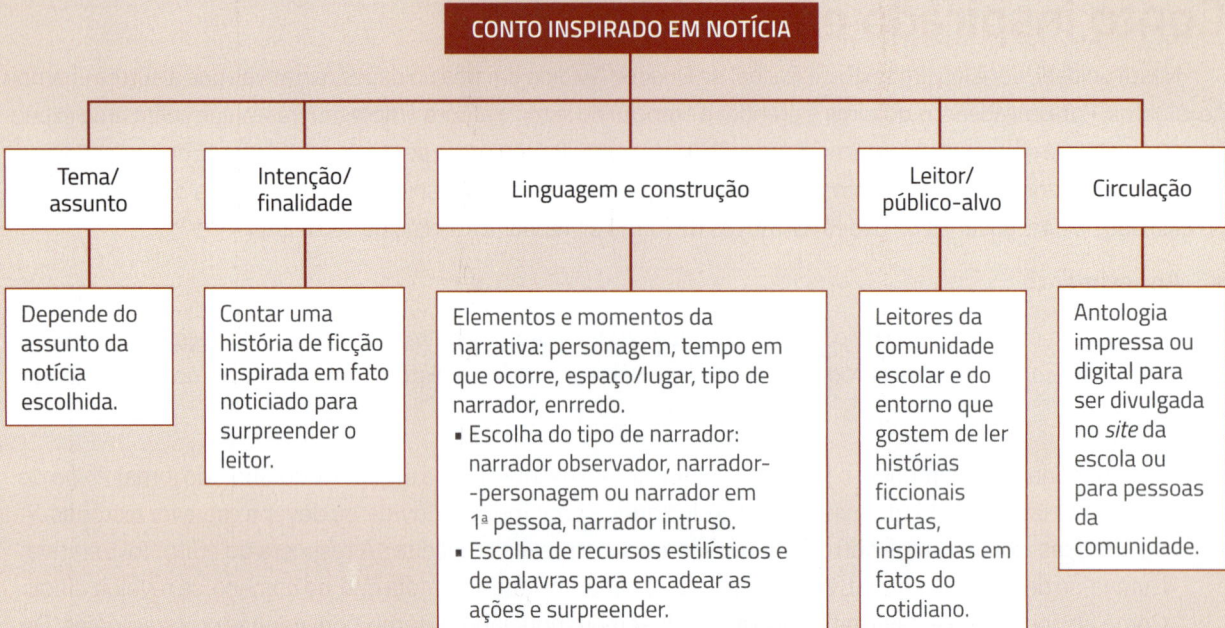

CONTO INSPIRADO EM NOTÍCIA

Tema/assunto	Intenção/finalidade	Linguagem e construção	Leitor/público-alvo	Circulação
Depende do assunto da notícia escolhida.	Contar uma história de ficção inspirada em fato noticiado para surpreender o leitor.	Elementos e momentos da narrativa: personagem, tempo em que ocorre, espaço/lugar, tipo de narrador, enrredo. • Escolha do tipo de narrador: narrador observador, narrador-personagem ou narrador em 1ª pessoa, narrador intruso. • Escolha de recursos estilísticos e de palavras para encadear as ações e surpreender.	Leitores da comunidade escolar e do entorno que gostem de ler histórias ficcionais curtas, inspiradas em fatos do cotidiano.	Antologia impressa ou digital para ser divulgada no *site* da escola ou para pessoas da comunidade.

⇥ Rascunho e revisão

1▸ Façam um rascunho do texto de acordo com o planejamento realizado.

2▸ Releiam e observem:
- como o narrador aparece no enredo: é personagem, é observador?
- se vocês garantiram a presença de frases que criem expectativa na passagem de uma unidade para a outra;
- se as escolhas de linguagem colaboraram para criar um clímax significativo;
- se os recursos estilísticos escolhidos favorecem a compreensão do texto.

3▸ Façam a revisão e os ajustes necessários para a adequação do texto. Releiam novamente em voz alta para observar a relação entre a pontuação e a entonação desejada em cada frase, de forma a garantir a demarcação das orações nos períodos.

4▸ Decidam o título da história.

⇥ Versão final

1▸ Reescrevam o conto, fazendo as alterações necessárias.

2▸ Incorporem ao final dele:
- o nome de vocês, como autores;
- a notícia utilizada com inspiração para o conto, ou o resumo dela;
- os dados da notícia: suporte, data, nome do jornalista (se houver).

⇥ Circulação e divulgação

1▸ Aguardem as orientações do professor para compor a antologia de contos inspirados em notícia: digitação dos textos, impressão (se a antologia for em papel impresso) ou digitalização para divulgação eletrônica.

2▸ Ajudem a viabilizar a divulgação do trabalho difundindo-o no *blog* ou na rede social da escola, em jornais da comunidade escolar ou do entorno, por meio de cartazes e/ou mensagens eletrônicas.

Audiobook de contos com efeitos sonoros

Você e seus colegas escreveram contos inspirados em notícias de jornal. Chegou o momento de transformar essas narrativas escritas em um *audiobook*, gravando o áudio da leitura expressiva desses textos.

Depois, vocês promoverão uma audição coletiva, que poderá acontecer na biblioteca, na quadra, no pátio, no auditório ou em outro espaço da escola, contando com a presença de alunos de outras salas para apreciar a produção de vocês! O *audiobook* também pode ser gravado em um CD que acompanhará o livro de contos da turma.

> *Audiobook* é um livro em áudio que apresenta textos lidos em voz alta. Pode apresentar apenas conteúdo falado ou trazer também **trilhas** e **efeitos sonoros** ao longo das leituras. A inclusão desses conteúdos sonoros ajuda a intensificar os sentidos do texto que é lido em voz alta e torna a audição mais atrativa para o leitor-ouvinte.

➦ Planejamento

1▸ Com a turma toda. Sigam estas orientações:

- Escolham um título para o *audiobook* e elaborem o sumário em ordem alfabética, pelos títulos dos contos.
- Escrevam coletivamente um texto para apresentar a obra aos ouvintes. Decidam juntos quem fará a leitura do título e dessa apresentação, que serão gravadas antes dos contos no *audiobook*.
- Aguardem o cronograma estabelecido pelo professor. Lembrem-se de que o texto foi escrito em dupla. Portanto, vai ser necessário reunir-se com o mesmo colega da dupla e definir as partes do conto que cada um deverá ler.
- Conversem sobre a sonorização dos contos, pensando em objetos e recursos que funcionem como fontes sonoras para criar efeitos que ajudem a ambientar os textos (ou partes deles). O professor vai apresentar algumas opções de efeitos sonoros.
- Escolham um local silencioso e tranquilo para ser a "cabine de gravação" e aguardem o professor apresentar o cronograma das gravações.

2▸ Preparem individualmente a leitura expressiva do conto, dando atenção ao ritmo, à entonação, à pronúncia, entre outros elementos.

3▸ Definam os momentos do conto que vocês desejam sonorizar, criando efeitos que sugiram suspense, humor, emoção, etc. Além de utilizar objetos para reproduzir sons, é possível explorar sons produzidos pelo próprio corpo, como palmas, pisadas, estalos com os dedos, assobios, etc.

4▸ Se houver instrumentos musicais disponíveis na escola, verifiquem com o professor a possibilidade de utilizá-los para o trabalho de sonorização.

5▸ Testem cada efeito sonoro enquanto treinam a leitura expressiva e não se esqueçam de reservar as fontes sonoras que vão utilizar.

6▸ Na folha com a versão definitiva do conto de vocês, façam anotações sobre como deverão conduzir a leitura. Destaquem também as partes do texto em que serão inseridos os efeitos sonoros.

➦ Preparação para a leitura

1▸ Combinem com o professor um dia para gravar uma primeira leitura do conto. Essa gravação servirá de ensaio, e o áudio produzido vai permitir que vocês ouçam a leitura que fizeram e possam avaliar melhor o desempenho de cada um.

2▸ Tentem ler conciliando a leitura à produção dos efeitos sonoros sem fazer interrupções.

⇒ Revisão da leitura

1▸ Anotem tudo o que tenha funcionado bem nessa primeira gravação e verifiquem o que não ficou bom, que pode ser melhorado.

2▸ Treinem mais vezes a leitura expressiva. Lembrem-se de que é importante estar seguro e bem preparado para a gravação final: isso vai ajudá-los a evitar interrupções e regravações do áudio.

⇒ Gravação

1▸ No dia e horário combinados, as duplas vão ler o conto na "cabine de gravação", enquanto o professor vai realizar a captação do áudio.

2▸ O professor vai captar também o áudio da leitura do título e do texto de apresentação do *audiobook*, elaborados no *Planejamento*.

⇒ Finalização

▸ Após ter gravado as leituras dos contos e do texto de apresentação, o professor reunirá os áudios obtidos.

⇒ Divulgação e circulação

1▸ Conversem sobre o local, a data e o horário em que será feita a audição coletiva.

2▸ Decidam também, com o professor, quem serão os convidados para ouvir o *audiobook*, produzam convites e elaborem cartazes para divulgar o evento.

3▸ Ao final, o *audiobook* pode ser gravado em um CD e afixado na contracapa do livro com a antologia de contos produzido pela turma. Assim, mais pessoas poderão ouvir e conhecer a leitura expressiva com efeitos sonoros que vocês fizeram.

Theo Szczepanski/Arquivo da editora

Autoavaliação

Chegou o momento de fazer um balanço de tudo o que foi estudado na Unidade 3. Leia o quadro de conteúdos para recordar o que estudou e, no caderno, avalie seu desempenho usando os tópicos propostos a seguir como orientação. Isso ajudará você na hora de organizar seus estudos.

Meu desempenho

- **Compreendi bem** (registre no caderno os itens que você compreendeu)
- **Avancei em** (registre no caderno os itens em que você melhorou)
- **Preciso rever** (registre no caderno os itens que você precisa estudar mais)
- **Outras observações e/ou outras atividades**

UNIDADE 3	
Gênero **Conto**	**LEITURA E INTERPRETAÇÃO** · Leitura e interpretação do conto "Metonímia, ou a vingança do enganado", de Rachel de Queiroz · Identificação dos elementos e momentos da narrativa no conto · Compreensão de recursos estilísticos no conto literário (metonímia, ironia e polissíndeto) · Identificação e diferenciação de tipos de narrador **PRODUÇÃO** **Oral** · Exposição oral sobre discriminações e preconceitos · Interatividade: *audiobook* de contos com efeitos sonoros **Escrita** · Produção de conto inspirado em notícia
Ampliação de leitura	**CONEXÕES** · Outras linguagens: Pintura em casca de árvore · Histórias famosas de amores impossíveis **OUTRO TEXTO DO MESMO GÊNERO** · "Um dia na vida do cartão inteligente", de Moacyr Scliar
Língua: usos e reflexão	· Período composto por subordinação · Processos de subordinação e coesão · Orações subordinadas substantivas: subjetiva, objetiva direta, objetiva indireta, completiva nominal, predicativa e apositiva · Orações reduzidas e desenvolvidas · Desafios da língua: processos de formação de palavras (sufixação, prefixação, composição)
Participação em atividades	· Orais · Coletivas · Em grupo

Jean Galvão/Arquivo da editora

UNIDADE 4

Grandes histórias em pequenos capítulos

As novas tecnologias possibilitam a leitura de histórias em outros suportes, além dos livros impressos. Você já leu histórias em outros suportes? Quais? Você já leu um romance? Qual? Sobre qual assunto? E histórias sobre outros tempos, outras realidades, interessam a você? Por quê?

Nesta unidade você vai:

- ler e interpretar capítulos de romance;
- relacionar capítulos de romance a unidades narrativas;
- reconhecer elementos de construção e linguagem empregados em romance;
- identificar sequências conversacionais;
- observar recursos de linguagem;
- produzir retextualização, criando texto verbal;
- identificar orações subordinadas adverbiais;
- relacionar orações subordinadas adverbiais e coesão;
- reconhecer as relações de sentido estabelecidas pelas orações adverbiais;
- estudar regência verbal.

ROMANCE

O romance, como o conhecemos hoje, é uma narrativa literária geralmente de longa duração, organizada com vários conflitos, que podem ocorrer em espaços e tempos variados.

Nesta unidade, você conhecerá cinco capítulos do romance *Memórias póstumas de Brás Cubas*, publicado em 1880 e escrito por um dos maiores escritores brasileiros, Machado de Assis.

Leia este resumo para você conhecer o contexto da história.

> A narrativa se desenvolve na cidade do Rio de Janeiro, no século XIX, e começa no dia do velório de Brás Cubas. A partir dos personagens presentes em seu funeral, o narrador relembra momentos de sua vida com muita ironia e humor crítico. Ele recorda seus amores da juventude: Marcela, que quase o levou a arruinar a fortuna da família; Eugênia, moça pobre com quem teve um namoro passageiro; e Virgília, que chegou a ser sua noiva, mas preferiu casar com Lobo Neves, homem com ambições políticas.
>
> Anos mais tarde, Brás Cubas, ainda solteiro, e Virgília, já casada com Lobo Neves, reencontram-se. Entretanto, o marido de Virgília é nomeado presidente de uma província no interior do país e deixa o Rio de Janeiro, levando a esposa consigo.
>
> A história termina no ponto em que começa: na morte de Brás Cubas.

Você sabe o que quer dizer *póstumo*? Póstumo é algo feito depois da morte.

Já imaginou como uma história pode ser contada por um personagem que já morreu? Comece a sentir o gostinho dessa história, lendo apenas o trecho inicial do primeiro capítulo.

Capítulo I — Óbito do autor

Algum tempo hesitei se devia abrir estas memórias pelo princípio ou pelo fim, isto é, se poria em primeiro lugar o meu nascimento ou minha morte. [...]

[...] expirei às duas horas da tarde de uma sexta-feira do mês de agosto de 1869, na minha bela chácara de Catumbi. Tinha uns sessenta e quatro anos, rijos e prósperos, era solteiro, possuía cerca de trezentos contos e fui acompanhado ao cemitério por onze amigos. Onze amigos! [...]

MACHADO DE ASSIS, Joaquim M. *Memórias póstumas de Brás Cubas*. 29. ed. São Paulo: Ática, 2009. p. 23.

Theo Szczepanski/Arquivo da editora

Leia a seguir o capítulo em que Brás Cubas, o defunto que nos conta sua história, relata os dois projetos de seu pai para ele: um cargo de deputado e um casamento. Nesse capítulo, Brás recorda como conheceu Virgília, filha de um político que poderia ajudá-lo na candidatura a esse cargo.

Como terá sido esse encontro? Confira.

Leitura

Texto 1

Memórias póstumas de Brás Cubas

Capítulo XXXVII — Enfim!

— Enfim! Eis aqui Virgília. Antes de ir à casa do Conselheiro Dutra, perguntei a meu pai se havia algum ajuste prévio de casamento.

— Nenhum ajuste. Há tempos, conversando com ele a teu respeito, confessei-lhe o desejo que tinha de te ver deputado; e de tal modo falei, que ele prometeu fazer alguma coisa, e creio que o fará. Quanto à noiva, é o nome que dou a uma criaturinha, que é uma joia, uma flor, uma estrela, uma coisa rara... é a filha dele; imaginei que, se casasses com ela, mais depressa serias deputado.

— Só isto?

— Só isto.

Fomos dali à casa do Dutra. Era uma pérola esse homem, risonho, jovial, patriota, um pouco irritado com os males públicos, mas não desesperando de os curar depressa. Achou que a minha candidatura era legítima; convinha, porém, esperar alguns meses. E logo me apresentou à mulher — uma estimável senhora — e à filha, que não desmentiu em nada o panegírico de meu pai. Juro-vos que em nada. Relede o capítulo XXVII. Eu, que levava ideias a respeito da pequena, fitei-a de certo modo; ela, que não sei se as tinha, não me fitou de modo diferente; e o nosso olhar primeiro foi pura e simplesmente conjugal. No fim de um mês estávamos íntimos.

MACHADO DE ASSIS, Joaquim M. *Memórias póstumas de Brás Cubas*. 29. ed. São Paulo: Ática, 2009. p. 79.

Theo/Arquivo da editora

> **Ajuste prévio de casamento**: condições ajustadas entre as famílias dos pretendentes.

> No **capítulo XXVII**, Brás descreve Virgília deste modo: "[...] Era bonita, fresca, saía das mãos da natureza, cheia daquele feitiço [...]. Era isto Virgília, e era clara, muito clara, faceira, ignorante, pueril, cheia de uns ímpetos misteriosos; muita preguiça e alguma devoção, — devoção, ou talvez medo; creio que medo" (p. 69).

▶ **desesperar:** no contexto, desesperançar, perder a esperança, desanimar.

▶ **panegírico:** elogio, discurso elogioso.

▶ **relede:** modo imperativo do verbo *reler*, na 2ª pessoa do plural (vós).

Interpretação do texto

Compreensão inicial

1▶ Quais são os personagens desse capítulo?

2▶ Por que Brás Cubas e o pai dele procuraram o Conselheiro Dutra?

3▶ Qual era a motivação do pai de Brás Cubas para que ele se casasse?

4▶ Releia a descrição de Virgília feita pelo pai de Brás:

> [...] uma criaturinha, que é uma joia, uma flor, uma estrela rara [...]

Transcreva a fala do personagem Brás que comprova a opinião do pai sobre Virgília.

5▶ Agora que leu o desfecho desse capítulo, responda no caderno: Como foi o encontro?

A seguir, leia o capítulo em que entra em cena o personagem Lobo Neves. O que acontecerá com os planos de Brás?

Texto 2

Capítulo XLIII — Marquesa, porque eu serei marquês

Positivamente, era um <u>diabrete</u> Virgília, um diabrete angélico, se querem, mas era-o, então...

Então apareceu o Lobo Neves, um homem que não era mais esbelto que eu, nem mais elegante, nem mais lido, nem mais simpático, e todavia foi quem me <u>arrebatou</u> Virgília e a candidatura, dentro de poucas semanas, com um ímpeto verdadeiramente cesariano. Não precedeu nenhum despeito; não houve a menor violência de família. Dutra veio dizer-me, um dia, que esperasse outra <u>aragem</u>, porque a candidatura de Lobo Neves era apoiada por grandes influências. Cedi; tal foi o começo da minha derrota. Uma semana depois, Virgília perguntou ao Lobo Neves, a sorrir, quando seria ele ministro.

— Pela minha vontade, já; pela dos outros, daqui a um ano.

Virgília replicou:

— Promete que algum dia me fará baronesa?

— Marquesa, porque eu serei marquês.

Desde então fiquei perdido. Virgília comparou a águia e o pavão, e elegeu a águia, deixando o pavão com o seu espanto, o seu despeito, e três ou quatro beijos que lhe dera. Talvez cinco beijos; mas dez que fossem não queria dizer coisa nenhuma. O lábio do homem não é como a <u>pata do cavalo de Átila</u>, que esterilizava o solo em que batia; é justamente o contrário.

MACHADO DE ASSIS, Joaquim M. *Memórias póstumas de Brás Cubas*.
29. ed. São Paulo: Ática, 2009. p. 85.

diabrete: criança travessa.

arrebatar: tirar com violência.

aragem: nesse contexto, momento favorável.

Ímpeto verdadeiramente cesariano refere-se a uma força violenta que lembra a de Júlio César (100 a.C.-44 a.C.) em sua conquista do poder em Roma — daí o termo *cesariano*.

Pata do cavalo de Átila refere-se a este comentário de Átila, que viveu no século V e comandou sérios ataques ao Império Romano: "a erva não volta a crescer onde pisa meu cavalo", aludindo à destruição causada por seu exército, considerado o mais terrível da época.

Theo Szczepanski/Arquivo da editora

Interpretação do texto

Compreensão inicial

1▸ Brás, o narrador-personagem, descreve assim Lobo Neves:

> [...] um homem que não era mais esbelto que eu, nem mais elegante, nem mais lido, nem mais simpático [...].

Assinale a alternativa que completa a frase a seguir.

Ao iniciar a descrição de Lobo Neves pela palavra **não**, a intenção de Brás era:

- demonstrar que Lobo Neves era um homem sem atrativos.
- marcar sua superioridade diante de Lobo Neves.
- comparar Lobo Neves a outros homens.
- mostrar que Lobo Neves não teria chance com Virgília.

2▸ No decorrer da narrativa, Lobo Neves consegue arrebatar Virgília. Qual foi o motivo de sua vitória?

3▸ Releia este trecho.

> [...] Virgília comparou a águia e o pavão, e elegeu a águia [...]

Sabendo que a águia é uma ave de rapina, predadora, que consegue voar alto e que o pavão é uma ave bela, exuberante, que voa baixo, com dificuldade, de forma desajeitada, responda:

a) Quem era o pavão nessa comparação feita pelo narrador-personagem?

b) Por que motivo Virgília elegeu a águia?

4▸ Qual era a principal vantagem de Lobo Neves sobre Brás?

5▸ O que mudou na opinião do pai de Virgília quanto à candidatura de Brás?

Brás Cubas foi, então, trocado por Lobo Neves, filho de família de políticos. O que pode ter acontecido no relacionamento entre Brás e Virgília? Leia o próximo capítulo para saber.

Texto 3

Capítulo CXIV — Fim de um diálogo

— Sim, é amanhã. Você vai a bordo?

— Está doida? É impossível.

— Então, adeus!

— Adeus!

— Não se esqueça de Dona Plácida. Vá vê-la algumas vezes. Coitada! Foi ontem despedir-se de nós; chorou muito, disse que eu não a veria mais... É uma boa criatura, não é?

— Certamente.

— Se tivermos de escrever, ela receberá as cartas. Agora até daqui a...

— Talvez dois anos?

— Qual! Ele diz que é só fazer as eleições.

— Sim? Então até breve. Olhe que estão olhando para nós.

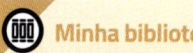

Dona Plácida: mulher trabalhadora, confidente e protetora de Virgília, encobre os encontros entre a moça e Brás Cubas.

— Quem?

— Ali do sofá. Separemo-nos.

— Custa-me muito.

— Mas é preciso; adeus, Virgília!

— Até breve. Adeus.

MACHADO DE ASSIS, Joaquim M. *Memórias póstumas de Brás Cubas*. 29. ed. São Paulo: Ática, 2009. p. 158.

Interpretação do texto

Compreensão inicial

1▸ Releia o título do capítulo: "Fim de um diálogo". Responda: O que o título tem a ver com esse capítulo?

2▸ O capítulo está organizado em uma sequência de turnos de fala, ou seja, em um diálogo. Quem participa desse diálogo?

3▸ Releia a fala inicial do diálogo:

> — Sim, é amanhã. Você vai a bordo?

Responda em seu caderno:

a) De quem é essa fala?

b) Essa fala pressupõe uma pergunta anterior? Qual?

c) O que indica a expressão "a bordo"?

4▸ Brás e Virgília parecem não querer ser vistos juntos. O que comprova essa afirmação?

Ao ler o texto 3, você descobriu que o romance entre Virgília e Brás terminou. E a carreira política de Brás? O que aconteceu? Já com cinquenta anos, ou seja, muitos anos após a tentativa do pai de transformá-lo em deputado, finalmente Brás se elege deputado. E é considerado medíocre por seus pares. Como será que ele se sente? Leia os dois capítulos que se seguem para saber.

Textos 4 e 5

Capítulo CXXXIX — De como não fui Ministro d'Estado

....
....
....
....
....

Capítulo CXL — Que explica o anterior

Há coisas que melhor se dizem calando; tal é a matéria do capítulo anterior. Podem entendê-lo os <u>ambiciosos</u> <u>malogrados</u>. Se a paixão do poder é a mais forte de todas, como alguns <u>inculcam</u>, imaginem o desespero, a dor, o abatimento do dia em que perdi a cadeira da câmara dos deputados. Iam-se-me as esperanças todas; terminava a carreira política. [...]

> ▸ **ambicioso:** aquele que tem anseio por poder, riqueza, fama.
>
> ▸ **malogrado:** sem êxito, sem sucesso, fracassado.
>
> ▸ **inculcar:** colocar uma ideia na mente.

[...] De cada janela — eram três — pendia uma gaiola com pássaros, que chilreavam as suas óperas rústicas. Tudo tinha a aparência de uma conspiração das coisas contra o homem: e, conquanto eu estivesse na *minha* sala, olhando para a *minha* chácara, sentado na *minha* cadeira, ouvindo os *meus* pássaros, ao pé dos *meus* livros, alumiado pelo *meu* sol, não chegava a curar-me das saudades daquela outra cadeira, que não era minha.

> ▶ **chilrear:** cantar dos pássaros, gorjeio.
>
> ▶ **rústico:** simples, sem sofisticação.

MACHADO DE ASSIS, Joaquim M. *Memórias póstumas de Brás Cubas.* 29. ed. São Paulo: Ática, 2009. p. 179-180.

Theo Szczepanski/Arquivo da editora

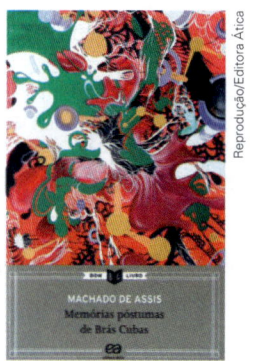

Reprodução/Fundação Biblioteca Nacional, Rio de Janeiro, RJ.

Joaquim Maria Machado de Assis nasceu na cidade do Rio de Janeiro em 1839. De origem humilde, pouco pôde frequentar a escola. Toda a cultura que adquiriu foi como autodidata. Antes de se dedicar à produção literária, exerceu a função de tipógrafo e revisor em editora. Conciliou a carreira de escritor com a de funcionário público e produziu, durante mais de 50 anos, obras de diferentes naturezas: poemas, peças de teatro, crônicas, contos e romances; entre outros, *Quincas Borba* (1891) e *Dom Casmurro* (1899). Foi um dos fundadores e o primeiro presidente da Academia Brasileira de Letras. Faleceu na mesma cidade, em 1908.

Reprodução/Editora Ática

Interpretação do texto

Compreensão inicial

1▶ O título do capítulo CXXXIX é uma antecipação do conteúdo do capítulo. O que ocorreu a Brás?

2▶ Que recurso foi usado nesse capítulo para que o leitor conclua o que aconteceu?

3▶ O título do capítulo CXL remete ao capítulo anterior e antecipa o assunto deste. Responda no caderno:

a) Qual é o assunto desse capítulo?

b) Qual é a explicação dada pelo personagem?

4▸ Releia este trecho:

> Podem entendê-lo os ambiciosos malogrados.

Em sua opinião, é possível considerar que o personagem se identifica com um ambicioso malogrado?

5▸ Foi dado destaque aos pronomes *minha*, *meus* e *meu*, ao final do capítulo. Veja: *minha* sala, *minha* chácara, *minha* cadeira, *meus* pássaros, *meus* livros, *meu* sol. Entretanto, não há destaque na frase final do capítulo: "daquela outra cadeira, que não era minha".

Assinale os itens que completam a frase a seguir.
O desfecho do capítulo mostra que o personagem:

Theo Szczepanski/Arquivo da editora

- dava grande importância ao cargo de ministro.
- não dava a mesma importância ao cargo de ministro.
- destaca elementos que não podem ser de sua propriedade: "meu sol".
- destaca que nada podia ser melhor que seu cargo de ministro.

Linguagem e construção dos textos 1 a 5

Além da narrativa feita por um defunto, Machado de Assis mostrou inovação no uso dos recursos estilísticos.

▸ Assinale os itens com os recursos que podem ser identificados no romance, de acordo com os capítulos que você leu.

a) Turnos de fala sem a presença de um narrador.

b) Vazios a serem completados pela interpretação do leitor.

c) Inclusão de fatos ou de detalhes fantásticos.

d) Interrupção da narrativa para inserir pensamentos e reflexões.

Unidade narrativa: capítulo de romance

Machado de Assis organizou o romance *Memórias póstumas de Brás Cubas* em 160 capítulos, publicados originalmente em <u>folhetim</u> na *Revista Brasileira*.

Pode-se representar a construção desse romance no esquema:

▸ **folhetim:** romance publicado em capítulos em jornal ou revista.

160 capítulos que desenvolvem sequências narrativas com dramas e conflitos que giram em torno do drama central.

Drama central:
memórias de um defunto afloradas na cerimônia de seu velório. Ao fazer um balanço do que viveu, o personagem constata que pouco de positivo ficou.

Você leu cinco capítulos do romance de Machado de Assis. Cada um deles forma uma unidade com sequência narrativa ligada ao drama central.

1▸ Copie a tabela a seguir no caderno e complete-a com uma síntese do enredo de cada um dos capítulos que você leu.

	Capítulo XXXVII Enfim!	Capítulo XLIII Marquesa, porque eu serei marquês	Capítulo CXIV Fim de um diálogo	Capítulo CXXXIX De como não fui Ministro d'Estado	Capítulo CXL Que explica o anterior
Enredo					

2▸ Com base nos capítulos que você leu é possível identificar vários elementos que fazem parte da narrativa. Copie no caderno a tabela a seguir e complete-a indicando os elementos de cada capítulo.

	Capítulo XXXVII Enfim!	Capítulo XLIII Marquesa, porque eu serei marquês	Capítulo CXIV Fim de um diálogo	Capítulo CXXXIX De como não fui Ministro d'Estado	Capítulo CXL Que explica o anterior
Personagens					
Espaço					
Tipo de narrador					

3▸ Comparando o esquema do romance e as sínteses feitas nas atividades 1 e 2, responda: Qual dos elementos da narrativa estabelece a relação dos capítulos com o drama central — narrador, espaço, ação ou personagem? Justifique.

4▸ Releia este trecho:

> E logo me apresentou à mulher — uma estimável senhora — e à filha, que não desmentia em nada o panegírico de meu pai. Juro-vos que em nada.

Assinale as respostas adequadas para esta pergunta: O que esse trecho revela sobre o narrador?

a) O narrador está em 3ª pessoa: observa e comenta.

b) O narrador está em 1ª pessoa: participa da história.

c) O narrador insere comentários e divagações na narrativa.

d) O narrador apenas conta a história sem inserir comentários.

e) O narrador dirige-se ao leitor.

Recursos de linguagem

O romance foi escrito em 1880, por isso pode apresentar palavras ou expressões em desuso nos dias de hoje.

1▸ Em seu caderno, transcreva duas palavras ou expressões dos capítulos lidos que você considera que estejam em desuso atualmente.

2▸ Além do emprego de palavras e expressões próprias da época, podemos observar que a linguagem do romance é bem trabalhada, cuidadosa e elaborada. Observe o seguinte trecho:

> De cada janela — eram três — pendia uma gaiola com pássaros, que chilreavam as suas óperas rústicas.

Theo Szczepanski/Arquivo da editora

Escolha e transcreva no caderno um trecho que você considera ter uma linguagem formal e bem elaborada.

3▸ Releia um trecho do capítulo "XXXVII — Enfim!":

> Quanto à noiva [...] é uma joia, uma flor, uma estrela [...]

Nesse trecho, o autor empregou palavras de um jeito muito especial para descrever Virgília. Usou palavras em seu sentido figurado: *joia* (valiosa), *flor* (delicada), *estrela* (brilhante). Há uma relação de semelhança entre a noiva e *joia*, *flor*, *estrela* em seus sentidos figurados. Foi construída uma **metáfora**.

> **Metáfora** é a figura de linguagem que constrói significados, sentidos, por meio de uma relação de semelhança entre termos diferentes.

Escreva no caderno outro exemplo de metáfora encontrada no capítulo XXXVII.

4▸ Releia o seguinte trecho:

> Positivamente, era um diabrete Virgília, um diabrete angélico [...].

Nessa frase o narrador se refere a duas ideias opostas. Quais são elas?

> Ao se reunirem ideias de sentidos opostos na mesma frase, acentuam-se as diferenças entre elas. A esse recurso de linguagem figurada dá-se o nome de **antítese**.

5▸ Assinale o trecho que pode ser considerado exemplo de uso de **antítese**.
a) "[...] imaginem o desespero, a dor, o abatimento do dia em que perdi [...]."
b) "[...] e o nosso olhar primeiro foi pura e simplesmente conjugal."
c) "Virgília comparou a águia e o pavão [...]."

Sequência conversacional

O modo como o capítulo CXIV está construído sugere uma sequência conversacional, isto é, um diálogo. Há alternância dos turnos de fala: ora a vez de falar é de Brás, ora a vez é de Virgília. Mesmo sem a marcação explícita de cada personagem, a estrutura de diálogo permite que o leitor saiba a que personagem as falas pertencem. Releia:

> — Sim, é amanhã. Você vai a bordo?
> — Está doida? É impossível.
> — Então, adeus!
> — Adeus!

1▸ O que é possível afirmar sobre esse diálogo? Assinale a(s) alternativa(s) que responda(m) adequadamente a essa pergunta.
a) As falas se alternam em uma sequência regular: Virgília/Brás/Virgília/Brás.
b) Sem os verbos de dizer, é difícil saber quando cada um fala.
c) A primeira fala é de Virgília.
d) A primeira fala é de Brás.

2▸ Que recurso foi empregado para indicar a expressividade no trecho do diálogo da atividade 1?

Theo Szczepanski/Arquivo da editora

▶ Leia com a turma o esquema a seguir, que resume o que foi estudado na seção anterior. Copiem o esquema no caderno e completem-no com as expressões do quadro.

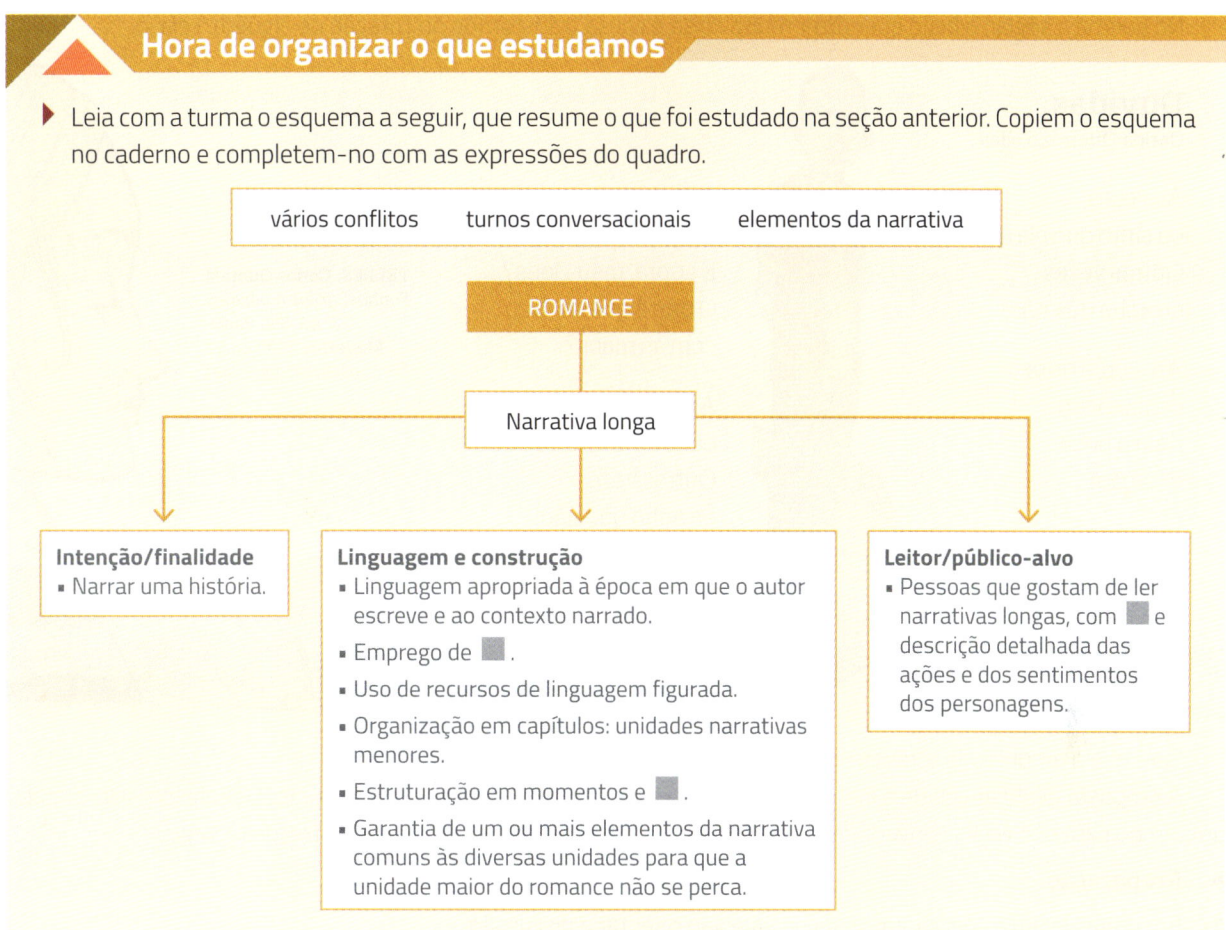

vários conflitos   turnos conversacionais   elementos da narrativa

ROMANCE

Narrativa longa

Intenção/finalidade
- Narrar uma história.

Linguagem e construção
- Linguagem apropriada à época em que o autor escreve e ao contexto narrado.
- Emprego de ▨.
- Uso de recursos de linguagem figurada.
- Organização em capítulos: unidades narrativas menores.
- Estruturação em momentos e ▨.
- Garantia de um ou mais elementos da narrativa comuns às diversas unidades para que a unidade maior do romance não se perca.

Leitor/público-alvo
- Pessoas que gostam de ler narrativas longas, com ▨ e descrição detalhada das ações e dos sentimentos dos personagens.

⬛ Prática de oralidade

Conversa em jogo

Projetos de vida

O personagem Brás Cubas teve seu projeto de vida praticamente definido por seu pai, que planejou para ele um casamento e uma carreira política. Para alcançar esses objetivos, o pai ajustou um casamento que desse apoio à candidatura do filho. Agiu movido por interesse econômico, o que era comum na época (século XIX).

▶ E hoje? Ainda se age movido por interesse? É possível pensar em projetos de vida que não sejam definidos por interesses econômicos, políticos ou outros? O que leva as pessoas a escolher seus projetos de vida: poder, dinheiro, fama, ideais, sonhos? É possível escolher com liberdade seus projetos para o futuro? Diga o que pensa e ouça seus colegas.

Discussão em grupo

Será que o amor muda através dos tempos?

No capítulo "XLIII — Marquesa, porque eu serei marquês", em que Virgília escolhe Lobo Neves, o personagem Brás comenta que ela o deixou "[...] com seu espanto, o seu despeito, e três ou quatro beijos que lhe dera. Talvez cinco beijos; mas dez que fossem não queria dizer coisa nenhuma".

No poema a seguir, o beijo quer dizer muita coisa e causa transtornos no coração de alguém. Leia-o.

Dúvidas
Carlos Queiroz Telles

Às vezes
eu sinto que ela quer.
Outras vezes
eu acho que não.

Ah, como grita
o meu peito...
Cala a boca,
coração!

Ela não pode
desconfiar
que este vai ser
o meu primeiro...

Sufoco de vergonha
e de falta de jeito.
E agora, meu Deus?
O que é que eu faço
com as mãos?

Às vezes
eu sinto que ela quer.
Outras vezes
eu acho que não.

Beijo ou não beijo...
eis a questão.

TELLES, Carlos Queiroz.
Sonhos, grilos e paixões.
3. ed. São Paulo:
Moderna, 1990. p. 42.
(Coleção Veredas).

Theo/Arquivo da editora

Será que o amor muda através dos tempos? Será que um beijo nada significa?

A proposta desta atividade é incentivar uma discussão em grupos sobre esse assunto. O professor vai estipular um tempo para que vocês conversem a esse respeito. Orientem-se também pelas instruções a seguir.

➤ Preparação

1▸ Em grupo, leiam as perguntas a seguir, que vão orientar a discussão.

a) Nos dias atuais, com a comunicação proporcionada pela internet — rápida e a distância —, ainda é possível ter dúvidas e inseguranças sobre revelar ou não os sentimentos? Por quê?

b) O que mudou ao longo do tempo com relação ao amor?

c) Hoje é mais fácil e mais tranquilo revelar os sentimentos? Por quê?

2▸ Escolham o colega do grupo que será o relator. Ele deverá anotar as ideias para depois expor aos demais colegas da turma.

3▸ Procurem opinar um de cada vez sobre cada uma das questões. Haverá divergências de opiniões e elas deverão ser anotadas pelo relator.

4▸ Lembrem-se de que, na discussão em grupo, não há mediador; portanto, todos os participantes serão responsáveis pela organização da discussão e pelo respeito à opinião alheia.

➤ Ensaio

1▸ Quando terminar o tempo estipulado pelo professor, leiam as anotações do relator e façam juntos um pequeno resumo com as ideias fundamentais da discussão.

2▸ O relator apresentará esse resumo oralmente para os outros grupos. Para isso, definam em grupo como será a apresentação do relator, fazendo um breve ensaio.

➤ Apresentação

1▸ Sugestões ao aluno que apresentar as anotações de seu grupo:

a) Exponha claramente as posições do grupo diante da questão de cada item.

b) Lembre-se da importância da altura e da entonação da voz, de forma a assegurar que todos os colegas possam ouvi-lo e compreender o que você diz.

2▸ Após a apresentação oral de cada grupo, vocês poderão comparar as diversas opiniões da turma.

Outras linguagens: Quadrinhos e unidades narrativas

Como já vimos, o romance é uma narrativa de longa duração e pode ser dividido em unidades narrativas menores, denominadas capítulos. A publicação de uma narrativa longa em capítulos pode ser um recurso para manter o leitor fiel ao portador (revista ou jornal).

Por exemplo, no século XIX, Machado de Assis primeiramente publicou *Memórias póstumas de Brás Cubas* em capítulos, na *Revista Brasileira*. Por certo tempo, cada número da revista apresentava a seus leitores um capítulo desse romance, e foi assim até a narrativa ser toda publicada. Só tempos depois os capítulos desse romance foram reunidos em livro.

Hoje em dia, a publicação de narrativas de ficção em capítulos separados continua a ser uma estratégia para conquistar leitores, ouvintes e telespectadores e mantê-los fiéis ao veículo, seja ele jornal, revista, rádio ou TV.

Esse recurso foi usado na narrativa a seguir, construída quase exclusivamente com imagens, de autoria da cartunista Laerte. Ela foi publicada em seis partes ou capítulos, em uma sequência de edições do jornal *Folha de S.Paulo*, no espaço reservado à tira "Piratas do Tietê".

Leia as tirinhas a seguir:

© Laerte/Acervo da cartunista

LAERTE. Piratas do Tietê. *Folha de S.Paulo*. São Paulo, 9 fev. 2004, p. E7.

© Laerte/Acervo da cartunista

Id., ibid., 10 fev. 2004, p. E7.

© Laerte/Acervo da cartunista

Id., ibid., 11 fev. 2004, p. E9.

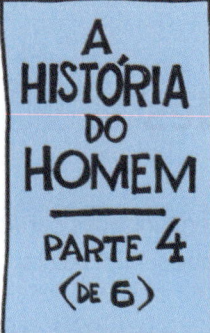

Id., ibid., 12 fev. 2004, p. E9.

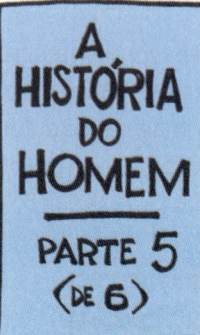

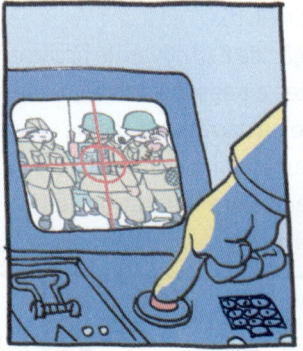

Id., ibid., 13 fev. 2004, p. E13.

Id., ibid., 14 fev. 2004, p. E13.

▶ Converse com os colegas sobre as seguintes questões:

a) **Sequência narrativa**: os quadrinhos que finalizam uma tira e os que iniciam a seguinte constroem uma sequência mostrando que o agressor de um momento da história passa a ser o agredido posteriormente. O que isso pode significar?

b) **Repetição dos elementos da narrativa**: personagens (homens) e ações (agressões) se repetem ao longo da história. Quais os efeitos de sentido provocados por esse recurso?

c) **Armas usadas nos diferentes tempos**: lanças e flechas; espadas; fuzis; bombas; bomba atômica. Nas tiras das partes 4 e 5, o que difere em relação à consequência do uso das armas?

d) **Homem no primeiro quadrinho da última tira**: que sensação ele provoca?

e) **Figura feminina do último quadrinho**: ela diz uma frase irônica: "Conta outra história". O que isso pode significar?

A história na História

Nesta unidade, você leu capítulos de um romance.

O romance, como o conhecemos hoje, é uma narrativa literária, geralmente de longa duração, organizada com vários conflitos, que podem ocorrer em espaços e tempos variados.

Originalmente, *romance* era o nome dado às línguas usadas pelos povos que viviam sob o Império Romano. Mais tarde, passou a designar as composições literárias populares, folclóricas, e, posteriormente, as narrativas de ficção, sentimentais ou fantasiosas, em prosa ou em verso.

No século XVIII, o romance tornou-se o porta-voz das ambições e desejos das pessoas da época, constituindo um passatempo e às vezes um meio de fuga do cotidiano. O escritor era pago para oferecer uma imagem otimista e leve da vida. Era o romance romântico, com histórias de encontros, casamentos, realização de sonhos e desilusões.

No século XIX, o romance tornou-se instrumento de crítica à sociedade.

Os acontecimentos narrados em *Memórias póstumas de Brás Cubas* revelam um pouco do ambiente social e dos fatos históricos do Rio de Janeiro da época.

Veja algumas fotos dessa época, que são documentos históricos.

Augusto Malta/Acervo do fotógrafo

Centro da cidade do Rio de Janeiro, em meados do século XIX, época em que se passa a história narrada em *Memórias póstumas de Brás Cubas*, de Machado de Assis.

Machado de Assis aos 25 anos, quando publica seu primeiro livro, *Crisálidas*, em que reúne poemas.

Pacheco/Museu Imperial, Petrópolis, RJ.

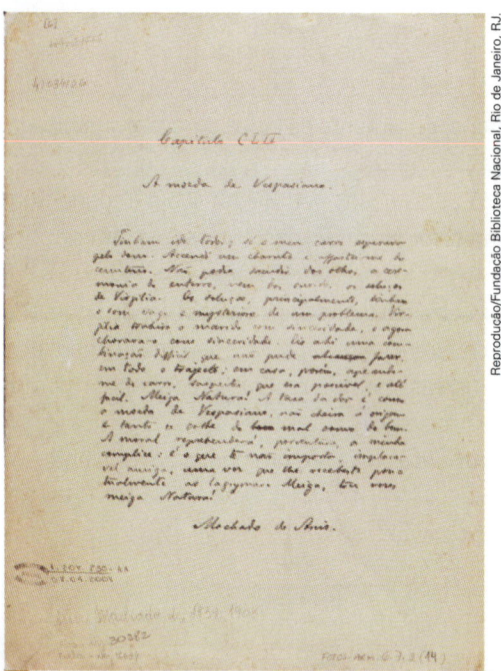

Trecho manuscrito de "A moeda de Vespasiano", capítulo CLII do romance *Memórias póstumas de Brás Cubas*, de Machado de Assis.

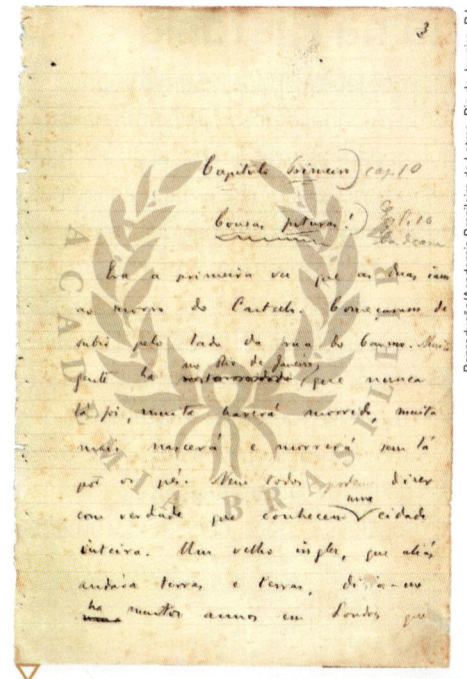

Manuscrito do romance *Esaú e Jacó*, de Machado de Assis, escrito por volta de 1903.

▶ O que mais chamou sua atenção nas fotos? Por quê?

O beijo nas diferentes culturas

Inspirado, apaixonado, gentil, respeitoso, amistoso... o beijo é um gesto com diferentes significados em diferentes partes do mundo. Confira:

- No Japão, até há pouco tempo, o beijo em público era considerado obsceno.
- Na Rússia, é comum os homens se beijarem no rosto quando se cumprimentam.
- Na África, entre alguns povos, acredita-se que a pessoa beijada pode ter sua alma absorvida.
- Na Groenlândia, os esquimós se beijam roçando os narizes.
- Na Índia, beijar em público não é bem visto.

Língua: usos e reflexão

Período composto por subordinação

A seguir vamos estudar como ocorrem, no período composto, as relações de coesão com orações que atuam como adjuntos adverbiais da oração principal.

Orações subordinadas adverbiais e coesão

▶ Leia o quadrinho a seguir.

BROWNE, Chris. *O melhor de Hagar, o Horrível*. Porto Alegre: L&PM, 2013. p. 48.

Qual é o principal motivo de o personagem ficar feliz com a construção da ponte?

Em sua fala, o personagem Hagar indica em que tempo, ou seja, quando ele se sentirá feliz. Observe sobretudo a segunda oração do período:

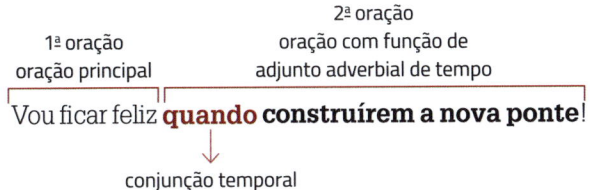

A segunda oração é subordinada à oração principal, pois exerce a função sintática de adjunto adverbial de tempo: é uma **oração subordinada adverbial**. Ela indica em que momento pode ocorrer o que é indicado na oração principal: quando "vou ficar feliz". A palavra *quando* liga as orações, introduzindo uma ideia de tempo.

A **oração subordinada adverbial** desempenha a função de adjunto adverbial: indica uma circunstância em que ocorre a ação do verbo da oração à qual se liga.

Veja a seguir outro exemplo, retirado do capítulo "XXXVII — Enfim!" do romance *Memórias póstumas de Brás Cubas*. Nesse capítulo o pai de Brás Cubas tenta convencê-lo a se casar com Virgília, filha do Conselheiro Dutra.

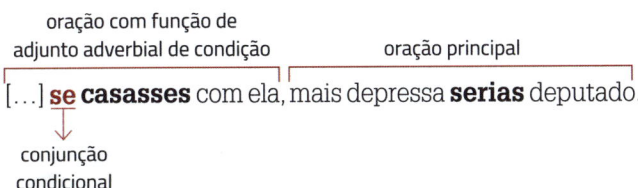

Observe que a palavra *se* inicia a oração que expressa circunstância de condição. Essa palavra é uma conjunção que introduz a oração empregada com função de adjunto adverbial.

Orações subordinadas adverbiais

Assim como os adjuntos adverbiais, as orações adverbiais são classificadas de acordo com o tipo de circunstância que expressam.

Para cada um desses tipos há conjunções que ligam as orações e indicam o tipo de relação entre elas: **causa**, **condição**, **tempo**, **comparação**, **concessão**, **conformidade**, **consequência**, **finalidade**, **proporção**.

A seguir, observe exemplos de períodos que apresentam essas circunstâncias por meio de orações subordinadas:

- **Oração subordinada adverbial causal**

1▸ Leia a tira:

SCHULZ, Charles M. *Assim é a vida, Charlie Brown!* Porto Alegre: L&PM, 2013. p. 104.

O que revela a fala de Lucy no último quadrinho?

Releia a fala de Lucy no primeiro quadrinho:

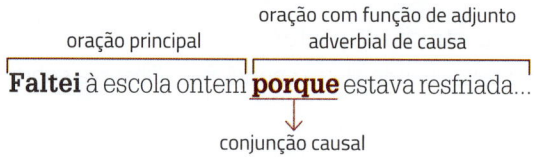

A oração iniciada com *porque* indica a causa de a menina ter faltado à escola.

Observe que a mesma frase poderia ter sido escrita com outras conjunções:

> Faltei à escola **visto que** estava resfriada.
>
> Faltei à escola **pois** estava resfriada.

Ou:

> **Como** estava resfriada, faltei à escola.

As conjunções indicam o tipo de relação que há entre a oração principal e a adverbial. No caso apresentado, a oração subordinada apresenta uma relação de causa, por isso, a palavra que a introduz é uma <u>conjunção subordinativa causal</u>.

> Principais **conjunções subordinativas causais**: porque, pois, como (antes da oração principal), uma vez que, visto que, visto como, por isso que, já que, porquanto.

2▸ Na tira da atividade anterior há outra oração causal.

a) Qual é ela?

b) Essa oração é responsável pelo humor na tira. Ela expressa a causa de que fato?

3▸ Releia este diálogo de Virgília e Lobo Neves extraído do capítulo XLIII de *Memórias póstumas de Brás Cubas*:

> — Promete que algum dia me fará baronesa?
> — Marquesa, porque eu serei marquês.

a) No início da fala de Lobo Neves, ele omitiu um verbo. Como seria a fala dele com esse verbo? Escreva-a no caderno.

b) A fala de Lobo Neves é composta de duas orações, pois há um verbo explícito e outro implícito. Que oração dessa fala indica a causa que possibilitaria a Virgília tornar-se marquesa?

- **Oração subordinada adverbial condicional**

Leia este período:

oração principal   oração subordinada adverbial condicional

Você não conseguirá terminar seu trabalho **se não tiver um pouco mais de empenho**.

conjunção condicional

A segunda oração apresenta uma **condição** para que possa acontecer o fato expresso na oração principal. Nesse caso, a palavra *se* indica condição; por isso, ela é uma <u>conjunção subordinativa condicional</u>.

Há formas de tornar algumas orações mais concisas, isto é, de reduzi-las. Veja como é possível fazer isso com o exemplo acima:

> Principais **conjunções** **subordinativas** **condicionais**: se, caso, desde que, a menos que, contanto que, sem que (= se não), salvo se, exceto se.

Você não conseguirá terminar seu trabalho **sem se empenhar mais**.

oração subordinada adverbial
condicional reduzida de infinitivo

Leia a construção exposta a seguir. Ela vai ajudá-lo a comprovar que a oração subordinada adverbial equivale a um adjunto adverbial.

<u>**Sem mais empenho**</u>, você não conseguirá terminar seu trabalho.

adjunto adverbial de condição

- **Oração subordinada adverbial comparativa**

Leia o período a seguir.

oração principal   oração subordinada adverbial comparativa

Descoberto por que humanos **vivem mais** tempo do **que** vivem outros mamíferos.

conjunção comparativa
Essa conjunção se relaciona com o *mais* da oração anterior.

A segunda oração estabelece uma **relação de comparação** com a oração principal.

Nesse caso, a palavra *que*, precedida de *mais*, indica relação de comparação entre as orações, por isso, trata-se de uma <u>conjunção subordinativa comparativa</u>.

Muitas vezes na oração comparativa o verbo fica subentendido. Observe:

> Principais **conjunções** **subordinativas** **comparativas**: que, do que (antecedido de *mais* ou *menos*), como, assim como, (tanto, tão) quanto, (tal) qual.

> Descoberto por que humanos **vivem** mais tempo do que outros mamíferos.

As orações comparativas podem trazer relações de igualdade ou de diferença. Veja estes exemplos:

> Ônibus **é** tão eficiente **quanto é** o metrô.
> Alimentos industrializados **são** menos nutritivos **do que** (*são*) os alimentos naturais.

• Oração subordinada adverbial concessiva

1▸ Leia a tira a seguir.

QUINO. *Toda Mafalda*. São Paulo: Martins Fontes, 1993. p. 133.

A personagem Mafalda classifica o medo do pai como "um medinho à toa". Por que isso provoca o humor da tira?

> **bomba atômica (ou bomba nuclear):** arma explosiva cuja energia deriva de uma reação nuclear. Há registro de uso de bombas atômicas em 1945, no fim da Segunda Guerra Mundial, situação em que os Estados Unidos lançaram bombas sobre as cidades de Hiroxima e Nagasáqui, no Japão, destruindo muitas vidas.

2▸ Releia a fala do pai no segundo quadrinho:

1ª oração	2ª oração

Medo da guerra [tinham] sim, **mas** naquele tempo não havia bomba atômica.

↓ conjunção adversativa

Nessa frase, qual é a ideia contrária ao que Mafalda havia exposto em sua pergunta?

Observe que a conjunção adversativa *mas* traz uma ideia que contraria a situação apresentada por Mafalda. Esse período é **composto por coordenação**, pois uma oração não depende da outra sintaticamente.

Veja como essa ideia pode ser construída com outras conjunções, que também expressam sentido de oposição, mas sem chegar a impedir a ideia da outra oração:

Medo da guerra tinham, sim, →
- **embora** naquele tempo não houvesse bomba atômica.
- **ainda que** naquele tempo não houvesse bomba atômica.
- **se bem que** naquele tempo não havia bomba atômica.

Essas conjunções são chamadas de concessivas: introduzem uma ideia que, mesmo contrária à ideia de Mafalda (sobre a existência de bomba atômica), não impede o fato expresso na outra oração (o medo sentido pelo pai de Mafalda).

Esse tipo de oração estabelece uma **relação de oposição** entre duas ideias: ela traz um argumento contrário à ideia expressa pela oração principal. Podemos dizer que a oração concessiva abre uma concessão em relação à ideia contida na oração principal, ou coloca um obstáculo em relação ao fato apresentado na oração principal sem, no entanto, impedir que ele aconteça.

> **concessivo:** referente a concessão; referente ao que envolve concessão, isto é, permissão, ato ou efeito de ceder.

Observe que os períodos apresentados são compostos por subordinação, pois apresentam uma oração principal e uma oração subordinada, que dependem uma da outra sintaticamente. Leia este outro exemplo:

oração subordinada adverbial concessiva	oração principal

Mesmo que você não queira sair com ele, não o despreze dessa maneira.

↓ locução conjuntiva concessiva

No capítulo "CXL — Que explica o anterior", de *Memórias póstumas de Brás Cubas*, também há uso de oração subordinada adverbial concessiva. Veja:

> [...] **conquanto** eu estivesse na *minha* sala, olhando para a *minha* chácara, sentado na *minha* cadeira, ouvindo os *meus* pássaros, ao pé dos *meus* livros, alumiado pelo *meu* sol, não chegava a curar-me das saudades daquela outra cadeira, que não era minha.

Note que, embora a <u>conjunção subordinativa concessiva</u> *conquanto* esteja expressa nesse período apenas uma vez, ela está subentendida na sequência de orações a seguir, que poderiam também se iniciar com "conquanto eu estivesse...". Dessa forma, esse período é formado por seis orações subordinadas adverbiais concessivas.

Tanto as conjunções coordenativas adversativas como as subordinativas concessivas ligam orações que apresentam ideias opostas. Mas há uma diferença. Compare:

> oração subordinada adverbial concessiva · oração principal
>
> **Embora tivesse** corrido muito, **cheguei** tarde.

Nesse período, prevalece a ideia expressa pela oração principal: "cheguei tarde".

> oração coordenada assindética · oração coordenada sindética adversativa
>
> **Corri** muito, mas **cheguei** tarde.

Nesse período, impõe-se a ideia da oração introduzida pela conjunção: "**mas** cheguei tarde".
Compare mais estas construções:

> oração coordenada assindética · oração coordenada sindética adversativa
>
> Gostamos da cidade, **mas** não mudaremos para lá.

> oração principal · oração subordinada adverbial concessiva
>
> Gostamos da cidade, **ainda que** não mudemos para lá.

> Principais **conjunções subordinativas concessivas**: embora, ainda que, mesmo que, se bem que, por mais que, conquanto, nem que.

- **Oração subordinada adverbial conformativa**

Leia esta frase e observe a construção dela:

> oração principal · oração subordinada adverbial conformativa
>
> A passeata **transcorreu** em paz **conforme** os organizadores **esperavam**.
>
> conjunção conformativa

Verifique que a oração adverbial conformativa indica algo que está de acordo ou em conformidade com o que é expresso na oração principal do período. No exemplo anterior, a <u>conjunção subordinativa conformativa</u> que introduz a ideia é *conforme*.

> Principais **conjunções subordinativas conformativas**: conforme, como (= conforme), segundo, consoante, de acordo com.

Leia a seguir outras construções semelhantes.

> **Segundo** conclusões que foram apresentadas pelos cientistas, pode haver água em outros planetas.

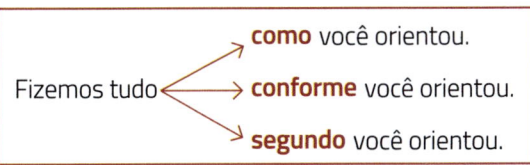

Fizemos tudo
- **como** você orientou.
- **conforme** você orientou.
- **segundo** você orientou.

- **Oração subordinada adverbial consecutiva**

▶ Leia a tirinha a seguir, com o gato Garfield e Odie, o cachorro.

DAVIS, Jim. *Garfield, um gato em apuros*. Porto Alegre: L&PM, 2013. p. 68.

a) Segundo a ideia do personagem Garfield no terceiro quadrinho, a **consequência** de Odie ser burro é não entender a lei da gravidade. Essa consequência desencadeia o humor da tira. Por quê? Explique.

b) Garfield não é um personagem gentil, seus pensamentos são sempre irônicos ou mesmo grosseiros. Justifique essa análise do personagem usando a tira como base.

Na fala a seguir, Garfield indica uma consequência do fato de Odie ser burro. Para isso, é usada a expressão: "tão... que...". Expressões como essa indicam uma **relação de causa e consequência** no período. Observe:

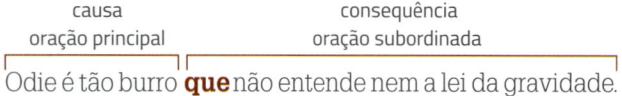

A oração subordinada expressa uma **consequência**, isto é, o que resulta do fato ou da ocorrência contida na oração principal. Veja outro exemplo:

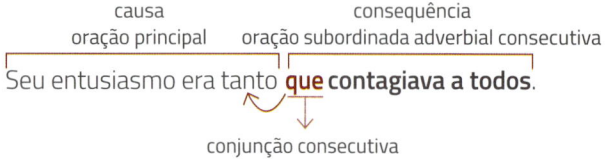

Nesse caso, a palavra *que*, precedida de *tanto*, indica relação de causa e consequência, portanto, trata-se de uma conjunção subordinativa consecutiva.

> Principais **conjunções subordinativas consecutivas**: que (precedido de *tal, tão, tamanho, tanto*), de modo que, de forma que.

- **Oração subordinada adverbial final**

Exprime a **finalidade**, o resultado que se deseja atingir por meio do que está expresso na oração principal. Veja este exemplo:

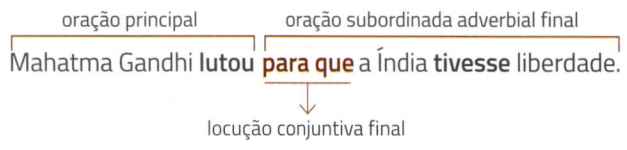

No caso, o conjunto das palavras *para* e *que* atua como conjunção subordinativa final, por isso trata-se de uma locução conjuntiva final.

> Principais **conjunções subordinativas finais**: a fim de que, para que, porque (= para que), que.

- **Oração subordinada adverbial temporal**

1 ▸ Leia a tira a seguir:

SCHULZ, Charles M. *Snoopy*: pausa para a soneca. Porto Alegre: L&PM, 2013. p. 61.

Assinale a resposta adequada: Que efeito provoca a repetição da palavra *enquanto* na tira?

a) Expressa a dúvida do personagem Charlie Brown.

b) Indica uma ideia que se repete, mas que pode não ser concretizada.

c) Cria efeito de humor, pois, ao enumerar tantos alimentos, Charlie apresenta uma refeição quase completa.

d) Expressa a incompreensão do personagem Snoopy em relação ao que ouve.

2 ▸ Assinale a resposta adequada: Que ideia de tempo expressa a palavra *enquanto* na tira reproduzida na atividade anterior?

a) Posterior ao preparo do jantar.

b) Anterior ao preparo do jantar.

c) Ao mesmo tempo que o preparo do jantar.

> Principais **conjunções subordinativas temporais**: quando, enquanto, logo que, antes que, desde que, depois que, assim que, até que, mal (= assim que), cada vez que, que (= desde que).

A palavra *enquanto* é uma conjunção subordinativa temporal. As orações iniciadas por ela apresentam ideia de temporalidade.

Leia a seguir outros períodos que apresentam orações subordinadas adverbiais temporais.

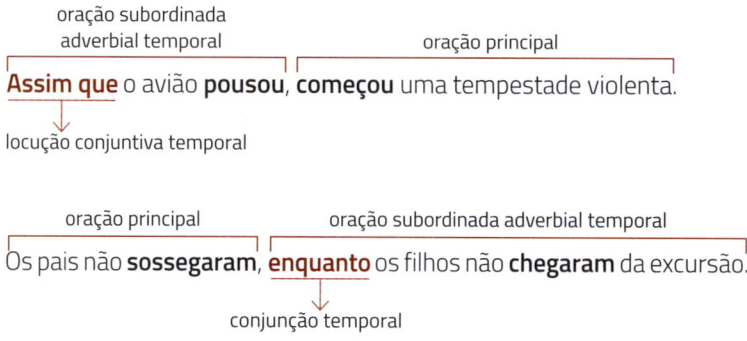

- **Oração subordinada adverbial proporcional**

Leia estes exemplos de períodos compostos com orações subordinadas adverbiais proporcionais:

oração subordinada adverbial proporcional — oração principal

Quanto mais a tempestade se **intensificava**, **mais** as ondas **cresciam** de tamanho.

locução conjuntiva proporcional

oração subordinada adverbial proporcional | oração principal

À medida que o tempo **passava, aumentava** a expectativa de todos pelo resultado das eleições.

↓ locução conjuntiva proporcional

Theo/Arquivo da editora

Observe que as orações classificadas nos exemplos como subordinadas adverbiais proporcionais expressam uma mudança entre dois fatos, ou seja, indicam mudança de um fato ou evento expresso na oração subordinada na mesma medida em que ocorre uma alteração no fato da oração principal. Os fatos das duas orações do período se relacionam e se intensificam, ambos na mesma proporção, na mesma medida.

A expressão *quanto mais* é uma locução conjuntiva subordinativa proporcional. As orações iniciadas por ela apresentam ideia de proporção.

Leia estas outras construções, em que também há relação de proporção entre os fatos apresentados nas orações de cada período.

> Principais **locuções conjuntivas subordinativas proporcionais**: à medida que, à proporção que, ao passo que, quanto mais... mais.

oração subordinada adverbial proporcional | oração principal

Quanto mais eu me identificava com o personagem, **mais** eu gostava do romance.

oração principal | oração subordinada adverbial proporcional

O musical conquistava a plateia **à medida que** os cantores soltavam sua voz.

Orações reduzidas

Na unidade anterior, foi possível observar que, em alguns casos de períodos com orações subordinadas, podem-se empregar mecanismos para tornar a linguagem mais concisa. Um desses recursos é a construção de **orações reduzidas**. Geralmente isso é feito com o emprego do verbo nas formas do **gerúndio**, do **infinitivo** ou do **particípio**.

Orações subordinadas adverbiais reduzidas

As orações subordinadas adverbiais reduzidas são construídas de modo semelhante às orações substantivas reduzidas: usando o verbo no gerúndio, no infinitivo ou no particípio. Você já viu, nesta unidade, um caso de oração condicional reduzida com o verbo no infinitivo.

A seguir, leia alguns exemplos de períodos em dois tipos de construção: a primeira mais desenvolvida e as demais reduzidas. Observe as transformações que ocorrem no período para torná-lo mais conciso, mais reduzido.

Exemplo 1

oração subordinada adverbial condicional | oração principal

Se você **disser** a verdade, sua dignidade será respeitada.

Veja como fica a construção com oração reduzida:

oração subordinada adverbial condicional reduzida | oração principal

Ao dizer a verdade, sua dignidade será respeitada.

↓ verbo no infinitivo

oração reduzida de gerúndio

Dizendo a verdade, sua dignidade será respeitada.

verbo no gerúndio

oração reduzida de particípio

Dita a verdade, sua dignidade será respeitada.

verbo no particípio

Exemplo 2

oração subordinada adverbial temporal — oração principal

Quando você **chegar**, **ligue** para sua mãe.

conjunção temporal

Veja como pode ficar essa oração na forma reduzida:

oração subordinada adverbial temporal reduzida de gerúndio — oração principal

Chegando, **ligue** para sua mãe.

verbo no gerúndio

oração subordinada adverbial temporal reduzida de infinitivo — oração principal

Ao **chegar**, **ligue** para sua mãe.

verbo no infinitivo

Theo Szczepanski/Arquivo da editora

⟨ No dia a dia ⟩

Período composto

No dia a dia, em um mesmo período empregamos orações coordenadas e subordinadas, sem atentar para essa classificação. Isso acontece porque existem diversas maneiras de estruturar as ideias, por meio da fala e da escrita, e as utilizamos sem perceber. Veja este quadrinho:

SOUSA, Mauricio de. *Almanaque Turma da Mônica. Historinhas de uma página.* Rio de Janeiro: Panini Comics, n. 6, fev. 2011. p. 12.

Releia a fala de Cascão e observe que ela se organiza em dois períodos.

1º período

Puxa, Cebolinha!

2º período

Quando você me **convidou** pra **passear** de carrinho, **pensei** que **ia correr** um pouquinho mais!

O primeiro período da fala do Cascão é uma frase nominal, isto é, uma frase sem verbo. O segundo período é formado por quatro orações. Veja:

Quando você me **convidou**	1ª oração – oração subordinada adverbial temporal
pra **passear** de carrinho,	2ª oração – oração subordinada substantiva objetiva indireta reduzida de infinitivo
pensei	3ª oração – oração principal
que ia correr um pouquinho mais!	4ª oração – oração subordinada substantiva objetiva direta

Na linguagem do dia a dia, mais espontânea, empregamos vários tipos de orações sem nos darmos conta do que expressam efetivamente.

Por que então conhecer os tipos de orações e as respectivas conjunções? Porque, ao escrevermos um texto, poderemos fazer as relações entre nossas ideias de forma mais precisa e até mais lógica.

▶ Leia o período a seguir, do romance *Memórias póstumas de Brás Cubas*. Observe de que maneira o autor organizou o período, empregando recursos tanto de coordenação quanto de subordinação.

> O mais singular é que, se o relógio parava, eu dava-lhe corda, para que ele não deixasse de bater nunca, e eu pudesse contar todos os meus instantes perdidos.

Sob a orientação do professor e com a ajuda dos colegas, analise esse período. Para isso, identifique as orações presentes nele e procure perceber o sentido de cada uma delas no período.

Reconhecer as relações que existem entre as orações, estabelecidas principalmente pelos **elementos coesivos**, ou seja, pelas conjunções, contribuirá para que você faça interpretações mais precisas dos textos lidos e produza textos (orais ou escritos) com mais **coerência**.

Hora de organizar o que estudamos

▶ Leia com atenção o esquema a seguir, que resume o que você estudou nesta seção.

PERÍODO COMPOSTO POR SUBORDINAÇÃO

- Oração principal
  - Oração que é completada por uma ou mais orações subordinadas.

- Oração subordinada adverbial
  - Oração que indica uma circunstância, pois exerce a função sintática de adjunto adverbial.
    - Final
    - Causal
    - Condicional
    - Comparativa
    - Concessiva
    - Conformativa
    - Consecutiva
    - Temporal
    - Proporcional

Uso de orações subordinadas adverbiais e coesão

1▸ Leia a tira a seguir.

SCHULZ, Charles M. *Snoopy*: pausa para a soneca. Porto Alegre: L&PM, 2013. p. 16.

a) Releia a fala do personagem Charlie Brown:

> **Quando** o meu avô caminha pelo estacionamento do *shopping* [...].

Essa frase expressa ideia de tempo, indica quando ocorre a ação da oração principal "caminha de um jeito todo malandro". Qual das expressões a seguir pode substituir a conjunção *quando*, na oração acima, sem alterar o sentido da frase? Assinale a alternativa correta.

- assim que
- sempre que
- logo que
- enquanto

b) O personagem Franklin, amigo de Charlie Brown, ao ouvir esse comentário pergunta:

> **Por que** ele caminha de um jeito malandro?

Com essa pergunta, o que ele pretende saber? Assinale a resposta adequada.
- Saber o tempo em que ocorre a caminhada.
- Saber a causa da atitude do avô de Charlie Brown.
- Comparar o que o avô faz com outra ideia.
- Indicar a atitude oposta à do avô de Charlie Brown.

c) Ao responder, Charlie Brown inicia sua fala com a expressão *para que*. Ao empregá-la, que tipo de informação ele pretende fornecer? Assinale a resposta adequada.
- Uma contradição da ação do avô.
- O tempo em que ocorre a ação.
- A finalidade da ação do avô.
- Uma comparação com algo que já conhece.

2▸ Em seu caderno, reescreva os pares de orações a seguir em um só período, empregando a conjunção adverbial (elemento coesivo) que estabeleça a relação determinada entre parênteses. Se houver necessidade, faça alterações em outros elementos do texto para garantir a coerência.

a) Os recursos naturais estão se esgotando. Não há utilização racional daquilo que a natureza oferece. (**relação de causa**)

b) O jovem tem certeza de seus sentimentos. O jovem não se sente seguro para tomar decisões definitivas em relação ao amor. (**relação de concessão, oposição**)

c) Os jovens devem praticar atividades esportivas. Eles terão uma vida mais saudável. (**relação de finalidade**)

d) A atmosfera do planeta está sendo alterada. Os gases emitidos pelas indústrias comprometem a camada de ozônio. (**relação de alteração proporcional**)

e) O estado de saúde do paciente é grave. Os médicos dizem que ele pode melhorar. (**relação de oposição**)

f) Não poderemos montar o acampamento. Chove forte. (**relação de condição**)

g) Não poderemos montar o acampamento. Chove forte. (**relação de causa**)

3▸ De acordo com o que você estudou sobre as orações adverbiais, assinale a relação que a conjunção destacada estabelece entre as orações de cada período.

a) Avise o horário de volta, **caso** você decida chegar mais tarde.

- tempo
- causa
- condição

- oposição/concessão
- finalidade

b) Mesmo que os políticos justifiquem a origem do dinheiro, dificilmente os eleitores manterão a confiança.

- tempo/comparação
- condição

- oposição/concessão
- finalidade

c) Após a calmaria, uma onda enorme atingiu toda a costa **como se** fosse uma muralha de água.

- tempo
- comparação
- consequência

- oposição/concessão
- finalidade

d) De acordo com o que disse a diretora da escola, as turmas da manhã sairão mais cedo.

- tempo
- conformidade
- condição

- concessão
- finalidade

e) Como estive doente, precisei de ir ao médico.

- tempo/comparação
- condição

- causa
- finalidade

4▸ Reescreva os períodos a seguir, mantendo a ideia de contraste ou de oposição, mas alterando a construção: passe de coordenação adversativa para subordinação adverbial concessiva. Para isso, você deverá fazer as alterações que forem necessárias, especialmente no que se refere ao uso do verbo.

Observe o exemplo:

> Ele dificilmente perde a calma, **mas** hoje o susto o fez perder o controle.
>
> **Embora** dificilmente **perca** a calma, hoje o susto o fez perder o controle.

a) As novas propostas do governo foram aprovadas na Câmara, mas não passaram no Senado.

b) A população de Londres ficou assustada com o ataque de terroristas ao metrô, mas não deixou de utilizar esse meio de transporte.

c) Os grandes maremotos dos últimos tempos causaram prejuízos incalculáveis, mas não impediram a ida de turistas aos países atingidos.

d) A emissão de gases poluentes aumenta no planeta, mas alguns países se recusam a assinar o acordo para controlar essa emissão em seu território.

e) O controle de doenças infectocontagiosas aumenta em todo o mundo, mas nem todas as pessoas têm acesso às informações fundamentais para evitar o risco de contrair esse tipo de doença.

Theo/Arquivo da editora

5 ▸ Leia os quadrinhos a seguir, do cartunista mineiro Ziraldo.

Ziraldo: O cartunista, escritor, jornalista e pintor Ziraldo nasceu em 1932, na cidade de Caratinga, no interior de Minas Gerais. Já era conhecido por seu trabalho para adultos quando, em 1980, lançou o livro *O Menino Maluquinho*, voltado para o público infantil. A obra tornou-se um sucesso e foi adaptada para o cinema, o teatro, história em quadrinhos, etc.

ZIRALDO. Julieta, a Menina Maluquinha. *Ah, se ela pega o Maluquinho com outra!!!*, n. 25, ago. 2007. São Paulo: Globo, p. 24.

Nessa história, a personagem Julieta parece ter se atrapalhado em suas conclusões sobre as atitudes de Maluquinho. Responda no caderno:

a) Em um primeiro momento, quem Julieta pensou que estivesse de mãos dadas com Maluquinho?

b) Qual foi a reação dos outros meninos quando perceberam que era a mãe?

c) Na história, Maluquinho fica sem jeito quando os amigos descobrem que ele está de mãos dadas com a mãe. Na representação de Maluquinho no terceiro quadrinho, o que confirma essa declaração sobre ele?

d) A seguir, releia a fala da personagem Julieta sobre sua atitude no cinema. Observe o esquema e as expressões destacadas.

oração subordinada   oração principal

Quanto mais eu penso, **mais** eu fico com vergonha!

Assinale a alternativa que melhor expressa o efeito de sentido produzido por essa organização do período:

- Relação de oposição entre as ideias das duas orações.
- Ideia de tempo entre o que expressam os verbos nas duas orações.
- Relação de aumento proporcional na intensidade do que Julieta sente.
- Uma relação de comparação entre os dois momentos expressos no período.
- A segunda oração expressa uma finalidade do que é dito na primeira.

6 ▸ Leia o quadrinho a seguir.

BROWNE, Chris. Hagar. *Folha de S.Paulo*. São Paulo, 3 abr. 2005, p. E17.

Nesse quadrinho, foram empregadas diversas orações comparativas. Uma das características dessas orações é ter o verbo subentendido. Releia a história e responda: Qual verbo pode estar subentendido nessas orações?

7 ▸ Observe a tira a seguir.

WATTERSON, Bill. O melhor de Calvin. *O Estado de S. Paulo*. São Paulo, 7 jul. 2005. p. D4.

a) No primeiro quadrinho, Calvin usa uma expressão habitual, especialmente na fala das pessoas adultas. Reveja:

> Eu sou um homem de poucas palavras.

O humor da tira está no fato de o personagem Haroldo, no segundo quadrinho, desmascarar a razão de Calvin falar pouco. Releia:

> Se você lesse mais, teria um vocabulário maior.

Responda no caderno: Qual é a oração, nesse período, que estabelece a condição para Calvin não ser um homem de poucas palavras?

b) Assinale a resposta adequada: Ao propor a condição indicada na resposta ao item anterior, de que maneira Haroldo interpreta a expressão "poucas palavras"?

- Como condição de uma pessoa que não gosta de conversar com outras pessoas.
- Como condição de pessoa que gosta de ser objetiva ao falar.
- Como condição de ser uma pessoa que fala pouco para expressar o que sente.
- Como condição de pessoa que tem preguiça de falar.
- Como condição de pessoa que tem um vocabulário limitado porque lê pouco.

8▸ Leia a tira a seguir e responda às atividades no caderno.

SCHULZ, Charles M. *Snoopy 9:* pausa para a soneca. Porto Alegre: L&PM, 2013. p. 11.

a) No primeiro quadrinho, o personagem Charlie Brown quer orientar a conduta do personagem Snoopy: para o garoto, Snoopy não deve usar a base do jogo como travesseiro. Qual é o elemento de coesão que indica uma contrariedade na fala de Charlie?

b) No segundo quadrinho, Charlie Brown reforça sua ideia apresentando argumentos para convencer Snoopy a mudar de atitude. Ele fala sobre a possibilidade de um acidente e mostra que algo poderá acontecer caso Snoopy não se levante a tempo. Transcreva dessa fala a oração que indica a condição mencionada pelo menino para que o acidente ocorra.

9▸ Copie as frases a seguir no caderno. Identifique as orações subordinadas adverbiais e classifique-as como consecutiva, final, temporal ou proporcional.

a) Não poderemos montar o acampamento enquanto estiver chovendo forte.

b) Clara ficou com uma aparência tão legal que todas as meninas sentiram inveja.

c) À medida que o dia do casamento se aproximava, ela ia ficando mais insegura em relação a seus sentimentos.

d) Você estudou muito a fim de não ser reprovado.

10▸ Faça um esforço de concisão: em seu caderno, reescreva as frases a seguir, transformando as orações subordinadas adverbiais desenvolvidas em orações subordinadas adverbiais reduzidas. Para isso, empregue as formas nominais do verbo — **infinitivo**, **gerúndio** ou **particípio**. Escolha a forma que considerar melhor para a transformação, fazendo as adequações que forem necessárias. Observe este exemplo:

oração subordinada adverbial

Quando relembrava fatos de sua vida, ele sentia um gosto amargo de derrota.

oração subordinada adverbial reduzida de infinitivo

Ao relembrar fatos de sua vida, ele sentia um gosto amargo de derrota.

oração subordinada adverbial reduzida de gerúndio

Relembrando fatos de sua vida, ele sentia um gosto amargo de derrota.

oração subordinada adverbial reduzida de particípio

Relembrados fatos de sua vida, ele sentia um gosto amargo de derrota.

a) Se as testemunhas forem ouvidas, certamente todos mudarão de ideia sobre o réu.

b) Depois que os jornais publicaram a foto de sua prisão, ele não quis mais sair de casa, mesmo não sendo culpado.

c) Mesmo que consiga abafar o escândalo, a empresa deverá se esforçar para recuperar sua credibilidade.

d) A torcida não perdoou o jogador porque ele perdeu o pênalti.

11▸ Em dupla. Imaginem que vocês trabalham como revisores de texto em um jornal. Receberam o texto abaixo, que faz parte de uma reportagem sobre uma guerra e será publicado nesse jornal. Geralmente, nesse veículo de comunicação, os textos devem ser concisos e objetivos. Por isso, reescrevam o trecho a seguir, de modo a torná-lo **mais conciso**, sem tirar-lhe a **coesão** e a **coerência**. Um modo de fazer isso é usar orações reduzidas.

> Quando os soldados chegaram à fronteira e quando já tinham vasculhado todas as casas vazias em busca de rebeldes, ouviram um estampido vindo do alto de um morro. Embora não tivessem ordem de se desviarem da cidade, solicitaram que o comandante autorizasse que o grupo que estivesse mais à frente pudesse fazer uma vistoria no morro para que não fossem surpreendidos por inimigos sem que pudessem se proteger a tempo dos ataques.

Quando as duplas terminarem, deverão ler seus textos para a turma toda. Assim todos terão oportunidade de avaliar as produções e escolher qual texto é o mais adequado para ser publicado no jornal.

Desafios da língua

Regência verbal

Você já estudou que há verbos que necessitam de complementos para terem sentido completo; eles são os verbos transitivos. Estudou também os complementos desses verbos: os objetos diretos, que se ligam ao verbo diretamente (sem preposição), e os objetos indiretos, que se conectam com o verbo de forma indireta (por meio de uma preposição).

Observe este exemplo:

Todos **precisam de respeito**.

verbo — complemento

termo regente — termo regido

preposição

Regência verbal é a relação de dependência entre o verbo (**termo regente**) e seu complemento (**termo regido**). O estudo da regência verbal leva em consideração se há necessidade ou não de preposição para relacionar o verbo e seu complemento.

Na fala coloquial, nos usos do cotidiano, a regência verbal não é rígida, mas, ao empregar a variedade mais formal da língua, é preciso seguir as regras sistematizadas pela gramática normativa.

1▸ Leia este anúncio e responda às questões no caderno.

Colabore com o racionamento: assistir filme ruim é desperdício de energia elétrica.

Anúncio publicado no jornal *Folha de S.Paulo*. São Paulo, 10 jun. 2001.

a) Nesse anúncio publicado em jornal, procura-se convencer o leitor de uma ideia ou um produto? Qual?

b) Que atitude o anúncio sugere ao leitor?

c) Considerando as respostas aos itens anteriores, é possível afirmar que esse anúncio é uma propaganda ou uma publicidade?

d) Segundo a norma-padrão, o verbo *assistir*, empregado no sentido de "ver alguma coisa", deve ser utilizado com a preposição *a*. Com isso, o texto do anúncio ficaria assim:

> Colabore com o racionamento: assistir **a** filme ruim é desperdício de energia elétrica.

Pense e responda: Em sua opinião, o emprego do verbo *assistir* em desacordo com a gramática normativa ocorreu por causa de um erro gramatical ou foi intencional? Explique sua resposta.

Como você é falante da língua portuguesa há bastante tempo, com certeza já utiliza regências indicadas pela gramática normativa, mesmo sem ter consciência delas. Confira nas atividades a seguir.

2▸ Sob a orientação do professor, cada aluno deverá ler uma das frases a seguir, substituindo o ■ por uma preposição, se necessário.

a) As testemunhas confirmaram ■ o fato para a polícia.

b) A natureza pertence ■ todos.

c) Os alunos viram ■ o filme lançado esta semana.

d) Vocês gostam ■ filmes de terror?

e) Eu moro ■ um bairro distante do centro.

f) Quero conversar ■ você hoje à noite.

g) Encontrei ■ Armando no local combinado.

h) Não quero falar ■ esse assunto.

i) Os grevistas atiravam pedras ■ o ônibus.

j) Os deputados concordaram ■ nossa proposta.

3▸ Converse com os colegas: Foi fácil ou difícil fazer a atividade anterior? Houve um caso mais complicado? Qual? Explique.

A regência verbal e os dicionários

Quando tivermos dúvidas a respeito da regência de um verbo, devemos **consultar o dicionário**.

Leia a seguir como o verbo *assistir* é definido em um verbete de dicionário. As regências possíveis são indicadas pelas abreviações *v. t. i.* (verbo transitivo indireto) e *v. t. d.* (verbo transitivo direto), às quais correspondem expressões e frases de exemplo com ou sem preposição.

assistir: **1** *v.t.i.* estar presente a determinado acontecimento, fato, ocorrência etc., observando-o ou acompanhando o seu desenrolar; presenciar, testemunhar, ver (*assistir ao acidente*) **2** *v.t.i.* ver e ouvir (um espetáculo, encenação teatral, concerto, dança etc.) (*assistir ao concerto, assistir à missa*) **3** *v.t.d.* e *v.t.i.* acompanhar (enfermo, moribundo etc.) para prestar-lhe socorro material ou moral (*assistir o* [ou *ao*] *doente*) **4** *v.t.i.* ser da competência ou atribuição de (alguém), caber, competir, pertencer (*diante do ocorrido, assiste-lhe o direito de reclamar*) **5** *v.t.i.* estar, permanecer (*a alegria assiste em seu coração*) **6** *v.t.i.* residir, morar (*ela assiste em Londres*) [...]

Dicionário Houaiss da língua portuguesa. Rio de Janeiro: Objetiva, 2001. p. 70.

Observe a seguir exemplos que ilustram algumas das acepções do verbo *assistir* segundo o dicionário. Note que a mudança da regência altera o sentido desse verbo.

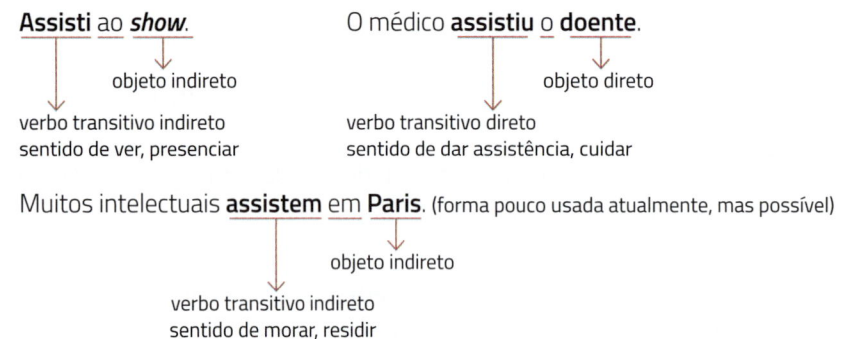

Assisti ao ***show***.
↓ objeto indireto
verbo transitivo indireto
sentido de ver, presenciar

O médico **assistiu** o **doente**.
↓ objeto direto
verbo transitivo direto
sentido de dar assistência, cuidar

Muitos intelectuais **assistem** em **Paris**. (forma pouco usada atualmente, mas possível)
↓ objeto indireto
verbo transitivo indireto
sentido de morar, residir

Leia no quadro a seguir alguns verbos com as respectivas regências segundo a gramática normativa.

Regências possíveis			
Verbo	Classificação		
	intransitivo	transitivo direto	transitivo indireto	transitivo direto e indireto
aspirar	–	= inalar, sorver Ex.: *Aspiramos um ar muito poluído.*	= desejar, almejar Ex.: *Aspiramos a uma vida com paz.*	–
visar	–	= dirigir o olhar para, mirar, apontar arma Ex.: *O atirador visou a maçã do último galho.* = autenticar ou validar um papel com um visto Ex.: *Visou o cheque.*	= ter algo por objetivo, pretender, objetivar Ex.: *Tudo o que visar ao bem comum será apoiado por nós.*	–
proceder	= ter fundamento Ex.: *Suas afirmações não procedem.*	–	= executar, dar início Ex.: *Pode proceder à chamada dos alunos.* = ser originário Ex.: *Ele procede do norte do país.*	–

Regências possíveis				
agradecer	–	= mostrar gratidão por alguma coisa Ex.: *Agradeceu o prêmio recebido.*	= mostrar gratidão a alguém Ex.: *Agradeceu ao mestre.*	= mostrar gratidão a alguém por alguma coisa Ex.: *Agradeceu o auxílio a todos os presentes.*
obedecer	–	–	Ex: *Todos obedeceram às regras do jogo.*	–
preferir	–	= gostar mais de Ex.: *Prefiro os meninos mais sérios.*	–	gostar mais de algo/ alguém do que de outro Ex.: *Prefiro cinema a teatro.*
namorar	–	Ex.: *Foi muito feliz quando namorava Pedro.*	Ex.: *Foi muito feliz quando namorava com Pedro.*	–
pagar	–	Ex.: *Pagamos a dívida.*	Ex.: *Pagamos ao banco.*	Ex.: *Pagamos a dívida ao banco.*
informar	–	–	–	Ex.: *Informamos o jornal sobre o/do acidente.*
necessitar	–	–	Ex.: *Necessitamos de auxílio médico urgente.*	–

Vale lembrar que essas regências são as indicadas pela tradição gramatical do português. Algumas gramáticas e alguns dicionários já incorporam usos mais informais ou coloquiais consolidados no cotidiano.

1▸ Reescreva as frases a seguir em seu caderno substituindo as palavras ou expressões destacadas pelos verbos entre parênteses.

a) **Gosto muito mais** de pequenas reuniões do que de baladas agitadas. (preferir)

b) Ele **dava o visto** em todos os documentos sem prestar atenção ao que fazia. (visar)

c) A vistoria do prédio **tem como objetivo** a segurança dos moradores. (visar)

d) O jovem **almejava** um futuro com mais paz. (aspirar)

e) Tadeu só **seguia** as determinações do pai. (obedecer)

f) Mário estava **ficando** com Larissa. (namorar)

2▸ Reescreva no caderno as frases a seguir de acordo com a regência dos verbos esperada nos usos formais da língua. Em alguns casos, o ▉ corresponde a uma preposição, mas em outros não, bastando eliminá-lo.

a) Prefiro ▉ os filmes de aventura ▉ os filmes de terror.

b) Os alunos não obedeceram ▉ os monitores durante o passeio.

c) Eu assisti ▉ o *show*, mas não vi quando o acidente ocorreu.

3▸ Considerando o modelo a seguir, reescreva as frases no caderno em um só período composto e respeitando as diferentes regências dos verbos.

> Precisamos de alimentos orgânicos. Compramos alimentos orgânicos.
>
> Precisamos de alimentos orgânicos e os compramos.

a) Todos gostavam muito do professor Marcelo. Todos respeitam muito o professor Marcelo.

b) Paulo admirava bons livros. Paulo necessitava de bons livros.

c) Nós assistimos ao jogo da seleção apresentado ontem. Nós gostamos do jogo da seleção apresentado ontem.

Leia a seguir um capítulo de um romance escrito por Luiz Antonio Aguiar. O título do capítulo é "Os vizinhos". Por esse título e pela ilustração abaixo, do que será que esse capítulo trata?

Theo/Arquivo da editora

Os vizinhos

Luiz Antonio Aguiar

Havia uma coisa com que Túlio não se conformava: morar colado ao cemitério. Principalmente quando tinha de voltar para casa já tarde da noite. Não dava para evitar passar por aqueles muros, que eram como uma larga ferradura, envolvendo a vila de casas em que Túlio vivia.

Quando queriam implicar com Túlio, perguntavam o endereço dele: "Sepultura, número...?".

Ou: "Na fachada da sua casa você tem placa com número, ou uma lápide?".

Túlio só fazia arreganhar os dentes, num sorriso tipo *sardônico*, ou seja, quase uma careta — por coincidência, embora Túlio não conhecesse o significado da palavra *sardônico*, um sorriso desses que se diz que é sorriso de morto. No instante final. Sorriso de quem não acha graça nenhuma em morar *dentro do cemitério*.

— Não exagera, Túlio. Dentro, não! — E a mãe dava uma risadinha. — Somos só vizinhos!

— ... Dos defuntos! — completava Túlio.

Era uma discussão que não acabava. Já durava anos. Túlio tinha seus dezesseis anos, agora. Mas continuava se arrepiando quando acordava no meio da noite com uma janela batendo, ou quando o vento uivava ao entrar por uma fresta — e sempre que tinha de passar em frente aos portões do cemitério, de noite, naquela rua escura, muito escura, onde morava. — Quem já está morto não faz mal à gente — resmungava o pai de Túlio, mecânico de automóveis dono da oficina nos fundos da vila. — Tá achando que um deles vai se levantar da sepultura e... fazer o quê? Ora, garoto, francamente! Eles não estão mais interessados nas coisas deste mundo.

Mas e se...?

Naquela noite, então, voltando de bicicleta para casa, já bem depois das onze horas, o garoto tinha mais uma razão para estar atormentado. Dali a menos de duas semanas, ia enfrentar a prova do "livro do bimestre". Teria de ler *Memórias póstumas de Brás Cubas*, de Machado de Assis.

Túlio havia passado a tarde no treino de vôlei — ele jogava de ponta na seleção do colégio. Depois, saiu com a turma, já escurecendo; ficaram de papo, rolando de bicicleta para cima e para baixo pelo centro da cidade, e quando viu já eram onze horas.

— Puxa, e eu ia começar a ler o livro esta noite. Agora, não vai dar!

Então, tomou o caminho para casa. E foi quando o livro, sepultado fazia tempo no fundo da sua mochila, começou a incomodar. Principalmente no que o garoto entrou na sua rua e se lembrou do cemitério. Era o *póstumas* do título. Se fossem perguntar, Túlio ia logo, de preguiça, responder que não sabia o que queria dizer essa palavra. Só que em alguma ocasião já a escutara. E, caso se esforçasse um pouco, ia se lembrar de que tinha a ver com defunto. Póstumo: depois da morte. Memórias póstumas: as memórias contadas por um morto.

Mas isso é absurdo. Como assim?... Um morto renasce, vira para a gente e...

Não, não renasce. Continua morto. Só que vira escritor, depois de morto. E para escrever suas memórias...

E aí, quer ver um morto contando sua história? Quer descobrir como é a vida vista por um defunto? E um defunto com um jeito todo dele de ver e se lembrar dos vivos, que tal?

Quem sabe esse papo sem palavras estivesse acontecendo na cabeça do Túlio? Assim, de ouvir dizer, de alguém já ter comentado algo sobre o livro, perto dele? Quem sabe o professor, num momento em que Túlio estava mais ou menos distraído? No entanto, o garoto não saberia dizer nem onde nem quando ouvira isso.

Só sabia que continuava se recusando a pensar a respeito de mortos. Principalmente na hora de passar junto ao paredão, e depois diante do portão de ferro do cemitério. "Aqui terás tua eterna morada!", estava escrito em letras forjadas também em ferro, no alto do portão. Túlio fez uma careta ao se lembrar disso. E quase, bem naquela hora, respondia: "Nunca! Morar aí, nunca!".

AGUIAR, Luiz Antonio. *O voo do hipopótamo*. 2. ed. São Paulo: Ática, 2008. p. 11-13.

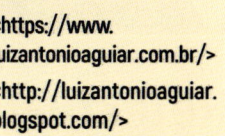

Mundo virtual

<https://www.luizantonioaguiar.com.br/>

<http://luizantonioaguiar.blogspot.com/>

O escritor carioca Luiz Antonio Aguiar (1955) tem um *site* em que apresenta suas obras, reúne vídeos de entrevistas e conta sua história. Ele também mantém um *blog* (a segunda indicação acima), no qual relata histórias de aventura, entre outras coisas.

 Minha biblioteca

Reprodução/Editora Ática

O voo do hipopótamo. Luiz Antonio Aguiar. Ática.

O capítulo "Os vizinhos" faz parte do romance *O voo do hipopótamo*, do escritor Luiz Antonio Aguiar, que conta a história de Túlio, um garoto de 16 anos muito popular em sua escola. Ele precisa ler a obra *Memórias póstumas de Brás Cubas*, de Machado de Assis, para fazer uma prova. Túlio aproxima-se de Virgília, garota recém-transferida para a escola, que lê o livro com a ajuda do avô. Entretanto, os amigos de Túlio consideram que a menina não segue os padrões do grupo e não aceitam a amizade entre Túlio e ela. Túlio então se vê em um dilema: se ele se afastar de Virgília, não deixará passar as boas oportunidades de sua vida, assim como faz o personagem Brás Cubas?

Converse com os colegas e o professor sobre esse capítulo, considerando estas questões:

1▸ O personagem Túlio fará uma prova sobre o livro *Memórias póstumas de Brás Cubas*, de Machado de Assis. Na leitura do capítulo, que relação você percebeu entre o medo de Túlio e a história de Machado de Assis?

2▸ Que personagem de "Os vizinhos" tem o mesmo nome de personagem de *Memórias póstumas de Brás Cubas*? Indique as características desses personagens em cada romance, considerando o que você leu das duas obras.

3▸ No romance *O voo do hipopótamo*, ao qual pertence o capítulo "Os vizinhos", o escritor Luiz Antonio Aguiar faz uma brincadeira com outro romance, *Memórias póstumas de Brás Cubas*: a narrativa de Machado de Assis faz parte da narrativa de Aguiar. Certamente, o romancista fez isso para homenagear o trabalho de Machado de Assis, por gostar de suas histórias. Imagine agora que você é um escritor de romances, contos ou mesmo poemas.

a) Que obra literária você gostaria de homenagear mencionando-a em uma produção literária escrita por você?

b) O que você destacaria dessa obra em seu texto?

Retextualização

O capítulo "CXXXIX — De como não fui Ministro d'Estado" não apresenta texto verbal. Caberá a você o desafio de escrever o texto do capítulo, colocando-se na posição de Brás Cubas, o narrador-personagem. No final da atividade, você compartilhará com os colegas da turma sua versão do capítulo e também poderá publicá-la no *blog* da escola.

➨ Planejamento

1▸ Para imaginar o texto, pense no que você já conhece da história.

2▸ Leve em consideração os seguintes aspectos:

- O desejo do pai de Brás Cubas: casar o filho e fazer dele um político, unindo os dois planos por meio de um casamento de interesse.
- Projetos frustrados pelas ações de Lobo Neves.
- A caracterização do narrador-personagem do romance: uso de linguagem mais elaborada; modo de se expressar; a frustração vivida naquele momento, motivada pela perda da desejada cadeira da câmara dos deputados, pelo fim da carreira política e pela perda de todas as esperanças.

➨ Versão inicial

1▸ Faça um rascunho do que provavelmente seria dito no capítulo por Brás Cubas, considerando os elementos apresentados no *Planejamento*.

2▸ Lembre-se de que o texto deve ser narrado em primeira pessoa, como se você representasse o narrador-personagem Brás Cubas.

➨ Revisão e reescrita

1▸ Junte-se a um colega e troquem as produções, comparando as soluções que cada um encontrou para a elaboração do texto.

2▸ Ouça o que o colega tem a dizer sobre seu texto e diga a ele sua opinião sobre o texto que ele produziu.

3▸ Faça os acertos e as correções que julgar necessários.

4▸ Registre a versão definitiva de sua produção em uma folha avulsa.

➨ Apresentação

1▸ Prepare-se para ler em voz alta para a turma o capítulo que você produziu. Você pode ensaiar essa leitura para torná-la mais expressiva. Lembre-se de se imaginar na posição do narrador-personagem, que fala de si mesmo e de sua derrota.

2▸ Aguarde sua vez de ler e ouça com atenção a leitura dos colegas.

➨ Circulação

▸ As versões do capítulo produzidas por você e pelos seus colegas poderão ser publicadas no *blog* da escola. Se houver essa possibilidade, combinem com o professor os procedimentos para essa publicação.

➨ Avaliação

▸ Em conjunto, analisem as semelhanças e as diferenças entre as produções. Conversem sobre quais elementos foram fundamentais para que vocês conseguissem construir o capítulo com base no texto de Machado de Assis. A turma deve eleger as versões que mais agradarem à maioria dos alunos, justificando essas escolhas.

Chegou o momento de fazer um balanço de tudo o que foi estudado na Unidade 4. Leia o quadro de conteúdos para recordar o que estudou e, no caderno, avalie seu desempenho usando os tópicos propostos a seguir como orientação. Isso ajudará você na hora de organizar seus estudos.

Meu desempenho

- **Compreendi bem** (registre no caderno os itens que você compreendeu)
- **Avancei em** (registre no caderno os itens em que você melhorou)
- **Preciso rever** (registre no caderno os itens que você precisa estudar mais)
- **Outras observações e/ou outras atividades**

UNIDADE 4	
Gênero Romance	**LEITURA E INTERPRETAÇÃO** · Leitura e interpretação de capítulos do romance *Memórias póstumas de Brás Cubas*, de Machado de Assis · Localização e identificação das ideias presentes em capítulos de romance · Construção e unidade narrativa no romance · Recursos de linguagem empregados no romance · Emprego de sequências conversacionais no romance **PRODUÇÃO** **Oral** · Discussão em grupo: Será que o amor muda através dos tempos? **Escrita** · Retextualização: criação de texto para capítulo de romance
Ampliação de leitura	**CONEXÕES** · Outras linguagens: Quadrinhos e unidades narrativas · A história na História · O beijo nas diferentes culturas **OUTRO TEXTO DO MESMO GÊNERO** · "Os vizinhos", Luiz Antonio Aguiar
Língua: usos e reflexão	· Período composto por subordinação · Orações subordinadas adverbiais e coesão · Classificação das orações subordinadas adverbiais · Orações reduzidas · Desafios da língua: Regência verbal
Participação em atividades	· Coletivas · Orais · Em grupo

Theo/Arquivo da editora

UNIDADE

5

Conhecer pessoas interessantes

Você costuma ler entrevistas publicadas em jornais e revistas? Prefere acompanhar entrevistas na televisão, no rádio ou em meios digitais?
Você considera interessante conhecer depoimentos e opiniões de pessoas que se destacam em sua área de atuação? Por quê? Se pudesse escolher alguém para entrevistar, quem seria? Por quê?

Nesta unidade você vai:

- ler e interpretar entrevistas jornalísticas;
- identificar a organização de uma entrevista;
- reconhecer turnos de fala;
- identificar argumentos para comprovar opinião;
- produzir entrevista oral e escrita;
- produzir entrevista em vídeo;
- identificar pronomes relativos;
- reconhecer orações subordinadas adjetivas restritivas e explicativas;
- identificar orações adjetivas reduzidas e desenvolvidas;
- analisar regência nominal e crase.

ENTREVISTA

Uma das maneiras de obter **informações** sobre determinado campo do conhecimento é conversar com alguém que domine o assunto investigado. Essa conversa é considerada uma **entrevista** quando uma das pessoas envolvidas na situação — o **entrevistador** — segue um roteiro de perguntas planejadas para serem respondidas pelo **entrevistado**, com ordenação dos turnos de fala: um pergunta, o outro responde.

A entrevista, oral ou escrita, pode ter como objetivo levar o entrevistado a manifestar uma opinião a respeito de um assunto ou a dar seu depoimento sobre um acontecimento que interessa ao público-alvo do veículo em que esse material vai ser divulgado: rádio, internet, revista, jornal, TV, etc.

Algumas características desse gênero dependem de sua finalidade, das circunstâncias em que ocorre, do perfil do entrevistado, de onde e de como será veiculado, bem como do público a que se destina.

Que tal ler uma entrevista com um grafiteiro famoso que tem uma história com as ruas? Qual será essa história? Leia o texto a seguir para conhecer.

⬞ Leitura

Uma conversa com Kobra, um dos maiores muralistas do Brasil

Nascido na periferia de São Paulo, o muralista famoso por seus painéis coloridos já pintou em mais de 30 países e eleva a *street* arte brasileira

Por **Clara Cerioni**
🕓 7 out 2017, 07h00

São Paulo — As milhares de latas de *spray* espalhadas pelo ateliê, o cheiro de tinta fresca inundando o pequeno espaço de trabalho e diversas telas recém-pintadas não mentem: um dos maiores muralistas do Brasil, o paulistano **Eduardo Kobra**, mantém a produção de sua arte a todo vapor.

Apaixonado desde criança pela magia dos desenhos, o artista, famoso por seus enormes murais coloridos, mostra orgulho ao ver sua arte exibida nas ruas de mais de 30 países e fazendo parte, cada vez mais, da arquitetura das cidades.

Seu trabalho, carregado de significados, segue os princípios da *street art* — nome dado ao movimento de artistas que, assim como Kobra, transformam espaços públicos em uma galeria de arte a céu aberto, à disposição de qualquer um que as observe.

Há 30 anos se dedicando a fazer arte na rua, o artista já eternizou momentos históricos para o mundo, como a famosa cena do beijo de 1945, na Times Square, em Nova York, e personalidades importantes, como Malala, ganhadora do Nobel da Paz em 2014, o ex-presidente dos EUA, Abraham Lincoln, e o cantor e vencedor do Nobel de Literatura em 2016, Bob Dylan.

Além disso, no ano passado, Kobra entrou para o *Guinness Book*, por ter pintado o maior grafite do mundo, o mural "Etnias", localizado no Boulevard Olímpico, no Rio de Janeiro.

▸ **muralista:** artista que usa paredes, painéis e outros espaços públicos para a pintura.

▸ *street*: termo em inglês que significa rua.

▸ *Guinness Book*: livro que apresenta uma coleção de diferentes tipos de recordes anuais.

Engajado em diversos novos projetos para os próximos meses, o artista divide, em entrevista a **EXAME.com**, sua história com as ruas, além de analisar algumas de suas obras mais conhecidas.

Como você se envolveu com a *street art*?

Como eu nasci na periferia de São Paulo, filho de família simples e pobre, a minha vida sempre foi na rua. Mas meu primeiro envolvimento com arte de rua foi com pichação, mas não tinha nada de desenho, eu só assinava meu nome. A relação entre rua e desenho veio depois. O que eu gostava era da adrenalina que a rua proporciona, de fugir e correr da polícia.

O beijo, de Eduardo Kobra, em Nova York, Estados Unidos, 2012-2016.

Minha história é autodidata, assim como a maior parte das pessoas da periferia. Com as dificuldades que qualquer menino nesse espaço tem, todos contra, a questão da sobrevivência, porque muitas vezes os talentos são reprimidos. Paralelamente com a pintura trabalhei de *motoboy*, porque precisava me sustentar. Mas nunca parei de desenhar. Desde 1987, quando comecei, nunca mais parei.

> ▶ **autodidata:** pessoa que aprende por si mesma, sem ajuda de professores.
> ▶ **iconografia:** conjunto de imagens (ilustrações, fotografias) referentes a determinado assunto, a uma época, à obra de um artista, etc.

Mas desde que começou a desenhar nas ruas fazia desenhos coloridos?

Esse é um ponto relevante de se comentar: meu trabalho não é só desenho colorido. É só a parte mais conhecida, porque as pessoas se sentem mais representadas, entendem melhor a mensagem que eu quero passar e se interessam pelo conjunto da obra. Mas tenho também projetos em outros segmentos, como painéis em proteção aos animais e de crianças desaparecidas, pintura em piso e o projeto "olhares da paz", onde eu retrato a união dos povos ao redor do mundo.

Como é o processo de criação dos seus desenhos coloridos?

Nenhum deles é por acaso, essa é a primeira e principal característica. Eu comecei a pintá-los em 2000 com o projeto "muro das memórias", que são como portais para cidades do passado. Ele fala de preservação histórica e de personalidades que lutaram por um mundo diferente. A ideia da cor veio porque eu comecei a retratar fotografias em preto e branco e o colorido encaixou perfeitamente para mostrar esse ressignificado que eu busco dar para minhas obras, uma releitura entre passado e presente.

Para pintá-los existe todo um preparo e uma pré-pesquisa tanto de conteúdo, quanto de cor e do espaço em que a imagem vai ser colocada. Se analisarmos, por exemplo, o mural da Anne Frank, percebemos essa preocupação: para pintar essa personagem eu fiz uma pesquisa na casa dela, em Amsterdã, acessei toda a sua iconografia e desenvolvi o desenho.

O fundo é a reprodução da capa do diário dela e os padrões de letra também foram pesquisados durante essa viagem. Aqui existe conteúdo histórico, que tem a preocupação de trazer para hoje aquilo que aconteceu há anos.

Let me be myself, de Eduardo Kobra, em Amsterdã, Holanda, 2016.

Como você decide fazer esses trabalhos? É por meio de convite, você que escolhe?

Então, 90% do meu trabalho eu faço de forma voluntária, apesar de sempre receber muitos convites, às vezes do governo, às vezes de ONGs. Mas, mesmo quando me convidam, o critério que eu coloco para produzir é ter liberdade para criar o que eu quiser.

Faço poucas relações com marcas e produtos, porém preciso fazer algumas para manter a minha vida e os meus trabalhos na rua. Mas sempre com cautela. Eu não tenho, por exemplo, nenhum produto com meu trabalho — e isso foi por escolha. Não vejo como algo ruim, mas não funciona para mim.

E também não estou dizendo que não faria. Se houver um argumento interessante é sempre possível. Eu não fico no mercadológico apenas, por trás disso tem que ter uma história para justificar a escolha.

Mas como você mantém esses projetos?

Sempre por meio da venda de telas originais. Antes de ir para o muro eu sempre faço o desenho em telas, no formato do prédio para testar as cores, o posicionamento, etc. Depois de impresso no muro eu coloco esses originais à venda, a partir de R$ 100 mil. E normalmente quem compra ou é colecionador ou são galerias de arte. Por isso eu consigo manter a integridade do meu trabalho.

Mas qualquer um pode comprar?

Sim, eu não trabalho com nenhuma galeria de arte. Aqui no Brasil não tenho nenhum representante. A única forma de ter acesso aos meus trabalhos é através do *site* do meu ateliê. Mas tudo que é fora daqui eu tenho um representante em Los Angeles, que faz o contato com o resto do mundo e dá todo o apoio logístico.

Você pensa em fazer uma exposição com essas telas?

Já fiz duas, mas tem mais de dez anos que não faço. Mas pretendo, no ano que vem, fazer algo aqui em São Paulo.

Quanto tempo leva para planejar e executar um painel?

A criação sempre leva mais tempo que a execução. Tem situações que eu levo um, dois meses para criar algo e pinto em uma semana. E hoje eu estou em um momento do meu trabalho onde estou muito mais preocupado com o conteúdo que vou pintar do que com a estética. Que tenha uma mensagem que eu queira passar.

Você acha que seu trabalho valoriza a cidade, os bairros?

É até engraçado, porque já fiz as duas coisas: já destruí o patrimônio histórico com vandalismo e hoje o meu trabalho sim, até mesmo pelo projeto de memória, a intenção é essa.

Quando eu vou pintar um determinado lugar da cidade, primeiro eu vou tirar fotos para analisar a rua, entender a arquitetura, a visibilidade daquele painel e também qual a história do local. Também tenho essa preocupação, porque a utilização do espaço público precisa ser responsável.

De qualquer forma há uma responsabilidade de quem ocupa, porque ali é um espaço democrático, pertence à cidade. Ninguém é dono daquele lugar. Quando eu pinto uma obra eu sei que ali transitam todos os tipos de pessoas ligadas a religiões, a diversas culturas, crianças. Não dá para fazer qualquer coisa da cidade como se fosse para mim, a cidade não é minha.

Por exemplo, o mural do beijo, na High Line, em Nova York, não está lá aleatoriamente. Essa foto foi tirada na Times Square, que fica a poucas quadras do lugar que está a pintura. Isso é positivo, porque eterniza a história e atrai as pessoas.

> **vandalismo:** é a ação de produzir estrago ou destruição de bens públicos ou particulares.
>
> **aleatoriamente:** que ocorre por acaso ou por acidente, sem planejamento.

Como você lida com essa expansão do seu trabalho internacionalmente e ao mesmo tempo a controvérsia no Brasil, principalmente em São Paulo?

Acredito que, primeiro, aquele começo, com toda a discussão em volta da arte de rua foi um mal-entendido. Aquilo ajudou a mostrar a importância da arte de rua para a cidade, mostrou quanto os moradores zelam pela história da arte na rua. Para mim, a arte de rua é um elemento cultural, uma marca. E nós paulistanos nos orgulhamos disso, por levar isso para fora do mundo, como por exemplo na Arábia Saudita, onde há poucos anos era impensável haver arte de rua.

Mas percebi que esse conflito teve desdobramentos positivos: a prefeitura formou um grupo com vários artistas importantes da *street art*, que se reúne para discutir esse movimento na cidade. Começou de uma forma ruim e hoje acredito que a cidade terá benefícios em relação a esse episódio.

Outros países também têm essa força da *street art*?

No Brasil, São Paulo é a principal cidade. Nos Estados Unidos, por ter começado lá, Nova York e Miami. Mas em lugares que a arte de rua tradicionalmente não entrava, agora está dando abertura. Digo que nós estamos na vanguarda desse movimento, o que devemos continuar fazendo é incentivar os artistas, expandindo, valorizando e transformando a cidade em um museu a céu aberto.

Você já foi censurado por algum país?

Sim. Tive na Grécia, em Atenas. Dentro do projeto de proteção aos animais, uma organização de arte me chamou para fazer um trabalho e eu criei um desenho que era baseado na evolução do homem. Onde o homem evoluía, mas para a destruição do planeta. Era uma brincadeira, com tom político.

Ficamos pintando por trinta dias e várias pessoas passavam e nos ameaçavam, até que no fim do trabalho um senhor apontou o dedo para minha cara e dos meus assistentes, algo que eu não entendia, por conta da língua, e no dia seguinte o mural apareceu todo pichado. Fomos buscar explicação e descobrimos que lá é rodeado de templos ortodoxos, então eles interpretaram que essa mensagem era algo contra Deus, contra eles. Não tinha nada a ver.

Quais são seus próximos projetos?

Eu tenho uma sequência de 28 murais em Nova York. Através da minha equipe de lá, que está administrando e organizando, contando toda a história da cidade por meio dessas pinturas. Isso porque lá tem uma importância muito grande para mim, por conta de grandes nomes que me influenciaram, como Jean-Michel Basquiat, Keith Haring e os grafiteiros do metrô, por exemplo. Aqui em São Paulo vou fazer uma pintura de uma caixa-d'água de 50 metros de altura, no Memorial da América Latina.

Além desses, eu acabei de voltar de São Luís do Maranhão, onde transformei um muro em uma prateleira de livros, com os principais escritores de lá.

Jean-Michel Basquiat
Nasceu em 1960, em Nova York (EUA), e morreu em 1988, aos 27 anos. Basquiat ficou muito conhecido no meio artístico de Nova York inicialmente por seu trabalho como grafiteiro, depois por suas telas, desenhos e gravuras.

Keith Haring
Nasceu em 1958, na Pensilvânia (EUA), e faleceu em 1990. Considerado um dos mais importantes grafiteiros dos anos 1980, fazia desenhos com giz branco nas estações de metrô de Nova York.

Kobra/Acervo do artista

Riquezas de São Luís, de Eduardo Kobra, em São Luís, Maranhão, 2017.

Você pensa em fazer projetos sociais?

Eu tenho dado *workshops* e palestras sobre meu trabalho. Também faço projetos em comunidades carentes. Para mim é muito importante ir para a Times Square e lugares nobres, mas preservar minhas origens é essencial, porque eu nunca tive ninguém para me apresentar a arte.

O que fiz na comunidade de Paraisópolis é um exemplo desses meus projetos. Esse painel eu fiz com essa menina que é uma moradora de lá e ela sonha em ser bailarina. Pedi para pintar a fachada da comunidade e fiz com a participação de todos juntos.

> ▶ *workshop*: curso intensivo, de curta duração, em que técnicas, habilidades, saberes, artes, etc. são demonstrados e aplicados; oficina.

Mural de Eduardo Kobra em Paraisópolis, São Paulo (SP).

Enquanto esses projetos estão sendo feitos eu tenho também o "envolva-se", em que as pessoas se cadastram e quando eu vou pintar onde elas moram eu as chamo para participar. Tem muitas partes que é só de uma cor e as pessoas podem colaborar e pintar junto. É tudo uma troca. Não quero que meu trabalho seja inacessível. Foi a forma que encontrei de ter contato com elas.

Disponível em: <https://exame.abril.com.br/estilo-de-vida/eduardo-kobra-o-brasileiro-que-leva-a-arte-de-rua-para-o-mundo/>. Acesso em: 2 ago. 2018.

Interpretação do texto

Compreensão inicial

1▸ Na **introdução** ou **abertura**, o leitor obtém **informações** sobre o entrevistado. Releia a introdução da entrevista e escreva no caderno as informações a seguir:

a) nome do entrevistado;

b) local onde foi feita a entrevista:

c) há quanto tempo o entrevistado se dedica à arte de rua:

d) motivo de ter entrado para o *Guinness Book*:

e) título e local da obra que o levou ao livro dos recordes:

2▸ Esse modelo de introdução é usado em muitas entrevistas. Em geral, qual é o objetivo dessa parte do texto?

3▸ Pelas informações apresentadas nessa introdução, em sua opinião, a jornalista que produziu a entrevista considera que o leitor da revista conhece o entrevistado? Justifique sua resposta.

4▸ Agora que você leu a entrevista, já sabe qual é a história do entrevistado com as ruas. Responda no caderno.

  a) Por que foi feita esta afirmação pelo entrevistado: " já destruí o patrimônio histórico com vandalismo"?

  b) No decorrer da entrevista, Kobra afirma: "a utilização do espaço público precisa ser responsável". O que o entrevistado faz para usar o espaço público de forma responsável?

  c) Que relação se pode estabelecer entre as duas afirmações de Kobra, apresentadas nos itens **a** e **b**?

  d) Cite dois projetos sociais que revelam a preocupação de Kobra com a arte das ruas.

  e) O que Kobra afirma ser necessário para dar força à arte de rua?

5▸ Eduardo Kobra se diz autodidata, porque nunca teve ninguém para ensinar-lhe a arte. Assinale as alternativas que indicam o que ele faz para alcançar seus objetivos como artista.

  a) Apenas deixa sua criatividade guiar seus desenhos nos murais.

  b) Faz pesquisa de conteúdo e do espaço que a imagem vai ocupar.

  c) Desenha primeiramente em telas para testar cores, posicionamento, etc.

  d) Inspira-se em grandes nomes da arte que influenciaram o trabalho dele.

  e) Imita a técnica de outros grafiteiros que desenvolvem trabalho no metrô.

6▸ Por que Kobra geralmente escolhe para a pintura dos murais "personalidades que lutaram por um mundo melhor"?

7▸ O que mais chamou a sua atenção na entrevista desse artista? Responda no caderno e justifique sua resposta.

Linguagem e construção do texto

O gênero **entrevista** costuma apresentar a seguinte divisão:

- introdução ou abertura;
- perguntas e respostas.

Uma entrevista se estrutura na sequência de perguntas e respostas, de modo alternado, entre um **entrevistador** e um **entrevistado**.

1▸ Na entrevista de Kobra, identifique as informações solicitadas e registre-as no caderno.

  a) Quem foi o(a) entrevistador(a)?

  b) Onde a entrevista foi publicada?

  c) Em que meio de comunicação a entrevista foi publicada?

  d) O que você observou para responder ao item anterior?

2▸ Cada vez que muda a pessoa que "fala" no texto, dizemos que mudou o **turno de fala**. Qual foi o recurso encontrado para marcar, na escrita, os turnos de fala, isto é, a mudança de fala entre o entrevistador e o entrevistado?

3▸ Na organização da entrevista, que recursos visuais foram utilizados para chamar a atenção dos leitores?

4▸ De acordo com a intenção do entrevistador, a entrevista pode ter como foco as informações sobre a vida do entrevistado ou sobre outros temas. Leia novamente as perguntas formuladas pela entrevistadora e assinale a(s) alternativa(s) que melhor caracteriza(m) essa entrevista.

  a) A entrevista trata da vida do entrevistado e de sua infância pobre.

  b) A entrevista procura mostrar o processo de criação do artista em relação à cidade.

  c) A entrevista tem como foco apresentar as diferenças entre pichação e grafite.

  d) A entrevista tem como um dos objetivos apresentar os projetos do artista.

5▸ A entrevista pode ter como objetivo não só obter informações da pessoa entrevistada, mas também conhecer a **opinião dela** sobre algum tema, ou seja, saber o que o entrevistado pensa a respeito do assunto proposto. Releia este trecho da entrevista com Kobra.

> **Você acha que seu trabalho valoriza a cidade, os bairros?**
>
> É até engraçado, porque já fiz as duas coisas: já destruí o patrimônio histórico com vandalismo e hoje o meu trabalho sim, até mesmo pelo projeto de memória, a intenção é essa.
>
> Quando eu vou pintar um determinado lugar da cidade, primeiro eu vou tirar fotos para analisar a rua, entender a arquitetura, a visibilidade daquele painel e também qual a história do local. Também tenho essa preocupação, porque a utilização do espaço público precisa ser responsável.
>
> De qualquer forma há uma responsabilidade de quem ocupa, porque ali é um espaço democrático, pertence à cidade. Ninguém é dono daquele lugar. Quando eu pinto uma obra eu sei que ali transitam todos os tipos de pessoas ligadas a religiões, a diversas culturas, crianças. Não dá para fazer qualquer coisa da cidade como se fosse para mim, a cidade não é minha.

Na resposta, Kobra não conta uma experiência nem transmite um conhecimento. Ele apresenta um ponto de vista, uma opinião: "**porque a utilização do espaço público precisa ser responsável**".

No caderno, transcreva desse trecho outro(s) argumento(s) de Kobra que justifique(m) a opinião dele.

> A **argumentação** é um recurso bastante usado para defender uma opinião ou uma ideia.

6▸ Ao responder à primeira questão da entrevista sobre *street art*, Kobra comenta sua origem pobre e fala dos meninos da periferia. Qual é a opinião dele a respeito desse assunto? Explique no caderno.

7▸ Kobra informa ao leitor que grande parte de seu trabalho é feito de forma voluntária. Com relação a isso, ele revela alguns de seus valores. Assinale as alternativas que indicam esses valores. O entrevistado:

a) procura não relacionar seu trabalho com marcas e produtos.

b) não vê problema em ter produtos associados a seu trabalho.

c) só aceita convites se houver liberdade para ele criar.

d) prefere manter seu trabalho ligado a governos e ONGs.

8▸ Em uma entrevista, as perguntas podem ser:

- **abertas**, deixando o entrevistado discursar mais livremente;
- **fechadas**, limitando a resposta do entrevistado a sim ou não;
- **objetivas**, mais diretas, sem rodeios;
- **menos objetivas**, com tratamento mais cerimonioso ao se dirigir ao entrevistado.

Com base nessas informações, responda no caderno: Como você classificaria as perguntas feitas a Kobra?

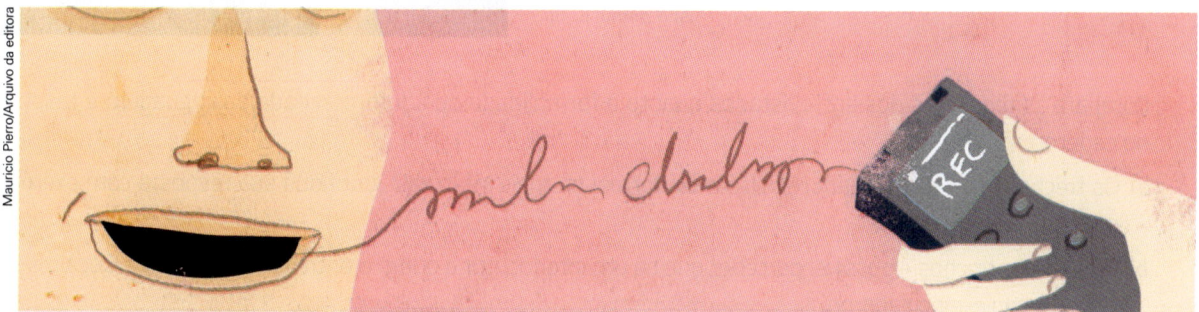

Mauricio Pierro/Arquivo da editora

9▸ Releia o título da entrevista.

> **Uma conversa com Kobra, um dos maiores muralistas do Brasil**

Qual é a provável intenção do entrevistador ao escolher esse título? Assinale a(s) resposta(s) mais adequada(s).

a) Criar expectativa no leitor em relação ao que vai ler.

b) Despertar o interesse de todos os tipos de leitor.

c) Indicar o foco da entrevista.

d) Revelar quem é o entrevistado.

10▸ A seguir você vai ler dois trechos de entrevistas.

O primeiro trecho faz parte da entrevista de Eduardo Kobra que você leu. A entrevista foi publicada em uma revista digital do segmento de negócios, portanto direcionada a um público leitor adulto.

O segundo trecho se refere a uma resposta que o *vlogger* Felipe Neto deu a uma revista destinada ao público adolescente.

> ▸ ***vlogger***: pessoa que faz e publica vídeos em um *blog* ou em plataformas de compartilhamento de vídeos na internet.

> Minha história é autodidata, assim como a maior parte das pessoas da periferia. Com as dificuldades que qualquer menino nesse espaço tem, todos contra, a questão da sobrevivência, porque muitas vezes os talentos são reprimidos. Paralelamente com a pintura trabalhei de *motoboy*, porque precisava me sustentar. Mas nunca parei de desenhar. Desde 1987, quando comecei, nunca mais parei.
>
> Disponível em: <https://exame.abril.com.br/estilo-de-vida/eduardo-kobra-o-brasileiro-que-leva-a-arte-de-rua-para-o-mundo/>. Acesso em: 2 ago. 2018.

Paulo Fridman/Corbis/Getty Images

> Com 13 anos tive a oportunidade de estudar numa escola particular, depois de muito esforço da minha família. E todos os meus amigos tinham mais dinheiro do que eu, que queria ter grana para acompanhá-los e não conseguia. Surgiu a ideia de trabalhar no centro do Rio de Janeiro e comecei a vender ilhós, rebite, coisas para você fazer uma bolsa. E vendia bem, sabia? Eu gostava de trabalhar lá, foi bem divertido.
>
> *Todateen*, nº 268, março, 2018. Bauru: Alto Astral, p. 46.

Eduardo Knapp/Folhapress

Compare as respostas dos entrevistados quanto à formalidade ou à informalidade da linguagem e responda no caderno.

a) Os trechos lidos apresentam registro mais formal ou mais informal? Justifique sua resposta com exemplos do texto.

b) Em um dos trechos é possível perceber que há um interlocutor a quem o entrevistado se dirige. Localize esse trecho e copie-o no caderno.

▶ Leia o esquema com os colegas e juntos escolham as palavras que o completam. Em seguida, copie o esquema no caderno e preencha os espaços com as palavras escolhidas.

| público | turnos de fala | introdução | informações |

ENTREVISTA

Conversa com ■ determinados (um pergunta, outro responde), entre um entrevistador e um entrevistado, registrada para ser veiculada em determinada mídia.

Intenção/finalidade
Obter do entrevistado ■ ou opiniões sobre o assunto proposto na entrevista e de interesse do leitor.

Linguagem e construção
- Varia de acordo com as circunstâncias comunicativas — entrevistador/entrevistado, intenção, suporte, assunto, ■ a que se destina — e o contexto histórico da situação.
- Marcas de oralidade.
- ■ ou abertura.
- Perguntas e respostas com turnos de fala determinados.
- Informações, opiniões e argumentos.
- Recursos: imagens e letras em formatos diferentes.

Leitor/público-alvo
Interessado em conhecer aspectos da vida, da obra ou do trabalho e as opiniões do entrevistado.

Prática de oralidade

Conversa em jogo

Pichação é arte?

Desde a Antiguidade, os seres humanos procuravam se expressar por meio de desenhos, símbolos e sinais feitos em paredes, tetos de cavernas e em rochas. Essas representações artísticas são conhecidas como arte rupestre.

Hoje, é possível perceber que o homem continua a se expressar por meio de desenhos, pinturas e outras inscrições em paredes, muros, fachadas de edifícios e outros espaços por meio de diferentes linguagens.

Pintura rupestre na parede da caverna de Lascaux, no vale do Vézère, França, 2017.

thipjang/Shutterstock

Observe a seguir fotografias que mostram exemplos de pichação, grafite e muralismo. Cada uma dessas manifestações tem uma intenção e uma linguagem própria.

Pichação em muro da igreja de São Frei Pedro Gonçalves, em João Pessoa, PB, 2016.

Muralismo em fachada de hotel na praia de Itapuã, em Salvador, BA, 2018.

Grafite em muro de rua em Cairu, BA, 2016.

Agora, converse com os colegas e o professor.

1▸ Em sua opinião, a pichação tem a mesma intenção que o grafite e o muralismo? Por quê?

2▸ Qual é a diferença entre a pichação e o grafite? E em que o muralismo é diferente do grafite?

3▸ Na sua opinião, quais dessas manifestações são formas de arte?

4▸ Você sabia que há uma lei federal que considera a pichação crime ambiental? Qual é a sua opinião sobre isso?

Entrevista jornalística

Escolhas fazem parte da vida de todas as pessoas. Algumas são mais fáceis de serem feitas, outras, mais difíceis. Para escolher uma profissão, é preciso levar em conta o que se gosta de fazer, conhecer pessoas que já exercem essa função para saber mais sobre a rotina de trabalho, além de buscar outras informações.

Nesta seção, você e os colegas vão produzir uma entrevista sobre o tema "A escolha de uma profissão".

A entrevista será feita em duas etapas. Na primeira, vocês vão fazer atividades relacionadas à pesquisa, ao planejamento e à execução da entrevista oral; na segunda etapa, que será realizada na seção *Produção de texto*, vocês farão o registro da entrevista para ser publicada no jornal impresso ou no *site* da escola.

➤ Preparação e escolha do entrevistado

1▸ Pensem em profissões que vocês gostariam de conhecer melhor e, com o professor, façam uma lista delas.

2▸ Organizem-se em grupos. O professor vai escolher algumas das profissões mencionadas por vocês anteriormente e atribuir uma a cada grupo.

3▸ Pesquisem na internet, em livros e revistas informações sobre a profissão pela qual seu grupo ficou responsável. Anotem o que consideram importante, pois isso facilitará a elaboração das perguntas.

4▸ Em seguida, cada grupo vai escolher uma pessoa que possa ser entrevistada para falar a respeito dessa profissão.

5▸ Façam contato com a pessoa escolhida para agendar a entrevista. Informem o tema a ser abordado e perguntem se ela permite a gravação da conversa e se quer que seja dada ênfase a algum aspecto, ou ainda se há detalhes sobre os quais não gostaria de falar. Verifiquem também se ela concorda em ceder uma fotografia para ilustrar a entrevista escrita (que será feita na seção *Produção de texto*), como fazem alguns jornais e revistas.

➤ Planejamento do roteiro da entrevista

1▸ Lembrem-se de que a **entrevista**:

- é uma conversa (sucessão de turnos de fala) entre um entrevistador e um entrevistado;
- destina-se a ser veiculada em mídia impressa, digital, televisiva ou radiofônica;
- é produzida com a intenção de obter informações sobre um assunto de interesse do público-alvo;
- tem linguagem ajustada à circunstância comunicativa em questão;
- situa o leitor, na introdução, a respeito do entrevistado e do contexto da entrevista.

2▸ Elaborem por escrito cinco perguntas que possam nortear a conversa entre vocês — os entrevistadores e o entrevistado. No decorrer da entrevista, certamente surgirão outras questões que vocês poderão explorar.

3▸ Tendo em vista o perfil do entrevistado, o público-alvo (principalmente jovens) e o meio de divulgação da entrevista (jornal ou *site* da escola), planejem o nível de linguagem a ser utilizado: mais formal ou mais informal.

4▸ Façam uma previsão do tempo de duração da entrevista. Procurem evitar que seja muito longa.

➤ A entrevista oral

1▸ Se a entrevista for gravada em áudio ou vídeo, preparem os aparelhos, de forma que eles possam ser usados por tempo suficiente. Se não forem gravar, combinem quem do grupo vai ficar responsável pelo registro escrito da entrevista.

2▸ Combinem quem fará as perguntas e em que ordem. Todos podem fazer uma pergunta. O importante é planejar quem fará as perguntas e qual será a sequência delas.

3▸ Procurem não interromper o entrevistado durante a fala dele: é preciso respeitar os turnos de fala.

4▸ Conforme o andamento da conversa, as perguntas podem ser redirecionadas, adaptadas, outras podem surgir em vista das respostas do entrevistado. Por isso é necessário prestar atenção ao que a pessoa estiver falando, para não perguntar algo que já tenha sido dito.

5▸ No fim da entrevista, agradeçam à pessoa entrevistada e digam que, após a produção escrita, vocês lhe enviarão uma versão final da entrevista para que ela possa aprovar o texto antes da publicação.

6▸ Guardem a pesquisa realizada, as perguntas e as respostas da entrevista (o registro escrito ou a gravação). Esses textos serão utilizados para elaborar a versão escrita da entrevista, que será feita na seção *Produção de texto*, no final desta unidade.

Entrevista em vídeo

Na seção anterior, você e os colegas realizaram a entrevista oral que será publicada por escrito ao final desta unidade. Nesta seção, vocês terão a oportunidade de registrar a entrevista em vídeo, obtendo um produto independente.

Além de ser divulgada no *site* ou *blog* da escola, a entrevista em formato audiovisual poderá circular em alguma plataforma de compartilhamento de vídeos na internet, alcançando ainda mais pessoas interessadas no tema "A escolha de uma profissão".

Siga as orientações do professor, acompanhe as etapas e... gravando!

➤ Planejamento

1▸ Com a turma toda. Criem um nome para o programa de entrevistas da turma e decidam o tempo médio de cada vídeo. É importante garantir uma harmonia entre os vídeos, pois eles poderão ser vistos em série por quem se interessar pelo assunto.

2▸ Reúna-se com o seu grupo e preparem-se para a atividade:

a) Providenciem os recursos necessários para a gravação da entrevista. Vocês poderão utilizar um celular com câmera ou uma filmadora. Se necessário, reservem o empréstimo do equipamento para o dia da gravação.

b) Combinem com o entrevistado o dia e o horário da entrevista, levando em conta a disponibilidade dele e a dos integrantes do grupo. É importante que todos participem da filmagem!

c) Escolham um local adequado para a gravação. Considerem a iluminação e a possibilidade de se obter silêncio na hora de gravar. Se possível, visitem o espaço antecipadamente e façam testes para checar a qualidade da imagem e do áudio captados no local.

> **❗ Atenção**
>
> Peçam ao convidado que leve algum instrumento de trabalho ou objeto que remeta ao ofício dele e possa ser mostrado durante a entrevista.

3▸ Escrevam coletivamente o texto de abertura do vídeo. Nele, vocês devem se apresentar aos espectadores e contar brevemente quem é o entrevistado e qual é a profissão dele, sobre a qual ele falará.

4▸ Elaborem também a fala de encerramento, com a despedida, o agradecimento ao entrevistado e o convite para o público assistir às demais entrevistas da turma.

5▸ Façam um roteiro de elaboração do vídeo, definindo que conteúdo entrará em cada momento e quem ficará responsável por cada fala ou atividade. Levem em conta o tempo predefinido para o episódio.

6▸ Com a ajuda do professor, elaborem um termo de autorização de uso e veiculação de imagem do entrevistado, que permite o compartilhamento do vídeo na internet. Esse termo deverá ser assinado por ele no dia da gravação.

➤ Produção

1▸ No dia da gravação, cheguem ao local antes do horário combinado e organizem o espaço de filmagem. Escolham uma posição para o entrevistado e testem enquadramentos com a câmera, observando o fundo/cenário e a iluminação.

2▸ Recepcionem o convidado com educação e o posicionem no local adequado.

3▸ Com a câmera ligada, façam as perguntas uma a uma, dando tempo para que o convidado pense nas respostas. Gravem a entrevista seguindo a ordem das perguntas estabelecida no roteiro.

> **❗ Atenção**
>
> Verifiquem sempre se apertaram o botão de início antes de começar a gravar e, se for necessário, façam pausas durante a gravação.

4▸ Depois da entrevista, não se esqueçam de pedir ao convidado que assine o termo de autorização de uso e veiculação da imagem.

5▸ Aproveitem para gravar a apresentação do vídeo e a despedida no mesmo ambiente em que realizaram a entrevista, usando o mesmo fundo/cenário e enquadramento.

Adolescentes manuseando máquina filmadora.

Hero Images/Getty Images

⤷ Edição

1▸ Na sala de informática ou outro ambiente com computadores conectados à internet, reúnam-se para editar e finalizar o vídeo. Com a orientação do professor, acessem o programa *on-line* que utilizarão para essa etapa.

2▸ Transfiram todos os trechos de vídeo captados para a máquina, salvando-os no local indicado pelo professor. Em seguida, façam o *upload* desse material na ferramenta que utilizarão.

3▸ Realizem a montagem geral do vídeo, organizando as partes de acordo com o roteiro. Posicionem, por exemplo, na área de trabalho da ferramenta *on-line*, os trechos que correspondem à abertura, ao desenvolvimento (com a sequência de perguntas e respostas ordenadas) e ao encerramento.

4▸ Comecem então a aprimorar a edição do vídeo, por exemplo: façam cortes, acrescentem textos e incluam trilha sonora, usando o banco gratuito de áudios disponível na ferramenta utilizada.

5▸ Acrescentem, ao final, uma lista de créditos com: o nome dos integrantes do grupo como produtores e entrevistadores, do entrevistado e de todos que ajudaram no vídeo, com suas respectivas funções. Aproveitem para incluir agradecimentos também!

> ▸ *upload*: enviar uma informação em arquivo (de texto, áudio, imagem, vídeo) para um computador ou servidor remoto.

> ▸ *redesign*: reformulação de projeto gráfico ou de produtos variados (imagem, áudio, vídeo, etc.).

⤷ Revisão, *redesign* e finalização

1▸ Assistam ao vídeo editado com atenção e avaliem a necessidade de realizar cortes, acréscimos ou ajustes nos elementos visuais, verbais ou sonoros.

2▸ Façam as adaptações ou correções necessárias e salvem a versão final do vídeo, seguindo a orientação do professor.

⤷ Divulgação e circulação

▸ Com o professor e os demais colegas, decidam como vão divulgar a série de entrevistas da turma. É possível compartilhar os episódios no *blog* ou nas redes sociais da escola ou ainda enviá-los por *e-mail* aos familiares e demais alunos da escola.

> **❗ Atenção**
>
> Essas entrevistas sobre profissões podem interessar aos alunos do 3º ano do Ensino Médio da escola em que estuda ou de outras instituições de ensino. Conversem com o professor sobre a melhor maneira de alcançar esse público!

Outras linguagens: Mural

Na entrevista de Eduardo Kobra, ele menciona alguns exemplos de murais que pintou: um deles é o de Anne Frank. Você já ouviu falar dela?

Observe a fotografia reproduzida em uma das páginas de *O diário de Anne Frank*.

Anne Frank foi uma menina judia que ficou escondida em um porão, em Amsterdã, durante a Segunda Guerra Mundial. Nesse tempo, escreveu um diário. *O diário de Anne Frank* foi publicado vários anos depois de sua morte e traduzido para muitas línguas. Foi morta aos 15 anos no Holocausto, que consistiu no extermínio de cerca de seis milhões de judeus nos campos de concentração, realizado pelo regime nazista de Adolf Hitler.

Reprodução/Museu Memorial do Holocausto, Washington D.C., EUA.

▷ Página de *O diário de Anne Frank*.

Veja novamente a imagem do mural feito por Eduardo Kobra em Amsterdã, onde Anne Frank viveu escondida em um porão por cerca de dois anos.

Kobra/Acervo do artista

▷ *Let me be myself*, de Eduardo Kobra, em Amsterdã, Holanda, 2016.

Observe na imagem do mural de Anne Frank:

- a rua e a posição do mural na parede lateral de um prédio;
- o tamanho do mural;
- a precisão do traço e a fidelidade à fotografia que reproduz o rosto da menina;
- as figuras geométricas, formando mosaicos que compõem o rosto dela;
- a escolha das cores vibrantes na composição do rosto.

1▸ Após saber que Anne Frank participou de um dos momentos mais difíceis da Segunda Guerra Mundial, sendo obrigada a viver escondida, converse com os colegas e o professor: Qual seria o provável motivo que levou o artista a retratá-la sorrindo?

2▸ Agora releia o trecho da entrevista de Kobra sobre o mural de Anne Frank e observe as informações destacadas.

> "[...] Se analisarmos, por exemplo, o mural da Anne Frank percebemos essa preocupação: para pintar essa personagem eu fiz uma **pesquisa na casa dela**, em Amsterdã, **acessei toda a sua iconografia** e **desenvolvi o desenho**.
>
> O fundo é a **reprodução da capa do diário** dela e os **padrões de letra** também foram pesquisados durante essa viagem. Aqui existe **conteúdo histórico**, que tem a preocupação de trazer para hoje aquilo que aconteceu há anos."

Observe no mural a reprodução da capa xadrez em tons vermelhos do diário de Anne Frank e a frase em inglês: **"Let me be myself"** (Deixe-me ser eu mesma). Converse com os colegas e o professor: Depois de reler o que Kobra fez antes de pintar esse mural, o que se pode concluir sobre o trabalho do muralista?

Arte e influências

Eduardo Kobra, na entrevista, cita nomes que o influenciaram no desenvolvimento de seu trabalho. Leia mais informações sobre eles.

Jean-Michel Basquiat nasceu em Nova York, em 1960, e faleceu em 1988. Ele costumava misturar diferentes linguagens ao produzir uma obra: colagem, palavras, desenhos. Usava materiais simples, tais como papéis comuns, fotocópias, pedaços de madeira, etc. Uma marca de suas obras é a representação de imagens humanas.

Lee Jaffe/Getty Images

▷ Jean-Michel Basquiat produzindo uma de suas obras em St. Moritz, Suíça, 1983.

Keith Haring nasceu na Pensilvânia, em 1958, e faleceu em Nova York, em 1990. Por acreditar que a arte é para todos, fez muitas de suas criações no metrô de Nova York com formas gráficas em preto e branco ou em cores bem fortes. O estilo de seus desenhos era bastante influenciado pelo grafite e, muitas vezes, usou giz em painéis pretos reservados para publicidade no metrô.

Keith Haring com uma de suas obras ao fundo, 1984.

Sem Título, 1986. Litogravura, 56 cm x 76 cm. Essa obra de Keith Haring faz parte do "Portifólio de 5 artistas em apoio a Bill T. Jones/Arnie Zane Company" (companhia de dança).

Keith Haring pintando um mural em Houston St. & Bowery, em Nova York, EUA, 1982.

▶ Converse com os colegas: O que você percebe de semelhante ou de diferente entre as obras de Eduardo Kobra, de Jean-Michel Basquiat e de Keith Haring?

Língua: usos e reflexão

Orações subordinadas adjetivas e coesão

Nas unidades anteriores você estudou as orações subordinadas substantivas e as orações subordinadas adverbiais. Essas orações são ligadas por recursos de coesão que estabelecem conexões entre as partes de um texto.

Nesta seção, você estudará o processo de subordinação com orações que acrescentam características a algum termo de outra oração. São as **orações subordinadas adjetivas**.

Leia uma frase adaptada da entrevista de Kobra (frase I) e veja como ela poderia ficar (frase II).

Frase I	Frase II
Eu gostava da adrenalina proporcionada pela rua. substantivo — adjetivo	oração subordinada que caracteriza um termo da outra oração Eu gostava da *adrenalina* | que a rua proporciona. substantivo caracterizado pela oração subordinada
Na frase I, a palavra **proporcionada** caracteriza o termo *adrenalina*. É um **adjetivo**.	Na frase II, o termo *adrenalina* é caracterizado pela oração "que a rua proporciona". Essa oração tem o valor de um **adjetivo**. É uma **oração subordinada adjetiva**. A palavra *adrenalina* é chamada de **termo antecedente**: o termo a que a caracterização se refere.

Observe, no exemplo a seguir, como foi empregada uma oração com valor de **adjetivo**. Veja:

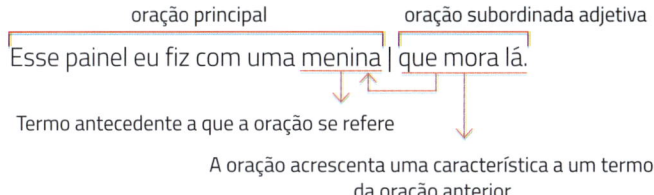

Observe como pode ficar se a oração for transformada em uma expressão adjetiva:

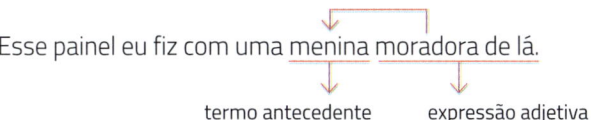

Note que a expressão "moradora de lá" é um adjunto adnominal ligado ao substantivo *menina*.

A oração subordinada adjetiva tem o valor de um adjunto adnominal, pois também funciona como adjetivo que caracteriza ou determina um substantivo.

> As orações subordinadas que **caracterizam um termo de outra oração**, determinando-o ou explicando-o, são chamadas de **orações subordinadas adjetivas**. Elas são subordinadas ao termo a que se referem em outra oração.

1▸ No caderno, reescreva as frases a seguir substituindo a oração destacada por um adjetivo correspondente.

a) Faz desenhos **que emocionam**.

b) Os meios de comunicação modernos precisam de pessoas **que tenham criatividade**.

c) Os jornais **que circulam diariamente** exigem profissionais responsáveis.

2▸ Copie no caderno as frases a seguir. São períodos compostos por subordinação. Depois, faça o que se pede.

> Você testava as tintas que usava nos murais?

> Kobra cria murais que criticam e divertem.

a) Em cada caso, identifique a oração subordinada adjetiva e o termo antecedente, isto é, o termo a que a oração adjetiva se refere na oração principal.

b) Reescreva esses trechos transformando as orações subordinadas adjetivas em uma expressão adjetiva e mantendo o sentido original das frases.

Theo Szczepanski/Arquivo da editora

Agora, leia estes títulos de notícias.

oração subordinada adjetiva

Asteroide que viaja na contramão pode ter vindo de outro sistema solar

termo antecedente

Disponível em: <http://d.emtempo.com.br/ciencia-e-tecnologia/105352/asteroide-que-viaja-na-contramao-pode-ter-vindo-de-outro-sistema-solar>. Acesso em: 9 ago. 2018.

oração subordinada adjetiva

Dia das Mães: 10 presentes que você deve evitar nessa data

termo antecedente

Disponível em: <http://www.purebreak.com.br/noticias/dia-das-maes-10-presentes-que-voce-deve-evitar-nessa-data/14058>. Acesso em: 8 ago. 2018.

Observe que as orações subordinadas adjetivas foram iniciadas com a palavra *que*.

> A palavra *que*, iniciando uma oração subordinada adjetiva, é um elemento conectivo chamado de **pronome relativo**. O pronome relativo relaciona a caracterização ao termo antecedente. Esse pronome relativo é um elemento de coesão.

Uma forma de verificar se a palavra *que* é um pronome relativo é observar se ele se refere a um antecedente. Outra possibilidade é substituí-lo por outros pronomes relativos: *o qual, a qual, os quais, as quais, cujo, cujos, cuja, cujas*. Observe:

> Asteroide **o qual** viaja na contramão pode ter vindo de outro sistema solar.
> 10 presentes **os quais** você deve evitar nessa data.

Os pronomes usados nas frases anteriores (*o qual/os quais*) variam em número.

Alguns pronomes relativos devem concordar em gênero e número com o termo antecedente a que se referem e ser precedidos de artigo definido (*o, a, os, as*).

Pronomes relativos que variam devem concordar com o termo que os antecede: *o/a qual, os/as quais, cujo(s)/cuja(s)*. Pronomes relativos que não variam: *que, onde, quem*.

As orações subordinadas adjetivas são introduzidas por pronomes relativos. No dia a dia, os pronomes *o qual, os quais, a qual, as quais, cujo, cujos, cuja, cujas* são menos empregados.

O pronome relativo, ao ligar a oração subordinada adjetiva a um termo da oração anterior, para explicá-lo ou determiná-lo, pode ser acompanhado por **preposição**.

Leia alguns exemplos de pronome relativo precedido por preposições:

- **Que** — usado para fazer referência a elementos diversos. Exemplos:

Não sei o nome da **pessoa** a que encaminhei a encomenda.

= à qual

Nem sempre as **coisas** de que gostamos são as melhores para nós.

= das quais

Este é o **computador** com que desenvolvemos os projetos.

= com o qual

A paz é **algo** pelo que devemos lutar permanentemente.

= pelo qual

Maurício Pierro/Arquivo da editora

Você já viu que o pronome relativo *que* pode ser substituído por *qual*. Há casos em que é possível usar outros pronomes relativos também. Observe.

- **Quem** — sempre faz referência a pessoas. Exemplos:

> Estes são os amigos **de quem** falei.
>
> Essa é a garota **com quem** partilharei o quarto?
>
> Aquela é a pessoa **a quem** você deverá encaminhar seu currículo.

- **Cujo(s), cuja(s)** — são usados com sentido de posse e quando equivalem a *do qual, da qual, dos quais, das quais*. Exemplos:

> Este é o condomínio **cujas** casas foram assaltadas por uma quadrilha.
>
> Este é o condomínio **do qual** as casas foram assaltadas por uma quadrilha.
>
> Terminei a redação **cujo** tema parecia tão difícil.
>
> Terminei a redação **da qual** o tema parecia tão difícil.

> **① Atenção**
> Não se deve empregar os pronomes relativos *cujo(s)/cuja(s)* precedidos ou sucedidos de artigo.

> Só compramos os livros **cujos** autores foram indicados pela crítica.
> Só compramos os livros **dos quais** os autores foram indicados pela crítica.

Não deve haver sinal de crase no termo **a**, pois as palavras *cuja/cujo* não aceitam artigo. Neste caso, **a** é apenas uma preposição solicitada pelo verbo *referir* (refiro-me **a** alguma coisa). Veja o exemplo:

> Este é o arquiteto **a** cuja obra me referi.

Uso do pronome relativo *onde*

Releia estas duas frases retiradas da entrevista de Kobra e observe as palavras destacadas.

[...] E nós paulistanos nos orgulhamos disso, por levar isso para fora do mundo, como por exemplo na Arábia Saudita, **onde** há poucos anos era impensável haver arte de rua.

lugar   em que, no qual

[...] E hoje eu estou em um momento do meu trabalho **onde** estou muito mais preocupado com o conteúdo que vou pintar do que com a estética.

não é um lugar físico   em que, no qual

Na segunda frase, por se referir à palavra *momento*, que não indica lugar físico, a gramática normativa sugere que sejam empregados outros pronomes relativos. Veja:

> E hoje estou em um momento do meu trabalho **em que** estou muito mais preocupado com o conteúdo que vou pintar do que com a estética.
>
> E hoje estou em um momento do meu trabalho **no qual** estou muito mais preocupado com o conteúdo que vou pintar do que com a estética.

No dia a dia, principalmente na linguagem mais informal, o pronome relativo *onde* é empregado tanto para se referir a um termo que indica lugar como para se referir a um termo não indicativo de lugar.

Em referência a termos que não significam lugares físicos, a gramática sugere que sejam empregados os pronomes relativos: *que, em que, no qual, na qual*, etc. Na linguagem mais formal, prefere-se que o pronome relativo *onde* seja empregado apenas quando fizer referência a **lugar** ou **espaço físico**.

Leia e compare as frases a seguir.

Moro em um bairro **onde** o índice de casos de dengue aumentou muito.

lugar físico

Todos querem um tempo de paz **em que** não haja tanta violência.

termo não indicativo de lugar

A situação **na qual** os desabrigados se encontram é desesperadora.

termo não indicativo de lugar

Os termos *tempo* e *situação* são abstratos e não se referem a lugares físicos concretos. Por isso, a tradição gramatical orienta o uso de outros pronomes nas situações mais formais.

▸ Em seu caderno, reescreva as frases a seguir substituindo o ▪ por pronomes relativos adequados.

a) Esta é a sala ▪ você deverá trabalhar.

b) Estudei algumas teorias ▪ descobri quanto a vida na Terra está ameaçada!

c) Essa ideia ▪ você defende é muito fora da realidade!

d) O lugar ▪ alguns animais do zoológico foram transferidos não é adequado.

Orações subordinadas adjetivas

As orações subordinadas adjetivas podem ser classificadas em restritivas ou explicativas. Veja a seguir.

Oração subordinada adjetiva restritiva

Releia o trecho em que Eduardo Kobra comenta seu trabalho para uma organização, na Grécia, que desenvolve um projeto de proteção aos animais.

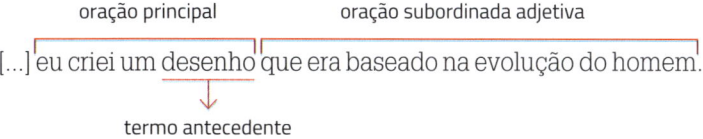

```
        oração principal          oração subordinada adjetiva
[...] eu criei um desenho que era baseado na evolução do homem.
                    ↓
              termo antecedente
```

Nesse caso, a oração subordinada adjetiva foi empregada para caracterizar a ideia de desenho, restringindo, limitando o termo. Kobra não diz que criou qualquer desenho, ele afirma ter criado um desenho "baseado na evolução do homem".

> A **oração subordinada adjetiva restritiva** apresenta uma característica que restringe, particulariza o termo antecedente.

Oração subordinada explicativa

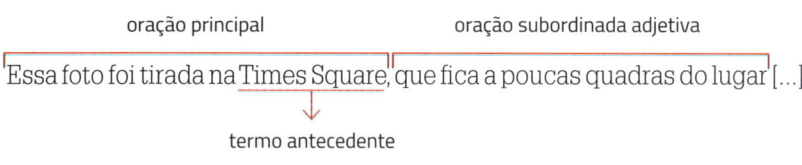

```
          oração principal              oração subordinada adjetiva
Essa foto foi tirada na Times Square, que fica a poucas quadras do lugar [...]
                        ↓
                termo antecedente
```

Nesse período, a oração subordinada adjetiva não restringe o termo *Times Square*, e sim acrescenta uma explicação: "que fica a poucas quadras do lugar". Não particulariza ou restringe o significado do termo a que se refere, apenas fornece um dado sobre ele.

> A **oração subordinada adjetiva explicativa** apresenta uma explicação sobre o termo antecedente, sem limitar seu significado.

▶ Leia as frases a seguir. Depois, copie no caderno as orações subordinadas adjetivas e classifique-as em **restritivas** ou **explicativas**.

a) A primavera, que vai de setembro a dezembro, é um período de chuvas.

b) Os jovens, que em sua maioria preferem os jogos virtuais, têm se distanciado das reuniões sociais.

c) O livro que você trouxe é muito interessante.

d) A baleia-azul, que é o animal mais pesado do mundo, pode chegar a 160 toneladas.

Orações reduzidas

Nas unidades anteriores você viu que há mecanismos para tornar as frases mais concisas, reduzidas. Vale lembrar que as orações reduzidas recebem este nome porque são orações subordinadas que não apresentam conectivos e o verbo aparece na forma nominal: infinitivo, gerúndio ou particípio. Esse recursos também pode ser empregado com as orações subordinadas adjetivas.

Mauricio Pierro/Arquivo da editora

Leia estas frases e compare-as.

Frase I	Frase II
O muralista que entrevistei é muito famoso	O muralista entrevistado por mim é muito famoso
oração subordinada adjetiva restritiva desenvolvida	oração subordinada adjetiva restritiva reduzida de particípio

Observe que na frase II o pronome relativo *que* não é empregado. Além disso, nessa construção, a oração adjetiva da frase I é substituída por uma forma verbal no particípio: *entrevistado*, que tem valor de um adjetivo.

Leia este outro exemplo:

Os pássaros que cantam na árvore do quintal alegram nossas manhãs.

oração subordinada adjetiva restritiva desenvolvida

Os pássaros cantando na árvore do quintal alegram nossas manhãs.

oração subordinada adjetiva restritiva reduzida de gerúndio
não há pronome relativo

Mauricio Pierro/Arquivo da editora

▶ Você viu que há formas de tornar o texto mais conciso por meio de orações reduzidas. Reescreva os períodos a seguir no caderno transformando as orações adjetivas desenvolvidas destacadas em orações reduzidas. Para isso, empregue formas nominais do verbo.

a) O gado **em que se identificou a febre aftosa** foi sacrificado.

b) A ajuda **que países mais ricos enviaram** chegou com atraso para as vítimas.

c) Pessoas **que os jornalistas encontraram depois do vendaval** ainda estavam em estado de choque.

d) A economia de água **que todos devem fazer** será um benefício também para as gerações futuras.

Hora de organizar o que estudamos

▶ Leia o esquema a seguir.

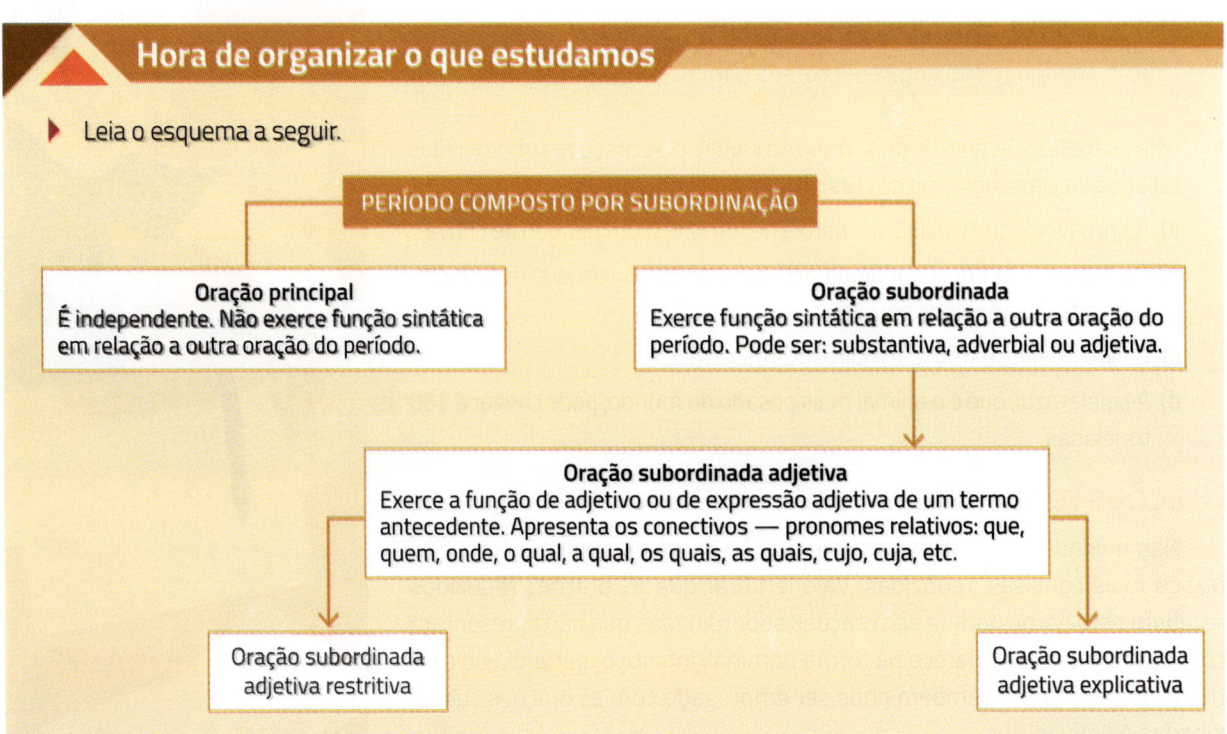

PERÍODO COMPOSTO POR SUBORDINAÇÃO

Oração principal
É independente. Não exerce função sintática em relação a outra oração do período.

Oração subordinada
Exerce função sintática em relação a outra oração do período. Pode ser: substantiva, adverbial ou adjetiva.

Oração subordinada adjetiva
Exerce a função de adjetivo ou de expressão adjetiva de um termo antecedente. Apresenta os conectivos — pronomes relativos: que, quem, onde, o qual, a qual, os quais, as quais, cujo, cuja, etc.

Oração subordinada adjetiva restritiva

Oração subordinada adjetiva explicativa

Orações adjetivas e formas de coesão

1▸ Copie no caderno as frases a seguir. Depois, destaque as orações subordinadas adjetivas e sublinhe os pronomes relativos que as introduzem.

a) "Ele fala de preservação histórica e de personalidades que lutaram por um mundo diferente."

b) "O critério que eu coloco para produzir é ter liberdade para criar [...]."

c) "Que tenha uma mensagem que eu queira passar".

d) Há vários eventos dirigidos a pessoas que gostam de *street art.*

e) A pichação, que é uma forma de depredação, polui as ruas da cidade.

2▸ Leia a tira a seguir. Depois, responda às questões no caderno.

SCHULZ, Charles M. Minduim. *O Estado de S. Paulo.* São Paulo, 7 maio 2005.

a) A tira comenta a época em que os dinossauros viviam em nosso planeta. Qual é a conclusão de Snoopy sobre o desaparecimento deles?

b) De que forma Snoopy chega a essa conclusão?

c) Releia a fala de Charlie Brown no primeiro quadrinho:

> Houve épocas em **que** havia dinossauros aqui.

A qual termo o pronome relativo destacado se refere?

d) Reescreva no caderno essa fala substituindo o pronome relativo por outro equivalente.

3▸ Leia este trecho de Marcelo Leite sobre a cultura da região amazônica:

> [...]
> Outro elemento muito importante da cultura local são as lendas amazônicas, povoadas por seres fantásticos como o Curupira, que protege a floresta e os animais dos predadores, e sereias como a Iara. Os animais também têm seu papel nas histórias do cotidiano dos moradores da floresta, como a do boto, que, conforme a tradição oral da região, se transforma em moço bonito nas noites de festa para seduzir as mulheres. Boa parte dos casos narrados tem por tema o *panema*, uma espécie de azar na caça e na pesca, que se abate sobre aqueles que desrespeitam as regras da natureza.
>
> LEITE, Marcelo. *Brasil, paisagens naturais.* São Paulo: Ática, 2007. p. 31.

Assinale a(s) alternativa(s) que considerar mais adequada(s) para se referir ao trecho lido:

a) O autor sintetiza que as lendas são elementos fundamentais na cultura da Amazônia.

b) O autor aponta que lendas, animais e crenças fazem parte da tradição que alimenta histórias do povo daquela região.

c) O autor afirma que apenas as lendas são responsáveis pelas histórias que circulam na região.

d) O autor afirma que o azar se abate sobre todos os que desrespeitam a natureza.

4. Releia os trechos retirados do texto da atividade anterior e responda às questões no caderno.

Trecho I

> Outro elemento muito importante da cultura local são as lendas amazônicas, povoadas por seres fantásticos como o Curupira, **que protege a floresta e os animais dos predadores**, e sereias como a Iara.

a) A oração destacada é uma oração subordinada adjetiva. Qual é o termo a que essa oração está se referindo?

b) Essa oração é subordinada adjetiva restritiva ou subordinada adjetiva explicativa? Por quê? Explique.

Trecho II

> Os animais também têm seu papel nas histórias do cotidiano dos moradores da floresta, como a do boto, **que**, conforme a tradição oral da região, se transforma em moço bonito nas noites de festa para seduzir as mulheres.

a) O pronome destacado inicia uma oração que se refere ao termo *boto*. Copie no caderno a oração adjetiva que está ligada a esse pronome.

b) Que outro pronome relativo poderia substituir o *que*, sem alterar o sentido da frase?

Trecho III

> Boa parte dos casos narrados tem por tema o *panema*, uma espécie de azar na caça e na pesca, **que** se abate sobre aqueles que desrespeitam as regras da natureza.

Qual é o termo antecedente, isto é, o termo a que o pronome relativo destacado está se referindo?

5. Hagar está contratando novos guerreiros. Leia a história em quadrinhos a seguir.

BROWNE, Chris. Hagar. *Folha de S.Paulo*. São Paulo, 19 jun. 2005. p. E11.

a) No caderno, copie o quadro a seguir e escreva nele as características que Hagar pretende encontrar em seus guerreiros (quadrinhos 5, 6, 7 e 8). Organize-as na coluna adequada: expressões adjetivas ou orações adjetivas.

Expressões adjetivas	Orações adjetivas

b) Qual é o efeito de humor provocado pela lista de expressões e orações adjetivas que Hagar propõe?

6▸ Reescreva no caderno as orações juntando-as em um só período, empregando o pronome **cujo** para fazer a ligação entre elas. Observe o exemplo:

> Meu pai é um homem muito ponderado. Pode-se confiar nas suas críticas.
> Meu pai é um homem muito ponderado, em **cujas** críticas se pode confiar.

a) Estivemos com Pedro. Dormimos na casa de Pedro.

b) A pesquisa ainda não foi feita. O assunto da pesquisa é muito polêmico.

c) Há remédios perigosos. A venda desses remédios é controlada.

d) Os ladrões arrombaram o cofre. A fechadura do cofre tinha esquemas de segurança.

e) Os jovens chegaram atrasados ao congresso. A bagagem dos jovens extraviou.

7▸ Reescreva no caderno as frases a seguir transformando a expressão adjetiva destacada em uma oração subordinada adjetiva desenvolvida. Empregue o pronome relativo que considerar mais adequado para ligar as orações.

a) Após o ataque terrorista, o mundo assistiu a cenas **comoventes**.

b) Há insetos **de picada indolor**, mas que são mais venenosos do que aqueles que têm uma picada dolorosa.

c) Os jovens têm uma espontaneidade **surpreendente**.

d) Histórias **de nosso passado** nos ajudam a recuperar nossa identidade.

e) O pior terremoto dos últimos sessenta anos atingiu a Índia e a Caxemira — países **superpovoados**.

Desafios da língua

Regência nominal e crase

Regência nominal

Você já estudou que há verbos que necessitam de complementos para ter sentido completo, e que se dá o nome de **regência verbal** ao modo como esses complementos se ligam ao verbo: com ou sem preposição.

Observe o verbo destacado nesta oração retirada da entrevista "Uma conversa com Kobra, um dos maiores muralistas do Brasil":

Paralelamente com a pintura trabalhei de *motoboy* [...].

- verbo
- complemento
- termo regente
- preposição
- termo regido
- (elemento de conexão entre o verbo e o complemento)

Com relação aos nomes (substantivos, adjetivos e advérbios), há também os que exigem complementos regidos por preposição.

Veja este exemplo também retirado da entrevista de Eduardo Kobra.

Aquilo ajudou a mostrar a <u>importância da arte</u> de rua para a cidade [...]

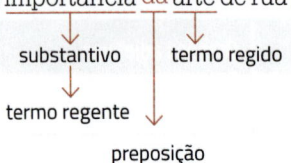

> Quando o termo regente é um substantivo, um adjetivo ou um advérbio e exige complemento, chamamos de **regência nominal** o modo como o complemento se liga a ele.

Observe nos exemplos seguintes que as palavras *alheio* e *preferível* (termos regentes) exigem complemento regido por preposição.

Carlos está <u>alheio a tudo</u>.

Calar é <u>preferível a falar</u> sem pensar.

Veja no quadro a seguir alguns casos de regência nominal.

Termo regente	Preposição	Exemplo
ansioso	para, por, de	Estou ansiosa para ouvir sua resposta.
agradável	a	Seu comportamento não pareceu agradável aos olhos dos presentes.
anterior	a	Meus *e-mails* são anteriores aos seus.
favorável	a	A decisão do juiz não foi favorável ao time.
descontente	com	Os funcionários estão descontentes com o salário.
favoravelmente	a	O juiz decidiu favoravelmente ao réu.

Da mesma forma que a regência verbal, a regência nominal segue as indicações da gramática normativa, que se apoia em usos mais formais da língua, como exemplos de autores clássicos.

Assim, para saber qual é a regência de uma palavra para o uso mais formal da língua, deve-se consultar o dicionário ou uma gramática.

▸ Reescreva as frases a seguir no caderno substituindo o ■ por um complemento aos nomes das frases. Se necessário, consulte o dicionário.

a) A diretora não foi favorável ■ seu pronunciamento.

b) A conversa diz respeito ■ você.

c) O cigarro e a bebida alcoólica são prejudiciais ■ saúde.

d) Meu irmão está ansioso ■ o início das aulas.

Crase

Há alguns tipos de regência (nominal ou verbal) que vão produzir a contração da preposição *a* com o artigo *a*. Observe este exemplo publicado na entrevista de Eduardo Kobra:

A única forma de ter <u>acesso aos</u> meus trabalhos [...]

preposição + artigo masculino

Nesta frase, há uma preposição e um artigo masculino.

Mas, se no lugar do complemento for colocada uma palavra do gênero feminino, haverá o encontro de uma preposição e um artigo feminino. Veja:

A única forma de ter acesso a a prova é pela internet.

preposição + artigo feminino

Quando esses elementos se juntam, ou seja, se fundem em uma única vogal, essa fusão é indicada na escrita pelo acento grave (ˋ). Nesse caso, afirmamos que ocorre a **crase**.

> **Crase** é a fusão da preposição *a* com o artigo feminino *a*.

Veja:

> A única forma de ter acesso **à** prova é pela internet.

Leia estes outros exemplos.

Tenho de ir ao cartório nesta tarde.

preposição   artigo masculino

Jovem com computador.

Tenho de ir a a livraria nesta tarde.   ⟶   Tenho de ir **à** livraria nesta tarde.

preposição   artigo feminino

Há algumas regras de ocorrência da crase. Observe:

Regra geral: haverá crase sempre que o termo regente exigir a preposição *a* e o termo regido for compatível com o artigo *a*. Exemplo:

Vou a a cidade   ⟶   Vou à cidade.
      à

Uma forma prática de saber se ocorre ou não crase é substituir o termo feminino por um termo masculino. Exemplo:

Vou a o cinema.   ⟶   Vou ao cinema.
      ao

Se for preciso colocar um artigo masculino diante do termo substituto, haverá crase antes do termo feminino.

Algumas palavras, mesmo no gênero feminino, não são compatíveis com o artigo *a*. Acompanhe a explicação a seguir. Você vai perceber como é possível saber se a palavra admite ou não o artigo.

Fui a Paris.   ⟶   Voltei de Paris.
preposição   preposição

Observe que, na segunda oração, o termo *Paris* não é compatível com o artigo *a*, pois não é precedido por *da* (de+a). Veja este outro exemplo:

> Fui **à** Bahia.   Voltei **da** Bahia.

Neste caso, o termo *Bahia* é compatível com o artigo *a*.

Casos em que sempre ocorre a crase:

1. Em expressões que indicam horas. Exemplo:

> Chegue às duas horas em ponto.

2. Em expressões adverbiais femininas. Exemplos:

> Voltamos às pressas.

> À noite haverá uma reunião dos condôminos.

Casos em que *não* ocorre a crase:

1. Antes de palavra masculina. Exemplos:

> Escreveu a lápis.

> Andou a cavalo.

Exceções:

* com os pronomes *aquele, aquilo, aquela*. Exemplo:

> Não volto mais àquele lugar.
>
> preposição *a* + *aquele*

Mulher jovem andando a cavalo.

* quando estiver subentendida a expressão *à moda de*. Exemplo:

> Seu estilo era à [*à moda de*] Portinari.

2. Antes de pronomes em geral. Exemplos:

> Eu me refiro a esta mulher.

> Não dê atenção a ela.

Exceções:

* os pronomes de tratamento *senhora* e *dona* aceitam o artigo; consequentemente, ocorrerá crase. Exemplo:

> Quero dizer à senhora que gostei de seu último livro.

* alguns pronomes como *mesmo* e *próprio* aceitam artigo. Exemplo:

> Deram muitos desgostos à própria mãe.

3. Antes de verbo. Exemplo:

> Não estavam dispostos a abrir mão dos lucros.

4. Em expressões com palavras repetidas. Exemplos:

> passo a passo, ponta a ponta, dia a dia, frente a frente

1▸ Copie no caderno a frase abaixo e, se necessário, use o acento grave se ocorrer a crase. Em seguida, justifique o uso ou não do acento.

> Dicas para dirigir a noite.

2▸ Leia esta tirinha.

BEM-VINDO AO MEU MUNDO!

FIQUE ▮ VONTADE PARA ME DAR COISAS!

QUE TAL UM MASSAGEADOR DE GENGIVA?

COISAS DE COMER.

DAVIS, Jim. Garfield. *Folha de S.Paulo*. São Paulo, 22 jun. 2005. P. E9.

a) Garfield é um personagem conhecido como dorminhoco, comilão e mal-humorado. Pensando nessas características, como você justificaria a expressão e o pensamento dele no último quadrinho?

b) Reescreva no caderno a frase do segundo quadrinho da tira, substituindo o ▮ por *a* ou *à*. Justifique a substituição.

3▸ Copie as frases no caderno empregando, apenas quando necessário, o acento grave indicativo de crase nos termos destacados.

a) Todos os candidatos selecionados estavam ligados **a** empresas nacionais.

b) Assistiu **a** vitória de seu time com o coração na mão.

c) Chegou **a** São Paulo ontem **a** noite.

d) Entregaram seu recado só **as** três da tarde.

e) Os examinadores não aceitam o texto escrito **a** lápis.

f) Fez uma macarronada **a** italiana.

Outro texto do mesmo gênero

No início desta unidade, você leu a entrevista de um artista conhecido por produzir obras de arte em ruas e avenidas — a *street art*.

Agora, você vai ler mais uma entrevista de um artista, mas desta vez um quadrinista nordestino conhecido como Shiko.

> **quadrinista:** autor de histórias em quadrinhos.
>
> *indie:* termo em inglês que significa independente; alternativo.
>
> *graphic novel:* termo em inglês que significa romance gráfico; história em quadrinhos mais densa e complexa em comparação com os gibis.

Shiko e a expansão dos quadrinistas do Nordeste

Lara Paiva

O premiado quadrinista e ilustrador paraibano Shiko (eleito o melhor desenhista do ano pelo Troféu Angelo Agostini em 2014) esteve em Natal recentemente no Bazar Independente do Duas Estúdio e nós d'**O CHAPLIN** o entrevistamos.

Francisco José Souto Leite nasceu em Patos, mudou-se para João Pessoa aos 18 anos, quando começou a trabalhar com publicidade e a criar quadrinhos independentes, especialmente pela revista *indie Marginal Zine*. Sua trajetória inclui obras como a adaptação de *O Quinze* e as *graphic novels* "O Azul Indiferente do Céu", "Talvez seja mentira", "Lavagem" e "Piteco — Ingá".

Confira o nosso bate-papo a seguir:

Francisco José Souto Leite (Shiko).

O CHAPLIN: A gente está vendo um crescimento na produção de quadrinhos tanto em Natal quanto nos outros estados do Nordeste. Como você observa esta mudança?

Em Natal, João Pessoa e Recife, é nítido este aumento do interesse por quadrinhos, isto não é impressão. Alguns dias tinha visto uma enquete na internet, era um questionário que abrangia todo o país. Cheguei até a responder. O resultado dizia que o número de leitores nordestinos de quadrinhos é o mesmo da região Sul. Então, é claro o interesse do Nordeste em ler histórias em quadrinhos. Tem muita gente aqui produzindo produto de alta qualidade.

O CHAPLIN: Quais quadrinistas do Nordeste que você mais gosta do trabalho?

Uma das minhas primeiras influências foi um cara de Recife, Watson Portela, que foi conhecido bastante nos anos 80/90. É um cara até hoje que é referência, fiquei muito feliz quando soube que "Paralelas" seria relançado este ano numa editora de São Paulo. [Também posso citar Mike] Deodato, meu vizinho, lá de João Pessoa, que é uma referência. Mais do que essas, que estão fazendo quadrinhos há algum tempo, é importante perceber o crescimento de novos nomes e grupos de produtores publicando.

O CHAPLIN: Sem contar que a internet está ajudando bastante na divulgação destes trabalhos, isto deixa o trabalho um pouco mais democrático, não é mesmo?

Sim! [A internet deixou] um caminho mais curto entre o autor e leitor. Fica mais fácil de encontrar um trabalho da Ana Luísa Medeiros [autora de "Ana e o Sapo, Editora Tribo"] e Thaís Gualberto. É interessante perceber essa leva de mulheres quadrinistas. Isso sim me parece um fenômeno recente!

O CHAPLIN: Verdade! Muitas quadrinistas estão com mais espaço para mostrar o seu talento com os quadrinhos...

Sim, elas são muito bem-vindas! Estava faltando. É o caso de se pensar o porquê das meninas terem demorado tanto.

O CHAPLIN: Talvez seria um pouco de preconceito?

É... Basicamente é um Clube do Bolinha. Porque é um monte de menino fazendo gibi para um monte de menino. Quando você vê um monte de meninas fazendo quadrinho, começam outros tipos de produção. Então, vai aparecer estilos e propostas das mais diversas.

O CHAPLIN: Em João Pessoa, graças ao curso de Comunicação em Mídias Digitais, a produção de quadrinhos fervilhou bastante, isto foi uma coisa ótima. Que motivo levou este crescimento?

Graças ao aluno do professor Henrique Magalhães, que possui uma editora chamada "Máquina da Fantasia", que tem um catálogo incrível e já me publicaram. Além disso, também tem pequenas editoras descentralizadas e ajudando a publicar diversas produções.

O CHAPLIN: Mudando de assunto e para finalizar, você é conhecido pelos autógrafos quase obra de arte, quando surgiu este carinho com o público?

Não sei se é uma forma de "seduzir" o meu público, mas para mim é difícil abrir um livro e dar apenas uma "canetada" e escrever meu nome. Vejo um pedaço branco de papel, eu quero desenhar. É bom para mim. Às vezes é cansativo, mas não consigo pensar de outra maneira.

Disponível em: <http://www.ochaplin.com/2015/07/shiko-e-a-expansao-dos-quadrinistas-do-nordeste.html>. Acesso em: 5 set. 2018.

Converse com os colegas e o professor.

1▸ A entrevista é de um quadrinista conhecido por produzir publicidade e quadrinhos independentes, conforme informação apresentada na introdução. O que você entende por **independente** nesse contexto?

2▸ Esta entrevista apresenta uma linguagem mais formal ou informal? Justifique sua resposta.

3▸ Nessa entrevista, há algumas características comuns à organização desse gênero textual. Uma delas é a introdução ou abertura. Que outra(s) característica(s) pode(m) ser citada(s)?

Entrevista

Na seção *Prática da oralidade*, você e os colegas de grupo planejaram e realizaram uma entrevista cujo tema foi "A escolha de uma profissão".

Agora, vocês vão produzir a versão escrita dessa entrevista, que poderá ser publicada no jornal impresso, no *site* da escola ou no *blog* da turma. Sigam estas orientações.

➡ Preparação

1▸ **Em grupo.** Reúnam-se com o mesmo grupo que realizou a entrevista oral na seção *Prática de oralidade*. Retomem a pesquisa e as perguntas e respostas da entrevista que fizeram. Se ela tiver sido gravada (áudio ou vídeo), chegou o momento de transcrever as falas. Caso não tenha sido possível gravar a entrevista, usem o registro escrito que fizeram.

2▸ Combinem com o professor como será feita a circulação da entrevista: em mídia impressa (jornal da escola) ou digital (*site* da escola ou *blog* da turma). Isso será importante para pensar no formato da entrevista escrita e nas informações que deverão ser apresentadas ao leitor.

3▸ Leiam no esquema a seguir as características do gênero que vão produzir:

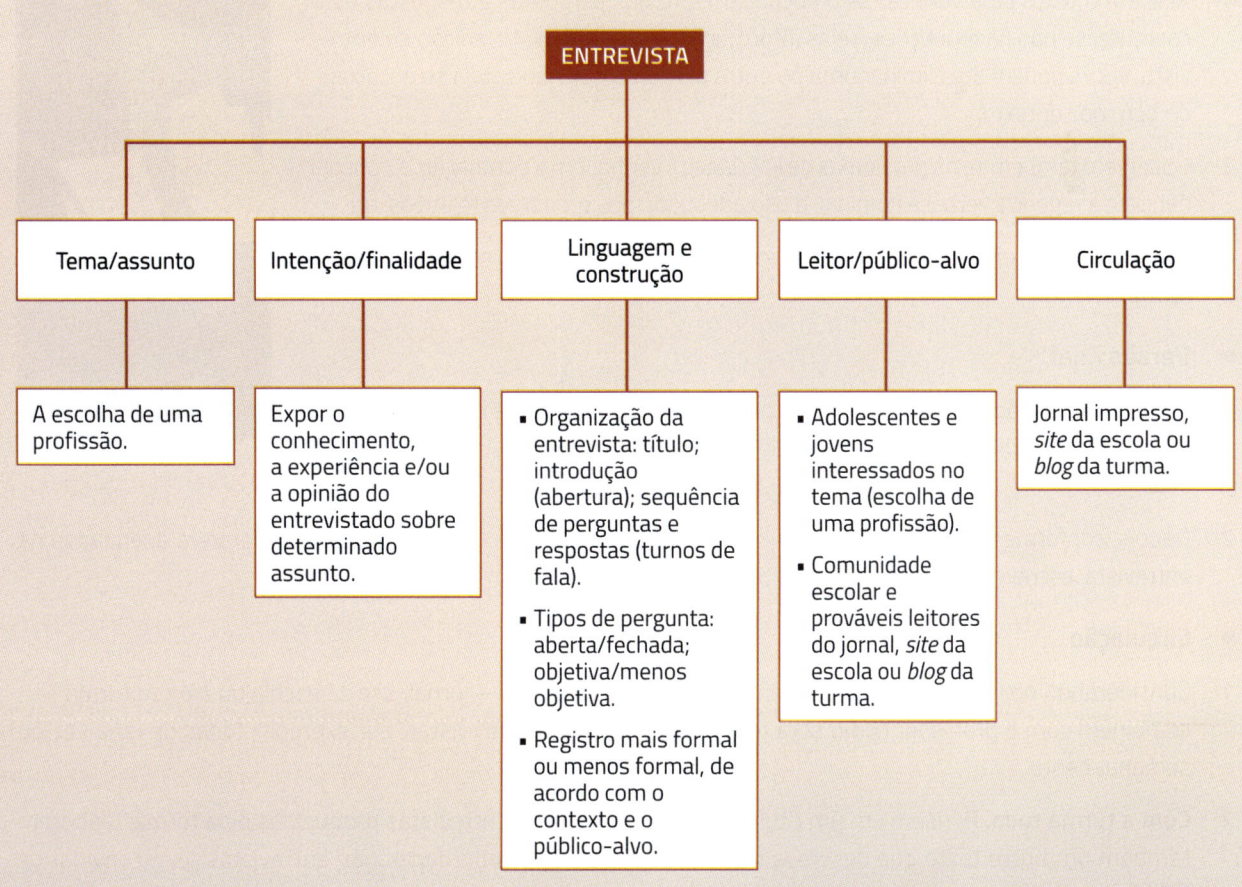

ENTREVISTA

Tema/assunto	Intenção/finalidade	Linguagem e construção	Leitor/público-alvo	Circulação
A escolha de uma profissão.	Expor o conhecimento, a experiência e/ou a opinião do entrevistado sobre determinado assunto.	▪ Organização da entrevista: título; introdução (abertura); sequência de perguntas e respostas (turnos de fala). ▪ Tipos de pergunta: aberta/fechada; objetiva/menos objetiva. ▪ Registro mais formal ou menos formal, de acordo com o contexto e o público-alvo.	▪ Adolescentes e jovens interessados no tema (escolha de uma profissão). ▪ Comunidade escolar e prováveis leitores do jornal, *site* da escola ou *blog* da turma.	Jornal impresso, *site* da escola ou *blog* da turma.

⤷ Rascunho

1▸ Transcrevam as perguntas e as respostas, fazendo uma primeira versão para montar o texto e editá-lo. Seguem algumas dicas para transcrição das falas da entrevista:

a) Se vocês considerarem que há muitas repetições de palavras ou de marcas de oralidade, como "aí", "né", "entendeu" e gírias, vocês podem eliminá-las.

b) Se houver pausas, interrupções e hesitações nas falas, vocês podem empregar reticências para marcar esses momentos.

c) Usem sinais de pontuação para organizar as ideias e representar na escrita a entonação expressiva das falas.

2▸ Se tiverem acesso a um computador, vocês podem empregar os recursos gráficos para a edição da entrevista, por exemplo, usar o negrito para as perguntas. Caso escrevam à mão, podem usar canetas de cores diferentes para marcar os turnos de fala.

3▸ Selecionem alguns trechos significativos das respostas do entrevistado para destacar no texto.

4▸ Escrevam a introdução (a abertura) da entrevista com os dados do(a) entrevistado(a), situando também as circunstâncias em que a entrevista se deu (como, onde e quando).

5▸ Pensem em um título atraente e, caso a pessoa entrevistada tenha autorizado, insiram a fotografia dela. Lembrem-se de criar uma legenda curta e informativa para a imagem.

Maurício Pierro/Arquivo da editora

⤷ Edição e revisão

1▸ Releiam o texto para verificar se o encadeamento das perguntas e respostas está coerente, se não há repetições, se as informações estão claras. Na edição da entrevista, vocês podem até eliminar uma ou outra pergunta que não esteja se encaixando bem no contexto.

2▸ Observem também se há problemas de linguagem: verifiquem a pontuação, a concordância e a regência verbal e nominal, o uso adequado dos pronomes relativos, etc.

3▸ Observem se há alguma informação citada pelo entrevistado que merece ser esclarecida ao leitor.

⤷ Versão final

1▸ Finalizada a edição, escolham um leitor para dar um parecer sobre o texto de vocês — alguém da família, um amigo, um colega da turma, ou quem sabe até um jornalista.

2▸ Depois, conforme os comentários desse leitor, façam a revisão e os ajustes que considerarem adequados na entrevista, escrevendo a versão final do texto.

⤷ Circulação

1▸ Considerando o(s) veículo(s) em que a entrevista será divulgada — jornal, *site* da escola ou *blog* da turma — , combinem com o professor como será feita a publicação das entrevistas, por exemplo, todas de uma vez ou semanalmente.

2▸ **Com a turma toda.** Pensem em um título geral para a série de entrevistas produzidas pela turma. Elaborem também um breve texto que descreva o tema e as profissões abordadas nas entrevistas para convidar os leitores a acompanhar as publicações e ler todos os textos.

Chegou o momento de fazer um balanço de tudo o que foi estudado na Unidade 5. Leia o quadro de conteúdos para recordar o que estudou e, no caderno, avalie seu desempenho usando os tópicos propostos a seguir como orientação. Isso ajudará você na hora de organizar seus estudos.

Meu desempenho

- **Compreendi bem** (registre no caderno os itens que você compreendeu)
- **Avancei em** (registre no caderno os itens em que você melhorou)
- **Preciso rever** (registre no caderno os itens que você precisa estudar mais)
- **Outras observações e/ou outras atividades**

UNIDADE 5	
Gênero Entrevista	**LEITURA E INTERPRETAÇÃO** · Leitura da entrevista "Uma conversa com Kobra, um dos maiores muralistas do Brasil", Clara Cerioni · Observação das informações e da argumentação apresentadas em uma entrevista · Organização de uma entrevista: título, introdução (abertura), perguntas e respostas · Turnos de fala entre o entrevistador e o entrevistado · Roteiro de perguntas e tipos de pergunta **PRODUÇÃO** **Oral** · Entrevista · Interatividade: Entrevista em vídeo **Escrita** · Versão escrita de entrevista
Ampliação de leitura	**CONEXÕES** · Outras linguagens: Mural · Arte e influências **OUTRO TEXTO DO MESMO GÊNERO** · "Shiko e a expansão dos quadrinhos do Nordeste", Lara Paiva
Língua: usos e reflexão	· Orações subordinadas adjetivas e coesão: pronomes relativos · Orações subordinadas adjetivas restritivas e orações subordinadas adjetivas explicativas · Orações subordinadas adjetivas desenvolvidas e orações subordinadas adjetivas reduzidas · Desafios da língua: Regência nominal e crase
Participação em atividades	· Orais · Coletivas · Em grupo

Maurício Pierro/Arquivo da editora

DESMIM?

DESMUNDO?

DESANIVERSÁRIO?

DESINVENTAR?

DESAMIGO?

UNIDADE

6

Uma crônica diferente

Onde você costuma encontrar crônicas para ler: em livros, em jornais ou em revistas? Você já encontrou a palavra *crônica* no título de um filme ou de uma peça teatral? O que você faz quando não conhece o significado de uma palavra: consulta um dicionário, pergunta a um colega ou tenta relacionar essa palavra com outra cujo significado você já conhece?

Nesta unidade você vai:

- ler e interpretar crônica jornalística;
- localizar a opinião do cronista sobre o fato noticiado;
- identificar argumentos para comprovar opinião;
- identificar recursos coesivos e jogos de palavras na crônica;
- produzir uma crônica opinativa;
- participar de roda de leitura de crônicas escolhidas;
- estudar coerência e coesão textual;
- identificar o uso de pronomes na coesão textual;
- reconhecer novos usos de palavras conhecidas, estrangeirismos, neologismos, gírias.

CRÔNICA JORNALÍSTICA

No Brasil, o gênero <u>crônica</u> é registrado desde o século XVI. Naquela época, esses textos descreviam o que os portugueses, recém-chegados ao território brasileiro, haviam encontrado por aqui. Esses relatos ficaram conhecidos como **crônicas dos viajantes**.

Com o tempo, a crônica ganhou outras características: passou a relatar a vida social e o cotidiano de sua época, misturando realidade e imaginação. Atualmente, é um gênero bastante apreciado pelos leitores que preferem textos curtos que apresentem uma crítica sensível ou bem-humorada sobre temas da vida cotidiana.

> **crônica:** palavra de origem grega que tem em sua raiz a palavra *tempo* (*khrónos*).

As crônicas publicadas em jornais e revistas são chamadas **crônicas jornalísticas**. Parte delas é inspirada por notícias e aborda, sempre do ponto de vista do seu autor, diferentes aspectos do dia a dia: cultura, política, esporte, entre outros.

A crônica que você vai ler foi criada a partir de uma notícia de jornal. Leia um trecho da notícia:

> Joaquim José da Silva Xavier, o Tiradentes, foi absolvido por sua participação na Inconfidência Mineira, em julgamento teatralizado, realizado hoje (21), no Rio de Janeiro. Batizado de *Desenforcamento de Tiradentes*, o ato atraiu um grande número de pessoas, lotando completamente o salão do tribunal do júri do antigo Palácio da Justiça. O papel do mártir coube ao ator Milton Gonçalves.
>
> [...]
>
> PLATONOW, Vladimir. Tiradentes é absolvido em encenação teatral que reviveu seu julgamento. *Agência Brasil*, 21/4/2015. Disponível em: <http://agenciabrasil.ebc.com.br/geral/noticia/2015-04/tiradentes-absolvido-em-encenacao-teatral-que-reviveu-seu-julgamento>. Acesso em: 4 ago. 2018.

Imagine: Como seria uma crônica cujo tema fosse o "desenforcamento" de Tiradentes? Será que é possível desfazer o que aconteceu no dia 21 de abril de 1792? Como seria essa história?

Filipe Rocha/Arquivo da editora

⬛ Leitura

A desoras, desfeliz

Roberto Pompeu de Toledo

1   Encenou-se no Tribunal de Justiça do Rio de Janeiro, no feriado de 21 de abril, em forma de peça teatral, uma celebração chamada "desenforcamento de Tiradentes". Com advogado, promotor e júri popular, refez-se o julgamento do herói da Inconfidência Mineira, tudo mais ou menos conforme o que registram os autos de dois séculos atrás, mas com resultado inverso: no final o réu é inocentado. Ou seja, desenforcado. O melhor de tudo foi o título. "Desenforcamento" entra para o rol de mágicas palavras que o *des* inicial permite criar, invertendo significados e instituindo um mundo às avessas.

2   Em *Apesar de você*, sua música contra a ditadura, Chico Buarque pediu: "Você, que inventou a tristeza, ora, tenha a fineza de 'desinventar'". Talvez já se invocasse o "desinventar" antes; depois, invocou-se mais ainda. Até foi acolhido no dicionário digital *Aulete*, que lhe dá o significado de "retroceder, retroagir na ação de inventar", e oferece como exemplo um trecho do poeta Manoel de Barros: "É preciso desinventar os objetos. O pente, por exemplo. É preciso dar ao pente a função de não pentear. Até que ele fique à disposição de ser uma begônia".

3   Numa de suas malucas aventuras no País das Maravilhas, Alice comemora seu *unbirthday*, como escreveu o autor do livro, o inglês Lewis Carroll. *Unbirthday* foi traduzida em português para "desaniversário", bela palavra para significar um belíssimo não evento. E, por falar em belo, a escritora Ana Miranda deu o título de *Desmundo* ao romance em que narra a sina de uma órfã portuguesa enviada à força ao Brasil da época do Descobrimento para servir de esposa a um dos desbravadores da terra. "*Desmundo*" é mais que fim do mundo; é o mundo ao avesso.

4   É o que aguarda, no romance, a inocente Oribela. Há bons exemplos mais antigos. No livro *Roteiro de Macunaíma*, de 1950, o crítico M. Cavalcanti Proença escreveu que o personagem de Mário de Andrade resumia as "desvirtudes nacionais". O próprio Mário de Andrade engendrou por sua vez outro oportuno *des* ao lamentar, num poema (*Louvação da tarde*), a "pátria tão despatriada".

5   Desvirtudes nacionais e despatriamentos da pátria continuam em cartaz, 87 anos depois da publicação de *Macunaíma* e setenta depois da morte de Mário de Andrade, completados neste ano [2015], mas não é disso que se trata aqui — por que raios, ó insistente leitor, o co-

Cartaz da peça teatral *O desenforcamento de Tiradentes: justiça ainda que tardia*, encenada no Tribunal de Justiça do Rio de Janeiro em 25 de abril de 2015.

▶ **Tiradentes:** apelido de Joaquim José da Silva Xavier (1746-1792), que foi dentista, pequeno comerciante e militar. Fez parte de um movimento político em Minas Gerais para tornar o Brasil independente de Portugal. A Coroa portuguesa decidiu exigir o pagamento de um imposto que era extorsivo para as condições econômicas da época. O movimento contra Portugal foi delatado e seus integrantes punidos, mas o único condenado à morte foi Tiradentes, enforcado e esquartejado em 21 de abril de 1792.

▶ **sina:** destino, sorte.

▶ **engendrar:** dar existência a alguma coisa, imaginar, gerar.

lunista teria sempre de afundar no mar de nossas misérias públicas? Refugiemo-nos nas palavras. O tema de hoje são as que portam o <u>prefixo</u> *des*, começando com as inventadas, mas não se esgotando nelas. O <u>exímio</u> criador/recolhedor de palavras que foi Guimarães Rosa espalhou por suas obras, entre muitas outras, *desamigo, desendoidecer, desdormido, desexistir, destriste, desfeliz, desviver, desfalar.*

► **prefixo:** elemento que, colocado antes do radical de uma palavra, lhe altera o significado, formando uma nova.

► **exímio:** excelente naquilo que faz.

6   No precioso livro *O léxico de Guimarães Rosa*, da professora Nice Sant'Anna Martins, registram-se exatas 230 palavras com *des*, sinal de que o *des* é uma tentação irresistível para quem gosta de brincar com as possibilidades do idioma. Até "desmim" Guimarães Rosa inventou. "Querer mil gritar, e não pude, desmim de mim mesmo, me tonteava, numas ânsias", diz Riobaldo, no *Grande sertão: veredas*.

7   O *des* traz em si a atração anarquista de pôr o mundo de cabeça para baixo. Mesmo as palavras em *des* perfeitamente acomodadas à língua, e acolhidas nos dicionários há muitos anos, nos chegam com novo viço quando nos detemos a examiná-las. A uma família melancólica pertencem *desamor, desventura, desencanto* e a fatal *desespero*, ao inverter o alto significado moral de *amor, ventura, encanto* e *esperança*. *Desassossego* vai no mesmo caminho.

8   *Desentendimento* é mais bruta; é eufemismo para briga. Ao contrário, de alto valor moral são *destemor* e *desassombro* ao opor-se ao temor e ao assombro. *Desatino* é humilhante; é perder o tino. *Desoras* só pode ter sido criada por um surrealista. Usa-se no sentido de "altas horas", mas na pura raiz etimológica significa estar fora das horas — como assim, fora das horas? *Desasnar* é o inspirado sinônimo de aprender pela via de deixar de ser asno.

9   Uma ida ao dicionário, onde dormem as palavras em estado de inocência, revela maravilhas. O leitor não deve saber, como o colunista não sabia, que existe a palavra *desnamorar*, assim como *desnamorado*. A difícil arte do dicionarista revela-se em seu melhor na definição de *namorar* do *Houaiss*: "terem duas pessoas relacionamento amoroso em que a aproximação física e psíquica, fundada numa atração recíproca, aspira à continuidade". Descontinuada tal relação, fica-se com a desconsolada figura do desnamorado, que se imagina desamparado, a desoras, desnorteado e desterrado de si mesmo, desfeliz.

Alferes Joaquim José da Silva Xavier, o Tiradentes, de José Wasth Rodrigues, 1940. Óleo sobre tela, 156,5 cm × 98 cm.

José Wasth Rodrigues/Museu Histórico Nacional, Rio de Janeiro, RJ.

TOLEDO, Roberto Pompeu de. *Veja*, 11/2/2017. Disponível em: <http://veja.abril.com.br/blog/augusto-nunes/feira-livre/roberto-pompeu-de-toledo-a-desoras-desfeliz/#more-849312>. Acesso em: 4 ago. 2018.

Luciana Serra/Futura Press

Roberto Pompeu de Toledo (1944-) é um jornalista brasileiro que escreve crônicas para diferentes e significativos veículos da imprensa. Publicou o livro *A capital da solidão: uma história de São Paulo das origens a 1900* e o romance *Leda*.

Interpretação do texto

Compreensão inicial

1▸ Responda no caderno: Qual é o fato real que desencadeou a crônica de Roberto Pompeu de Toledo?

2▸ Releia o primeiro parágrafo do texto e responda no caderno:

a) Qual aspecto é apontado pelo autor para dar veracidade ao fato encenado?

b) O que diferenciou o fato histórico da representação teatral?

3▸ Releia a frase:

> Encenou-se no Tribunal de Justiça do Rio de Janeiro, no feriado de 21 de abril, em forma de peça teatral, uma **celebração** chamada "desenforcamento de Tiradentes".

Segundo o *Dicionário Aurélio*, uma celebração é o ato de realizar algo com solenidade, promover, comemorar, festejar, publicar com louvor, exaltar. Pense em uma palavra para substituir *celebração* na frase reproduzida acima. Reescreva-a no caderno substituindo o termo original por aquele em que você pensou.

Cena da peça teatral *O desenforcamento de Tiradentes: justiça ainda que tardia*, com o ator Milton Gonçalves no papel de Tiradentes. Montagem com direção de Silvia Monte, em 2015, Rio de Janeiro, RJ.

4▸ No segundo parágrafo, o cronista menciona alguns versos de Chico Buarque. Releia-os:

> Você, que inventou a tristeza,
> Ora, tenha a fineza
> De desinventar

Essa canção faz alusão à situação enfrentada no Brasil durante a ditadura militar, que se estendeu de 1964 a 1985. Tendo em vista esse fato, a que tristeza os versos podem estar se referindo?

5▸ Releia:

> No precioso livro *O léxico de Guimarães Rosa*, da professora Nice Sant'Anna Martins, registram-se exatas 230 palavras com *des*, sinal de que o *des* é uma tentação irresistível para quem gosta de brincar com as possibilidades do idioma. Até "desmim" Guimarães Rosa inventou. "Querer mil gritar, e não pude, desmim de mim mesmo, me tonteava, numas ânsias", diz Riobaldo, no *Grande sertão: veredas*.

Nesse parágrafo, ao tratar exclusivamente do emprego do prefixo *des-*, o que o cronista procura mostrar? Assinale a resposta adequada.

a) A multiplicidade de sentidos que o prefixo *des-* possibilita criar.

b) A dificuldade de usar palavras formadas com *des-*.

c) A inutilidade desse prefixo, que não modifica o sentido da palavra em que é empregado.

6▸ Releia o trecho de Manoel de Barros, citado pelo cronista:

> É preciso desinventar os objetos. O pente, por exemplo. É preciso dar ao pente a função de não pentear. Até que ele fique à disposição de ser begônia.

Explique o que pode ser a "desinvenção" de objetos para o poeta.

7▶ Releia este trecho:

> O *des* traz em si a atração **anarquista** de pôr o mundo de cabeça para baixo.

Essa frase sobre o prefixo *des-* é uma das ideias centrais da crônica. Leia as acepções das palavras *anarquista* e *anarquismo*:

anarquista:

1 relativo a anarquismo; anárquico

2 partidário do anarquismo

3 que ou aquele que é dado à anarquia, desordeiro

anarquismo:

1 teoria social e movimento político, presente na história ocidental do século XIX e da primeira metade do século XX, que sustenta a ideia de que a sociedade existe de forma independente e antagônica ao poder exercido pelo Estado, sendo este considerado dispensável e até mesmo nocivo ao estabelecimento de uma autêntica comunidade humana.

2 qualquer ataque ou afronta à ordem social estabelecida ou aos costumes reinantes

INSTITUTO ANTÔNIO HOUAISS. *Dicionário eletrônico Houaiss da língua portuguesa*. Rio de Janeiro: Objetiva, 2009.

Com base nessas informações, assinale a(s) alternativa(s) que melhor expressa(m) a ideia contida na frase reproduzida da crônica.

a) O uso de palavras com o prefixo *des-* deve ser evitado, pois pode gerar muita desordem no mundo em que vivemos.

b) O uso do prefixo *des-* cria novos sentidos para as palavras e por isso esse prefixo deve ser empregado com cuidado para não produzir desordem.

c) O prefixo *des-*, ao juntar-se às palavras, cria significados novos, ajudando a representar o mundo de outras formas, dando-lhe novos sentidos.

d) As palavras com o prefixo *des-* ajudam o usuário da língua a ver o mundo com outros olhos, muitas vezes ao contrário do que habitualmente é visto.

e) O uso do prefixo *des-* cria palavras que só podem ser empregadas em um mundo mágico, de fantasia e da imaginação.

8▶ No último parágrafo, o cronista fala de seu encantamento com o dicionário. Releia:

> Uma ida ao dicionário, onde dormem as palavras em estado de inocência, revela maravilhas.

a) Em seu caderno, explique o que pode significar essa frase.

b) Responda no caderno: Que exemplo curioso o cronista apresenta para confirmar esse encantamento?

9▶ Releia:

> O próprio Mário de Andrade engendrou por sua vez outro oportuno *des* ao lamentar, num poema (*Louvação da tarde*), a "pátria despatriada".

Em sua opinião, o que poderia significar a expressão "pátria despatriada" na crônica lida?

10▶ A respeito de fatos que ocorrem na esfera nacional, da pátria, o cronista faz um desabafo:

> [...] por que raios, ó insistente leitor, o colunista teria sempre de afundar no mar de nossas misérias públicas?

Em sua opinião, de que maneira o cronista considera os fatos nacionais que o cercam? Responda no caderno.

11 ▸ O título *Desmundo* foi dado pela escritora Ana Miranda a seu romance sobre uma menina órfã, Oribela, que é trazida à força para o Brasil, para servir de esposa a um desbravador. Assinale a alternativa que considerar correta. Segundo o autor, esse título pode revelar:

- como o mundo ficou depois da chegada dos colonizadores portugueses;
- como a ação das pessoas pode transformar o mundo para melhor;
- como ações autoritárias levam o mundo a ficar do avesso;
- a evolução do Brasil depois que os portugueses chegaram ao país.

12 ▸ Releia o trecho e observe o espanto de Roberto Pompeu de Toledo diante de palavras com novos sentidos:

> "Desoras" só pode ter sido criada por um surrealista. […] estar fora das horas — como assim, fora das horas?

A seguir, leia estes significados:

desoras:

v. *horas mortas*

a desoras: fora de horas, tarde; por desoras.

horas mortas:

horas da noite em que tudo está em silêncio; altas horas da noite; altas horas; desoras

FERREIRA, Aurélio B. de H. *Novo dicionário eletrônico Aurélio da língua portuguesa.*
Curitiba: Positivo, 2009.

Assinale a alternativa que julgar correta. Pensando na peça mencionada no parágrafo inicial da crônica, que inocenta Tiradentes, uma personalidade da história do Brasil, é possível pensar que:

- a peça, ao mudar o fato histórico, modifica o que aconteceu na realidade;
- a peça permite uma defesa de Tiradentes, mostrando que, na arte, é possível criar outro mundo, ainda que imaginário.
- a peça propõe a reflexão sobre os fatos passados, ainda que em outro momento da História, quando não é mais possível mudar os fatos, mas ainda é possível pensar sobre eles.

13 ▸ Desafio! Em dupla. Observem a imagem a seguir:

a) Que palavras com o prefixo *des-* essa imagem pode sugerir?

Cada dupla deve propor ao menos três palavras. Em seguida, registrem as palavras em uma lista única da classe. A turma votará nos vocábulos que considerar mais representativos para significar o que a imagem expressa.

Sabphoto/Shutterstock

b) Na opinião de vocês essa imagem pode ser relacionada com a expressão "a desoras, desfeliz"? Por quê?

c) O título de um texto é sempre um desafio para quem escreve. Um bom título deve dar pistas do que é tratado no texto, ser criativo e bem elaborado para despertar a curiosidade do leitor. Releia o título da crônica: "A desoras, desfeliz". Na opinião de vocês, esse título cumpriu a função de chamar a atenção do leitor para ler o texto? Justifiquem.

d) Depois da compreensão do texto e dos significados que o prefixo *des-* pode acrescentar às palavras, pensem e respondam: Que outro título vocês criariam para substituir o da crônica, pensando nas funções de um bom título?

Linguagem e construção do texto

1▸ Na crônica lida, o autor faz da formação de palavras com prefixos um dos focos de sua reflexão. Releia o significado de *desinventar*, colhido pelo autor no dicionário *Aulete digital*:

desinventar:
retroceder, retroagir na ação de inventar (algo)

Disponível em: <www.aulete.com.br>. Acesso em: 4 ago. 2018.

Ao formular os sinônimos possíveis, o dicionarista também empregou um prefixo com sentido de oposição, de ação contrária. Em seu caderno, responda:

a) Qual é esse prefixo?

b) Qual é o sentido que esse prefixo apresenta?

c) No verbete acima, quais são as palavras originais a que foi acrescentado esse prefixo?

d) Escreva mais três palavras em que esse prefixo tenha sido aplicado. Se precisar, consulte um dicionário.

2▸ A crônica "A desoras, desfeliz" apresenta uma reflexão sobre os significados que o prefixo *des-* possibilita à palavra a que se agrupa. Transcreva duas palavras do texto que contenham esse prefixo e que tenham surpreendido você. Explique sua escolha.

3▸ Léxico é o conjunto de palavras de uma língua. A língua portuguesa tem um vasto léxico. Uma forma de conhecer melhor esse conjunto é observar os processos de formação de palavras. Um deles é a **prefixação**, ou seja, a possibilidade de criar novas palavras por meio do acréscimo de um elemento no início do termo original. No caderno, registre as palavras resultantes do acréscimo do prefixo *des-* às palavras do quadro abaixo.

> motivar   entender   vestir   articular   dobrar   crer

4▸ Das palavras abaixo, circule aquelas em que o elemento *des-* não fornece sentido de algo contrário, ou seja, em que não "inverte" o significado original.

> desentender   deserto   desgastar   desatar   descarregar   deslanchar   desenho

Filipe Rocha/Arquivo da editora

5▸ Estabelecer relações entre as ideias é essencial quando é preciso articular argumentos para defender uma opinião. Essas relações são estabelecidas por **elementos de coesão**: palavras ou expressões que ligam palavras, frases ou períodos, contribuindo para a unidade e a coerência de um texto. Observe os elementos que "ligaram" ideias da crônica, estabelecendo entre elas uma relação lógica. Para isso, releia os parágrafos abaixo observando as relações que os termos destacados e numerados ajudam a construir.

> Encenou-se no Tribunal *de* Justiça do Rio de Janeiro, no feriado *de* 21 *de* abril, em forma *de* peça teatral, uma celebração chamada "desenforcamento *de* Tiradentes". Com advogado, promotor e júri popular, refez-se o julgamento do herói da Inconfidência Mineira, **tudo** [1] mais ou menos **conforme** [2] o que registram os autos *de* dois séculos atrás, **mas** [3] com resultado inverso: no final o réu é inocentado. **Ou seja** [4], desenforcado. O melhor *de* tudo foi o título. "Desenforcamento" entra para o rol *de* mágicas palavras que o *des* inicial permite criar, invertendo significados e instituindo um mundo às avessas.

Em *Apesar de você*, sua música contra a ditadura, Chico Buarque pediu: "Você, que inventou a tristeza, ora, tenha a fineza de 'desinventar'." **Talvez** [5] já se invocasse o "desinventar" antes; **depois** [6], invocou-se mais ainda. **Até** [7] foi acolhido no dicionário digital *Aulete*, que lhe dá o significado *de* "retroceder, retroagir na ação *de* inventar", e oferece como exemplo um trecho do poeta Manoel *de* Barros: "É preciso desinventar os objetos. O pente, por exemplo. É preciso dar ao pente a função *de* não pentear. **Até que** [8] ele fique à disposição *de* ser uma begônia".

A lista abaixo indica relações possíveis que essas palavras ajudam a estabelecer no texto. Identifique qual dos termos destacados estabelece cada uma dessas relações.

- Ideia de dúvida na afirmação.
- Ideia de inclusão.
- Ideia de conclusão.
- Acrescenta uma explicação.
- Faz referência a palavras ou ideias já citadas.
- Ideia de tempo.
- Apresenta uma contrariedade, uma ideia oposta ao que já foi dito.
- Ideia de acordo, conformidade.

Tiradentes ante o carrasco, de Rafael Falco, 1941. Óleo sobre tela, 128 cm × 182 cm.

Tiradentes ante o carrasco, Rafael Falco, 1941./Palácio do Congresso Nacional, Brasília, DF.

6. Em uma **crônica jornalística**, geralmente o cronista deixa claro seu posicionamento, sua **opinião a respeito de um assunto**. E, quase sempre, quando expressa sua opinião, apresenta os **argumentos** que a sustentam. Observe na sequência como isso aconteceu na crônica lida. Releia o trecho:

> **carrasco:** responsável por executar uma pena de morte; pessoa desumana.

> [...] por que raios, ó insistente leitor, o colunista teria sempre de afundar no mar de nossas misérias públicas?

a) Responda no caderno: A que o cronista se refere ao mencionar "suas misérias públicas"?

b) Transcreva no caderno o trecho em que o próprio autor determina a escolha do tema/assunto da crônica que escreve dessa vez.

c) Ao optar pelo tema da crônica, o cronista manifesta sua **opinião**, isto é, o que ele pensa sobre determinado assunto ou tema. Assinale a alternativa que expressa a opinião do cronista em "A desoras, desfeliz":
- Para não ter que abrigar-se em palavras inventadas, é melhor mergulhar no mar das misérias públicas.
- Abrigar-se em palavras inventadas é não ter que se afundar no mar das misérias públicas.
- Melhor que afundar no mar das misérias públicas é fugir das palavras inventadas.
- Fugir das palavras inventadas é não afundar no mar das misérias públicas.

Partes da crônica jornalística

O autor organizou o desenvolvimento de sua crônica em partes que lhe deram unidade. Vamos analisar quais são essas partes nos quadros a seguir.

> **Tema:** Todo texto deve se apoiar em um tema principal. Como você observou, nessa crônica o autor assim define sobre o que escreverá: "O tema de hoje são as (palavras) que portam o prefixo *des*, começando com as inventadas, mas não se esgotando nelas".

> **Ancoragem:** Parte desenvolvida para introduzir o leitor no assunto a ser tratado no texto. De maneira geral, pode ser produzida com base em:
> - um saber partilhado ou um conhecimento comum entre as pessoas;
> - informações, dados históricos, estatísticas, etc.;
> - citação de alguém que tenha credibilidade ou que seja um especialista no assunto tratado.

1▸ Com base no que você leu, responda: Qual é a ancoragem da crônica "A desoras, desfeliz"?

> **Desenvolvimento:** A crônica foi desenvolvida com base na observação de um detalhe do título de uma encenação. A partir desse detalhe, o autor amplia suas observações ao considerar o uso do prefixo *des-*. Para fundamentar seus posicionamentos, ele apresenta **argumentos**.

2▸ Localize no texto e transcreva no caderno uma frase que revele um argumento do cronista.

> **Conclusão:** Há um trecho na crônica que pode ser considerado a conclusão do autor a respeito de todas as ideias lançadas em torno do prefixo *des-*.

3▸ Transcreva esse trecho no caderno.

Tipos de argumento

Existem muitos **tipos de argumento** que podem ser desenvolvidos em um texto. Veja alguns:

> **Argumento de autoridade ou citações:** É o argumento baseado no que falam ou escrevem pessoas consideradas autoridades ou especialistas em determinados assuntos. Pode aparecer no texto de duas maneiras:
> - por **citação indireta** de especialista ou autoridade no assunto;
> - por **citação direta** da fala de um especialista ou autoridade no assunto — neste caso, empregam-se aspas em sua reprodução.
>
> **Argumento com o uso de ironia:** A ironia é uma forma de deixar transparecer o posicionamento do autor contra alguma coisa. Por meio dela, o usuário da língua diz algo querendo expressar exatamente o contrário, com a **intenção de criticar**. Dependendo do modo como é expressa, torna-se um argumento.

Essas formas de argumentar, quando bem empregadas, tornam o discurso do cronista mais persuasivo, convincente.

1▸ Copie no caderno os trechos abaixo e indique se são citações diretas ou citações indiretas.
- "Você, que inventou a tristeza, ora, tenha a fineza de 'desinventar'."
- "É preciso desinventar os objetos. O pente, por exemplo. É preciso dar ao pente a função de não pentear. Até que ele fique à disposição de ser uma begônia."
- "No livro *Roteiro de Macunaíma*, de 1950, o crítico M. Cavalcanti Proença escreveu que o personagem de Mário de Andrade resumia as 'desvirtudes nacionais'."

2▸ Identifique na crônica e copie no caderno exemplos de argumentos em que se fez uso de ironia.

Para não comprometer o texto, o cronista evitou o emprego de **argumentos inconsistentes**, como:

> **Apelo emocional:** Apelar para os sentimentos dos interlocutores em relação a filhos, mãe, medos, sonhos, etc. Exemplo: "Pense no que você faria se isso estivesse acontecendo com o seu filho!"
>
> **Clichês ou chavões:** Repetir o que todo mundo diz sobre determinado assunto, sem analisar se uma informação é realmente verdadeira. Exemplo: "Políticos são todos iguais..."
>
> **Exemplos pessoais:** Fazer generalizações com exemplos muito particulares. Exemplo: "Quando fico com raiva, tenho vontade de gritar com a pessoa com quem estou falando".

▶ Copie o esquema no caderno e escolha no quadro as palavras que completam corretamente as lacunas.

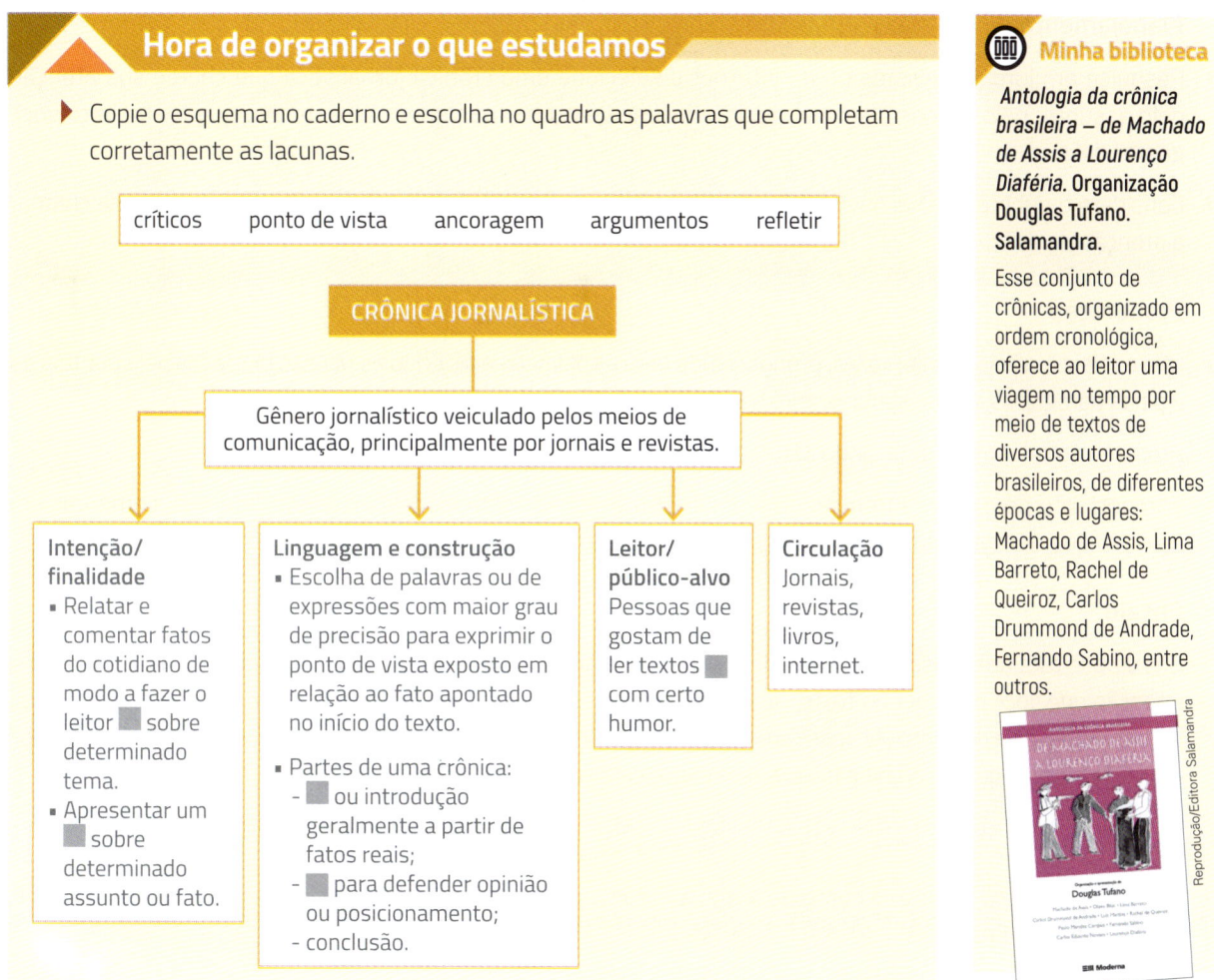

| críticos | ponto de vista | ancoragem | argumentos | refletir |

CRÔNICA JORNALÍSTICA

Gênero jornalístico veiculado pelos meios de comunicação, principalmente por jornais e revistas.

Intenção/finalidade
- Relatar e comentar fatos do cotidiano de modo a fazer o leitor ▨ sobre determinado tema.
- Apresentar um ▨ sobre determinado assunto ou fato.

Linguagem e construção
- Escolha de palavras ou de expressões com maior grau de precisão para exprimir o ponto de vista exposto em relação ao fato apontado no início do texto.
- Partes de uma crônica:
  - ▨ ou introdução geralmente a partir de fatos reais;
  - ▨ para defender opinião ou posicionamento;
  - conclusão.

Leitor/público-alvo
Pessoas que gostam de ler textos ▨ com certo humor.

Circulação
Jornais, revistas, livros, internet.

▨ Prática de oralidade

Conversa em jogo

Patriotismo: como percebemos esse sentimento hoje?

Conversem sobre os fatos — antigos e recentes — que chegam até vocês sobre o Brasil, sobre a sociedade em que vivem. Reflitam sobre estas perguntas:

1 ▶ Que fatos podem ser considerados "desvirtudes" nacionais ou podem fazer parte de uma "pátria despatriada"?

2 ▶ Como vocês percebem o sentimento de patriotismo em nosso tempo?

Roda de leituras

A crônica jornalística que você leu traz uma série de palavras que não costumamos usar no dia a dia, como *destriste, desexistir, desnamorado*. Para lê-las sem hesitar, é preciso treinar um pouco.

Também para ler qualquer texto, em voz alta e em público, é preciso treinar, pois a leitura fluente e bem ritmada prende a atenção do ouvinte.

O desafio proposto nesta seção é este: escolher uma crônica interessante e lê-la com <u>fluência</u> para os colegas da sala.

▶ **fluência:** habilidade de ler um texto com expressividade, clareza e compreensão, sem tropeços.

➤ Planejamento

1▸ Pesquise em jornais, revistas ou na internet e selecione uma crônica jornalística que chame sua atenção pelo assunto, pelo humor, pelo modo como foi escrita ou por qualquer outro motivo que tenha feito você gostar dela.

2▸ Considere o público que vai ouvir a sua leitura: os colegas da sala de aula. O assunto da crônica pode chamar a atenção deles?

➤ Preparação

1▸ Leia e releia a crônica várias vezes, pronunciando bem as palavras e fazendo as pausas indicadas pela pontuação e pelos parágrafos, até se sentir seguro na leitura.

2▸ Procure entender o que está lendo. Destaque o trecho que você considerar mais interessante.

3▸ É importante perceber a **intenção** do cronista: fazer humor, criticar, despertar sentimentos, comentar um assunto que normalmente seria considerado banal, entre outras.

➤ Ensaio

▸ Ensaie a leitura até conseguir o tom adequado: mais irônico, mais humorístico, mais sentimental, conforme a intenção que você perceber no texto. Se houver condições, grave a sua leitura no celular ou em outro gravador, para ter uma ideia de como ela soará aos seus colegas. Analise se ela está de acordo com sua intenção ao escolhê-la: fazer com que seus colegas apreciem sua escolha e seu modo de ler.

➤ Apresentação

1▸ Anuncie o título da crônica, o nome do autor, a data da publicação e em que suporte ela foi publicada: jornal, revista, livro, internet.

2▸ Revele o motivo de sua escolha e de sua apreciação da crônica escolhida.

3▸ Leia com calma, em um tom de voz que todos possam ouvir, em posição que facilite a leitura.

4▸ Lembre-se de pronunciar bem as palavras e de fazer as pausas necessárias.

5▸ Valorize a sua intenção ao escolher essa crônica: emocionar, causar surpresa, fazer crítica a um fato, etc.

6▸ Ao terminar sua leitura, aguarde os comentários dos colegas sobre a crônica que você leu.

Jovens fazendo pesquisa em livros e em meios eletrônicos.

Klaus Vedfelt/Digital Vision/Getty Images

Outras linguagens: Tirinha

Não é apenas por meio de textos exclusivamente verbais que podemos expressar ideias.

O autor da crônica "A desoras, desfeliz" apresenta a ideia de que o prefixo *des-* tem o poder de pôr o "mundo de cabeça para baixo" no universo das **palavras**.

Observe a tirinha a seguir, que também concretiza a ideia de "mundo de cabeça pra baixo" por meio das **imagens**.

QUINO. *Toda Mafalda*. São Paulo: Martins Fontes, 2000. p. 5.

Depois de ler os quadrinhos de Quino, converse com os colegas sobre eles, levando em consideração as seguintes questões:

a) O que faz a personagem Mafalda concluir que está de cabeça para baixo?

b) A partir do quarto quadrinho há uma inversão das imagens, o que não impede a leitura dos balões de fala. O que, na reação de Mafalda, levou o autor dos quadrinhos a usar esse recurso de construção de imagens?

c) No quarto quadrinho, Mafalda usa a expressão "**apegada** a este chão". A palavra destacada pode ser definida de duas maneiras:

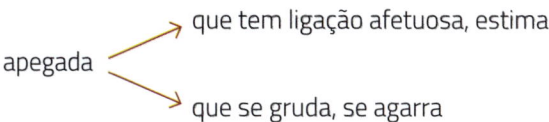

apegada → que tem ligação afetuosa, estima
→ que se gruda, se agarra

Qual dessas acepções corresponde à que Mafalda usou?

d) Mapas são uma forma de representação da realidade, além de um suporte de informações sobre os elementos naturais e humanos do espaço: área ocupada, posição, distribuição, etc. A interpretação de um mapa depende do conhecimento dos códigos utilizados pela linguagem cartográfica e dos elementos que participam dos processos de sua elaboração: a escala, os sistemas de projeção, as convenções, etc.

A localização no espaço geográfico é estabelecida por um sistema de coordenadas formado por linhas imaginárias: os meridianos e os paralelos. Estar acima ou abaixo do que se considera o centro do globo, ou seja, estar ou não de "cabeça para baixo", depende de uma convenção, de um acordo. Os países considerados economicamente desenvolvidos estão situados no hemisfério norte; os demais são os que estão de "cabeça para baixo". Que argumento é usado na tira da Mafalda para comprovar a justificativa apresentada por ela?

▶ **meridiano:** linha traçada que liga o polo geográfico norte ao polo geográfico sul.

▶ **paralelo:** circunferência paralela à linha do equador.

e) O cartunista dessa história é o argentino Quino, nascido em 1932. Considere que tanto a Argentina como o Brasil se localizam no hemisfério sul. Pode-se considerar que há uma **ironia** na tira em relação a esses países? Em sua opinião, qual é a crítica feita pelo cartunista por meio das falas da Mafalda?

f) Reúna-se com dois colegas e conversem sobre a interpretação dada por Mafalda para o desenvolvimento dos países do hemisfério norte e o subdesenvolvimento daqueles localizados no hemisfério sul. Deixe clara sua opinião — concordo, discordo, concordo parcialmente —, elaborando pelo menos um argumento em sua defesa.

Intertextualidade

Ao construir um texto, muitas vezes o autor vale-se, em sua elaboração, de outros que já conhece, de outras linguagens ou não. O escritor estabelece uma espécie de diálogo com outras obras literárias, procedimento a que se dá o nome de **intertextualidade**.

Na crônica lida nesta unidade, o autor faz remissão a outros textos: a uma música de Chico Buarque, a textos de Guimarães Rosa, a um romance de Ana Miranda, à obra de Mário de Andrade, à obra de Lewis Carroll, etc.

Esse diálogo entre textos ocorre também entre obras com outras linguagens, como você verá a seguir.

Intertextualidade na pintura

Você observou como o cronista Roberto Pompeu de Toledo se apropriou de palavras de obras literárias, da letra de uma canção, da citação de críticos e de autores de dicionários para compor o caráter crítico da sua crônica jornalística.

Compare e observe as semelhanças e as diferenças entre as pinturas a seguir, criadas por autores distintos, com intenções diferentes e em momentos distantes.

Chico violeiro, de Mauricio de Sousa, 1995. Acrílica sobre tela, 121 cm × 151,5 cm.

O violeiro, de Almeida Júnior, 1899. Óleo sobre tela, 141 cm × 172 cm.

Meninas do Limoeiro dançando, de Mauricio de Sousa, 1993. Acrílica sobre tela, 95 cm × 115,5 cm.

Meninas bretãs dançando, de Paul Gauguin, 1888. Óleo sobre tela, 73 cm × 92,7 cm.

Nas obras *Chico violeiro* e *Meninas do Limoeiro dançando*, Mauricio de Sousa faz uma releitura das obras de renomados pintores. Isso significa que ele se apropria do tema e insere personagens famosos de suas histórias em quadrinhos em situações semelhantes. Ao escolher os nomes dessas obras, Mauricio de Sousa optou por identificá-los com os títulos das obras originais, de maneira que o leitor pudesse perceber a brincadeira. Assim, a obra que homenageia *O violeiro* é denominada *Chico violeiro*, e o título da obra de Paul Gauguin tem o local de origem das "meninas dançando" alterado: se no original elas são da Bretanha ("bretãs"), na releitura de Mauricio de Sousa elas são do Limoeiro, bairro onde nasceu e mora a maioria dos personagens da Turma da Mônica.

No livro em que foram publicadas essas criações de Mauricio de Sousa, as obras são acompanhadas, página a página, pelas pinturas originais e por informação a respeito dos grandes pintores homenageados.

▶ Conversem sobre os elementos da linguagem visual mantidos nas pinturas que, certamente, ampliam as possibilidades dessas relações intertextuais entre as obras.

Intertextualidade e repertório cultural

Na crônica lida, o cronista faz uso da intertextualidade explícita com nomes e citações de diferentes fontes que contribuíram para a defesa de seu ponto de vista, a saber: as palavras com o prefixo *des-* põem o mundo de "cabeça para baixo".

As relações estabelecidas pelo autor da crônica mostram que ele tem grande repertório cultural, o que evidentemente tornou seu texto mais rico. Você conhece as personalidades que ele mencionou? A seguir, leia um pouco sobre elas.

Personalidade	Quem é	Referência
Chico Buarque.	Músico, dramaturgo e escritor brasileiro, Chico Buarque nasceu no Rio de Janeiro (RJ) em 1944. Esse grande compositor brasileiro já fez parcerias musicais com Caetano Veloso, Vinicius de Moraes, Tom Jobim, entre outros. É autor de peças teatrais e seus romances foram premiados.	A música "Apesar de você" foi composta em 1970. Faz parte do disco *Chico Buarque*, lançado pela Philips em 1970.
Manoel de Barros.	Poeta brasileiro nascido em Cuiabá (MT), Manoel de Barros viveu de 1916 a 2014. Conquistou prêmios literários, escreveu sobre coisas simples da terra, da natureza, do campo, do Pantanal, mas que possibilitam a identificação mesmo com quem vive em uma realidade completamente diferente daquela sobre a qual ele criou sua poesia.	Capa do livro *Poesia completa*, de Manoel de Barros, publicado pela editora Leya Brasil em 2013.
Lewis Carroll.	Escritor, matemático, professor e conferencista, Lewis Carroll viveu na Inglaterra de 1832 a 1898. É o autor do livro *Alice no País das Maravilhas*, que o consagrou. Ao criar seus personagens, baseou-se em pessoas da sociedade e da aristocracia inglesa.	Capa do livro *Alice no País das Maravilhas*, de Lewis Carroll, publicado pela editora Ática em 2000, com tradução de Ana Maria Machado.
Ana Miranda.	Romancista, Ana Miranda nasceu em Fortaleza (CE), em 1951. Entre suas obras, destaca-se o romance *Boca do Inferno*, que reconta com poesia a vida do poeta baiano Gregório de Matos e retrata a sociedade brasileira em que ele viveu, o século XVII.	Capa do livro *Desmundo*, de Ana Miranda, publicado pela editora Companhia das Letras em 2003.
Mário de Andrade.	Escritor brasileiro, o paulistano Mário de Andrade (1893-1945) foi um dos responsáveis pela formação, na década de 1920, do movimento literário conhecido como Modernismo. Foi também pesquisador da cultura e do folclore nacional, o que o levou a escrever a obra *Macunaíma: o herói sem nenhum caráter*.	Capa do livro *Macunaíma: o herói sem nenhum caráter*, de Mário de Andrade, publicado pela editora Publifolha em 2001.

Personalidade	Quem é	Referência
 Guimarães Rosa.	Escritor, médico e diplomata, Guimarães Rosa (1908-1967) revolucionou a prosa brasileira no século XX, ao trabalhar com expressões populares colhidas em suas viagens sobretudo pelo interior de Minas Gerais e pelo sertão. Uma de suas obras mais famosas, e citadas pelo cronista, é o romance *Grande sertão: veredas*.	Capa do livro *Grande sertão: veredas*, de Guimarães Rosa, publicado pela editora Nova Fronteira em 2006.

▶ Copie no caderno o nome dessas personalidades e as palavras com o prefixo *des-* que elas usaram em suas obras, de acordo com a crônica lida.

Notícia

Você já sabe que o autor da crônica "A desoras, desfeliz" inspirou-se em uma notícia e com ela iniciou seu texto. Releia o trecho inicial da crônica:

> Encenou-se no Tribunal de Justiça do Rio de Janeiro, no feriado de 21 de abril, em forma de peça teatral, uma celebração chamada "desenforcamento de Tiradentes".

A seguir, leia a notícia completa que o levou a refletir e escrever um texto sobre as palavras iniciadas por *des-*, como em *desenforcamento*.

Tiradentes é absolvido em encenação teatral que reviveu seu julgamento

Vladimir Platonow

Joaquim José da Silva Xavier, o Tiradentes, foi absolvido por sua participação na Inconfidência Mineira, em julgamento teatralizado, realizado hoje (21), no Rio de Janeiro. Batizado de *Desenforcamento de Tiradentes*, o ato atraiu um grande número de pessoas, lotando completamente o salão do tribunal do júri do antigo Palácio da Justiça. O papel do mártir coube ao ator Milton Gonçalves.

Durante cerca de 90 minutos, o público pôde acompanhar a acusação e a defesa de Tiradentes, interpretada por nomes consagrados do direito brasileiro, como o desembargador Claudio dell'Orto, que fez o papel de juiz, e o criminalista Técio Lins e Silva, que interpretou o advogado de defesa do alferes. A acusação coube a Jorge Vacite Filho. O texto foi de Ricardo Leite Lopes e a direção, de Silvia Monte.

A idealização e coordenação da encenação ficou com Joel Rufino, que fez um paralelo aos dias atuais: "O objetivo é reatualizar os temas que levaram Tiradentes à morte, como a identidade nacional, o ensino para todos, a justiça para todos e a defesa das minorias. Isso continua atual. A história é assim, umas coisas mudam e outras permanecem".

Ao final, os participantes e o público seguiram em cortejo festivo até a Praça Tiradentes, local onde o mártir foi enforcado, em 21 de abril de 1792, no centro do Rio.

PLATONOW, Vladimir. *Agência Brasil*, 21/4/2015. Disponível em: <http://agenciabrasil.ebc.com.br/geral/noticia/2015-04/tiradentes-absolvido-em-encenacao-teatral-que-reviveu-seu-julgamento>. Acesso em: 6 ago. 2018.

Agora, reúna-se com três colegas e conversem sobre a afirmação do historiador e escritor Joel Rufino dos Santos: "A história é assim, umas coisas mudam e outras permanecem". Orientem-se por estas questões:

1 ▶ Vocês concordam, não concordam ou concordam parcialmente com essa afirmação? Por quê?

2 ▶ Deem exemplos de fatos atuais que comprovam esse ponto de vista.

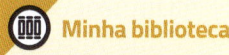
🔲 **Minha biblioteca**

A cara da rua e outras crônicas. Marcelo Xavier. Saraiva. Nessas crônicas do escritor Marcelo Xavier, você pode conhecer a cara da rua: suas cores e seus sons, seus insetos, suas ervas daninhas, as emoções, as vidas dos objetos... o cotidiano, enfim, apresentado de um ponto de vista diferente.

Língua: usos e reflexão

Coerência e coesão textual

Na subseção *Linguagem e construção do texto* desta unidade, você observou o emprego de alguns elementos de coesão estudados em unidades anteriores, quando foram analisados os **períodos compostos e as relações de coesão** que podem ser estabelecidas nos textos.

Um texto com **coesão** garante a **coerência textual**, isto é, a **unidade do texto**, evitando que ele se torne um amontoado de ideias sem relação entre si.

Se o cronista apenas empregasse os termos *desoras* e *desfeliz* sem desenvolver uma exemplificação e sem fundamentar seu uso, provavelmente consideraríamos o texto sem sentido, incoerente.

Para manter a coerência, ele desenvolveu o tema, deu esclarecimentos e exemplos e concluiu seu texto utilizando os elementos de coesão adequados.

Vamos ver um pouco mais esses elementos de coesão.

1▸ Leia um trecho da letra de canção "Lunik 9", de Gilberto Gil. Nela, o compositor fala da conquista do espaço e do significado disso para a humanidade. Observe:

Poetas, seresteiros, namorados, correi
É chegada a hora de escrever e cantar
Talvez as derradeiras noites de luar

Momento histórico
Simples resultado
Do desenvolvimento da ciência viva
Afirmação do homem
Normal, gradativa
Sobre o universo natural
Sei lá que mais
[...]

Lá se foi o homem
Conquistar os mundos
Lá se foi
Lá se foi buscando
A esperança que aqui já se foi
Nos jornais, manchetes, sensação
Reportagens, fotos, conclusão:
A Lua foi alcançada afinal
Muito bem
Confesso que estou contente também
[...]

GIL, Gilberto. *Louvação*. Unimar Music, 1967. Disponível em: <www.gilbertogil.com.br>. Acesso em: 6 ago. 2018.

Módulo lunar Apollo 11 subindo da superfície da Lua, em 1969.

Everett Historical/Shutterstock

a) Assinale a alternativa que indica o significado da expressão "momento histórico" na letra dessa canção:

- o instante em que o compositor escreveu a letra da canção
- a perda da esperança pelos homens
- a conquista do espaço pelo homem
- o conhecimento total do Universo
- a presença de manchetes e reportagens sobre a Lua

b) Releia estes versos:

> Momento histórico
> Simples resultado
> Do desenvolvimento da ciência viva

Responda: Como pode ser explicada a expressão "desenvolvimento da ciência viva"?

c) Não há um elemento explícito de coesão ou de ligação entre as duas primeiras estrofes da letra da canção "Lunik 9". O que mantém a relação entre as partes? Assinale a alternativa que melhor expressa essa relação.

- A relação entre as partes é dada pela chegada à Lua.
- A relação é mantida pelo ritmo que a canção terá quando for cantada.
- A relação é garantida pelas palavras que se referem à Lua e aos mundos.
- A relação é garantida pela emoção que o compositor sente em noites de luar.

d) Copie no caderno um verso que comprove sua resposta à alternativa anterior e que evita que a letra da canção seja um amontoado de frases soltas, sem sentido.

e) Em relação ao sentido, como as duas primeiras estrofes da letra de canção se diferenciam?

Se os versos fossem apenas um amontoado de frases sem relação, diríamos que não teriam **coerência**. Mas, mesmo sem haver elementos de coesão explícitos entre alguns versos, o sentido é garantido pela relação de sentido estabelecida entre eles.

No trecho acima, um elemento importante para manter a coerência foi o **assunto** — a chegada do homem à Lua —, que garantiu a progressão no desenvolvimento do texto.

> **Coerência** é a relação entre as partes do texto que cria uma unidade de sentido.

A relação entre partes do texto (unidades textuais) é fundamental para garantir a coerência: manter a progressão textual, o desenvolvimento, sem perder de vista o assunto, o tema.

Mesmo em textos sem elementos explícitos (aparentes) de coesão, pode haver coerência. A atividade a seguir ajudará você a perceber a importância da coerência textual.

2▸ Leia abaixo um <u>haicai</u> composto por um poeta brasileiro.

O pensamento
Guilherme de Almeida

O ar. A folha. A fuga.
No lago, um círculo vago.
No rosto, uma ruga.

Filipe Rocha/Arquivo da editora

ALMEIDA, Guilherme de. *Os melhores poemas de Guilherme de Almeida*. São Paulo: Global, 2001. p. 85.

a) Nesse poema, os elementos de coesão não estão explícitos. Entretanto, é possível atribuir um significado a ele, estabelecendo relações entre as ideias. Releia o título e o último verso. Que relação pode existir entre eles? Explique no caderno.

b) Considerando a resposta que você deu à questão anterior, responda no caderno: É possível afirmar que esses versos constituem um todo com sentido ou se trata apenas de um amontoado de versos sem relação entre si?

c) Que palavra dá unidade e sentido ao texto?

> ▸ **haicai:** forma poética japonesa originada no século XVI e que ainda hoje é cultivada. O haicai tradicional é composto de três versos, com cinco, sete e cinco sílabas poéticas; busca captar um momento da natureza e faz referência à estação do ano.

Coesão textual: uso de pronomes

Além da unidade temática, a coerência de um texto está também relacionada às formas de estabelecer a **coesão textual**.

Releia um trecho da crônica sobre o prefixo *des-*:

> [...] refez-se o julgamento do herói da Inconfidência Mineira, **tudo** mais ou menos conforme o que registram os autos de dois séculos atrás [...]

No trecho acima, a palavra *tudo* — que é um pronome indefinido — faz referência ao que foi mencionado anteriormente, ou seja, o julgamento, na peça comentada, tem todos os elementos registrados nos autos.

Os pronomes podem ser empregados para fazer referência a termos já citados ou podem, também, antecipar e situar termos que ainda serão citados. Nesse caso, os pronomes são empregados como elementos de **coesão de referência**.

Vamos ver um pouco mais sobre isso.

Leia a piada a seguir.

Tapa-buracos

Dois funcionários do departamento de urbanismo trabalhavam em um **daqueles** bairros movimentados da cidade. Um escavava um buraco e o outro vinha atrás e o tapava. **Eles** fizeram a mesma coisa em dezenas de ruas. Um pedestre que observava **aquilo** pergunta ao homem que cavava:

— **Eu** estou impressionado com o esforço de **vocês**, mas não entendo **isso**. Por que é que o **senhor** escavou **este** buraco e, mal acabou, **ele** veio atrás e voltou a encher?

O cavador, limpando a testa, suspira:

— É que hoje **aquele** que planta as árvores faltou.

Adaptado de: Almanaque de Cultura Popular.
São Paulo: Andreato, n. 97.

Filipe Rocha/Arquivo da editora

1▸ Os personagens do texto não são identificados por meio de nomes próprios. Mas há palavras que fazem referência a eles: são os **pronomes pessoais**. Copie no caderno esses pronomes que substituem os nomes dos personagens.

2▸ No texto, foram destacados os pronomes **pessoais** e **demonstrativos**. Observe o uso que foi feito deles e responda às questões a seguir no caderno:

a) O pronome demonstrativo *este* faz referência a que termo do texto?

b) No último parágrafo, qual é a ideia subentendida no uso do pronome demonstrativo *aquele*?

c) Reescreva a frase a seguir, trocando o pronome *ele* pela expressão que, no texto, é substituída por esse pronome.

> [...] ele veio atrás e voltou a encher.

3▸ No fragmento "Um pedestre que observava aquilo pergunta [...]", o uso do pronome demonstrativo *aquilo* faz referência a determinada ideia. Responda às questões no caderno:

a) Que ideia é essa?

b) Qual é a finalidade de empregar o pronome aquilo em vez de reproduzir a ideia anterior?

> Os **pronomes** contribuem para estabelecer relações no texto, ligar ideias remetendo a termos anteriores ou posteriores, além de tornar o texto mais conciso, evitando repetições. São elementos de coesão textual.

Uso dos pronomes demonstrativos

O **pronome demonstrativo** é um recurso frequente para estabelecer as coesões de referência nos textos. *Este(s), esta(s), esse(s), essa(s), isso, aquele(s), aquela(s)* e *aquilo* são **pronomes demonstrativos**.

Os pronomes demonstrativos ajudam a localizar no tempo e no espaço os elementos a que se referem.

A gramática normativa apresenta indicações do emprego do pronome demonstrativo, especialmente em textos mais formais, quando há necessidade de maior grau de monitoramento dos usos que fazemos da língua. Veja no quadro a seguir:

Pronomes demonstrativos	Função		Exemplo
Este(s), esta(s), isto	No espaço	· Fazer referência a objetos ou pessoas próximos de quem fala — 1ª pessoa.	· **Esta** moto que guardo em minha garagem não tem mais conserto.
	No tempo	· Fazer referência a fato próximo do momento vivido pelos interlocutores.	· **Estas** enchentes causaram muitas mortes e enormes prejuízos.
Esse(s), essa(s), isso	No espaço	· Fazer referência a objetos ou pessoas próximos da pessoa com quem se fala — 2ª pessoa.	· **Essa** moto que você guarda em sua garagem não tem mais conserto.
	No tempo	· Fazer referência a fato relativo a um momento passado ou futuro mais distante de quem fala.	· **Isso** aconteceu comigo há uma semana.
Aquele(s), aquela(s), aquilo	No espaço	· Fazer referência a objetos distantes, tanto da pessoa que fala como da pessoa com quem se fala.	· **Aquela** moto que ele guarda na garagem dele não tem mais conserto.
	No tempo	· Fazer referência a fato muito distante dos interlocutores.	· **Aquilo** aconteceu quando ainda éramos crianças.

Além de localizar elementos no espaço e no tempo, os pronomes demonstrativos são empregados para fazer referências no próprio texto.

A gramática normativa orienta que, ao se empregarem os pronomes demonstrativos na linguagem mais formal, sejam seguidos os critérios apresentados abaixo:

- Emprega-se *este* ou *esta* se o termo a que o pronome se refere no texto estiver **depois** desse pronome. Exemplo:

  O assunto da crônica "A desoras, desfeliz" é **este**: os sentidos do prefixo *des-*.

- Emprega-se *esse* ou *essa* se o termo a que o pronome se refere no texto estiver **antes** do pronome. Exemplo:

  Os sentidos do prefixo *des-*: é **esse** o assunto da crônica "A desoras, desfeliz".

Atividades: coesão textual e uso de pronomes

1▸ Leia a tira a seguir e responda às questões no caderno.

BROWNE, Chris. Hagar. *Folha de S.Paulo*. São Paulo, 15 jul. 2005.

a) Observe as expressões faciais de Helga. Indique, em cada quadrinho, a emoção que ela transmite.

b) A que ideia o pronome demonstrativo *isso* se refere no segundo quadrinho?

c) O pronome demonstrativo *esta*, no último quadrinho, refere-se a quê?

d) O que se pode deduzir ao comparar o uso dos pronomes na tira, quanto à localização do termo a que se referem?

2▸ Copie as frases a seguir no caderno, substituindo o ■ pelo pronome demonstrativo adequado.

a) Morreram milhares de pessoas na passagem do furacão. ■ tragédia deixou as autoridades confusas e ■ retardou o socorro aos sobreviventes.

b) Você tem razão em suas reivindicações. Mas ■ não significa que tenha o direito de ofender quem discorda delas. ■ é uma atitude imprudente.

c) ■ é o problema: você ainda não tem idade para ficar até tarde na rua.

d) Alguns políticos do Brasil ainda não se conscientizaram da importância de seu papel na sociedade. ■ políticos precisam conversar mais com o povo; ■ que agem de maneira diferente são raros.

3▸ O pronome demonstrativo também pode ser um recurso expressivo. Leia a tirinha a seguir:

BROWNE, Dik. Hagar. *Folha de S.Paulo*. São Paulo, 8 mar. 1999.

a) Como foi feita a comida servida por Helga?

b) Por que Hagar usa a expressão "comida anônima" para se referir à refeição servida?

c) Hagar e Helga usam um pronome demonstrativo para se referir à comida. Assinale as alternativas corretas.

- Hagar usou o pronome *isto* para se referir à comida que está próxima dele.
- Hagar usou o pronome *isto* para se referir à comida que está próxima de Helga.
- Helga usou o pronome *isso* para se referir à comida próxima dela.
- Helga usou o pronome *isso* para se referir à comida apontada por Hagar.

d) Na primeira fala de Hagar o pronome *isto* foi destacado visualmente e com o uso da interrogação e da exclamação (?!). Qual é o efeito produzido por esse destaque?

4▸ Leia agora um poema de Paulo Leminski:

> o amor esse sufoco,
> agora há pouco era muito,
> agora, apenas um sopro
> ah, troço de louco,
> corações trocando rosas,
> e socos
>
> LEMINSKI, Paulo. *Melhores poemas*. São Paulo: Global, 2002. p. 119.

a) Embora não tenha sido feita referência anterior ao termo *sufoco*, o eu lírico do poema emprega o pronome *esse* como se isso já tivesse sido feito. A que sufoco então provavelmente ele se refere?

b) O termo *agora* é empregado no poema em relação a dois momentos no tempo. Explique cada um desses momentos.

c) Como você explica o que é o sentimento de amor, "troço de louco", para o eu lírico?

Atividades: revisando formas de coesão

1▸ Leia as frases e, no caderno, analise o elemento coesivo destacado.

a) O cronista iniciou seu texto mencionando uma encenação em que se fez um novo julgamento de Tiradentes. Ele afirmou que **nela** se seguiram todos os eventos próprios de um julgamento.

A que termo o pronome destacado se refere?

b) O povo quer apenas **isto**: desenvolvimento com paz.

Qual é a função do termo *isto*?

2▸ Em títulos de notícia, em geral a ideia mais importante é a que inicia a frase. Reúna as duplas de frases mais abaixo escrevendo-as de duas formas diferentes, de acordo com estas instruções:

- Em cada uma, dê relevância a um termo, deslocando-o para o início do período.
- Empregue elementos coesivos que estabeleçam relações adequadas ao sentido do período: de causa, de oposição, de finalidade, de referência...
- Faça as adaptações necessárias para articular as partes de acordo com a relevância dada.

> Veja um exemplo:
>
> (1) As pessoas estão decepcionadas com os políticos do país.
>
> (2) As pessoas continuam lutando pela ética.
>
> As **pessoas** estão decepcionadas com os políticos do país, mas continuam lutando pela ética.
>
> Embora continuem lutando pela **ética**, as pessoas estão decepcionadas com os políticos do país.

a) Os jovens são autênticos.

Os adultos nem sempre entendem a autenticidade dos jovens.

b) Os canais de televisão, ao planejarem sua programação, devem se preocupar com o que é adequado para as crianças.

As crianças devem ter seu desenvolvimento emocional e intelectual respeitado.

c) Mudanças climáticas drásticas podem ser indício de uma reação da natureza às agressões ao meio ambiente.

É necessário controlar a emissão de gases na atmosfera e preservar os recursos naturais.

d) A tolerância é o caminho possível para a paz.

A tolerância nem sempre é praticada em nosso cotidiano.

3▸ Leia em voz alta e expressivamente o poema seguinte, de Mário Quintana. Nele, foram destacados em negrito alguns elementos de coesão.

Inscrição para uma lareira

A vida é um incêndio: **nela**
dançamos, salamandras mágicas.
Que importa restarem cinzas
se a chama foi bela e alta?
Em meio aos toros **que** desabam,
cantemos a canção das chamas!
Cantemos a canção da vida,
na própria luz consumida...

QUINTANA, Mário. *80 anos de poesia.*
São Paulo: Globo, 1998. p. 158.

▸ **salamandra:** nesse contexto, operário que entra nas caldeiras quentes para consertá-las ou que, nos poços de petróleo incendiados, procura apagar o fogo.

▸ **toro:** tronco de árvore derrubada, com casca e sem galhos.

a) A que o eu lírico associa as chamas?

b) Em seu caderno, escreva o elemento coesivo correspondente à referência feita no texto que:

- indica condição;
- introduz uma indagação;
- faz referência a um termo anterior do texto.

4▸ Leia e compare os trechos a seguir.

Texto A	Texto B
O marido comprava pães, mas o menino não queria ir à escola. Então o guarda apitou na esquina e as pessoas desligavam a televisão.	Poluição, flores, afagos, ruídos de trem. Muita confusão em sua cabecinha de criança.

a) Qual dos textos tem elementos de coesão explícitos?

b) No texto com elementos coesivos há também coerência? Explique.

c) É possível afirmar que há coerência no texto B, cujos elementos coesivos não estão explícitos? Explique sua resposta.

5▸ Muitas vezes, a coesão de um texto é feita por meio da retomada de um termo por outro(s) termo(s) de sentido aproximado. Leia o texto a seguir.

A mãe de todas as guerras

A catapulta foi uma das mais revolucionárias armas inventadas pela humanidade. A partir dela, as máquinas — e não o homem — é que decidiam as batalhas
Fabiano Onça

Em 1304, o rei Eduardo I da Inglaterra cercou o castelo de Stirling, na Escócia. Lá resistiam os últimos guerreiros que, anos antes, haviam apoiado a rebelião anti-inglesa promovida pelo escocês William Wallace. Sem conseguir demolir as sólidas muralhas, Eduardo I apelou. Ergueu um engenho conhecido como *trebuchet* — uma máquina de atirar pedras, parente gigante da catapulta. Por 10 semanas, um batalhão de 50 operários cortou 20 grandes carvalhos para construir o monstro, ali mesmo, no local do cerco. O colosso intimidou de tal modo os defensores que, antes mesmo de ser concluído, fez com que eles tentassem se render.

[...]

Revista *Superinteressante*. São Paulo: Abril, nov. 2007.

Catapulta no estilo medieval. França, 1999.

No texto, o autor, depois de informar o que é uma catapulta, descrevendo-a como o "engenho conhecido como *trebuchet*", emprega outros termos para se referir a essa máquina.

Releia:

> [...] Por 10 semanas, um batalhão de 50 operários cortou 20 grandes carvalhos para construir o monstro, ali mesmo, no local do cerco. O colosso intimidou de tal modo os defensores que, antes mesmo de ser concluído, fez com que eles tentassem se render.

Nesse fragmento, quais são os termos usados pelo autor para fazer referência à máquina e manter a coesão e a coerência do texto?

Desafios da língua

Formação de palavras no cotidiano

Para atender a diferentes necessidades de expressão e de comunicação, novas palavras são criadas não só na linguagem especializada das ciências, por exemplo, mas também no dia a dia, na linguagem coloquial.

Veja a seguir alguns casos de ampliação do nosso léxico.

Novo uso para palavras conhecidas

Um fato curioso que se pode observar no uso da língua é o emprego de palavras em situações diferentes daquelas em que, em geral, são utilizadas. São palavras já existentes na língua, mas cujo significado é mudado ou adaptado para um **novo uso**.

Veja estes exemplos:

- A mulher estava vestindo uma blusa muito *cheguei*.
- Deixe logo de *entretantos* e vamos aos *finalmentes*.
- Essa menina é muito cheia de *não me toques*.
- Na hora do pênalti, foi um *deus nos acuda* na arquibancada.
- A confusão só não aumentou porque logo chegou a turma do *deixa-disso*.

Estrangeirismos e neologismos

Outro fator que contribui para a ampliação do léxico são os chamados **empréstimos** ou **estrangeirismos**: trata-se do uso de palavras de língua estrangeira que passam a fazer parte da comunicação entre os usuários da língua portuguesa. Para isso, essas palavras são aportuguesadas na pronúncia ou na escrita. São exemplos: *surfe, ciborgue, caraoquê, videoquê, hambúrguer*, etc.

O que fazer com termos estrangeiros? Em que situações comunicativas usá-los e quando é melhor evitá-los? Leia o trecho da crônica "Língua estrangeira", do escritor Ivan Ângelo, reproduzido a seguir.

> Nosso dia a dia é bilíngue, mas em *flashes*. Controles remotos sinalizam *up, down, search, stop, power*. Vitrines proclamam *off, sale*. Esportes da moda são *surf, trail, skydiving, bungee jumping*. O computador populariza *chat, blog, mouse, download*. Não dá para contornar *rock, reggae, rap, hip-hop, funk*. É isso aí, *brother*. [...]
>
> ÂNGELO, Ivan. Língua estrangeira. *Veja São Paulo*. São Paulo: Abril, 18 maio 2005. p. 138.

Com as facilidades de comunicação entre os povos e em decorrência da globalização, intensificam-se a "importação" e a incorporação, em uma língua, de palavras, expressões e construções tomadas de outras línguas. No Brasil, esses termos são denominados **estrangeirismos**.

Nos últimos anos, tem predominado no português do Brasil a ocorrência de termos do inglês, como resultado da influência dos Estados Unidos especialmente na economia, na moda, na música, na informática e no cinema. Isso, porém, tem sido motivo de polêmica.

Leia a opinião de um jornalista a respeito do assunto:

> O que mais faz falta em toda a discussão a respeito da "invasão da língua inglesa" é um produto raro também em outros setores do país: bom senso. [...] Se a palavra é necessária e não tem equivalente em português, seja bem-vinda! Eu não trocaria *marketing*, por exemplo, por mercadologia. Mas mercadológico pegou. [...] Não se pode aceitar argumentos como o de que o uso de *sale* dá mais charme à liquidação. Ou que 40% *off* representa maior apelo para o cliente de uma loja. Aí reside o deslumbramento.
>
> MARTINS, Eduardo. *O Estado de S. Paulo*. São Paulo, 26 mar. 2000. p. 20.

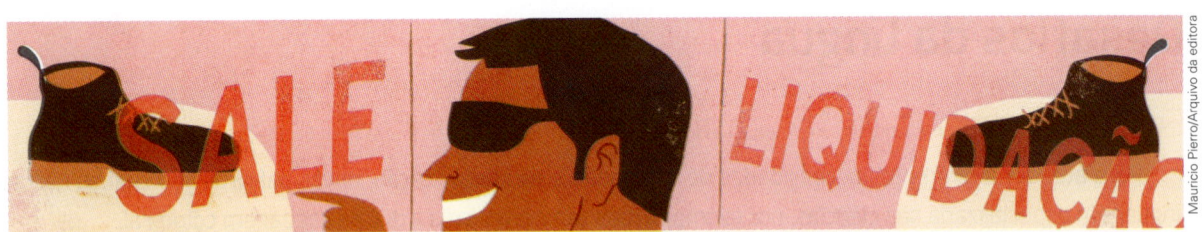

Mauricio Pierro/Arquivo da editora

1▸ O que você acha do termo *invasão*, usado no texto do jornalista Eduardo Martins, para tratar da entrada de palavras estrangeiras no léxico brasileiro?

Estrangeirismo

2▸ Você concorda com o autor da crônica "Língua estrangeira" quando ele afirma que o nosso dia a dia é bilíngue? Converse com os colegas e, no caderno, anote a opinião predominante na sala.

3▸ **Em dupla.** Reescrevam no caderno os textos a seguir substituindo, quando possível, a expressão destacada por outra equivalente da língua portuguesa.

a) Algumas mães preparam suas filhas desde pequenas para serem ***top models***. A entrada no mundo ***fashion*** torna-se um objetivo em suas vidas.

b) Os ***desktops*** deixaram de ser práticos, além de exigirem um ***hard disk*** muito mais caro. Por isso, tem-se noticiado uma onda de assalto de ***notebooks***.

4▸ **Em dupla.** Façam um levantamento de termos estrangeiros que vocês encontram ou empregam no dia a dia.

a) Procurem, para cada termo encontrado, o correspondente em língua portuguesa. Se precisarem, peçam ajuda ao professor ou aos colegas para determinar o sentido dos termos.

b) Verifiquem se há correspondência em português para todos os termos pesquisados e escrevam.

5▸ Releia a opinião predominante na sala, anotada na atividade 2, acima. Redija um parágrafo expressando sua posição diante da polêmica em torno do uso de estrangeirismos.

6▸ Sob a orientação do professor, leia seu parágrafo para os colegas e ouça o que eles escreveram. Conversem sobre as diferenças de opiniões.

7▸ No caderno, registre em itens as variações de opinião identificadas na turma e guarde as anotações.

Neologismo

Na vida em sociedade, os falantes se veem envolvidos em diversas circunstâncias de comunicação. Essa diversidade possibilita a criação de palavras para designar inovações científicas, culturais, novas vivências do mundo contemporâneo, bem como para atender às necessidades criadas pelas tecnologias de informação e pela informática. Essas novas palavras são chamadas **neologismos**.

São exemplos de neologismo: *terceirizar*, *hemodiálise*, *ecoturismo*, etc.

Muitas palavras são formadas pela adaptação de **estrangeirismos**, como *deletar, internauta, informatizar, surfar, moletom, roqueiro,* etc.

Inúmeros neologismos são criados pelos processos de formação de palavras, como a **sufixação**, a **prefixação** e a **composição**. Veja alguns exemplos:

- **sufixação**: *panelaço, vestibulando, gatíssimo, vampiresco, sambódromo,* etc.
- **prefixação**: *descupinizar, microempresa, sem-terra,* etc.
- **composição**: *seguro-desemprego, vale-transporte, vale-refeição,* etc.

Não raras vezes, **neologismos** e **estrangeirismos** são objeto de debates: os puristas da língua condenam seu uso, pois consideram que podem prejudicar a identidade linguística do país; outros consideram que não há como impedir o uso de neologismos e de estrangeirismos, uma vez que, como afirma o gramático Evanildo Bechara, "a língua é um fenômeno histórico e social [...] e acompanha a história do homem que a fala e, por isso, está sujeita a todas as influências" (*O Estado de S. Paulo.* São Paulo, 26 mar. 2000. p. A20).

Atualmente, a incorporação à nossa língua de grande número de estrangeirismos está relacionada à importação de tecnologia, demonstrada em termos como *deletar, escanear, becape, internet, internauta,* etc.

Mauricio Pierro/Arquivo da editora

8▸ **Em grupo.** Leiam o trecho de uma notícia sobre novas formas de escrever, empregadas por aqueles que se comunicam pela internet.

Uma campanha pelo fim do "naum"

Comunidade na web *lança movimento "Eu sei escrever", para incentivar o uso correto da língua portuguesa entre internautas*

Claudia Ferraz

Quem passa horas na internet já se acostumou a palavras que só existem na linguagem dos computadores, como *deletar* e *inicializar*. Mas os internautas, principalmente os mais jovens, foram além, "aperfeiçoando" a língua com abreviaturas, letras trocadas e neologismos. Esse *internetês* se tornou tão complicado de entender que os preocupados com o "analfabetismo virtual" criaram a campanha "Eu sei escrever" para incentivar o uso do português correto.

A comunidade tecnológica Fórum PCS inventou um filtro de palavras com erros propositais. O *site* substitui automaticamente essas palavras pelas formas corretas e destaca o texto corrigido com uma cor ou em itálico.

Assim, "aki" vira "aqui" e "naum" se torna "não" para que os autores percebam que estão escrevendo errado. [...].

Couto [o criador do *site*] explica que a ideia começou porque a diferença de linguagem entre as gerações impedia a troca de informações. "Além de um conflito de interesses, há um conflito de linguagem. Os redatores e moderadores do Fórum não entendiam as mensagens. Então foram instruídos a orientar seus autores para que escrevam de forma mais clara."

[...]

FERRAZ, Claudia. Uma campanha pelo fim do "naum". *O Estado de S. Paulo.* São Paulo, 9 jun. 2005. p. A22.

Depois de ler o texto, conversem sobre esta questão: A diferença de linguagem entre as gerações impede a troca de informações? Expliquem sua opinião.

Mauricio Pierro/Arquivo da editora

Toda língua sofre influência de outras línguas. No caso da língua portuguesa, há palavras incorporadas ou modificadas do francês, do italiano, do árabe, do japonês, do inglês, além daquelas que se originaram das línguas africanas e das línguas indígenas brasileiras.

Algumas dessas palavras estão de tal modo incorporadas à nossa língua que nem se percebe sua origem estrangeira. Veja estes casos:

- *batom*, *abajur*, *toalete*, *restaurante* (do francês)
- *pizza*, *tchau*, *macarrão*, *espaguete* (do italiano)
- *alfinete*, *algarismo*, *almofada* (do árabe)

Gíria

Gíria é a linguagem própria de um grupo social. Característica da linguagem oral informal, é usada por pessoas de um grupo com interesses em comum — por exemplo, o mesmo tipo de divertimento, de profissão, de prática esportiva, ou a mesma idade, a mesma classe social, a mesma condição de vida, etc.

Dificilmente a gíria é entendida por pessoas de fora do grupo que a adota, funcionando, assim, como um código próprio, que distingue o grupo. Essa é uma das razões por que a gíria tem uma vida mais curta do que a forma mais tradicional da língua.

Observe as frases em que foram empregadas gírias de diferentes cidades do Brasil, recolhidas para uma reportagem publicada no jornal *Folha de S.Paulo*, de 18 de janeiro de 1999 (*Folhateen*, p. 5). Se não houver uma "tradução" para quem não faz parte do grupo, é quase impossível apreender o significado das expressões. Veja:

- "Eu bati muita cabeça na festa ontem." (Brasília) — *bater cabeça* = dançar

- "Essa curiquinha só anda jogada." (Belém) — *curiquinha* = menina nova; *andar jogado* = andar malvestido

- "Vai rolar um caroço agora." (Porto Alegre) — *rolar um caroço* = jogar futebol

- "Hoje eu vou sair na *night*." (Curitiba) *sair na* night = divertir-se à noite

- "Esse tiozinho é o maior coca-cola." (São Paulo) — *tiozinho* = qualquer homem com mais de 30 anos; *coca-cola* = quem só conta vantagem

matimix/Shutterstock

1▶ Você leu algumas frases construídas com gírias usadas por jovens de diferentes cidades e regiões do Brasil. Quais expressões de gíria são empregadas pelos jovens da sua cidade? Escolha dois exemplos e, no caderno, escreva pelo menos duas frases com eles.

2▶ **Em dupla.** Leiam as frases que vocês escreveram e ouçam as que os colegas registraram. Depois, respondam a estas questões no caderno:

a) Os exemplos já eram conhecidos por vocês? Expliquem.

b) Se vocês falassem essas frases para seus pais, avós ou responsáveis ou mesmo para seus professores, eles entenderiam? Por quê?

3▶ Observe o anúncio publicitário reproduzido a seguir.

Fluir. São Paulo: Peixes, mar. 2003, p. 16-17.

Responda no caderno:

a) Quais as gírias apresentadas no anúncio?

b) Que grupo social comumente usa essas gírias?

c) Como você descobriu isso?

d) O que cada imagem ilustra: o uso da palavra em seu sentido próprio ou o seu uso na gíria?

e) Qual foi a provável intenção do criador do anúncio ao escolher essas imagens para ilustrar as palavras em destaque?

f) Por que há a foto de um carro com essas imagens?

g) Você já conhecia algum desses termos usados pelos surfistas? A que conclusão você pode chegar a respeito do uso da gíria: ela é de uso amplo ou de uso restrito?

4▶ Como você pôde observar, o uso de gírias leva à criação de palavras ou fornece novos significados para palavras que já existem. Leia trechos das entrevistas publicadas em reportagem do jornal *Folha de S.Paulo* para conhecer o que as crianças e os jovens entrevistados pensam sobre a gíria.

Outros modos de palavras
Esmeralda Ortiz

"Se liga na mexerica", "catimbá".

O que significa isso? Para descobrir, a **Folhinha** conversou com 13 crianças, de escolas públicas e particulares, e perguntou quais gírias usavam.

Folhinha — Por que vocês usam gírias?

Daniel — Porque é mais da hora.

▶ **se ligar na mexerica:** ficar atento, prestar atenção.
▶ **catimbá:** perder tempo.

Pedro Henrique, 12 (escola Ollavo Pezzotti) — Porque dá para falar as coisas em outros modos de palavras. O legal de falar gírias é que dá para entender melhor do que o falar complicado. Tem vezes que as pessoas não entendem muito bem.

Folhinha — Vocês falam gírias com seus pais?

Sheiris, 11 (escola do Sesi) — Não. Mas já vacilei um monte de vezes. Quando a gente fala, eles querem saber o que quer dizer ou pedem para a gente repetir.

Folhinha — Como assim?

Sheiris — Um dia, a minha mãe falou comigo e eu respondi: "Tô nem aí".

Folhinha — O que seu pai não entendeu?

Marina, 11 (Escola da Vila) — Quando eu falei: "Paguei mó mico, pai". Ele falou: "Mico? O que é mico?".

Folhinha — Gente de sua idade, de 8 anos, usa gírias?

Michely, 8 (Pezzotti) — Não muitas.

Folhinha — Você entende as gírias dos mais velhos?

Michely — Não entendo.

A **Folhinha** entrevistou crianças de Recife (PE) e Salvador (BA) para descobrir as diferenças entre as gírias faladas em estados brasileiros. As gêmeas Marina, 13, e Maya, 13, que estudam na Escola Americana (particular), em Recife, falaram que muitas gírias são diferentes, como *arretado* e *matuto*. A maioria é igual.

A reportagem também entrevistou meninos que vivem nas ruas de São Paulo e de Salvador. Pelo que os baianos Edmilson, Everaldo e Everton disseram, várias gírias são iguais às de São Paulo, como *paga-pau*, *peixinho*, *comédia* e *dar bote*.

A seguir, leia o que os meninos que vivem nas ruas de São Paulo falaram.

Folhinha — Que gírias vocês usam nas ruas?

Joel — E aí, irmão, firmeza? E aí, truta? E aí, maluco? E aí, mano? Então, mano, você chega e não cumprimenta os irmãos! Então, irmão, vamos cobrar dele então, mano!

Folhinha — Por que vocês falam gírias?

Rodrigo — Nóis fica falando, mano, uma pá de coisas sem mais sem menos, é uma maneira de nóis se identificar.

Folha de S.Paulo. São Paulo, 28 fev. 2004. Folhinha.

Ao ler esse texto, você pôde observar que há muitos motivos para o uso da gíria entre os jovens: porque "é mais da hora", porque "dá para entender melhor do que o falar complicado", porque "é uma maneira de [...] se identificar". Fale o que você pensa sobre o uso da gíria e ouça o que os colegas têm a dizer ao responder às seguintes questões:

a) Será que se deve usar gíria em qualquer situação de comunicação?

b) Quando o uso da gíria realmente facilita e quando compromete a comunicação?

5 Leia o que significa **competência comunicativa**:

> **Competência comunicativa** é a capacidade que as pessoas têm de utilizar adequadamente a língua — oral ou escrita — em diferentes situações de comunicação.

Há quem considere o uso de **estrangeirismos**, de **neologismos** e de **gírias** prejudicial à boa comunicação entre as pessoas. Você concorda com essa opinião?

a) Reúna-se com os colegas e discutam a questão no grupo.

b) Registrem uma conclusão.

c) Apresentem-na à classe.

d) Ouçam e analisem a conclusão dos demais.

Outro texto do mesmo gênero

Depois de ler a crônica de Roberto Pompeu de Toledo sobre o "desenforcamento de Tiradentes", leia a crônica a seguir e surpreenda-se com a opinião da cronista sobre um fato que a impressionou.

Impressionada

Vanessa Barbara

1   "Esse pouso do robô Philae num cometa a 500 milhões de quilômetros da Terra é a coisa mais incrível que a humanidade produziu desde o gol olímpico do Marcos Assunção contra o Atlético Mineiro em 2010", declarou, no Facebook, o jornalista Matheu Pichonelli.

2   E eu diria mais: fazer a baliza e estacionar uma geringonça do tamanho de uma máquina de lavar num cometa de verdade me parece algo tão inacreditável quanto a existência da pasta de dente com listras refrescantes. Pertence ao reino dos ornitorrincos, do catupiry, das auroras boreais, do Louis Armstrong. E da Muralha da China.

3   De vez em quando acontecem essas coisas: a gente acha que já viu de tudo, que está velho demais para se surpreender com a vida desde que assistiu àquele vídeo do indiano subindo no teto de um ônibus com uma moto na cabeça, aí vem uma sonda e pousa num cometa. E você se sente uma criança de quatro anos diante de uma girafa. (O que diabos está havendo? Que tipo de feitiçaria é essa?)

4   A primeira reação ao receber uma notícia desse porte é de declarar peremptoriamente: "É montagem". Ainda que existam fotos do Philae, não há dúvidas de que se trata de uma espetacular lorota, tal qual a primeira caminhada de Neil Armstrong [...]. Conheci um sujeito que, apresentado a fatos assombrosos de natureza diversa, não hesitava em proclamar: "Isso aí é grupo". Tudo fazia parte de uma conspiração para desmoralizá-lo. E é bom não acreditar em nada porque vão é rir de sua cara.

5   Sondas não pousam em cometas, assim como a eletricidade é bruxaria e não existe mofo milagroso que cura infecções. E, se vivesse na Idade das Trevas, passaria os dias excomungando os ímpios e fazendo troça de quem garante que a

---

▶ **robô Philae:** robô espacial estacionado na superfície do cometa 67P/Churyumov-Gerasimenko em novembro de 2014.

▶ **gol olímpico:** gol marcado em cobrança de escanteio, com a bola fazendo uma curva e entrando diretamente, sem que outros jogadores a toquem.

▶ **fazer a baliza:** manobrar um veículo, entre obstáculos à frente e atrás, para estacionar.

▶ **aurora boreal:** aurora polar (fenômeno luminoso em forma de arcos, raios ou faixas) que ocorre no hemisfério setentrional, especialmente nas regiões árticas.

▶ **Louis Armstrong:** cantor e trompetista de *jazz* estadunidense (1901-1971).

▶ **sonda (espacial):** dispositivo usado para obter informações sobre o espaço cósmico.

▶ **peremptoriamente:** decisivamente, terminantemente.

▶ **Neil Armstrong:** astronauta estadunidense, Armstrong (1930-2012) foi o primeiro ser humano a pisar na Lua, como comandante da missão Apollo 11, em 20 de julho de 1969.

▶ **grupo:** na linguagem informal, mentira, logro.

▶ **mofo milagroso:** refere-se à descoberta da penicilina.

▶ **Idade das Trevas:** refere-se à Idade Média, período da história ocidental que vai do século V ao século XV.

▶ **excomungar:** expulsar da Igreja; amaldiçoar.

▶ **ímpio:** aquele que não tem fé.

▶ **troça:** zombaria, gozação.

Terra gira em torno do Sol — e por falar nisso, ninguém ainda conseguiu me convencer de que as estrelas não estão realmente grudadas no firmamento como uma pintura. Se o nosso Sol é mais brilhante que Antares, é porque evidentemente é maior, e ponto.

> **Antares:** estrela gigante e vermelha da constelação de Escorpião.
>
> **quicar:** pular, saltar; bater e voltar (sobretudo uma bola).

6   A verdade é que até hoje fico muitíssimo espantada com espetáculos de mágica, sendo absolutamente incapaz de entender como são feitos, mesmo quando se trata de truques com baralhos falsos ou moedas com duas caras — eu me levanto e aplaudo com gosto, olhando feio para as criancinhas entediadas.

7   Mesmo sabendo que a sonda quicou antes de pousar, depois ficou sem bateria e talvez não volte mais a funcionar, as notícias da Philae podem ser resumidas num adjetivo que nossas mães usavam quando tomávamos um susto: "Não foi nada, você só está impressionada".

8   Pois bem, Agência Espacial Europeia: estou impressionada. Você é tão lendária quanto o gol do Marcos Assunção — e olha que eu nem sou palmeirense.

O Estado de S. Paulo. São Paulo, 24 nov. 2014. Caderno 2, p. C6.

DLR German Aerospace Center/Wikimedia Commons

O robô espacial Philae, em novembro de 2014, estaciona na superfície de um cometa.

Em grupo. Reúna-se com alguns colegas e conversem sobre as questões a seguir.

1▸ Vocês já conheciam a notícia que foi objeto da crônica: o pouso do robô Philae num cometa a 500 milhões de quilômetros da Terra? Se sim, como tiveram acesso a ela, por meio de jornal impresso, internet, TV...?

2▸ Qual é a opinião da cronista sobre esse acontecimento? Localize no texto o trecho em que ela manifesta seu ponto de vista.

3▸ Que argumentos a cronista utiliza para defender sua opinião?

4▸ Como a cronista conclui o texto sobre o fato de o robô Philae ter pousado em um cometa?

Crônica jornalística

O desafio proposto aqui é a produção de uma crônica a partir de uma notícia.

Antes de iniciar seu texto, relembre que a crônica jornalística é uma narrativa publicada em jornal ou revista sobre um fato noticiado. Nos textos pertencentes a esse gênero, o cronista:

- tem a **intenção** de fazer o leitor refletir sobre o tema/assunto abordado;
- expressa seu ponto de vista sobre um fato;
- faz escolhas cuidadosas de linguagem;
- dirige-se ao leitor do jornal ou revista onde a crônica será veiculada.

➤ Planejamento

1▸ Leia a notícia sugerida para inspirar sua crônica:

Comovidos, policiais pagam fiança de ladrão e fazem compras para ele no DF

Jéssica Nascimento
Do UOL, em Brasília

Comovidos com a história de um homem que havia sido preso em S. M. por furtar carne de um supermercado, policiais civis da 20ª Delegacia de Polícia (Gama Oeste) resolveram pagar a fiança e comprar alimentos e produtos de higiene pessoal para ele e sua família.

Desempregado há três meses, o eletricista M. F. L., 47, que mora com o filho de 12 anos, tentou furtar 2 quilos de carne por volta das 16h de quarta-feira (13) em um supermercado, quando foi preso em flagrante.

[...]

Segundo o policial R. M., ao chegar à delegacia, o eletricista passou mal e desmaiou. "Ele contou que há um ano a mulher foi atropelada e passou oito meses no hospital. Por ter de cuidar dela diariamente, acabou perdendo o emprego. Quando ela se recuperou, foi morar com um filho de outro relacionamento, pois M. F. L. não tinha dinheiro para os cuidados necessários de que ela precisava."

O policial contou que a todo o momento M. F. L. se desesperava por conta do filho, que estava sozinho em casa. A preocupação emocionou uma agente, que pagou a fiança de R$ 270. "Fizemos também uma vaquinha de R$ 300 com quase todos os policiais."

A agente K. C. disse que, para ter certeza de que a história era verídica, os policiais foram até a casa de M. F. L. e constataram que a situação era de extrema pobreza.

"Não havia nada na geladeira nem produtos de higiene pessoal, como pasta de dente e sabonete. Também não havia gás", afirmou.

Os policiais levaram M. F. L. ontem mesmo para um supermercado e pediram para que ele escolhesse os mantimentos. "Ele chorou demais e agradecia a toda hora. Não queria nada caro. Percebemos de longe a humildade dele", disse R. M.

[...]

Disponível em: <http://noticias.bol.com.br/ultimas-noticias/brasil/2015/05/14/comovidos-policiais-pagam-fianca-de-ladrao-e-fazem-compras-para-ele-no-df.htm>. Acesso em: 10 ago. 2018. (Abreviamos os nomes para preservar as identidades.)

2▸ A partir dos elementos da notícia lida, você pode dar sua opinião sobre esse acontecimento real focando ou não algum dos elementos do relato: fato noticiado, pessoas envolvidas, alguma ação específica relatada para fazer a ancoragem do seu texto.

3▸ Pense no que você pretende provocar no leitor: criar polêmica sobre os fatos relatados, comentar o fato ironicamente, levar a uma reflexão...

Primeira versão

1▸ Reflita sobre os fatos relatados na notícia para expressar seu ponto de vista sobre eles, sua opinião. Pense se concorda, não concorda, ou se só concorda em parte com o desenrolar dos fatos narrados.

2▸ Além de refletir sobre o seu ponto de vista, você deve pensar nos **argumentos** que vai utilizar para defender a sua opinião.

3▸ Redija a crônica tendo em vista os elementos esquematizados a seguir:

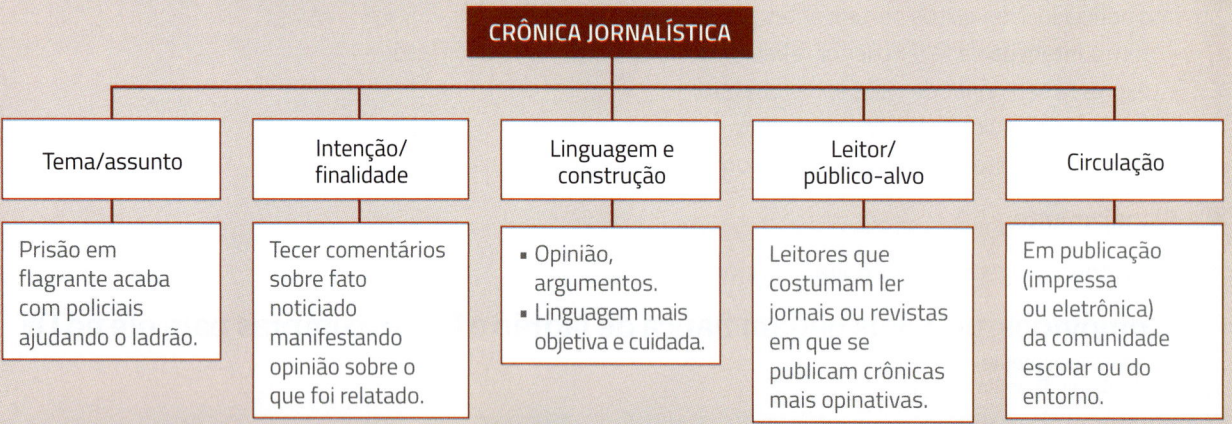

CRÔNICA JORNALÍSTICA				
Tema/assunto	Intenção/finalidade	Linguagem e construção	Leitor/público-alvo	Circulação
Prisão em flagrante acaba com policiais ajudando o ladrão.	Tecer comentários sobre fato noticiado manifestando opinião sobre o que foi relatado.	• Opinião, argumentos. • Linguagem mais objetiva e cuidada.	Leitores que costumam ler jornais ou revistas em que se publicam crônicas mais opinativas.	Em publicação (impressa ou eletrônica) da comunidade escolar ou do entorno.

Revisão e reescrita

1▸ Antes da versão final, troque seu texto com um colega para que ele faça observações que o ajudem a melhorar ou a ajustar seu texto. Você vai contribuir com o trabalho dele do mesmo modo.

2▸ Feitas as alterações que você considerar necessárias, escreva a versão definitiva de sua crônica.

3▸ Aguarde as orientações do professor quanto ao momento da leitura da crônica para os colegas da sala.

Divulgação

1▸ O professor vai informar a turma se essa produção será digitada e impressa no jornal da escola e/ou da comunidade ou digitalizada para circular na rede social da escola.

2▸ Defina com o professor e os colegas o melhor meio de divulgar a produção de vocês, assim como o fluxo e a periodicidade das publicações.

3▸ É possível também convidar a comunidade escolar para uma roda de leitura das crônicas.

Mauricio Pierro/Arquivo da editora

Chegou o momento de fazer um balanço de tudo o que foi estudado na Unidade 6. Leia o quadro de conteúdos para recordar o que estudou e, no caderno, avalie seu desempenho usando os tópicos propostos a seguir, como orientação. Isso ajudará você na hora de organizar seus estudos.

Meu desempenho

- **Compreendi bem** (registre no caderno os itens que você compreendeu)
- **Avancei em** (registre no caderno os itens em que você melhorou)
- **Preciso rever** (registre no caderno os itens que você precisa estudar mais)
- **Outras observações e/ou outras atividades**

UNIDADE 6	
Gênero Crônica jornalística	**LEITURA E INTERPRETAÇÃO** · Leitura da crônica "As desoras, desfeliz", de Roberto Pompeu de Toledo · Localização e identificação da opinião do cronista sobre a notícia · Identificação dos argumentos utilizados para defender a opinião · Identificação do fato como ancoragem · Localização dos elementos de coesão na estruturação da crônica · Identificação dos recursos de linguagem utilizados na crônica **PRODUÇÃO** **Oral** · Conversa em jogo: Patriotismo: como percebemos esse sentimento hoje? · Roda de leituras de crônicas selecionadas pelos alunos **Escrita** · Produção de crônica jornalística opinativa com base em notícia dada
Ampliação de leitura	**CONEXÕES** · Outras linguagens: Tirinha · Intertextualidade na pintura · Intertextualidade e repertório cultural · Notícia: "Tiradentes é absolvido em encenação teatral que reviveu seu julgamento" **OUTRO TEXTO DO MESMO GÊNERO** · "Impressionada", Vanessa Barbara
Língua: usos e reflexão	· Coerência e coesão textual · Coesão textual: uso de pronomes · Desafios da língua: formação de palavras no cotidiano (novos usos de palavras conhecidas, estrangeirismo, neologismo, gíria)
Participação em atividades	· Orais · Coletivas · Em grupo

Filipe Rocha/Arquivo da editora

UNIDADE

7

Para defender ideias: palavras

Você costuma dar sua opinião sobre fatos vistos nas redes sociais? Que linguagem utiliza para fazer isso: linguagem verbal, ícones como os *emoticons*?

Você já precisou defender uma causa ou uma ideia em público? Conte como foi e ouça o relato de seus colegas.

Nesta unidade você vai:

- ler e interpretar artigo de opinião;
- identificar os recursos de linguagem utilizados com a intenção de convencer;
- identificar as partes que compõem o artigo de opinião;
- identificar tipos de argumento;
- reorganizar os parágrafos de um artigo de opinião;
- produzir artigo de opinião;
- produzir memes;
- participar de debate regrado;
- identificar formas de concordância na frase;
- estudar casos específicos de concordância verbal.

ARTIGO DE OPINIÃO

Profissionais da área jornalística, pessoas de destaque na sociedade ou especialistas de diversas áreas do conhecimento escrevem artigos de opinião para expressar suas opiniões ou comentar, de um ponto de vista particular, os acontecimentos do mundo.

O artigo de opinião que você vai ler a seguir foi originalmente publicado em um jornal de grande circulação no país e expressa o ponto de vista do autor sobre o controle e a perda da privacidade das pessoas.

Como você se sentiria se soubesse que sua vida particular está sendo exposta a comentários e avaliações das outras pessoas?

Você já se deparou com avisos de que está sendo filmado?

◣ Leitura

Celebridades descelebradas

Luli Radfahrer

A privacidade se tornou um mito e, já que é impossível retroceder, é preciso gerir essa nova imagem pública

1   Não se iluda: as mídias sociais e as bases de dados de comércio eletrônico acabaram com qualquer pretensão de privacidade. Filtradas pelos algoritmos inteligentes dos mecanismos de buscas, elas facilitaram o acesso e a identificação de praticamente qualquer pessoa, por mais que respeitem o anonimato de seus usuários.

2   Quando a informação é muita, não é difícil fazer cruzamentos únicos de variáveis. Quem vive naquele bairro, trabalha naquela empresa, come naquele restaurante, abastece o carro com aquela frequência, usa aquele computador e aquele telefone, acessa aqueles *sites*, clica naqueles *links* e compra aqueles produtos é facílimo de rastrear.

3   Já que é impossível (e bem pouco prático) viver fora do *grid* de informação digital, é preciso administrar a imagem pública em um ambiente em que até aspirantes a tuiteiros se tornaram celebridades, mesmo sem fazer nada de célebre. Por maior que seja a diferença de influência entre o Tom Hanks e seu correspondente no século 2.0, os cuidados que ambos precisam ter com a exposição indesejada são bem próximos.

4   A sociedade das opiniões públicas é mais rica e complexa do que aquilo que se chamava antigamente de "opinião pública", ficção sociológica que acreditava ser possível tirar a média do que era decla-

---

▶ **base de dados:** conjunto de informações armazenadas em computadores.

▶ **algoritmo:** conjunto de regras e cálculos que leva à solução de um problema.

▶ **variável:** dado que pode ser modificado ao longo da execução de um programa de computador.

▶ *link:* endereço virtual para acessar uma página da internet.

▶ **rastrear:** seguir o rastro, seguir pistas.

▶ *grid:* grade.

▶ **tuiteiro:** usuário do Twitter (rede social e microblogue que permite aos usuários publicar e ler mensagens pessoais).

▶ **Tom Hanks:** ator, diretor e produtor estadunidense de vários sucessos de bilheteria e vencedor de diversos prêmios do cinema.

▶ **ficção sociológica:** história imaginada que trata do comportamento humano.

rado e descartar o que desviasse do padrão. Com a popularidade de acesso aos meios de publicação, o indivíduo urbano, globalizado e massificado, usa as redes como válvula de escape para manifestar sua identidade e, nesse processo, se expõe de forma inimaginável.

5   Não é preciso habitar a casa do *Big Brother* para ter a vida privada transformada em entretenimento. Basta fazer o que não seria feito normalmente em público. Uma briga entre namorados, um namorico, um comentário entredentes, uma bebedeira ou até uma inocente ida ao banheiro quando se está só, dentro de casa, agora está sujeita ao escrutínio público das câmaras ocultas em telefones celulares. As paredes não têm ouvidos, mas todo o resto parece ter.

6   Já que é impossível retroceder, o que resta é administrar esse novo tipo de patrimônio público. Como todo patrimônio, ele precisa ser estável para se tornar uma referência e, nesse processo, acaba perdendo a espontaneidade, a mais humana de suas características.

7   Aos poucos, as regras de conduta invadem os recônditos da vida pessoal, plastificando a personalidade e a prendendo à máscara construída ao longo da vida, mesmo que não se concorde com ela.

8   Hoje todos nos tornamos personalidades transparentes. Nunca foi tão fácil checar referências, e, a princípio, não há nada de errado nisso. Uma das principais regras de sobrevivência social, pilar de sistemas tão diversos quanto a maçonaria ou o *marketing*, sempre foi desconfiar de estranhos. De perto, entretanto, ninguém é normal.

9   Como diz a polícia dos Estados Unidos, você sempre tem o direito de permanecer calado. Tudo o que disser poderá ser usado contra você. As mídias sociais são, como o próprio nome dá a entender, uma forma de mídia.

▶ **rede:** conjunto de computadores ligados entre si.

▶ **entredentes:** modo de falar ou de rir quase sem abrir a boca; falar baixo, resmungar.

▶ **escrutínio:** exame minucioso.

▶ **recôndito:** parte escondida.

▶ **maçonaria:** sociedade que tem como objetivo a prática da solidariedade e da fraternidade entre seus membros.

▶ *marketing:* estratégia de vendas, comunicação e negócios.

▶ **mídia social:** meio eletrônico para interação entre pessoas que lhes permite compartilhar experiências.

Carlos Araujo/Arquivo da editora

Pessoas comuns não têm relações públicas, advogados, assessores ou consultores de imagem para auxiliá-las no dia a dia e, por isso, ainda vão demorar para perceber que um <u>vexame</u> registrado *on-line* é quase tão difícil de apagar quanto um nu indesejado.

▶ **vexame:** vergonha.

RADFAHRER, Luli. Celebridades descelebradas. *Folha de S.Paulo*. São Paulo, 27 jul. 2011. Tec, p. F14.

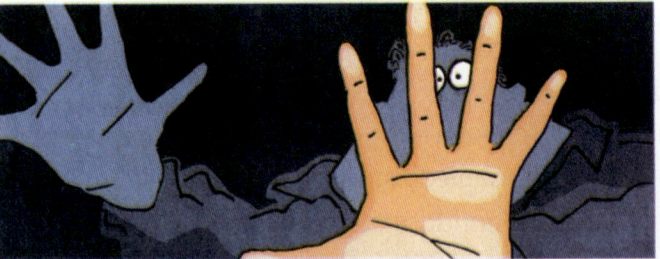

F14 **tec** ★ ★ ★ QUARTA-FEIRA, 27 DE JULHO DE 2011   FOLHA DE S.PAULO

Celebridades descelebradas

LULI RADFAHRER

Alpino

NÃO SE iluda: as mídias sociais e as bases de dados de comércio eletrônico acabaram com qualquer pretensão de privacidade. Filtradas pelos algoritmos inteligentes dos mecanismos de buscas, elas facilitaram o acesso e a identificação de praticamente qualquer pessoa, por mais que respeitem o anonimato de seus usuários.

Quando a informação é muita, não é difícil fazer cruzamentos únicos de variáveis. Quem vive naquele bairro, trabalha naquela empresa, come naquele restaurante, abastece o carro com aquela frequência, usa aquele computador e aquele telefone, acessa aqueles sites, clica naqueles links e compra aqueles produtos é facílimo de rastrear.

Já que é impossível (e bem pouco prático) viver fora do grid de informação digital, é preciso administrar a imagem pública em um ambiente em que até aspirantes a tuiteiros se tornaram celebridades, mesmo sem fazer nada de célebre. Por maior que seja a diferença de influência entre o Tom Hanks e seu correspondente no século 2.0, os cuidados que ambos precisam ter com a exposição indesejada são bem próximos.

A sociedade das opiniões públicas é mais rica e complexa do que aquilo que se chamava antigamen-

te de "opinião pública", ficção sociológica que acreditava ser possível tirar a média do que era declarado e descartar o que desviasse do padrão. Com a popularidade de acesso aos meios de publicação, o indivíduo urbano, globalizado e massificado usa as redes como válvula de escape para manifestar sua identidade e, nesse processo, se expõe de forma inimaginável.

Não é preciso habitar a casa do

A privacidade se tornou um mito e, já que é impossível retroceder, é preciso gerir essa nova imagem pública

Big Brother para ter a vida privada transformada em entretenimento. Basta fazer o que não seria feito normalmente em público. Uma briga entre namorados, um namorico, um comentário entredentes, uma bebe-

deira ou até uma inocente ida ao banheiro quando se está só, dentro de casa, agora está sujeita ao escrutínio público das câmaras ocultas em telefones celulares. As paredes não têm ouvidos, mas todo o resto parece ter.

Já que é impossível retroceder, o que resta é administrar esse novo tipo de patrimônio público. Como todo o patrimônio, ele precisa ser estável para se tornar uma referência e,

nesse processo, acaba perdendo a espontaneidade, a mais humana de suas características.

Aos poucos as regras de conduta invadem os recônditos da vida pessoal, plastificando a personalidade e a prendendo à máscara construída ao longo da vida, mesmo que não se concorde com ela.

Hoje todos nos tornamos personalidades transparentes. Nunca foi tão fácil checar referências, e, a princípio, não há nada de errado nisso. Uma das principais regras de sobrevivência social, pilar de sistemas tão diversos quanto a maçonaria ou o marketing, sempre foi desconfiar de estranhos. De perto, entretanto, ninguém é normal.

Como diz a polícia dos Estados Unidos, você sempre tem o direito de permanecer calado. Tudo o que disser poderá ser usado contra você. As mídias sociais são, como o próprio nome dá a entender, uma forma de mídia.

Pessoas comuns não têm relações públicas, advogados, assessores ou consultores de imagem para auxiliá-las no dia a dia e, por isso, ainda vão demorar para perceber que um vexame registrado on-line é quase tão difícil de apagar quanto um nu indesejado.

folha@luli.com.br

Reprodução/Folhapress

Joel Silva/Folhapress

Luli Radfahrer é mestre e Ph.D. em Comunicação Digital pela Escola de Comunicações e Artes da Universidade de São Paulo (ECA-USP). Consultor de inovação digital e comunicação colaborativa, Luli possui vasta experiência no mercado digital. Mora em São Paulo, onde é professor da ECA-USP e colunista do jornal *Folha de S.Paulo*.

Interpretação do texto

Compreensão inicial

Você leu um artigo publicado em jornal, em um caderno semanal, dirigido a um público leitor provavelmente adulto e que utiliza as novas tecnologias.

1▶ De acordo com o artigo de opinião que você leu, como as mídias sociais e as bases de dados do comércio eletrônico acabaram com a privacidade das pessoas?

2▶ O que facilita o cruzamento de variáveis para fazer o rastreamento de pessoas?

3▶ No texto, qual é o sentido da afirmação "é preciso administrar a imagem pública"?

4▶ Explique o sentido da seguinte frase no texto: "As paredes não têm ouvidos, mas todo o resto parece ter".

5▸ Assinale a alternativa adequada. Na opinião do articulista, o autor do artigo, qual é o "novo tipo de patrimônio público"?

   a) As câmaras ocultas.

   b) A vida privada.

   c) A casa do *Big Brother.*

   d) Os telefones celulares.

6▸ Releia este trecho do texto:

> Aos poucos, as regras de conduta invadem os recônditos da vida pessoal, plastificando a personalidade e a prendendo à máscara construída ao longo da vida, mesmo que não se concorde com ela.

Assinale as alternativas que podem resumir, de acordo com o trecho, as consequências para o indivíduo da exposição de sua identidade na mídia.

   a) Perder a espontaneidade.

   b) Moldar a sua personalidade de acordo com o que os outros querem.

   c) Fazer tudo o que deseja ao longo da vida.

   d) Usar máscaras de plástico no dia a dia.

7▸ De acordo com o artigo de opinião, checar referências, isto é, conferir informações sobre alguém, é certo ou errado? Explique.

8▸ Segundo o artigo, por que é difícil para as pessoas comuns perceber que "um vexame *on-line* é quase tão difícil de apagar quanto um nu indesejado"?

Linguagem e construção do texto

Intencionalidade e escolhas de linguagem

Ao analisar o artigo de opinião, certamente foi possível perceber que, além de expor seu ponto de vista sobre o assunto discutido, o autor tem outra intenção: **apresentar argumentos para convencer** o leitor a concordar com sua opinião.

Vamos analisar os **recursos de linguagem** escolhidos pelo autor com a **intenção** de convencer o leitor de um caderno especial sobre tecnologia.

Oposição

1▸ Releia o título do artigo de opinião:

> Celebridades descelebradas

O prefixo *des-* indica o contrário da palavra a que se une. Segundo o dicionário, *celebridade* é aquele que é famoso, célebre. A palavra *descelebrado* não consta no dicionário. Entretanto, nele se encontra a palavra *descerebrado*, o antônimo de *cerebrado* (relativo a cérebro). Assim, pode-se observar que as palavras *descelebrado* e *descerebrado* são muito semelhantes.

   a) Transcreva no caderno o trecho do texto que explica o título dado a ele.

   b) Qual seria a provável intenção do autor ao criar a palavra *descelebradas* e utilizá-la no título do artigo? Responda no caderno.

2▸ O prefixo *des-* expressa ideia de algo contrário, de oposição. Encontre no artigo de opinião exemplos de palavras ou expressões que formem uma relação de oposição no texto.

Advertência

▶ Releia a frase que inicia o artigo de opinião e responda às questões no caderno.

> **Não se iluda**: as mídias sociais e as bases de dados de comércio eletrônico acabaram com qualquer pretensão de privacidade.

a) Em que modo está a forma verbal destacada na oração?

b) Que efeito o uso desse modo verbal provoca na frase?

c) Que outras expressões usadas no artigo provocam o efeito de sentido de alerta para uma necessidade?

d) Qual é a provável intenção do autor ao utilizar expressões que indicam alertas para o leitor?

Enumeração de ações

1▶ Releia este trecho do artigo de opinião:

> Quem vive naquele bairro, trabalha naquela empresa, come naquele restaurante, abastece o carro com aquela frequência, usa aquele computador e aquele telefone, acessa aqueles *sites*, clica naqueles *links* e compra aqueles produtos é facílimo de rastrear.

a) Localize no trecho acima e transcreva em seu caderno as formas verbais empregadas.

b) Qual é a provável intenção do autor ao enumerar ações para definir aquele que é "facílimo de rastrear"?

2▶ Copie no caderno um trecho do artigo de opinião em que há uma enumeração de substantivos abstratos que indicam nomes de ações.

3▶ Que efeito essa outra enumeração de palavras cria no texto?

Repetição de expressões na construção do texto

1▶ Releia este trecho:

> **Já que** é impossível (e bem pouco prático) viver fora do *grid* de informação digital, é preciso administrar a imagem pública [...].

a) Reescreva o trecho substituindo a expressão destacada, de forma que o sentido do texto seja mantido.

b) A expressão "já que" indica ideia de causa. Sendo assim, qual é a consequência apresentada no trecho?

2▶ Copie no caderno outro trecho do artigo de opinião que tenha essa mesma estrutura: causa e consequência.

3▶ Qual é a provável intenção do autor ao repetir essa estrutura, utilizando apenas algumas palavras diferentes?

Carlos Araujo/Arquivo da editora

Uso de frases populares ou do senso comum

▶ No artigo de opinião há dois trechos que se baseiam em frases populares. A seguir, releia essas frases:

> As paredes não têm ouvidos, mas todo o resto parece ter.

> De perto, entretanto, ninguém é normal.

Explique no caderno o significado de cada uma dessas frases no texto.

Estrutura do texto argumentativo

Vimos que um **texto argumentativo** pode se esquematizar da seguinte forma:

- **Ancoragem** (ou **introdução**): parte que introduz o assunto ao leitor.
- **Desenvolvimento**: apresentação da opinião do autor do texto e dos argumentos que sustentam essa opinião.
- **Conclusão**: finalização do artigo.

Nas atividades a seguir, você vai constatar que essas partes também estão presentes no **artigo de opinião**: ancoragem (ou **introdução**), **opinião** (ou **tese**) e **conclusão**.

1 ▸ Leia abaixo a síntese de cada uma dessas partes conforme são desenvolvidas no artigo de opinião lido. Observe que elas não estão na sequência indicada acima.

- Pessoas comuns vão demorar a perceber os perigos da exposição pública.
- É preciso administrar a imagem pública porque é impossível (e bem pouco prático) viver fora do *grid* de informação digital "em um ambiente em que até aspirantes a tuiteiros se tornaram celebridades, mesmo sem fazer nada de célebre."
- O acesso e a identificação de praticamente qualquer pessoa são facilmente realizados pelo rastreamento dos dados disponíveis nas mídias sociais e na base de dados de comércio eletrônico.

Copie as sínteses acima em seu caderno e escreva diante delas a que parte e a que parágrafo(s) do artigo cada uma corresponde.

2 ▸ O autor do artigo de opinião utiliza grande parte dos parágrafos para defender seu ponto de vista. Ele faz isso por meio de **argumentos**. Quantos parágrafos do texto são argumentativos? Indique no caderno cada um deles.

3 ▸ O autor utiliza argumentos variados para fundamentar e esclarecer seu posicionamento quanto aos perigos da exposição da privacidade. Leia no quadro a seguir os diferentes tipos de argumento existentes.

Tipos de argumento	
Científico	Dados científicos ou estatísticos.
De autoridade	Citações diretas ou indiretas de pessoas com credibilidade ou especialistas no assunto.
De valoração	Conceitos ou ideias respeitados por todos.
Com ironia	Construção em que se fazem insinuações ou se diz o contrário do que se quer dizer, para tecer uma crítica.
Pouco fundamentado	Apelo emocional; clichês ou chavões; exemplos pessoais.

Em dupla. No caderno, com base nas informações do quadro, transcrevam do texto:

- um argumento de autoridade;
- um argumento com ironia;
- um argumento de valoração;
- um argumento com clichês.

> ▸ **clichê**: ideia, expressão, frase muito conhecida e repetida; o mesmo que *chavão* e *lugar-comum*.

4 ▸ Releia a seguir a frase do artigo em que o autor apresenta sua **opinião**.

> Já que é impossível (e bem pouco prático) viver fora do *grid* de informação digital, é preciso administrar a imagem pública em um ambiente em que até aspirantes a tuiteiros se tornaram celebridades, mesmo sem fazer nada de célebre.

Identifique no artigo a **conclusão**, a frase em que o autor retoma, com outras palavras, a opinião defendida. Escreva essa frase em seu caderno.

5 ▸ **Com a turma toda.** Em sua opinião, qual é a importância, para o leitor, da reflexão que a leitura desse artigo estimula? Dê sua opinião e ouça o que os colegas pensam sobre o assunto.

Partes do artigo de opinião

Vocês leram e estudaram um artigo de opinião sobre privacidade e imagem pública, escrito por um articulista de um caderno de tecnologia, publicado semanalmente em um jornal diário de grande circulação.

Também viram os recursos de linguagem utilizados pelo autor, de acordo com suas intenções, e analisaram como ele construiu seu texto dentro da estrutura de um texto argumentativo.

▶ **Em dupla.** Vocês vão ler a seguir outro artigo de opinião sobre o mesmo assunto. Mas atenção: os parágrafos foram embaralhados! Para colocá-los na sequência correta, vocês devem escrever no caderno os números que estão no início de cada um, na ordem em que as ideias do texto fiquem coerentes.

Lembrem-se:

- As partes que estruturam o artigo de opinião: ancoragem ou introdução, opinião ou tese e conclusão.
- Os recursos de linguagem que ajudam a estruturar o texto argumentativo: palavras ou expressões que se relacionam ao título e ao tema; palavras e expressões que criam efeito de oposição; verbos no modo imperativo, que auxiliam na determinação de uma opinião; a enumeração; a repetição de palavras e expressões para estruturar tanto a opinião quanto os argumentos referentes à conclusão.

"Likes" não cortam efeito dos comentários maldosos nas redes sociais

1   Agora, se você percebe que seu humor é afetado por causa de gente que não sabe ser educada ao manifestar uma posição contrária, ou é maldosa, mesmo, talvez seja melhor passar menos tempo nas redes sociais. Essas pessoas desagradáveis existem aos montes, e elas se sentem protegidas pela distância que a internet proporciona. Tenha certeza de que você não vai ficar sem seus verdadeiros amigos se apagar seu perfil.

Like significa curtir, aprovar, gostar. É um termo usado nas redes sociais como forma de interação.

2   Os resultados indicaram que, para cada aumento de 10% nas experiências negativas nas redes sociais, o risco de depressão para os usuários se elevava em 20%. E essas interações desagradáveis não foram neutralizadas pelos "likes" ou comentários positivos, de acordo com os pesquisadores.

3   Tem gente que está acostumada, mas, para boa parte das pessoas, ler uma crítica ou comentário maldoso nas redes sociais é algo que gera raiva, ansiedade e até sintomas depressivos.

4   É preciso lembrar que outras pesquisas já destacaram alguns benefícios das redes sociais para o bem-estar. Muita gente obtém alívio após fazer algum desabafo e receber suporte dos amigos, para não falar no quanto é bom retomar contato com amigos que você adorava, mas não encontraria mais se não fosse pela internet.

5   Apesar disso, essas plataformas também têm suas vantagens, e as pessoas seguem em frente. Será que as experiências positivas superam as negativas? De acordo com pesquisadores da Universidade de Pittsburgh, nos Estados Unidos, a resposta é não. Eles analisaram o impacto do uso de redes sociais em 1.179 estudantes de 18 a 30 anos de idade, e descobriram algo preocupante.

6   A equipe concluiu que, infelizmente, as pessoas tendem a valorizar mais acontecimentos negativos do que positivos. Se uma pessoa receber quatro comentários bacanas após publicar uma foto e apenas um deles for de mau gosto, por exemplo, é mais provável que ela dê mais atenção para esse último.

Carlos Araujo/ Arquivo da editora

BAUER, Jairo. Disponível em: <www.drjairobouer.com.br/likes-nao-cortam-efeito-dos-comentarios-maldosos-nas-redes-sociais/>. Acesso em: 13 nov. 2018.

▶ Copie o esquema em seu caderno substituindo os ■ pelas palavras a seguir:

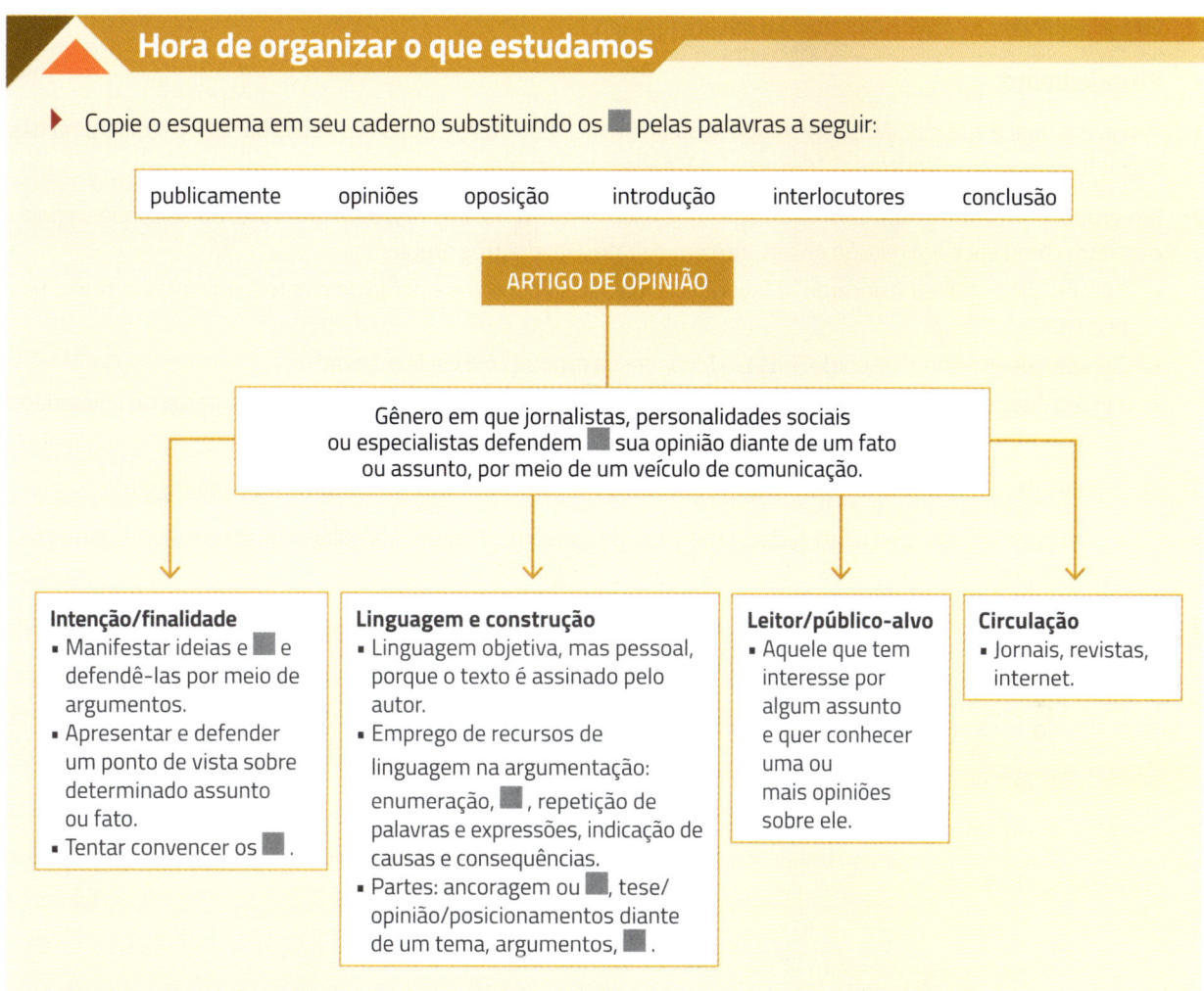

publicamente   opiniões   oposição   introdução   interlocutores   conclusão

ARTIGO DE OPINIÃO

Gênero em que jornalistas, personalidades sociais ou especialistas defendem ■ sua opinião diante de um fato ou assunto, por meio de um veículo de comunicação.

Intenção/finalidade
- Manifestar ideias e ■ e defendê-las por meio de argumentos.
- Apresentar e defender um ponto de vista sobre determinado assunto ou fato.
- Tentar convencer os ■ .

Linguagem e construção
- Linguagem objetiva, mas pessoal, porque o texto é assinado pelo autor.
- Emprego de recursos de linguagem na argumentação: enumeração, ■ , repetição de palavras e expressões, indicação de causas e consequências.
- Partes: ancoragem ou ■ , tese/opinião/posicionamentos diante de um tema, argumentos, ■ .

Leitor/público-alvo
- Aquele que tem interesse por algum assunto e quer conhecer uma ou mais opiniões sobre ele.

Circulação
- Jornais, revistas, internet.

◣ Prática de oralidade

Conversa em jogo

Privacidade e imagem pública

▶ **Com a turma toda.** Depois de ler os artigos, opinem e ouçam a opinião dos colegas. Pensem:
- É importante termos privacidade? Por quê?
- É aceitável a exposição da privacidade de uma pessoa pelo fato de ela ser conhecida ou ter destaque na sociedade? Justifiquem.

Debate regrado

Privacidade em tempo de mídias sociais

Depois de ler o texto de Luli Radfahrer e o de Jairo Bauer e de trocar ideias sobre os assuntos abordados neles, você e seus colegas já devem ter formado uma opinião para participar de um debate sobre o tema: **A exposição pública da vida privada propiciada pelo uso da tecnologia e pelas redes de relacionamento** *on-line*.

O que você pensa sobre essa questão?

Veja a seguir como será desenvolvido o debate regrado.

❱❱ Planejamento

1❯ Pense em qual é sua opinião sobre a exposição da privacidade das pessoas nas redes sociais. Escolha uma das seguintes respostas: "concordo", "discordo" ou "concordo parcialmente".

2❯ Em grupo. Forme um grupo com os colegas que escolheram a mesma resposta que você, ou seja, que se posicionaram como você em relação ao assunto em debate. Haverá três grupos:

- O grupo que escolheu "concordo" é favorável à exposição pública e à perda do direito à privacidade com o uso da tecnologia.
- O grupo que escolheu "discordo" não é a favor dessa exposição da vida privada.
- O grupo que selecionou a resposta "concordo parcialmente" aceita a exposição pública e a perda da privacidade dependendo de alguns fatores.

3❯ Cada grupo deverá eleger um redator, que registrará os argumentos que sustentam a posição do grupo.

4❯ O registro deverá ser feito em um cartaz, em forma de esquema, contendo a opinião do grupo e os argumentos que a fundamentam.

5❯ É importante pesquisar, em biblioteca ou na internet, notícias ou opiniões de outros especialistas que possam ampliar os argumentos e acrescentá-las no cartaz.

6❯ Os grupos deverão eleger um relator para apresentar a opinião do grupo e os respectivos argumentos. Para falar em nome do grupo, o relator pode usar expressões como: "do nosso ponto de vista…", "na perspectiva do nosso grupo…", "de acordo com nossa posição…", "de modo geral, nosso grupo…", etc.

7❯ O professor, ou um aluno escolhido por ele, será o mediador do debate.

❱❱ Realização do debate

1❯ O debate será iniciado com o mediador apresentando o tema e comentando sobre a importância de os participantes se posicionarem a respeito desse assunto.

2❯ O mediador comunicará a todos as regras do debate: tempo de cada exposição, inscrição para ser ouvido, comportamento esperado de toda a plateia e outras que forem consideradas importantes.

3❯ Caberá também ao mediador anotar, na ordem em que se manifestarem, os nomes dos colegas que desejarem falar, após a apresentação dos três representantes dos grupos.

4❯ No momento do debate, os participantes deverão:

- respeitar o momento de fala dos colegas;
- levantar a mão quando quiserem manifestar opinião para que o mediador do debate os inscreva para apresentarem sua fala, depois da exposição dos três relatores;
- utilizar entonação e volume de voz adequados, para que possam ser compreendidos por todos.

5❯ Depois da apresentação de todos, o mediador vai concluir o debate, indicando qual das opiniões prevaleceu e qual recebeu argumentos mais consistentes.

❱❱ Avaliação da atividade

❯ Ao final do debate, a turma deverá avaliar:

a) Os argumentos utilizados foram suficientes para justificar as opiniões manifestadas?

b) Houve respeito da plateia durante a apresentação dos relatores?

c) Todos os que desejaram tiveram oportunidade de se manifestar?

d) Todos os que se manifestaram tiveram sua participação respeitada; foram ouvidos com atenção?

e) Há aspectos a serem melhorados para os próximos debates, tais como: postura corporal, gestualidade e expressão facial, utilização do volume e da entonação nas falas?

Outras linguagens: Cartum, uma forma de manifestar opinião

O cartum é um desenho que, além de provocar humor, tem a intenção de criticar ou satirizar principalmente fatos ou situações comuns do dia a dia. Na maioria das vezes, para provocar o riso, o cartunista expressa e defende uma opinião utilizando recursos da linguagem visual que podem estar em diálogo com os recursos da linguagem verbal.

1 ▸ Veja o cartum a seguir, de Randy Glasbergen, um ilustrador estadunidense que se iniciou na arte dos cartuns aos 15 anos. Hoje seus trabalhos são publicados no mundo todo.

Eu estou grávida de quatro meses e nosso bebê já tem mais amigos no Facebook do que a gente.

GLASBERGEN, Randy. Revista *Piauí*. Ed. 53, fev. 2011.

© Randy Glasbergen/Acervo do Cartunista

Observe nesse desenho em preto e branco, de traços simples:

• a expressão da mulher e do homem, com os olhos fixos e arregalados diante da tela do computador, a indicar surpresa, espanto;

• a boca aberta da mulher, que reforça visualmente o seu espanto e ao mesmo tempo indica que é ela quem fala o texto do cartum;

• a xícara ou caneca e o prato ou pires colocados atrás da tela, sugerindo o ambiente familiar em que os dois se encontram;

• o uso da primeira pessoa do singular (*eu*) e do plural (*nós*) que remete à fala da mulher (*eu/grávida*) ao se dirigir ao homem (*nosso bebê*);

• o emprego da expressão *a gente* em lugar de *nós*, que sinaliza a informalidade da fala da mulher ao marido.

Com a turma toda. Responda: O que provoca o efeito de humor nesse cartum? Compartilhe sua opinião e ouça as respostas de seus colegas.

2 ▸ Divirta-se com este outro cartum:

LIBERATI, Bruno. Disponível em: <www.blogdozebrao.com.br/v1/wp-content/uploads/2014/04/ONTEM-E-HOJE.jpg>.
Acesso em: 7 ago. 2018.

Responda: Que relação há entre o assunto abordado nesse cartum e o assunto do texto "Celebridades descelebradas"?

Estar na mídia parece exercer um fascínio sobre grande parte das pessoas, não é? E se todo mundo tivesse suas ações, atitudes e relacionamentos controlados o tempo todo por um único poder? Como seria?

Relacione o que você vai ler com o que você sente ou pensa sobre a exposição e o controle da vida privada por meio da tecnologia.

Big Brother : ontem e hoje

É quase certo que todo brasileiro já ouviu falar de um programa de TV intitulado *Big Brother*: câmeras registram tudo o que acontece em uma casa onde um grupo de pessoas fica confinado por cerca de três meses, com o objetivo de permanecer até o último dia do _reality show_. O vencedor é escolhido pela audiência por meio de votação (pela internet ou por telefone) e, como prêmio, recebe uma vultosa soma em dinheiro.

Há uma conhecida frase que diz: "A arte imita a vida". Entretanto, às vezes, é a vida que imita a arte! Você vai encontrar a seguir algumas informações sobre o personagem O Grande Irmão (Big Brother, em inglês). Leia e descubra de que maneira um romance escrito em 1949 ainda é muito atual no século XXI.

O Grande Irmão é um personagem do romance intitulado *1984*, escrito pelo autor George Orwell.

> _reality show_: expressão do inglês que, em tradução literal para o português, significa "programa da realidade": trata-se de um tipo de programa de TV que reúne um grupo de pessoas em determinado espaço repleto de câmeras, que capturam os diálogos reais entre essas pessoas, as relações que constroem ao longo do programa e as reações que têm diante dos acontecimentos do dia a dia.

A história se passa em um mundo dividido em três grandes superestados: Eurásia, Lestásia e Oceania. No ano de 1984, os estados policiais dominam permanentemente a vida dos cidadãos, suas atitudes e pensamentos: nada é de ninguém.

Um chefe supremo, o Grande Irmão — Big Brother —, vigia os indivíduos e impede que sejam expressas opiniões contrárias ao governo. Nesse contexto, Winston Smith, um pacífico funcionário do Ministério da Verdade de Oceania, revolta-se contra o governo, é preso, torturado e recebe uma reeducação que tem como objetivo eliminar de seus pensamentos a ideia de independência.

3 ▸ Leia um trecho do romance para descobrir como era feito o controle dos cidadãos:

1984

George Orwell

A teletela recebia e transmitia simultaneamente. Qualquer barulho que Winston fizesse mais alto que um cochicho seria captado pelo aparelho; além do mais, enquanto permanecesse no campo de visão da placa metálica, poderia ser visto também. Naturalmente, não havia jeito de determinar se, num dado momento, o cidadão estava sendo vigiado ou não. Impossível saber com que frequência, ou periodicidade, a Polícia do Pensamento ligava para a casa deste ou daquele indivíduo. Era concebível, mesmo, que observasse todo mundo ao mesmo tempo.

ORWELL, George. *1984*. São Paulo: Companhia das Letras, 2009.

> **Teletela** é uma tecnologia descrita no livro *1984*, de George Orwell: seria um aparelho que funcionava tanto como um televisor quanto como uma câmera de segurança; ou seja, poderia transmitir a programação oficial do governo ao mesmo tempo que filmava o que acontecia em frente ao aparelho. No romance de Orwell, todas as residências eram ocupadas por uma teletela, que não podia ser desligada.

Associated Press/Glow Images

▷ O romancista, crítico e jornalista George Orwell (1903-1950), considerado um dos mais influentes escritores do século XX pela criação de dois romances: *A revolução dos bichos* (1945) e *1984* (1949).

 Minha biblioteca

1984. George Orwell. Companhia das Letras.

Se puder, leia o livro completo! Trata-se de um dos mais influentes romances do século XX e faz uma crítica a um poder repressivo, que controla as atitudes e os pensamentos das pessoas.

Reprodução/Editora Companhia das Letras

Com a turma toda. Converse com os colegas:

a) Atualmente, é possível, em espaços públicos, que os cidadãos vivenciem situações como a descrita no trecho lido? Por que isso ocorre?

b) Em quais espaços públicos você já notou uma situação assim?

c) Apesar do incômodo causado às pessoas que têm sua privacidade invadida e, por consequência, sua liberdade cerceada, é possível encontrar algum benefício com a presença dessas câmeras em lugares públicos. Responda e ouça com atenção as respostas dos colegas: Quais são os benefícios?

d) Em sua opinião, em quais lugares públicos o uso de câmeras de vigilância é benéfico?

A proteção de dados pessoais: lei e dicas

Nesta unidade você leu artigos de opinião sobre o tema privacidade.
Você sabia que violar a privacidade de alguém é crime?

Wright Studio/Shutterstock

Em tempos de internet e de redes sociais, a defesa da privacidade tornou-se tão importante que foi necessário regulamentar o tratamento de dados pessoais, tanto pelo poder público quanto pela iniciativa privada. No Brasil, a Lei nº 13 709, de 14 de agosto de 2018, conhecida como Lei Geral de Proteção de Dados Pessoais (LGDP), contém disposições que objetivam fortalecer a proteção da privacidade dos usuários da internet e de seus dados pessoais.

Algumas dicas de proteção à privacidade de cada um podem ajudar quem utiliza as redes sociais e os aplicativos para celulares disponibilizados pela internet. Leia:

- **Seja crítico**: Não acredite em tudo o que é publicado e não repasse nada sem conferir a autenticidade da fonte e a veracidade da informação ou dado.
- **Seja privado**: Lembre-se de que redes sociais são locais públicos e, portanto, o que você publicar nelas pode ser lido por qualquer pessoa em qualquer tempo e lugar. Não é possível se arrepender e cancelar depois de ter feito a publicação nas redes sociais.
- **Seja seletivo**: Não aceite convites de desconhecidos feitos pelas redes sociais por mais sedutores e verdadeiros que pareçam.
- **Seja respeitoso**: Leve sempre em consideração o respeito à privacidade alheia, além do respeito à sua própria privacidade.

Em relação à privacidade alheia:

- **Seja cuidadoso**: Não divulgue imagens, informações, hábitos e rotina de alguém sem autorização expressa da pessoa.
- **Seja ético**: Coloque-se sempre no lugar do outro antes de publicar comentários, críticas ou respostas que possam ferir qualquer um dos direitos humanos.

Com a turma toda. Conversem sobre estas questões:

1 ▸ Vocês consideram ser necessária a criação de uma lei para regulamentar formas de proteger a privacidade de usuários da internet? Por quê?

2 ▸ Vocês já souberam de algum fato em que dados pessoais de algum usuário da internet foram utilizados por pessoas que quisessem obter vantagens? Contem o que sabem e ouçam os casos relatados pelos colegas.

3 ▸ De todas as dicas de proteção à privacidade de cada um, qual vocês consideram mais difícil de ser adotada? Por quê?

Letra de canção

Após refletir sobre o controle da privacidade pela mídia, que tal ler e cantar a música "Tá na mídia"?

Tá na mídia

Arnaldo Brandão

Eu acordo de manhã
E não sei mais quem eu sou
No Espelho tem um outro
Um androide um pós-eu

Um sorriso congelado
Esculpiu a minha cara
E uma baba escorria
Eu não entendia nada

Na verdade, na mentira
A realidade é estar na mídia

No conforme da certeza, na orgia do consumo
Te conheço de outras luas
Os meus olhos são sequelas
E o quarto tá escuro
A tua imagem é imensa

E eu tô pra lá de tudo
No deserto o grão de areia
Entre o sonho e o delírio
Que a tudo se assemelha

Na verdade, na mentira
A realidade é estar na mídia

É a voz da propaganda embutindo os sentidos
Salivando por devotos
Promovendo o fanatismo
Projetando divindades
Com paixão e violência
Baixo nível de maldades pra aumentar a audiência

Na verdade, na mentira
A realidade é estar na mídia

No conforme da certeza, na orgia do consumo
Todo mundo extasiado, acomodado e sem rumo
E o céu cuspindo fogo
E nas cinzas desse inverno
O que brilha no paraíso é a brasa do inferno

Na verdade, na mentira
A realidade é estar na mídia

E o palhaço perde a calma
E o ladrão a pontaria
O coringa dá as cartas
E o assassino denuncia
E na paz dos inquietos
E na pressão aqui no peito
O desafio de um futuro
No presente insatisfeito

Na verdade, na mentira
A realidade é estar na mídia

Carlos Araujo/Arquivo da editora

BRANDÃO, Arnaldo. Tá na mídia. Intérprete: Arnaldo Brandão. In: *Arnaldo Brandão*: ao vivo. São Paulo: Tratore, 2003. 1 CD. Faixa 1.

▶ **Com a turma toda.** Conversem sobre as relações que podem ser estabelecidas entre a letra da canção e os artigos de opinião lidos nesta unidade.

Meme

Na seção anterior, você leu e analisou alguns cartuns e percebeu como a linguagem visual pode se associar com a linguagem verbal para gerar humor, ironia e reflexão no intuito de criticar ou satirizar comportamentos humanos e situações do dia a dia.

Agora você e seus colegas vão se reunir em grupos e escolher um tema do cotidiano ou um problema presente na comunidade para criar um meme.

O **meme** é um gênero digital que reúne imagem e texto verbal, elaborado para transmitir uma mensagem de forma rápida. Geralmente é composto de uma foto e traz uma breve frase inscrita sobre a imagem. Da mesma forma que os cartuns, os memes buscam produzir humor e ironia para criticar uma situação corriqueira, um comportamento humano ou simplesmente provocar riso. Caracterizados como um fenômeno típico da internet, os memes circulam nas redes sociais, em aplicativos de celulares e outros meios digitais e, quando despertam interesse, costumam "viralizar", ou seja, ser vistos e compartilhados por muitas pessoas em pouco tempo, espalhando-se nas redes rapidamente.

Os memes criados pela turma poderão ser publicados no *blog* ou na rede social da escola e alcançar muitas pessoas. Sigam as etapas abaixo e as orientações do professor para elaborar memes que sejam capazes de provocar reflexões importantes sobre os temas ou problemas que vocês escolherem abordar.

❧ Preparação

1▸ **Com a turma toda.** O professor vai apresentar alguns memes a vocês. Analisem cada um. Lembrem-se de considerar a relação do verbal com o visual e o contexto histórico, social e político em que os modelos apresentados foram produzidos para apreender seus significados. Indiquem quais foram os memes de que vocês mais gostaram e expliquem os motivos das escolhas.

> **⦻ Atenção**
>
> Como os memes criticam situações do cotidiano, é fundamental contextualizá-los no momento histórico em que foram produzidos.

2▸ Reúna-se cada qual com o seu grupo e selecionem a questão que vão tratar no meme. Conversem sobre problemas atuais do bairro, da escola ou da cidade onde moram. Se for necessário, dialoguem com pessoas da comunidade ou busquem informações na internet, em jornais ou revistas.

3▸ Pesquisem, separem ou produzam imagens que possam ser usadas no meme. É muito importante dar atenção a essa seleção: a imagem é um elemento fundamental do meme.

4▸ Na escolha das imagens, é muito importante cuidar para que elas não sejam preconceituosas nem ofensivas e, sobretudo, que não exponham a privacidade das pessoas.

❧ Produção

1▸ Entre as imagens selecionadas, escolham a mais adequada para produzir o meme. Prefiram aquela que rapidamente possa ser associada ao tema, à situação ou ao problema que vocês vão criticar e, ao mesmo tempo, que auxilie a produzir humor. Se não houver unanimidade na preferência da imagem, façam uma votação no grupo para eleger aquela que atende ao gosto da maioria.

2▸ Considerando a imagem escolhida e a crítica a ser feita, elaborem uma frase que possa ser dividida em dois segmentos: um deve ser inscrito na parte superior da imagem e o outro, na parte inferior.

3▸ Lembrem-se de que o texto verbal do meme deve ajudar a provocar riso, associando-se à imagem de forma criativa. Deve também ser breve e de fácil entendimento, levando-se em conta que a compreensão do meme tem de ser imediata.

4▸ Reúnam-se na sala de informática ou em outro ambiente da escola que disponha de computadores com acesso à internet. Transfiram a imagem para a máquina ou a salvem nela.

5▸ Com a orientação do professor, acessem o programa *on-line* que vocês utilizarão para gerar o meme. Primeiro, enviem a imagem, considerando o tamanho máximo permitido. Depois, digitem o texto nos campos que costumam ser indicados como "texto superior" e "texto inferior".

6▸ Certifiquem-se de que o texto verbal esteja breve e claro, de compreensão imediata. Não se esqueçam de revisar o texto, a fim de garantir a correção ortográfica, a concordância e a pontuação adequadas. Façam também ajustes no tamanho e na cor das letras, se for necessário, para que o texto verbal fique bem legível e distribuído harmonicamente sobre a imagem.

7▸ Verifiquem se a associação do visual com o verbal está produzindo os efeitos pretendidos e realizem os ajustes necessários. Cliquem então no botão correspondente a "gerar" ou "criar meme".

> **! Atenção**
>
> Não usem imagens e textos que possam agredir ou constranger qualquer pessoa. Participem das interações digitais de forma ética e respeitosa!

⇥ Divulgação e circulação

1▸ Copiem o *link* gerado para o meme.

2▸ Junto com o professor, informem esse *link* na publicação que vão fazer no *blog* ou na página da rede social da escola, a fim de compartilhar o meme de vocês com muitas pessoas.

3▸ Se vocês tiverem suas próprias redes sociais na internet, conversem com o professor sobre a possibilidade de divulgar os memes nelas.

Thomas M. Barwick/Taxi/Getty Images

Adolescentes usando o celular.

Língua: usos e reflexão

Concordância

No dia a dia nos deparamos com diversas formas de uso da língua, tanto na fala quanto na escrita. Nesta unidade vamos refletir sobre como ocorre a concordância entre os termos de uma frase.

1▸ Leia, se possível em voz alta, um trecho do poema "Vaca Estrela e Boi Fubá", de Patativa do Assaré.

> Aquela seca medonha fez tudo se atrapalhá,
> Não nasceu capim no campo para o gado sustentá
> O sertão esturricou, fez os açude secá
> Morreu minha Vaca Estrela, já acabou meu Boi Fubá
> Perdi tudo quanto tinha, nunca mais pude aboiá
> Êêêê la a a a a ê ê ê Vaca Estrela,
> Ô ô ô Boi Fubá.
> Hoje nas terra do sul, longe do torrão natá
> Quando eu vejo em minha frente uma boiada passá,
> As água corre dos olho, começo logo a chorá
> Lembro a minha Vaca Estrela e o meu lindo Boi Fubá
> Com saudade do Nordeste, dá vontade de aboiá
>
> ASSARÉ, Patativa do. *A Terra é naturá*. 1980, Epic/CBS. 1 LP.

Carlos Araujo/Arquivo da editora

a) Qual é o tema ou assunto do trecho que você leu?

b) É sabido que, devido à seca, muitas pessoas precisam migrar, isto é, mudar de um lugar para outro para sobreviver. Copie do trecho um verso que revela o processo de migração do eu lírico, isto é, da voz que fala no poema.

c) Que recursos linguísticos foram empregados para criar efeito de musicalidade no texto?

d) Com a turma toda. Os trechos "longe do torrão natá" e "Com saudade do Nordeste" indicam que a terra natal do poeta é o Nordeste, o que permite supor que a forma como os versos foram escritos busca representar marcas de oralidade e características presentes na fala de pessoas que vivem nessa região. É possível encontrar essas formas de falar em outras regiões? Converse com os colegas sobre isso, procurando apresentar exemplos de formas de falar de regiões que vocês conheçam.

> ▸ **aboiar (abaoiá):** cantar, geralmente sem utilizar palavras, para conduzir o gado.
>
> ▸ **torrão natal (torrão natá):** lugar onde se nasceu.

2▸ Releia os trechos de versos do poema:

> [...] fez os açude secá
> Hoje nas terra do sul [...]
> As água corre dos olho [...]

Indique no caderno elementos presentes nos trechos que são típicos da linguagem coloquial falada.

No poema lido, além de expressões e marcas de pronúncias próprias de grupos de falantes de algumas regiões do Brasil, a forma de organizar a concordância entre os termos da frase revela as marcas de uma linguagem informal, espontânea, menos monitorada, mais popular. A presença dessas marcas linguísticas conferiu valor ao poema de Patativa do Assaré, pois elas tornaram autêntica sua expressão, retratando de forma viva e poética a cultura nordestina.

Também é importante perceber que essas características de linguagem conferiram mais musicalidade aos versos. Por esse motivo, o poema recebeu arranjo musical e já foi gravado por vários cantores.

Um dos aspectos presentes no **uso coloquial** da língua, especialmente em situações de comunicação informais e espontâneas, é a forma como é feita a concordância entre os termos das orações.

Agora, compare o poema que você leu com um trecho do artigo de opinião desta unidade:

Não se iluda: as **mídias** sociais e as **bases** de dados de comércio eletrônico **acabaram** com qualquer pretensão de privacidade.

sujeito

Observe que a forma verbal *acabaram* é empregada na 3ª pessoa do plural, concordando com o sujeito, que também está no plural. *Mídias* e *bases* são os núcleos do sujeito.

Esse é um texto jornalístico, formal, dirigido a um público leitor que, possivelmente, está habituado com a norma-padrão da língua. A intenção do texto — informar e convencer — também o torna um gênero que requer uma linguagem formal.

Há circunstâncias de comunicação — faladas ou escritas — em que é necessário empregar uma linguagem mais formal e elaborada, isto é, com maior grau de monitoramento: textos acadêmicos, peças jurídicas, determinados textos jornalísticos, entre outros. Nesses casos é necessário orientar-se pela gramática normativa, que descreve as regras para esses usos.

Nesta unidade, vamos estudar como a gramática descreve as regras de concordância para usos formais da língua.

Leia esta frase:

Quando **todos são** famosos, ninguém **é** famoso.

Observe que há duas orações. Na primeira, a forma verbal *são* está na 3ª pessoa do plural para concordar com o sujeito *todos*, isto é, para corresponder ao sujeito *todos*, que também está no plural e corresponde à 3ª pessoa.

Veja outra concordância: o adjetivo *famosos* está no plural para concordar com a palavra *todos*, ou seja, é feita uma correspondência:

todos: masculino plural ⟷ **famosos**: masculino plural

A forma verbal *são* e o adjetivo *famosos* flexionaram-se, alteraram-se para concordar com o termo a que se referiam: *todos*.

Observe que, na segunda oração, a forma verbal *é* está na 3ª pessoa do singular para concordar com o sujeito *ninguém*, que está no singular. Observe também que o adjetivo *famoso* está igualmente no singular para concordar com a palavra *ninguém*.

Há dois tipos de concordância: **nominal** e **verbal**. A seguir, vamos identificar cada uma delas.

Observe esta frase do texto "Celebridades descelebradas".

Quando **a informação** é **muita**, não é difícil fazer **cruzamentos únicos** de variáveis.

artigo feminino singular	substantivo feminino singular	pronome indefinido feminino singular		substantivo masculino plural	adjetivo masculino plural

O artigo, o adjetivo e o pronome indefinido flexionam-se para concordar em gênero e número com o **substantivo** a que se referem. Trata-se de **concordância nominal**.

Observe a frase:

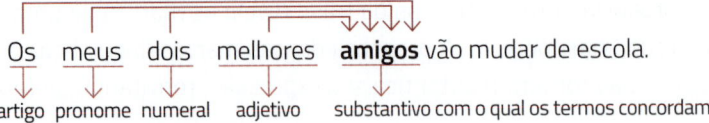

Os meus dois melhores **amigos** vão mudar de escola.

artigo · pronome · numeral · adjetivo · substantivo com o qual os termos concordam

Agora, observe esta outra frase:

A internet amplifica e registra tudo.

As formas verbais *amplifica* e *registra* flexionam-se para concordar com o sujeito a que se referem (*a internet*), em pessoa (3ª) e em número (singular). Trata-se de **concordância verbal**.

Verifique esta frase do artigo de opinião "Celebridades descelebradas":

Como todo patrimônio, **ele precisa ser** estável para se **tornar** uma referência e,

nesse processo, **acaba perdendo** a espontaneidade [...].

Observe que as formas verbais *precisa ser*, *tornar* e *acaba perdendo* flexionam-se para concordar com o sujeito (*ele*), em pessoa (3ª) e em número (singular).

> **Concordância** é uma correspondência feita entre os termos de uma oração por meio de flexões das palavras.
> **Concordância nominal**: concordância em gênero e número dos determinantes (artigo, adjetivo, numeral, pronome) com o nome ou substantivo a que se referem.
> **Concordância verbal**: concordância do verbo em número e pessoa com o sujeito a que se refere.

Nesta unidade vamos nos ater ao estudo dos casos de concordância verbal.

Concordância verbal

▸ Leia e compare as frases a seguir:

a) Aos poucos, as regras de conduta invadem os recônditos da vida pessoal.

b) Aos poucos, as regras de conduta invade os recônditos da vida pessoal.

Qual dessas frases está de acordo com o uso formal da língua? Explique no caderno.

Em circunstâncias formais, que exigem maior grau de controle nas escolhas de linguagem, a **regra geral** é:

> O verbo **concorda** em número e pessoa com o sujeito a que se refere.

Mas, além da regra geral, há normas para **casos específicos**.
Vamos estudar alguns desses casos.

Casos especiais de concordância verbal

Concordância do verbo com sujeito composto anteposto ao verbo

Veja alguns casos de concordância com o sujeito composto anteposto ao verbo (que vem antes do verbo).

Caso 1

Observe novamente a frase retirada do artigo de opinião.

sujeito composto

[...] as **mídias** sociais e as **bases** de dados de comércio eletrônico **acabaram** com qualquer pretensão de privacidade.

verbo

Carlos Araujo/Arquivo da editora

Quando a frase tem o sujeito composto colocado **antes** do verbo — **anteposto** —, o verbo fica no plural. Então:

> Com **sujeito composto anteposto** ao verbo, este fica no **plural**.

Caso 2

Leia a frase:

sujeito composto resumido na palavra *tudo*

Celular, redes sociais, GPS, **tudo acaba** com a privacidade das pessoas.

↓ verbo

Observe: o sujeito é composto, mas foi resumido na palavra *tudo,* por isso o verbo fica no singular.

Veja outro exemplo:

sujeito composto resumido na palavra *nada*

Barreiras, caixotes, sacos de areia, **nada segurava** a força das águas.

↓ verbo

No exemplo, embora o sujeito seja composto, foi resumido na palavra *nada*, por isso a forma verbal *segurava* fica no singular. Assim, podemos concluir a regra:

> Com **sujeito composto resumido** por palavras como *alguém, ninguém, cada um, tudo, nada*, o verbo permanece no **singular**.

Caso 3

Observe a concordância do verbo com o sujeito no seguinte exemplo:

Você, Carlos e eu **ficaremos** encarregados da decoração do salão.

3ª   3ª   1ª   verbo na
pessoa pessoa pessoa   1ª pessoa do plural

Nesse caso, o sujeito composto é formado por pessoas gramaticais diferentes. Como há a presença de uma 1ª pessoa (*eu/nós*), o verbo concorda na 1ª pessoa do plural. Assim, pode-se concluir a regra de concordância:

> **Sujeito composto** formado por **pessoas gramaticais diferentes**: quando houver a **1ª pessoa**, o verbo flexiona na **1ª pessoa do plural**.

Concordância do verbo com sujeito composto posposto ao verbo

Vamos ver agora como se opera a concordância com sujeito composto posposto ao verbo (que vem depois do verbo).

Observe as frases:

sujeito composto: três núcleos

Durante o tumulto, **brigaram** o **juiz**, os **jogadores** e alguns **torcedores**.

↓ verbo no plural

sujeito composto: três núcleos

Durante o tumulto, **brigou** o **juiz**, os **jogadores** e alguns **torcedores**.

↓ verbo no singular

As duas concordâncias estão adequadas. No primeiro caso, o verbo concordou com o sujeito composto, em pessoa (3ª) e número (plural). No segundo caso, o verbo concordou em pessoa (3ª) e número (singular) com o núcleo mais próximo: *juiz*. Desse modo, pode-se concluir a seguinte regra:

> Com **sujeito composto posposto** ao verbo (posicionado **depois** do verbo), este pode ir para o **plural** ou concordar com o **núcleo mais próximo**.

Mais casos de concordância verbal

Sujeito formado por nomes próprios no plural

- Se o nome no plural vier antecedido de artigo, o verbo concorda com o número do artigo:

> No fim do século XVII, **as** Minas Gerais **receberam** milhares de europeus, colonos e escravos, atraídos pela descoberta do ouro.

- Se o nome não vier antecedido de artigo, o verbo fica no singular:

> Minas Gerais **ganhou** o prêmio dos melhores projetos culturais.

> **Observação**: atualmente, na imprensa, em alguns casos, tende-se a utilizar o verbo no plural, mesmo se o nome não for precedido de artigo:

> EUA **decidem** lançar candidatura à Olimpíada de 2024; quatro cidades concorrem
>
> Disponível em: <espn.uol.com.br/noticia/468873_eua-decidem-lancar-candidatura-a-olimpiada-de-2024-quatro-cidades-concorrem>. Acesso em: 3 nov. 2018.

Sujeito formado por expressões de sentido quantitativo

- Sujeito formado pelas expressões "a maior parte de", "grande parte de", "a maioria de", entre outras — ocorre a concordância no plural ou no singular:

> **Grande parte** das pessoas **estava** nos abrigos do governo.

> Grande parte das **pessoas** **estavam** nos abrigos do governo.

> A **maioria** das crianças **queria brincar** na areia.

> A maioria das **crianças** **queriam brincar** na areia.

- Sujeito formado pelas expressões "um dos que", "uma das que" — o verbo vai para o plural (construção predominante) ou permanece no singular:

> Pedro foi **um dos que** mais **ficaram** indignados com as novas orientações.

ou

> Pedro foi **um dos que** mais **ficou** indignado com as novas orientações.

- Sujeito formado pelas expressões "mais de", "menos de" — o verbo concorda com o numeral que segue a expressão:

> **Mais de um** caso de febre aftosa **foi constatado** nesse gado.

> **Mais de dez** casos de febre aftosa **foram constatados** nesse gado.

Sujeito formado pelas expressões "um e outro" e "nem um nem outro"

O verbo pode ir para o plural ou ficar no singular:

> **Um e outro falou** a verdade.

> **Um e outro falaram** a verdade.

Sujeito formado por números percentuais

A tendência na linguagem moderna é fazer a concordância do verbo com o termo preposicionado que especifica a expressão numérica:

> Setenta por cento **do povo brasileiro** não **pratica** exercícios físicos.

> Setenta por cento **dos brasileiros** não **praticam** exercícios físicos.

Leia uma manchete de jornal referindo-se a defeitos detectados em eletrônicos.

> Pesquisa diz que 45% dos eletrônicos **dão** defeito antes de 2 anos de uso
>
> Disponível em: <g1.globo.com/bom-dia-brasil/noticia/2014/09/pesquisa-diz-que-45-dos-eletronicos-dao-defeito-antes-de-2-anos-de-uso.html>. Acesso em: 13 nov. 2018.

Sujeito representado pelos pronomes relativos *que* e *quem*

- Quando o sujeito do verbo é o pronome relativo *que*, o verbo concorda com o antecedente desse pronome:

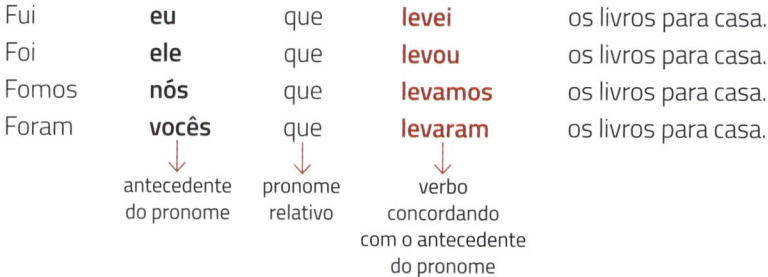

Fui	**eu**	que	**levei**	os livros para casa.
Foi	**ele**	que	**levou**	os livros para casa.
Fomos	**nós**	que	**levamos**	os livros para casa.
Foram	**vocês**	que	**levaram**	os livros para casa.

antecedente do pronome / pronome relativo / verbo concordando com o antecedente do pronome

- Quando o sujeito do verbo é o pronome relativo *quem*, há duas formas de fazer a concordância:

Forma 1

O verbo fica na 3ª pessoa do singular:

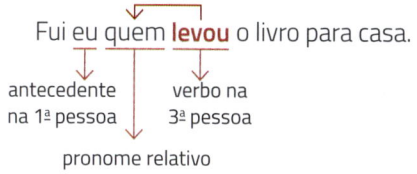

Fui eu quem **levou** o livro para casa.

antecedente na 1ª pessoa / pronome relativo / verbo na 3ª pessoa

Forma 2

O verbo concorda com o antecedente do pronome:

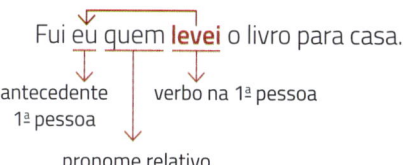

Fui eu quem **levei** o livro para casa.

antecedente 1ª pessoa / pronome relativo / verbo na 1ª pessoa

Carlos Araujo/Arquivo da editora

> ### ◄ No dia a dia ►
>
> ## Concordância
>
> Na linguagem mais espontânea do cotidiano, principalmente em situações em que não estamos planejando a fala ou a escrita, é comum fazermos a concordância verbal de formas diferentes daquelas orientadas pela gramática. Isso acontece mesmo com pessoas com maior grau de escolaridade.

Leia e compare as frases:

> Há quem compra tudo pela internet.

> Há quem compre tudo pela internet.

São exemplos de relações de concordância com o pronome *quem*.

Seguindo a norma gramatical, o verbo deve ser empregado na 3ª pessoa, como está na frase "Há quem **compre** tudo pela internet".

Porém, no dia a dia, assim como os usos relativos à 3ª e à 2ª pessoas podem se confundir, é comum o verbo que se relaciona com o pronome *quem* não seguir as regras da tradição gramatical e concordar com a ideia do sujeito. Veja:

> Eu é **quem fiz** o conserto da porta.

Nesse exemplo, a forma verbal *fiz* concorda com a ideia de "eu".

Segundo a gramática normativa, essa expressão seria estruturada das seguintes formas:

> Eu é **quem fez** o conserto da porta.   ou   Eu é **que fiz** o conserto da porta.

Outros tipos de concordância

- Na fala cotidiana, quando o sujeito da frase fica distante do verbo ou colocado depois do verbo (posposto), é comum que não se faça a concordância entre o verbo e o sujeito. Observe:

> **Chegou**, depois de muita briga pelo telefone, **os acessórios** que encomendei pelo *site*.

- Muitas vezes, a concordância é feita devido à correspondência de ideias que se cria na frase. Observe:

> Tem **gente** que **fala** pouco e **diz** muito, mas tem **outros** que **fala** demais e não **diz** nada que se aproveite.

É importante refletir sobre como nossas **intenções**, as **circunstâncias** em que estamos envolvidos, o **grupo social** que frequentamos podem nos fazer empregar a língua de modos diferentes. Essa reflexão ajuda-nos a fazer escolhas de linguagem adequadas às nossas necessidades de comunicação, além de nos levar a compreender melhor as diversas formas de expressão que circulam na sociedade.

Atividades: concordância verbal

1▸ Reescreva as frases no caderno, escolhendo a forma verbal que estabelece a concordância mais adequada entre o verbo e o sujeito. Se for necessário, consulte as regras estudadas.

   a) Nuvens escuras de chuva (apontava/apontavam) no horizonte.

   b) Todos nós (esperava/esperávamos) uma resposta definitiva para o problema.

   c) A decisão do juiz e dos bandeirinhas (revoltou/revoltaram) os jogadores.

   d) O empenho dos políticos (poderia/poderiam) melhorar a situação do país.

   e) Nem o melhor equipamento eletrônico (pode/podem) evitar falhas humanas.

   f) Finalmente (chegou/chegaram) as férias de final de ano.

   g) (Voltou/Voltaram) da excursão todos os alunos envolvidos na pesquisa.

   h) O número de candidatos para o concurso (ultrapassou/ultrapassaram) as expectativas.

2▸ Todas as frases da atividade 1 seguiram a **regra geral** de concordância verbal. Explique: O que foi necessário observar para fazer a concordância verbal das frases da atividade anterior?

3▶ Nas frases a seguir, sublinhe a forma verbal que concorda adequadamente com seu sujeito.

a) Pedidos dos amigos, apelos dos parentes, nada o (convencia/convenciam) a desistir da arriscada disputa.

b) Paulo, Eduardo, Camila e eu (formo/formam/formamos) o time principal de vôlei.

c) Pressão da população, notícias na mídia e forte oposição, tudo (levou/levaram) o governo a acatar o referendo.

d) Casas de alvenaria, comportas e pontes (foi arrastada/foram arrastadas) pelas águas e pelos ventos.

e) Com a passagem do furacão (foi dizimada/foram dizimados) a cidade, os pastos e os reservatórios de água.

4▶ Escolha a forma verbal que concorda adequadamente com o sujeito da frase, depois reescreva a frase no caderno.

a) As Filipinas (passa/passam) por uma grande crise econômica.

b) Um dos que (foi aprovado/foram aprovados) no vestibular sempre estudou em escola pública.

c) Campinas (ficará/ficarão) sem água nesta semana.

d) A maioria dos jovens (deseja/desejam) ter a confiança dos pais ou responsáveis.

e) Mais de vinte deputados (se ausentou/se ausentaram) durante as votações.

f) Grande parte da população atingida pelo maremoto (fugiu/fugiram) para as montanhas.

5▶ Justifique no caderno a concordância do verbo no plural no título da notícia a seguir:

> Para Cuba, EUA não serão "especiais"
>
> Jornal *Metro*, São Paulo, 7 abr. 2015. p. 10.

6▶ Observe que alguns verbos foram omitidos e substituídos por números na tira reproduzida a seguir:

WALKER, Mort. Recruta Zero. *O Estado de S. Paulo*, São Paulo, 22 mar. 2004.

a) No caderno, substitua os números da tira pelo presente do indicativo dos verbos a seguir, fazendo a concordância adequada:

| 1. espionar | 2. disparar | 3. fazer |

b) Explique a concordância verbal feita.

c) Qual das formas verbais utilizadas ajudou a produzir o efeito de humor na tira? Explique.

7▶ Justifique no caderno a concordância feita nas seguintes frases:

a) "Fragilidade tática do time, apatia dos jogadores, falta de resultados e saúde debilitada **culminaram** na saída do treinador Muricy Ramalho do São Paulo." (Jornal *Metro*. São Paulo, 7 abr. 2015.)

b) 47% de todos os casos de fraude registrados em 1999 na União Europeia **envolveram** transações na internet.

c) Segundo a ONU, em 2004, 14,3% da população mundial **tinha** acesso à internet.

d) A maioria dos analistas **acreditam** que a tendência de crescimento será mantida.

e) Muitas vezes, sem saber, a maioria da população europeia e americana **troca** sua privacidade por alguns pontos obtidos através de cartões de relacionamento de supermercados e lojas.

f) "Pesquisa revela que maioria dos jovens **tem** espírito empreendedor" (*Portal G1*, 14 fev. 2012.)

8▸ Leia a tira a seguir:

UIUIUI.

EU TÔ COM UM DODOIZÃO NO MEU DEDINHO.

QUE PENINHA.

QUANDO OS SEUS FERIMENTOS TEM NOMES BONITINHOS AS PESSOAS NÃO SE IMPORTAM MUITO.

6-9

WATTERSON, Bill. O melhor de Calvin. *O Estado de S. Paulo*, São Paulo, 24 jun. 2005. Caderno 2.

a) O que produz efeito de humor na tira?

b) Em qual dos quadrinhos a escrita do verbo comprometeu a concordância verbal segundo as regras gramaticais? Explique o que ocorreu.

9▸ Você é o revisor do texto. A matéria a seguir está praticamente pronta para ser publicada em uma página da internet. No entanto, surgiu uma dúvida quanto ao trecho destacado. Leia:

Cientistas acham componentes necessários para a vida fora do Sistema Solar

Um grupo de cientistas detectou, pela primeira vez, componentes orgânicos essenciais ao redor de uma distante estrela jovem, o que corrobora a possibilidade de haver vida além do Sistema Solar.

Essa informação veio de um artigo que será publicado na quinta-feira (8) pela revista científica *Nature* e que foi adiantado em um comunicado do Observatório Meridional Europeu (ISSO). A equipe internacional detectou "grandes quantidades de cianeto de metilo ($CH3\text{-}CN$) no disco protoplanetário que rodeia a jovem estrela MWC 480".

Adaptado de: *Uol Notícias*. Disponível em: <noticias.uol.com.br/ciencia/ultimas-noticias/efe/2015/04/08/componentes-essenciais-para-vida-junto-a-estrela-sao-encontrados-pela-1-vez.htm>. Acesso em: 5 nov. 2018.

Responda no caderno: A concordância feita no trecho destacado poderia ter sido feita desta maneira: "Um grupo de cientistas **detectaram**..."?

10▸ Reescreva as frases no caderno, flexionando o verbo entre parênteses no tempo e modo indicados, para fazer a concordância adequada:

a) Nem meus amigos, nem meus parentes, ninguém se (*lembrar* — pretérito perfeito do indicativo) do meu aniversário.

b) Meus pais, meus irmãos, todo o pessoal de casa (*ir* — presente do indicativo) me acompanhar até o aeroporto na minha partida.

c) Tu e Carolina (*ser* — presente do indicativo) muito parecidos.

11▸ Copie os títulos de notícia a seguir no caderno, completando-as com o verbo entre parênteses. Flexione o verbo e faça a concordância no tempo verbal indicado.

a) "Grande parte dos restaurantes da cidade não ▇ no domingo de Natal" (*Correio Braziliense*, 26 dez. 2011.) (*abrir* — pretérito perfeito do indicativo).

b) "População de golfinhos da Baía de Guanabara ■ redução de 90% em três décadas" (*O Globo*, 10 maio 2015.) (*sofrer* — presente do indicativo).

c) "População desempregada ■ para 14% em fevereiro, em 6 capitais" (*O Globo*, 26 mar. 2015.) (*saltar* — presente do indicativo)

Desafios da língua

Outros casos de concordância verbal

Imagine que você precisasse escolher, entre os anúncios a seguir, aqueles que apresentam construções adequadas ao que propõe a gramática normativa. Qual dos dois anúncios você escolheria em cada situação? Por quê?

I.
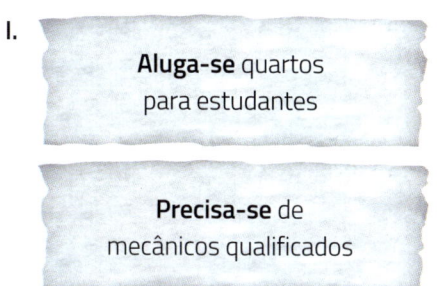

II.
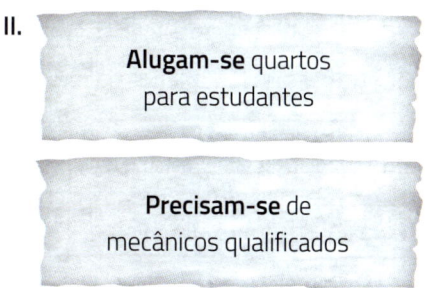

Você já se viu diante de dúvidas desse tipo? Muitos têm dúvidas sobre qual a melhor construção nesses casos. Diante dessa dúvida, grande parte das pessoas escolhe os anúncios da coluna I.

Isso acontece porque, no dia a dia, a maioria das pessoas emprega intuitivamente esse tipo de frase, pois dominam a língua pelo uso e a empregam de forma intuitiva.

A lógica dessa escolha provavelmente é: alguém aluga ou alguém precisa, por isso, os verbos ficam no singular.

Pela gramática normativa, que orienta os usos mais formais da língua, são corretos estes anúncios:

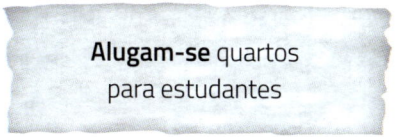

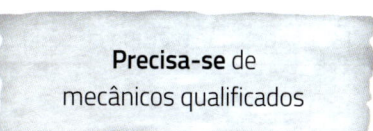

Vimos anteriormente alguns casos de concordância verbal. Vamos ver, na sequência, outras normas que podem nos auxiliar a fazer a concordância

- **Voz passiva com pronome apassivador *se***

Os **verbos transitivos diretos** podem ser empregados na voz passiva se forem acompanhados do pronome *se*. Nesse caso, a concordância será feita com o sujeito presente na frase. Veja exemplos:

Vende-se moto.
→ verbo transitivo direto
→ sujeito singular
→ pronome apassivador

Vende**m**-se **motos**.
→ verbo transitivo direto
→ sujeito plural
→ pronome apassivador

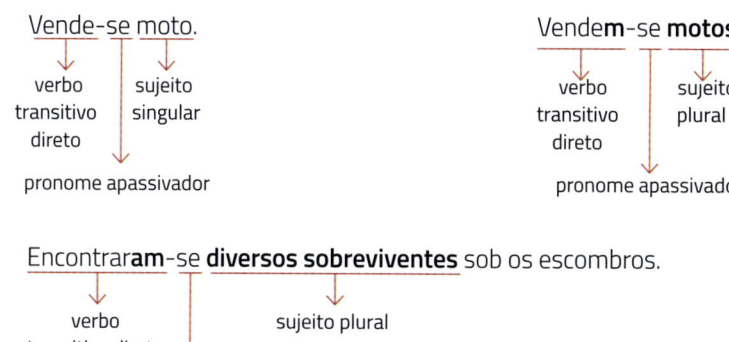

Encontrar**am**-se **diversos sobreviventes** sob os escombros.
→ verbo transitivo direto
→ sujeito plural
→ pronome apassivador

- **Verbo acompanhado de partícula *se*, indicando indeterminação do sujeito**

Os **verbos que não forem transitivos diretos**, quando seguidos da partícula *se* (índice de indeterminação do sujeito), ficam na 3ª pessoa do singular. Exemplos:

Necessita-se de reforços urgentes.

sujeito indeterminado · verbo transitivo indireto na 3ª pessoa do singular

Assiste-se a bons filmes nos canais pagos.

sujeito indeterminado · verbo transitivo indireto na 3ª pessoa do singular

- **Verbos impessoais**

Verbos impessoais são os que não apresentam sujeito. São empregados sempre na **3ª pessoa do singular**. Observe:

- Verbos que indicam fenômenos da natureza:

> **Ventou** muito nas últimas chuvas.

> **Esfriará** pouco no próximo inverno.

- Verbo *haver* no sentido de existir:

> **Há** várias meninas esperando por você no portão da escola.

- Verbos *haver* e *fazer* indicando tempo transcorrido:

> **Há** muitos anos que não o vejo.

> **Faz** trinta anos que o grupo se separou.

- **Verbo *ser***
- **Nas indicações de hora, data e distância**

Nas indicações de hora, data e distância, o verbo *ser* é impessoal e **concorda com o predicativo**, pois não há sujeito:

> **É uma** hora.

> **São dez** horas.

> Hoje **são 5 de novembro**.

> Da escola até sua casa **são dois** quilômetros.

- **Seguido de expressões quantificadoras**

O verbo *ser*, quando seguido de expressões quantificadoras (*muito, pouco, bastante*), fica na **3ª pessoa do singular**. Exemplos:

> Cem reais **é muito** por essa bolsa.

> Duas horas **é pouco** para essa viagem.

> Três dúzias de flores **é bastante** para enfeitar as mesas.

- **Silepse**

Ocorre uma concordância siléptica quando o verbo não concorda com o sujeito expresso na oração, mas com um sujeito implícito na ideia de quem fala. Exemplo:

> Dizem que **os brasileiros somos** todos amantes de música e de futebol. (nós)

No dia a dia

Concordância

Em seu caderno, explique a concordância empregada no texto da página de revista:

30 dias de férias poderão ser pouco

No dia a dia, as pessoas costumam empregar a língua seguindo mais uma lógica intuitiva do que as regras da gramática.

A lógica seguida neste caso foi, provavelmente, considerar a expressão "30 dias" como o sujeito do verbo, daí a concordância feita no plural.

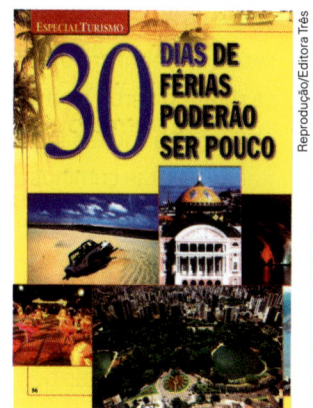

Reprodução/Editora Três

Revista *IstoÉ*. São Paulo: Três, n. 1864, 6 jul. 2005. p. 56.

Atividades: concordância verbal

1▸ Leia e compare as duas frases.

Frase I

> 43% do estoque **está** à venda.

Frase II

> Mais de 40% dos jogos do torneio estadual **dão** prejuízo.

Ambas as frases fazem referência a números percentuais. Compare a concordância verbal nas duas construções e responda no caderno: Qual é a diferença em relação à concordância verbal nessas frases?

2▸ Leia o anúncio a seguir, publicado em um jornal:

> ## Contrata-se tarólogos
>
> M/F 6 Horas de trab. fixo ou comissão + VT. Contato das 10:00 HS às 18:00 HS (11) XXXX-XXXX.
>
> Adaptado de: *Folha de S.Paulo*. São Paulo, 29 mar. 2015.

Sabemos que os falantes costumam empregar os recursos da língua seguindo mais a intuição do que a regra. Se a regra da gramática normativa fosse seguida, o título desse anúncio ficaria da mesma forma? Explique no caderno.

3▸ Reescreva as frases no caderno, substituindo os ■ pelo verbo indicado entre parênteses.

a) ■ mais de três horas aguardo seu telefonema! (haver)

b) Você está formado ■ dois anos e ainda não conseguiu um emprego? (haver)

c) Quando a notícia de sua morte chegou, já ▉ dois meses que ele não dava notícia. (fazer)

d) Puxa! ▉ quanto tempo que eu não falo com você! (haver)

e) ▉ muito tempo que eu não comia um bolo tão gostoso assim! (fazer)

f) Já ▉ quatro horas da tarde e você ainda não almoçou. (ser)

g) Você não pode protelar mais: ▉ 20 de novembro e o nosso prazo está acabando! (ser)

4▸ Às vezes, por necessidade de expressão, constroem-se períodos longos. Nesses casos, o sujeito fica distante do verbo ou da locução verbal que a ele se refere. Para não perder de vista a concordância verbal a ser feita, é necessário identificar o núcleo do sujeito. De cada frase a seguir, transcreva no caderno o **núcleo do sujeito** a que se refere o verbo ou a locução verbal destacada.

a) Graças a muitas investigações, **foi desmantelado** nos Estados Unidos, na última sexta-feira, um grupo de internautas criminosos com ramificações em vários países.

b) A competição entre as empresas por uma relação privilegiada com o consumidor **ganhou** atualmente dimensões grotescas.

c) Com as modernas tecnologias, a trajetória de celulares e de seus donos, mesmo quando os aparelhos estiverem desligados, **será controlada** pela polícia.

d) Depois de muitas negociações, árabes e israelenses, que se encontram há muitos anos em conflito por terras da Palestina, **decidiram estabelecer** uma trégua até que novo encontro entre os líderes seja realizado.

e) A cultura de paz, anseio de todos os povos e desafio para este século, **deve ser cultivada** por meio de hábitos diários de solidariedade e tolerância.

5▸ Imagine que você é o redator responsável pelo caderno de classificados de um jornal e que chegaram os seguintes anúncios para publicação. Em seu caderno, reescreva-os fazendo as adequações de concordância conforme o modelo a seguir.

> (Alugar) casas para temporada na praia dos Coqueiros.
> Alugam-se casas para temporada na praia dos Coqueiros.

a) (Perder) ontem um cãozinho *poodle* e um gato siamês.

b) (Vender) bicicletas e *skates* usados em bom estado.

c) (Encontrar) documentos na estação de trem.

d) (Precisar) de ajudantes para serviços gerais.

e) (Alugar) um imóvel mobiliado.

6▸ Leia este trecho de letra de canção:

Inútil
Roger Rocha Moreira

A gente não **sabemos** escolher presidente
A gente não **sabemos** tomar conta da gente
A gente não **sabemos** nem escovar os dente
Tem gringo pensando que nóis é indigente
Inútil!
A gente somos inútil!
Inútil!
A gente somos inútil!
[...]

a) Responda no caderno: Como se explica a flexão da forma verbal *somos*, em relação ao sujeito *a gente*?

b) Além da concordância verbal analisada no item anterior, que outros usos da língua demonstram a intenção de fazer prevalecer o uso da linguagem popular e mais informal na letra da canção? Transcreva-os no caderno.

c) Qual é a provável intenção do autor da letra ao fazer essas escolhas de linguagem?

In: ULTRAJE A RIGOR. *Acústico MTV*. Deckdisc, 2005.

Outro texto do mesmo gênero

Eles estão seguindo nossos passos

Os serviços de localização são um prato cheio para teorias conspiratórias. Mas eles podem ser usados para boas causas

Dagomir Marquezi

1   Quando? Onde? Tempo. Espaço. É a base do interrogatório policial. "Onde você estava às 3h22 da quarta-feira passada?" Esses dois vetores determinam muito do nosso relacionamento com o resto do mundo. Dependendo de onde estivermos, e em qual momento, muitas coisas podem acontecer em nossas vidas.

2   Localização é um nicho que cresce na internet. Serviços tipo LBS (*Location Base Service*) estão apenas no começo. Carregam na essência material para muita polêmica. São um prato cheio para os adoradores de teorias conspiratórias. Devem imaginar burocratas da CIA (ou extraterrestres) acompanhando num grande monitor a localização de cada ser humano sobre a face da Terra.

3   O mais tradicional dos serviços LBS é o *Four Square*. É completamente manual: o usuário marca (ou não) sua presença em algum lugar. O *Four Square* estimula a concorrência entre os usuários. Quem frequentar mais um determinado lugar vira seu "prefeito". Pode tirar foto do local, dar palpites sobre seus serviços. É um instrumento social.

4   O *Google Latitude* promete ser bem mais interessante. E controverso. O *Latitude* acompanha automaticamente seu sinal — pelo celular ou IP do computador. Você então se torna um espião de si mesmo. Registra seu deslocamento pelo quarteirão ou pelo mundo.

Carlos Araujo/Arquivo da editora

5   Tem mais. O usuário do *Google Latitude* pode acrescentar "amigos" e acompanhar suas movimentações. O *Google* ilustrou seu serviço com a ideia de colegas usando-o para marcar um encontro. A empresa juntou um grupo de funcionários em São Francisco que, de olho no celular, se desloca pelas ruas até formar a expressão "Hi, mom" (Oi, mãe).

vetor: na área de Comunicação, o que serve de suporte à transmissão de informações.

nicho: nesse contexto, segmento restrito do mercado, que geralmente oferece novas oportunidades de negócio.

conspiratório: que tem características de conspiração (trama ou combinação que se arma secretamente contra alguém).

burocrata: funcionário de órgão público que se acomoda na rotina rígida dos trâmites administrativos e os segue rigorosamente.

CIA: sigla de *Central Intelligence Agency*, serviço de inteligência estadunidense que tem a função de coletar informações de fontes humanas e avaliar se essas informações ameaçam a segurança nacional.

IP: sigla de *Internet Protocol*, identificação única para cada computador conectado a uma rede.

Invasão de privacidade?

6   Minha impressão é de que as perspectivas desses mecanismos LBS são bem maiores do que juntar amigos no mesmo bairro. Essa é outra ponta de *iceberg* típica da internet. Temos acesso a uma tecnologia que até outro dia era restrita a militares e serviços de inteligência. Seu potencial para o cidadão comum ainda é desconhecido.

7   Provavelmente não é uma boa ideia que casais se controlem pelo *Google Latitude*. Mas faço com meu filho. Num caso de emergência, um vai saber onde o outro está. Penso na minha já falecida mãe. Ela se recuperou de um grave <u>AVC</u> sem qualquer problema motor. Mas no início da recuperação dona Dirce tinha uma aguda confusão mental. Saía de casa e se perdia. Eu ficava circulando o bairro com minha irmã em busca dela. Hoje isso estaria solucionado.

8   Penso em idosos sendo monitorados em seus passeios. Em crianças naquela fase aflitiva em que começam a sair de casa. Em viagens que envolvam a coordenação de mais um veículo. Ou em complexas operações de salvamento durante um terremoto. Ações comerciais, maratonas, experimentos científicos — é só imaginar.

> ▶ **AVC:** sigla de Acidente Vascular Cerebral, hemorragia cerebral súbita seguida de perda total ou parcial das funções cerebrais.

9   Pessoalmente uso bastante como parte de um projeto maior de amplo registro da minha vida. O "diário" deixa de ser uma simples descrição e passa a incluir mapas, gráficos, animações, listas de *check-ins*. Isso para mim fazia parte da ficção científica até outro dia. Invasão de privacidade? Objetivos comerciais ocultos? Mais do que nunca, acho que o grau de envolvimento com tecnologias de ponta fica por conta e risco de cada um. Tenho computadores desde o tempo do TK-85 e acho que já estou bem grandinho para saber em que onda estou surfando.

MARQUEZI, Dagomir. Eles estão seguindo nossos passos. *Exame INFO*, ed. 304. São Paulo: Abril, jun. 2011, p. 46.

Carlos Araújo/Arquivo da editora

Converse com os colegas sobre as questões a seguir:

1▶ O que há em comum entre o assunto desse texto e o do texto "Celebridades descelebradas"?

2▶ No que os dois textos divergem, ou seja, se diferenciam?

3▶ Ao analisar o texto inicial, você estudou que os argumentos podem ser:

- argumento de autoridade;
- argumento com ironia;
- argumento de valoração;
- argumento com clichês.

Encontre no texto "Eles estão seguindo nossos passos" um argumento e classifique-o de acordo com a listagem acima. Diga para os colegas o argumento que você destacou, com a sua classificação, e ouça com atenção os destaques dos colegas. Se não concordar com algum argumento e/ou classificação destacados pelos colegas, comente respeitosamente com eles.

4▶ Depois de ler os dois artigos, qual é a sua opinião sobre o possível controle das pessoas que a tecnologia pode exercer? Diga o que pensa e ouça o que os colegas têm a dizer sobre o assunto.

Artigo de opinião

Na produção de texto desta unidade o seu desafio será escrever um artigo de opinião posicionando-se em relação ao tema: **A tecnologia no controle das pessoas**. Para isso, siga as orientações abaixo.

» **Aquecimento**

Relembre:

1▸ O artigo de opinião expõe o ponto de vista, a opinião de seu autor a respeito de um tema ou assunto. Esse gênero textual caracteriza-se por:

- ter a intenção de convencer o leitor do ponto de vista defendido pelo autor;
- ser assinado, isto é, ter sua autoria revelada;
- ser estruturado em três blocos: opinião, argumento e conclusão;
- iniciar-se com uma ancoragem, isto é, uma introdução, para situar o leitor sobre o assunto.

2▸ Para defender sua opinião, o autor pode utilizar vários tipos de argumento, considerando aqueles que são mais convincentes:

- exemplificação de fatos acontecidos;
- citação de especialista ou autoridade no assunto;
- enumeração de dados numéricos: porcentagem, quantidade, tempo decorrido;
- comparações, justificativas ou causas.

3▸ Quem escreve um artigo de opinião faz escolhas de linguagem com a intenção de produzir diferentes efeitos de sentido; por exemplo:

- Uso da ironia para fazer insinuações ou dizer o oposto do que se pretende, com a intenção de criticar.
- Emprego de frases populares e de clichês, com apelo ao senso comum, às emoções.
- Repetição de palavras ou expressões.

4▸ Para escrever um artigo de opinião é preciso realizar pesquisas para apropriar-se de informações sobre o assunto tratado.

Você, por exemplo, já leu dois textos sobre o assunto do artigo de opinião que vai produzir: "Celebridades descelebradas" e "Eles estão seguindo nossos passos". Ao ler as informações sobre a relação entre o *Big Brother*, programa de TV, e o livro de George Orwell, *1984*, descobriu que, muito antes de existir a tecnologia GPS, disponível atualmente, a possibilidade de seguir e controlar outras pessoas já era explorada na ficção.
Saiba mais sobre o que aconteceu quando essa tecnologia foi lançada no mercado:

> Serviços que hoje são muito comuns em vários aplicativos, há alguns anos eram uma grande novidade. Próximo ao Natal de 2004, e por meio de grande campanha de vendas, foi lançado o telefone celular equipado com rastreadores que fornecem a localização do usuário. Eram aparelhos dotados de GPS (sigla em inglês para "sistema global de posicionamento"), capazes de enviar sinais e captar os resultados por técnicas de localização. Como o apelo publicitário enfatizava o auxílio da tecnologia na localização dos filhos pelos pais, o lançamento desse produto gerou polêmica entre especialistas em relacionamento entre pais e filhos.
>
> A possibilidade de controle da vida de outra pessoa por meio do celular, uma espécie de *Big Brother* seletivo, gerou uma grande polêmica na ocasião e ainda continua dividindo opiniões, como as apresentadas nos dois artigos de opinião lidos por você nesta unidade.

↠ Planejamento

Reflita sobre as questões a seguir, para posicionar-se sobre o assunto:

1▸ O que você pensa sobre o assunto "A tecnologia no controle das pessoas": Concorda? Não concorda? Concorda ou não concorda em parte?

2▸ Que argumentos dos textos lidos o convenceram mais?

3▸ Que argumentos você considera menos ou nada importantes?

4▸ Que argumentos você acrescentaria aos textos para justificar a opinião que você formou sobre o assunto?

Agora, veja no esquema uma síntese das características desta produção de texto:

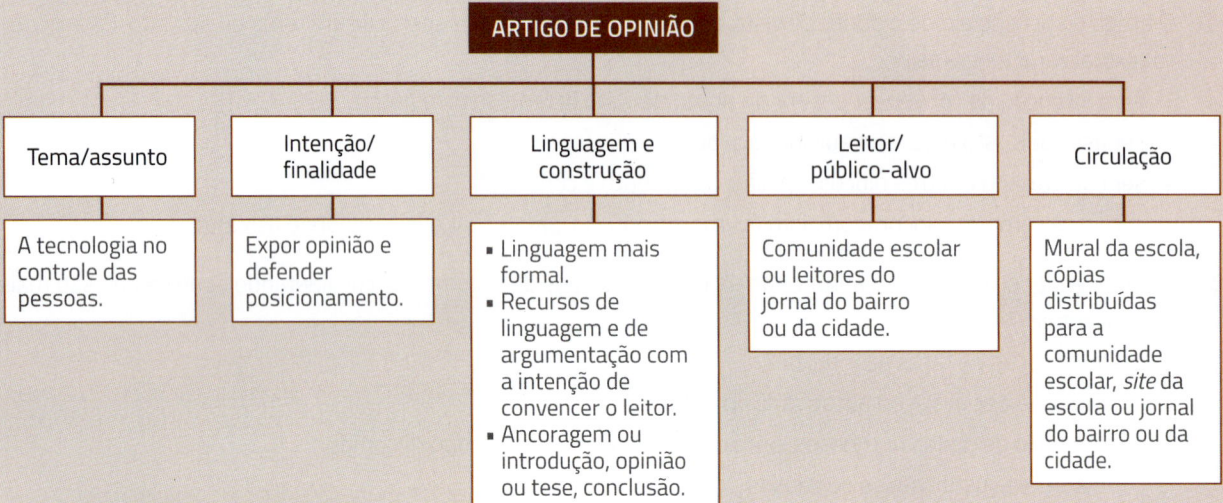

ARTIGO DE OPINIÃO

Tema/assunto	Intenção/finalidade	Linguagem e construção	Leitor/público-alvo	Circulação
A tecnologia no controle das pessoas.	Expor opinião e defender posicionamento.	▪ Linguagem mais formal. ▪ Recursos de linguagem e de argumentação com a intenção de convencer o leitor. ▪ Ancoragem ou introdução, opinião ou tese, conclusão.	Comunidade escolar ou leitores do jornal do bairro ou da cidade.	Mural da escola, cópias distribuídas para a comunidade escolar, *site* da escola ou jornal do bairro ou da cidade.

↠ Rascunho

1▸ Defina a opinião que vai defender em seu artigo: concordo; não concordo; concordo ou não concordo em parte.

2▸ Decida como será o parágrafo inicial do artigo de opinião, que vai introduzir a ancoragem da sua opinião.

3▸ Estruture pelo menos dois argumentos para defender sua opinião.

4▸ Decida se é necessário utilizar um contra-argumento para valorizar seus argumentos.

5▸ Lembre-se: a conclusão do artigo deve reafirmar a opinião que você definiu no início.

6▸ Lembre-se também de que a linguagem utilizada deve ser mais monitorada, mais formal.

↠ Revisão e reescrita

1▸ Releia o texto e faça os ajustes necessários antes de passá-lo a limpo.

2▸ Certifique-se da distribuição do texto em parágrafos, do uso de pontuação adequada, da grafia correta das palavras, da concordância entre os termos das frases.

3▸ Lembre-se de que o artigo de opinião é assinado: coloque seu nome.

↠ Circulação

▸ Aguarde as orientações do professor para viabilizar a divulgação dos artigos de opinião no mural da escola, em cópias a serem distribuídas para a comunidade escolar, no *site* da escola ou da comunidade, ou até em um jornal de bairro ou da cidade.

Autoavaliação

Chegou o momento de fazer um balanço de tudo o que foi estudado na Unidade 7. Leia o quadro de conteúdos para recordar o que estudou e, no caderno, avalie seu desempenho usando os tópicos propostos a seguir como orientação. Isso ajudará você na hora de organizar seus estudos.

Meu desempenho

- **Compreendi bem** (registre no caderno os itens que você compreendeu)
- **Avancei em** (registre no caderno os itens em que você melhorou)
- **Preciso rever** (registre no caderno os itens que você precisa estudar mais)
- **Outras observações e/ou outras atividades**

UNIDADE 7	
Gênero Artigo de opinião	**LEITURA E INTERPRETAÇÃO** · Leitura do artigo de opinião "Celebridades descelebradas", de Luli Radfahrer · Localização e identificação das partes do artigo de opinião: introdução (ancoragem), opinião (tese), argumentos e conclusão · Identificação dos recursos de linguagem utilizados para argumentar e convencer · Identificação de tipos de argumento **PRODUÇÃO TEXTUAL** **Oral** · Debate regrado: Privacidade em tempo de mídias sociais **Escrita** · Interatividade: meme · Produção de artigo de opinião: A tecnologia no controle das pessoas
Ampliação de leitura	**CONEXÕES** · Outras linguagens: Cartum, uma forma de manifestar opinião · Big Brother: ontem e hoje · A proteção de dados pessoais: lei e dicas · Letra de canção: "Tá na mídia", Arnaldo Brandão **OUTROS TEXTOS DO MESMO GÊNERO** · "'Likes' não cortam efeito dos comentários maldosos nas redes sociais", Jairo Bauer · "Eles estão seguindo nossos passos", Dagomir Marquezi
Língua: usos e reflexão	· Concordância · Concordância verbal · Desafios da língua: Outros casos de concordância verbal
Participação em atividades	· Orais · Coletivas · Em grupo

Carlos Araujo/Arquivo da editora

Sociedade Brasileira de Geriatria e Gerontologia

CARTA ABERTA À POPULAÇÃO BRASILEIRA

...ezados Cidadãos e Cidadãs,

... envelhecimento populacional é um fenômeno mundial. No Brasil o processo iniciou-se a partir ...e 1960 e as mudanças se dão a largos passos. Em 1940, a população brasileira era composta por ...2% de jovens com menos de 15 anos enquanto os idosos representavam apenas 2,5%. No último ...Censo realizado pelo IBGE, em 2010, a população de jovens foi reduzida a 24% do total. Por sua ...vez, os idosos passaram a representar 10,8% do povo brasileiro, ou seja, mais de 20,5 milhões de ...pessoas possuem mais de 60 anos, isto representa incremento de 400% se comparado ao índice ...anterior. A estimativa é de que nos próximos 20 anos esse número mais que triplique. A...

Infelizmente, nosso País ainda não está preparado para atender às demandas dessa população. A Política Nacional do Idoso assegura, em seu art. ... preservação de sua saúde física e mental, bem com... espiritual e social em condições de liberdade e dignidade.

Apesar de avanços, como a aprovação do Estatuto do Idoso, a realidade é que os direitos e necessidades dos idosos ainda não são plenamente atendidos. No que diz respeito à saúde do idoso, o Sistema Único de Saúde (SUS) ainda não está preparado para amparar adequadamente esta população.

Neste contexto, prevalecem as doenças crônicas e suas complicações: hipertensão arterial, doença coronariana, sequelas de acidente vascular cerebral, limitações provocadas pela insuficiência cardíaca e doença ... tiva crônica, amputações e cegueira provocados pelo diabetes além da dependência determin... ... muito o que

Já as unidades de atenção básica, "porta de entrada" do idoso e não for... melhorar. Os profissionais da saúde tem olhar fragmentado do idoso e não for... atendê-lo de maneira integral. As equipes da Estratégia Saúde da Família (ESF) e dos Núcleos ... Apoios da Saúde da Família (NASF) por sua vez, estão incompletas e insuficientes para atender esta parcela da população.

www.sbgg.org.br
Av. N. Sra. de Copacabana, 500 - sala 610
CEP 22.020-001
21 3734-... • 21 2285-...

CARTA ABERTA

A Ciência Brasileira está em Risco

...blemática em que a Organização da ...Alimentação (FAO) insiste em definir as flor... ...considera as florestas apenas como "um ... ...aspectos fundamentais, incluindo as suas n... ...tipos de plantas, animais e as comunidad... ...mesma forma, a definição ignora a contrib... ...naturais que proporcionam solo, água ... ...como sendo apenas uma ... ...árvores com um ...

...ção são ferram... ...para ... ...entais para o país e o impulso a ... ...o sustentável com lastro: cada real ...inuto que se permite à inteligência e ...por soluções, nos mais diferentes campos, vão ...o País.

...e se desenvolveram efetivamente, que deram salto ...ósperas e justas, valeram-se intensamente dos ...científica.

...a e Desenvolvimento da ordem de 1,2% do seu ...os dispêndios privados e públicos para - é ...potenciais e realizar diferentes objetivos, o ...enos 2% de seu PIB.

...o órgão gestor de projetos científicos, o ...e Tecnológico - CNPq alerta para as ...exercício de 2019, a serem mantidos ...ual para o próximo ...

...,2 bilhão, em 2019 a ...vas. Uma perda da ordem de

...da Ciência, Tecnologia, ...orçamentária quanto a ...e honrar o pagamento ...Ministério na máxima ...ômica do Governo

...cem os valores ...dos recursos ...ortância do ...Tecnologia e ...oio para que esses ...vanço do País rumo a se

UNIDADE

8

Uma carta a quem possa interessar...

Você já enviou ou recebeu cartas? Qual é a diferença entre as cartas que você conhece e as que estão na imagem ao lado? Você já foi consultado para opinar sobre algum acontecimento que afetaria a vida das pessoas de sua comunidade? Em caso positivo, qual foi esse acontecimento? Você acha importante opinar sobre reivindicações da sociedade civil? Por quê?

Nesta unidade você vai:

- ler e interpretar uma carta aberta;
- identificar os elementos que estruturam uma carta aberta e os recursos de linguagem empregados nesse gênero textual;
- participar de um seminário;
- produzir uma carta aberta;
- identificar formas de concordância nominal;
- analisar casos específicos de concordância nominal.

CARTA ABERTA

Na unidade anterior, você analisou que o artigo de opinião é um importante instrumento para defender e divulgar ideias nos meios de comunicação: jornais, emissoras de televisão, revistas, etc.

Outro gênero textual usado para mobilizar a opinião pública em favor de alguma causa é a **carta aberta**. Para conseguir envolvimento e mobilização de mais pessoas, a carta aberta precisa utilizar argumentação clara e convincente, dirigida ao seu público-alvo.

Para você, que causas poderiam ser defendidas por meio de uma carta aberta? Como essa carta poderia estimular a atuação das pessoas na vida pública?

A carta aberta que você vai ler é assinada por ecologistas e especialistas em clima, entre outros.

Leia o título da carta aberta a seguir e converse com os colegas sobre ela: Qual é a causa defendida? Você considera essa causa importante? Por quê?

Leitura

Carta aberta pela defesa dos Corais da Amazônia

Os Corais da Amazônia são um ecossistema único e precioso que se estende por mais de 9.500 km² pela costa norte do Brasil. Onde o rio Amazonas encontra o oceano, as águas são inicialmente escuras e barrentas — um ambiente muito incomum para a existência de um ecossistema coralíneo. *Habitat* de corais-rosa, algas calcárias (rodolitos), mais de 70 espécies de peixes de recife e mais de 60 espécies de esponja, os Corais da Amazônia são um ecossistema próspero e dinâmico pouco conhecido, mas que já está sob ameaça.

Ainda que apenas uma pequena fração dos corais tenha sido estudada, já existe a grande probabilidade de descoberta de novas espécies endêmicas. As primeiras imagens subaquáticas dos Corais da Amazônia foram capturadas no início de 2017. A Ciência está só começando a compreender a biodiversidade do recife e a interação desse ecossistema com a pluma do rio Amazonas e o oceano.

Os planos de extração de petróleo próximo aos Corais da Amazônia representam pressão e riscos expressivos a este ecossistema, seja pela própria perfuração, seja pela ameaça de derramamentos de petróleo significativos. Até mesmo a modelagem das empresas aponta que, em caso de um vazamento, há possibilidade de até 30% de o óleo atingir o recife. Seria um desastre que impactaria negativamente o ecossistema e a bacia da foz

ecossistema: sistema que inclui os seres vivos, o meio ambiente e suas inter-relações.

coralíneo: relativo a corais.

rodolito: agrupamento de algas calcárias, que abriga grande quantidade de seres microscópicos, como algas, bactérias e microinvertebrados.

próspero: bem-sucedido.

endêmico: característico de determinada região geográfica.

pluma (do rio): resultado da interação entre massas de água de diferentes densidades, nos casos em que as águas fluviais menos densas boiam sobre a água do mar da costa onde o rio desemboca.

modelagem (das empresas): conjunto de operações que ocorrem em uma empresa e que envolvem recursos e informações.

do rio Amazonas; uma área que abriga espécies vulneráveis, incluindo o peixe-boi-da-Amazônia (*Trichechus inunguis*) e a tartaruga-de-couro (*Dermochelys coriacea*), entre muitas outras.

A prioridade agora deve ser proteger o recife e as águas circundantes para que possam ser realizadas novas pesquisas sobre o bioma que propiciem uma maior visão sobre sua diversidade, estrutura e função, bem como as interconexões que possui com outros ecossistemas, antes de tomar decisões sobre mais explorações humanas na área.

[...]

> **bioma:** conjunto de seres vivos de certa região, caracterizada por determinado tipo de vegetação.
>
> **interconexão:** ligação entre dois ou mais elementos.

Observe agora as páginas dessa carta aberta, que foi publicada como um documento eletrônico no *site* de uma organização.

Fotos: Reprodução/<www.greenpeace.org.br>

GREENPEACE

Carta aberta pela defesa dos Corais da Amazônia

Os Corais da Amazônia são um ecossistema único e precioso que se estende por mais de 9.500 km² pela costa norte do Brasil. Onde o rio Amazonas encontra o oceano, as águas são inicialmente escuras e barrentas – um ambiente muito incomum para a existência de um ecossistema coralíneo. *Habitat* de corais-rosa, algas calcárias (rodolitos), mais de 70 espécies de peixes de recife e mais de 60 espécies de esponja, os Corais da Amazônia são um ecossistema próspero e dinâmico pouco conhecido, mas que já está sob ameaça.

Ainda que apenas uma pequena fração dos corais tenha sido estudada, já existe a grande probabilidade de descoberta de novas espécies endêmicas. As primeiras imagens subaquáticas dos Corais da Amazônia foram capturadas no início de 2017. A Ciência está só começando a compreender a biodiversidade do recife e a interação desse ecossistema com a pluma do rio Amazonas e o oceano.

Os planos de extração de petróleo próximo aos Corais da Amazônia representam pressão e riscos expressivos a este ecossistema, seja pela própria perfuração, seja pela ameaça de derramamentos de petróleo significativos. Até mesmo a modelagem das empresas aponta que, em caso de um vazamento, há possibilidade de até 30% de o óleo atingir o recife. Seria um desastre que impactaria negativamente o ecossistema e a bacia da foz do rio Amazonas; uma área que abriga espécies vulneráveis, incluindo o peixe-boi-da-Amazônia (*Trichechus inunguis*) e a tartaruga-de-couro (*Dermochelys coriacea*), entre muitas outras.

A prioridade agora deve ser proteger o recife e as águas circundantes para que possam ser realizadas novas pesquisas sobre o bioma que propiciem uma maior visão sobre sua diversidade, estrutura e função, bem como as interconexões que possui com

Corpo do texto

outros ecossistemas, antes de tomar decisões sobre mais explorações humana na área.

Assinam:

- Abigail Fallis, artista plástica e ambientalista do Reino Unido.
- Abilio Soares Gomes, biólogo marinho da UFF
- Anthony W D Larkum, especialista em recifes da Universidade de Sidney
- Antônio Donato Nobre, PhD, pesquisador do INPA e do INPE, autor de "O Futuro Climático da Amazônia".
- Ashley Carreiro, biólogo marinho, especialista em Conservação Marinha nas Filipinas
- Ben Fogle, escritor e locutor especializado em Natureza no Reino Unido
- Bill Oddie, conservacionista
- Bruce Parry, apresentador de TV e explorador
- Carlos Eduardo Leite Ferreira, ecologista especialista em recifes da UFF
- Carlos Nobre, pesquisador do INPE e membro do IPCC
- Cesar Cordeiro, biólogo marinho da UFF
- Cristiano Mazur Chiessi, paleoclimatologista e paleoceanógrafo da USP
- David Bellhoff, biólogo da GIZ – Projeto de Melhoria no Manejo de Áreas Protegidas nas Filipinas
- David Mayer De Rothschild, ambientalista
- Deevon Quirolo, presidente da Nature Coast Conservation, no EUA.
- Eduardo Siegle, oceanógrafo da USP, co-autor do artigo sobre os recifes na Science
- Emma Kennedy, ecóloga de recifes e ecossistemas bentônicos, Universidade de Queensland, na Austália.
- Jason Hall- Spencer, professor de Biologia Marinha na Universidade de Plymouth, no Reino Unido.
- Juline Walter, bióloga marinha da UFRJ.
- Kurt and Caroline Jackson, pintor Inglês refletindo ecologia e meio ambiente
- Livia Firth, fundadora de empresa de moda sustentável, e embaixadora da Oxfam, no Reino Unido

Sequência de assinaturas

- Liz Bonnin, apresentadora de TV no Reino Unido.
- Melissa Shaw, atua em Medicina de Animais Aquáticos, especializada em espécies de mamíferos ameaçados.
- Michaela Strachan, apresentadora de TV no Reino Unido, investigou corais no canal CBBC.
- Murray Roberts, professor de Biologia Marinha e Ecologia da Universidade de Edimburgo.
- Nils Edwin Asp Neto, oceanógrafo da UFPA, co-autor do artigo sobre os recifes na Science.
- Ove Hoegh-Guldberg, diretor do Instituto de Mudanças Globais e professor de Ciências Marinhas na Universidade de Queensland, na Austrália.
- Patrizia Ziveri, diretora científica do Instituto de Ciências do Meio Ambiente (ICTA) da Universidade Autônoma de Barcelona.
- Paulo Artaxo, climatologista, geoquímico e metereologista pela USP
- Paulo Horta, professor especialista em algas coralinas da UFSC
- Paulo Nobre, pesquisador sénior do INPE em Clima e Tempo
- Pavan Sukhdev, economista, líder de estudo do TEEB, autor de 'Towards a Green Economy', e "Corporation 2020".
- Ricardo Abramovay, economista e professor da FEA/USP
- Ronaldo Francini Filho, biólogo marinho da UFPB, co-autor do artigo sobre os recifes na Science.
- Sean McQuilken, Biólogo, especialista em monitoramento de espécies marinhas protegidas.
- Sylvia Earle, oceanógrafa, fundadora e presidente do Mission Blue
- Simon Reeve, apresentador de TV e embaixador do WWF
- Sir Ranulph Fiennes, explorador
- Valeria Pizarro, bióloga e ecologista, diretor executivo da Ecomares, na Colômbia.

Nota de rodapé
1 Moura et al. An extensive reef system at the Amazon River Mouth, Science Advances, Vol 2. No 4. (2016)
http://advances.sciencemag.org/content/2/4/e1501252.full

Interpretação do texto

Compreensão inicial

1▸ Releia a seguir o que está escrito em letras verdes no cabeçalho da carta aberta. Trata-se do nome da instituição responsável pela publicação da carta.

Essa palavra da língua inglesa é composta de outras duas: *green* (verde) e *peace* (paz). Responda no caderno: A ação proposta no texto tem relação com as palavras contidas no nome *Greenpeace*? Explique.

2▸ Greenpeace é uma Organização Não Governamental (ONG) sem fins lucrativos. A seguir, leia como essa ONG é descrita em seu *site* oficial.

> O Greenpeace realiza ações não violentas, com criatividade e ativismo para denunciar as ameaças ao meio ambiente e pressionar empresas e governos a adotarem soluções que são essenciais para um futuro mais verde e pacífico.
>
> Disponível em: <https://www.greenpeace.org/brasil/>.
> Acesso em: 2 nov. 2018.

Responda no caderno: Com qual das finalidades listadas acima a carta aberta em estudo foi escrita?

3▸ Assinale a(s) alternativa(s) que completa(m) a afirmação. Segundo a carta aberta, as principais razões para que as pessoas defendam os Corais da Amazônia são:
- a beleza e a preciosidade dos corais.
- a necessidade de realizar novas pesquisas sobre esses corais.
- o risco ambiental que a extração de petróleo pode representar para esses corais.
- os estudos avançados sobre esses corais.

Linguagem e construção do texto

1▸ Ao descrever os Corais da Amazônia, a carta aberta refere-se a eles como ecossistema, ambiente e *habitat*. Para cada referência, apresenta detalhamentos de linguagem sobre sua localização e composição. Escreva no caderno o detalhamento apresentado para cada item a seguir:

a) ecossistema

b) ambiente

c) *habitat*

Recife na foz do rio Amazonas, composto de algas calcárias e recoberto por esponjas e corais.

2▸ Que efeito de sentido a utilização de todo esse detalhamento provoca no texto da carta aberta?

3▸ O texto utiliza também um vocabulário mais técnico: ecossistema coralíneo, rodolitos, algas calcárias, espécies endêmicas, pluma do rio Amazonas, modelagem das empresas, etc. Com base nas escolhas de linguagem dessa carta aberta, assinale a(s) alternativa(s) a seguir que revela(m) qual é seu provável público-alvo.

a) pescadores

b) empresários

c) cientistas

d) ecologistas

4▸ Depois do corpo do texto, são apresentados os <u>signatários</u> da carta aberta. Essa carta é assinada por ecologistas, biólogos marinhos, oceanógrafos, especialistas em clima e em espécies marinhas, escritores, jornalistas, ambientalistas, professores de universidades, entre outros. Qual é a finalidade de apresentar a profissão dos signatários da carta aberta?

> ▸ **signatário:** que assina ou subscreve um documento, uma carta, um manifesto.

5▸ Embora a carta aberta seja um gênero argumentativo, sua estrutura difere da observada nos gêneros vistos anteriormente: crônica jornalística e artigo de opinião. Geralmente, a carta aberta apresenta:

- **ancoragem** das ideias para introduzir o leitor no assunto em questão;
- **identificação e análise do problema**;
- **argumentação** para convencer os leitores;
- **apelo/reivindicação**;
- lista de **signatários** para dar legitimidade à causa.

A carta aberta que você leu está estruturada em quatro parágrafos, seguidos da lista de signatários. No caderno, copie o modelo de tabela abaixo e complete-o com as palavras do quadro a seguir, considerando o que cada um deles apresenta.

ancoragem	identificação e análise do problema	argumentação	apelo

1º parágrafo	2º parágrafo	3º parágrafo	4º parágrafo

6▸ Releia a frase final do primeiro parágrafo:

> *Habitat* de corais-rosa, algas calcárias (rodolitos), mais de 70 espécies de peixes de recife e mais de 60 espécies de esponja, os Corais da Amazônia são um ecossistema próspero e dinâmico pouco conhecido, mas que já está sob ameaça.

Depois de valorizar os Corais da Amazônia citando suas qualidades e os números das espécies que os compõem, a frase termina com uma oração adversativa: "mas que já está sob ameaça". Assinale a alternativa que explica o efeito de sentido criado pela conjunção *mas* nessa oração.

a) Indica a fragilidade dessas ideias.

b) Destaca o risco à biodiversidade.

c) Destaca qual é a ameaça.

d) Indica a força dessas ideias.

7▸ Pode-se afirmar que, além da ancoragem, que introduz o leitor no assunto dos corais amazônicos, a estrutura dos dois primeiros parágrafos da carta aberta já traz elementos para convencê-lo da necessidade de proteger tal ecossistema? Explique.

8▸ Relembre alguns tipos de argumento estudados:

Tipos de argumento	
Científico	Apresentação de dados e conceitos.
De autoridade	Citações de autoridades.
De valoração	Juízos e valores.

Agora copie no caderno o modelo de quadro a seguir e complete-o com um exemplo de cada tipo de argumento em estudo.

Tipos de argumento	Exemplos na carta
Científico	
De autoridade	
De valoração	

9▸ Releia o último parágrafo, que estabelece a proteção dos corais e das águas como prioridade a ser defendida:

> A prioridade agora deve ser proteger o recife e as águas circundantes para que possam ser realizadas novas pesquisas sobre o bioma que propiciem uma maior visão sobre sua diversidade, estrutura e função, bem como as interconexões que possui com outros ecossistemas, antes de tomar decisões sobre mais explorações humanas na área.

a) Esse parágrafo é o último da carta e o mais curto. De que maneira ele apresenta a ideia que expressa? Assinale a resposta adequada.

- Como possibilidade.
- Como afirmação.
- Como apreciação.
- Como obrigatoriedade.

b) Que palavra ou expressão indica isso? Assinale-a.

- bem como
- agora
- deve ser
- antes de

Hora de organizar o que estudamos

▸ Copie o esquema em seu caderno e complete os espaços com as palavras ou expressões a seguir.

| argumentos | causa defendida | objetiva |

CARTA ABERTA

Gênero argumentativo que expressa posicionamentos, para convencer os leitores a aderir a uma causa e a agir em prol dela.

Intenção/finalidade
- Conscientizar as pessoas de um dado problema.
- Mobilizar os leitores para se posicionar diante do problema e agir em favor da ▇.

Linguagem e construção
- Linguagem mais formal, ▇ e clara.
- Emprego de recursos para envolver o interlocutor, motivando-o a aderir à causa.
- Estrutura: ancoragem, apresentação do problema, ▇ e apelo/reivindicação, lista de signatários.

Leitor/público-alvo
Pessoas que se interessam pelo assunto/tema ou são envolvidas pelo apelo/argumento.

Circulação
- Afixada em espaços diversos.
- Publicada em jornais, revistas, *sites*, redes sociais.

Prática de oralidade

Conversa em jogo

Aderir ou não a uma causa

Nem todas as pessoas que leem uma carta aberta concordam com ela e aderem à causa defendida. Aderir ou não a uma causa é uma decisão pessoal. Para tomar essa decisão é preciso refletir sobre as consequências da ideia ou ação proposta na carta aberta.

▶ Após a leitura da carta aberta reproduzida nesta unidade, você se sente motivado a aderir à causa que ela propõe e a assiná-la? Apresente argumentos para justificar sua escolha. Ouça a opinião de seus colegas com atenção e respeito.

Seminário

Por mim ou por todos?

Há no mundo muitos problemas que provocam manifestações coletivas. Mas há pequenas causas, mais próximas, que podem mobilizar as pessoas para a ação local.

É sobre essas pequenas causas que você e os colegas vão organizar um **seminário**, gênero textual que corresponde à apresentação oral, para um público específico, sobre um assunto que foi objeto de estudo e pesquisa dos participantes. Sigam as etapas sugeridas a seguir.

▸ **Seleção do problema, pesquisa e organização do conteúdo**

1▸ **Em grupo.** Selecionem o problema a ser discutido.

   a) Pensem: Em sua cidade ou em seu bairro, que problema afeta a comunidade e mereceria ações coletivas para ser enfrentado?

   b) Façam uma lista de problemas locais (que acontecem no bairro, na comunidade, no condomínio) e de medidas por meios das quais eles poderiam ser combatidos.

   c) Sob orientação do professor, formem uma roda de conversa.
   - Troquem informações sobre os problemas propostos.
   - Organizem grupos usando como critério as semelhanças entre os problemas levantados.

2▸ Pesquisem o problema de acordo com as sugestões a seguir:

   a) Informem-se sobre o objeto da pesquisa definido de dois modos:
   - Façam uma "pesquisa de campo", que consistirá na realização de entrevistas com pessoas da área relacionada ao problema. A entrevista pode se apoiar em um roteiro de questões. Exemplos: "Como seu cotidiano, sua vida e a de seus familiares são afetados pelo problema X?", "Na sua opinião, quais as causas desse problema?", "Que medidas poderiam ser adotadas para resolvê-lo?", "Quais seriam as ações mais urgentes?", "Quem poderia ajudar?", "Onde buscar solução?", "Quando isso poderia ser feito?", entre outros.
   - Pesquisam o assunto em livros, jornais, revistas disponíveis na biblioteca e em *sites* de busca na internet.

   b) Anotem no caderno dados, estatísticas, citações, exemplos que os ajudarão a definir o problema.

   c) Elaborem um roteiro para a apresentação, que será feita por um representante do grupo. A seguir, há sugestão de organização do roteiro.

> **⊘ Atenção**
>
> Lembrem-se de checar se as informações pesquisadas são confiáveis. Para isso, verifiquem elementos das informações, como veículo, fonte, autoria, data e local da publicação, etc., comparando com outras fontes e consultando *sites* que atestam a veracidade de informações divulgadas na internet.

- Apresentação do problema.
- Exposição de posicionamentos sobre a questão e de argumentos (se possível, com o apoio de vídeos, gravações, fotos, gráficos, mapas, linhas do tempo, esquemas que facilitem a compreensão das informações).
- Conclusão sobre o assunto com retomada do problema, ideias ou propostas de encaminhamento de resolução.

3▸ Organizem as tarefas do grupo, definindo:
- quem ficará encarregado da apresentação oral do trabalho;
- quem será o auxiliar encarregado de manusear o material de apoio (projeção de *slides*, reprodução de áudios ou vídeos, etc.).

Lembrem-se de que o grupo todo é responsável pela apresentação. Pensem também em estratégias para corrigir eventuais falhas: ausência de um dos participantes, falhas de funcionamento de equipamentos para exibição do material de apoio, problemas com a plateia (dificuldade para ouvir o expositor, visualizar *slides* ou legendas, etc.).

➼ Apresentação

1▸ Em data e hora definidas, o professor fará a abertura do seminário apresentando:
- a importância do tema geral ("Por mim ou por todos"), que envolve jovens em ações comunitárias;
- o objetivo do seminário: apresentação de informações sobre problemas sociais levantados pelos alunos em seus grupos de convivência;
- o tempo destinado a cada apresentação, reservando-se ao final um tempo para perguntas do público;
- a sequência dos expositores.

2▸ Participação no seminário

a) Como **expositor**, cada grupo fará sua apresentação de acordo com o que foi previamente decidido e ensaiado. Não se esqueçam dos cuidados necessários para a circunstância comunicativa da **fala em público**, como:
- volume da voz de acordo com o tamanho do espaço e do número de pessoas na plateia;
- articulação clara das palavras e entonação expressiva das frases;
- postura voltada para o público, mesmo nos momentos de consulta a esquemas e dados;
- atenção à reação do público: acolhimento das falas e das participações da plateia;
- escolhas de linguagem de acordo com a formalidade da ocasião: mais cuidada, mais objetiva (objetividade na apresentação de dados e fatos).

b) Como **plateia**, sejam ouvintes atentos e participativos:
- peçam a palavra;
- tomem notas para guiar seus questionamentos ou sugestões;
- sejam objetivos e claros ao falar, retomando a parte da exposição que motivou seu comentário.

➼ Avaliação final

▸ Depois da apresentação, reúnam-se em grupo e conversem para:
- avaliar como foi a apresentação de vocês e as contribuições da plateia;
- sintetizar os problemas apresentados;
- selecionar o tema da carta aberta que será objeto da produção escrita do final da unidade.

Jean Galvão/Arquivo da editora

Outras linguagens: Cartaz e charge

Cartaz

Uma carta aberta permite a defesa e a divulgação de uma ideia. Outra forma de defender uma causa por meio da sensibilização da opinião pública, em busca de seu envolvimento, é a argumentação proporcionada por um cartaz, em que os elementos da linguagem visual são utilizados como recursos para chamar a atenção do leitor para o problema e conseguir sua adesão à causa.

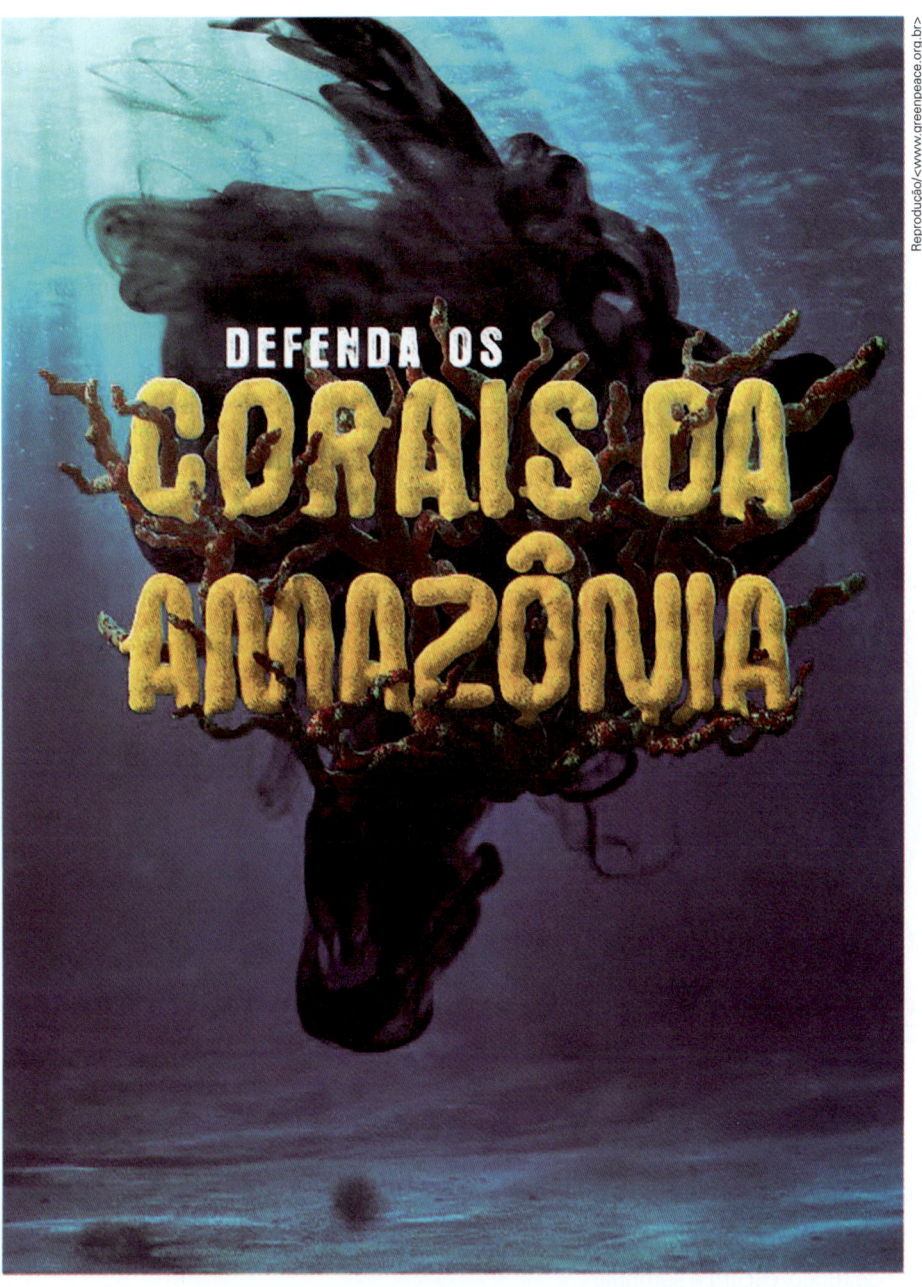

Reprodução/<www.greenpeace.org.br>

Disponível em: <https://www.greenpeace.org/brasil/blog/corais-da-amazonia-nosso-tesouro-recem-descoberto-e-ja-ameacado/>. Acesso em: 2 nov. 2018.

Agora que você já leu a carta aberta do Greenpeace em defesa dos Corais da Amazônia e observou o cartaz sobre o mesmo assunto, responda:

1▸ O que é possível associar às seguintes cores utilizadas na imagem:
- os tons de azul;
- os tons de cinza e preto;
- a mistura de vermelho, marrom e verde;
- o amarelo.

2▸ O que é visto em primeiro plano no cartaz?

3▸ Que elementos a cor amarela utilizada nas palavras do cartaz pode sugerir?

4▸ Na sua opinião, para convencer o público sobre a importância da defesa dos Corais da Amazônia, qual dos textos é mais eficaz, o cartaz ou a carta aberta? Justifique.

Charge

Charges e tirinhas também podem sensibilizar a opinião pública, de modo divertido e crítico. Por meio de imagens e, às vezes, de texto verbal, a charge critica fatos ou comportamentos; provoca o leitor, levando-o a refletir sobre determinado assunto ou expõe um protesto, como é o caso da charge a seguir. Observe-a.

ANGELI. *Folha de S.Paulo*. São Paulo, 27 nov. 2011. p. A2.

Na imagem dessa charge, note:
- a representação personificada das árvores, com galhos retorcidos, bocas e olhos escancarados, expressões de horror e sofrimento;
- a cor de fundo, escura e sombria;
- as bocas abertas dando a impressão de que emitem sons, como gritos.

No título da charge, vale destacar:

- o significado do verbo *urgir*: "ter urgência, pressa"; "reclamar, exigir"; "pedir com insistência".

- o uso do verbo *urgir* relacionado à mata, enfatizando a importância de defender as matas e florestas, que no Brasil vêm sendo destruídas.

- o jogo entre a palavra *urge* e a palavra *ruge*, que significa "emitir rugidos" (voz de grandes felinos, como o leão e o tigre), provocado tanto pela semelhança sonora das palavras quanto pela imagem das árvores com as bocas abertas, como se estivessem gritando, rugindo.

1▸ Considerando o significado do verbo *urgir*, é possível perceber o sentido de protesto da charge: a crítica ao problema do desmatamento, cuja solução depende de uma atitude imediata. Converse com os colegas sobre essa forma de crítica, que utiliza elementos verbais e visuais, com o objetivo de sensibilizar o leitor para a causa.

2▸ Na charge, a relação entre o texto verbal e a imagem convenceram você da necessidade de enfrentar o problema da destruição da mata?

3▸ Compare a seguir um detalhe da charge de Angeli, vista na página anterior, com a tela *O grito*, do pintor norueguês Edvard Munch. Verifique as possíveis semelhanças entre essas duas imagens.

A mata urge, Angeli, 2011.

 Mundo virtual

<https://www.edvardmunch.org/edvard-munch-paintings.jsp>

No *site* dedicado ao pintor Edvard Munch e sua obra, há uma galeria de pinturas. Nela é possível apreciar diversos de seus trabalhos. Em inglês.

Acesso em: 14 nov. 2018.

O grito, Edvard Munch, 1893 (óleo sobre tela, têmpera e pastel sobre cartão, de 83,5 cm × 66 cm).

Petição *on-line*

Além da carta aberta, há outra forma de defender ideias publicamente: a *petição*, que é um requerimento dirigido a uma autoridade, instituição ou a um grupo de pessoas, de quem se espera algum tipo de ação ou decisão em favor de uma causa coletiva, de um grupo, de uma comunidade, cidade ou país, etc. As pessoas que se identificarem com a defesa dessa causa podem apoiá-la, assinando a petição, que pode ser veiculada em papel ou por meio eletrônico *(on-line)*.

Leia a petição *on-line* a seguir.

Para: A todos que querem viver em um planeta verde e vivo

SALVEM OS OCEANOS E A VIDA!

Campanha criada por
Laura B

Diminuam o consumo de plástico:

- esqueça os canudos;
- fuja dos congelados do supermercado;
- utilize sacolas retornáveis;
- esqueça os chicletes;
- compre produtos embalados por vidro ou papelão;
- recicle!

Por que isso é importante?

Segundo a ONU (Organização das Nações Unidas) até 2050 poderemos ter mais plástico que peixes no oceano.

"Para acabar com a poluição plástica precisamos repensar como desenhamos, produzimos e usamos os produtos plásticos. Parte do problema é o comportamento do consumidor em consumir desnecessariamente produtos plásticos descartáveis e fazer descarte incorreto."

Essa causa serve para preservar a vida e a biodiversidade.

Os métodos existem, no entanto, faltam iniciativas de pessoas, empresas e governos.

Compartilhem para a conscientização.

Disponível em: <https://www.obugio.org.br/petitions/salvem-os-oceanos-e-a-vida-2>.
Acesso em: 3 nov. 2018.

1▸ Qual é a principal ação solicitada nessa petição?

2▸ Quais são os argumentos apresentados para convencer as pessoas a se engajarem na ação solicitada?

3▸ Releia a frase final da petição *on-line* reproduzida acima.

> Compartilhem para a conscientização.

Qual é a função desse pedido no texto?

4▸ Assinale as alternativas que correspondem à linguagem empregada na petição *on-line* lida.
   a) Uso de frases curtas e objetivas.
   b) Presença de termos técnico-científicos.
   c) Uso de verbos no modo imperativo, indicando ordem, pedido.
   d) Ausência de indicação de atitudes a serem tomadas.

Uma petição *on-line* geralmente é publicada em *sites* específicos para esse tipo de campanha. Esses *sites* apresentam um campo próprio para assinatura, que exige o preenchimento de vários dados. Observe:

Poema em defesa de uma causa

Assim como a carta aberta tem o objetivo de mobilizar ações coletivas a favor da causa defendida, a arte também pode conscientizar e mobilizar. Leia o poema a seguir, um manifesto pela arte única, sem divisões nem classificações.

Manifesto UM

Por uma arte única
Nadam Guerra

Século vinte e um
Tudo é um
Quem acha que faz teatro ou música ou pintura
ou cinema ou *performance* ou fotografia
está vivendo no século passado.
Não há fotografia que não seja música
Não há poesia que não seja cinema
Nem teatro que não seja escultura.
Arte única, mais que um movimento
É uma constatação da contemporaneidade.

Tudo é um
Arte é um
Arte é viva
Não há como matar
E não faz sentido compartimentar.

[...]

Tudo é um
A diferença entre um pintor e um cineasta
é a mesma que entre um poeta e outro poeta.
Especificidades e individualidades existem
Categorias não
Categorias são invenções projetadas sobre o real
No real arte é uma só

Tudo é um.
O músico supor que o que faz não é teatro
E o poeta pensar que sua arte não é sonora nem visual
Ou o pintor afirmar que arte conceitual não tem nada a ver com pintura
É o mesmo que o católico pensar que reza para um deus diferente do protestante
Ou o muçulmano julgar que sua crença é mais importante que a do budista.
Só haverá paz quando entendermos que somos um

Tudo é um
Arte é um
Não importa como se manifesta
Tudo é um
Não importa a cor da pele
Ou a referência bibliográfica
Ou se seu fazer requer mais habilidade
Da mão, da mente, do ouvido ou do corpo.
Viva a antropofagia
E viva o academicismo!
Viva as tias-avós que fazem crochê rosa-bebê!
E viva seus sobrinhos-netos que tocam *heavy metal* na garagem!
Viva eu, viva tu
Viva o rabo do tatu!
Viva a tradição popular,
Viva os homens de letras,
E viva os jovens rebeldes!
Todos são um,
Ou não serão nada!

GUERRA, Nadam. Manifesto UM – Por uma arte única. Disponível em: <http://grupoum.art.br/Grupo_UM/Manifesto_UM.html>. Acesso em: 3 nov. 2018.

Considerando esse manifesto em forma de poema, converse com os colegas sobre estas questões:

1 ▸ O que o manifesto critica?

2 ▸ O título do poema é "Por uma arte única". Citem alguns argumentos que são apresentados no texto para defender essa ideia.

3 ▸ No poema é repetido o verso: "**Tudo** é um". Entretanto, os versos finais são: "**Todos** são um, / Ou não serão nada!". Na sua opinião, que efeito essa mudança produz?

Língua: usos e reflexão

Concordância nominal

Você estudou algumas formas de estabelecer a concordância do verbo com o sujeito a que se refere.

Há também formas de fazer a concordância entre os substantivos e as palavras que o acompanham: seus determinantes.

Releia o seguinte trecho da "Carta aberta pela defesa dos Corais da Amazônia":

> [...] os Corais da Amazônia são um ecossistema próspero e dinâmico pouco conhecido, mas que já está sob ameaça.

Vamos relembrar o estudo dos substantivos e seus determinantes. Veja este esquema.

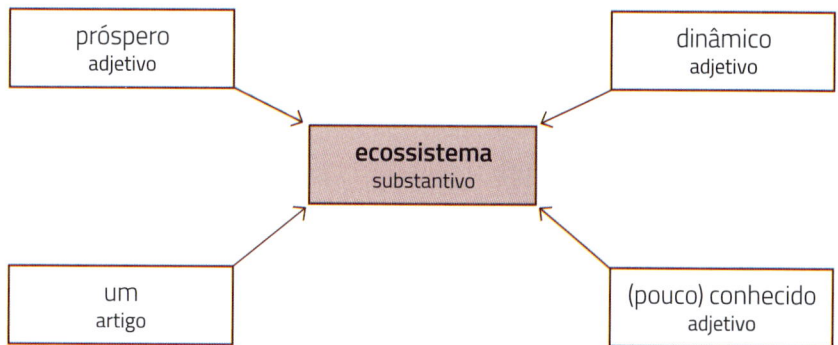

O substantivo *ecossistema* foi determinado, isto é, teve seu sentido delimitado pelos **adjetivos**. Um adjetivo ou um artigo, ao acompanhar um substantivo, determinando-o, concorda com ele em **número** e **gênero**. Como o substantivo *ecossistema* está no **singular** e é do gênero **masculino**, os adjetivos e o artigo que a ele se referem também ficam no singular e no masculino. A isso chamamos de **concordância nominal**.

> A **concordância nominal** estabelece que as palavras que determinam o substantivo são flexionadas para concordar com ele em gênero e número.

A concordância nominal tem uma regra básica:

Os determinantes do substantivo — **adjetivo**, **locução adjetiva**, **artigo**, **numeral** e **pronomes adjetivos** — concordam em gênero (masculino e feminino) e número (singular e plural) com o nome (substantivo) a que se referem.

Na linguagem mais informal, muitas vezes a concordância não segue as regras estabelecidas pela gramática normativa.

Leia uma estrofe da música *Asa Branca*, de Luiz Gonzaga e Humberto Teixeira, que apresenta traços de linguagem regional, e observe a concordância entre os termos destacados.

> [...]
> Quando o verde **dos teus óio**
> Se espaiá na prantação
> Eu te asseguro, num chore não, viu
> Que eu vortarei, viu, meu coração...
>
> GONZAGA, Luiz; TEIXEIRA, Humberto. *Asa Branca*. In: *Luiz Gonzaga – 50 anos de chão* (3 CDs). Disco 1. Sony Music, 2004.

Filipe Rocha/Arquivo da editora

A concordância entre os determinantes *dos* e *teus*, com o *s* marcando o plural, não está de acordo com a flexão do substantivo a que essas palavras se referem, *óio* (ou *olho*), também no masculino, mas sem a marca de plural. Na linguagem mais informal, o plural muitas vezes é indicado apenas pelos determinantes, e não pelo substantivo.

Em alguns momentos empregamos a língua de maneira mais informal, na fala ou na escrita, usando palavras que não seguem as convenções da tradição gramatical. Mas há momentos em que, dependendo da situação, do contexto e dos propósitos de comunicação, precisamos empregar a variedade padrão, que segue as regras dessa tradição gramatical. Por isso é muito importante, na fala ou na escrita, sempre considerar a adequação da linguagem aos propósitos e ao contexto de comunicação.

Leia esta outra frase da carta aberta em defesa dos Corais da Amazônia:

As primeiras imagens subaquáticas dos Corais da Amazônia foram capturadas no início de 2017.

Observe a seguir como a concordância entre o substantivo *imagens* e seus determinantes ocorreu na frase.

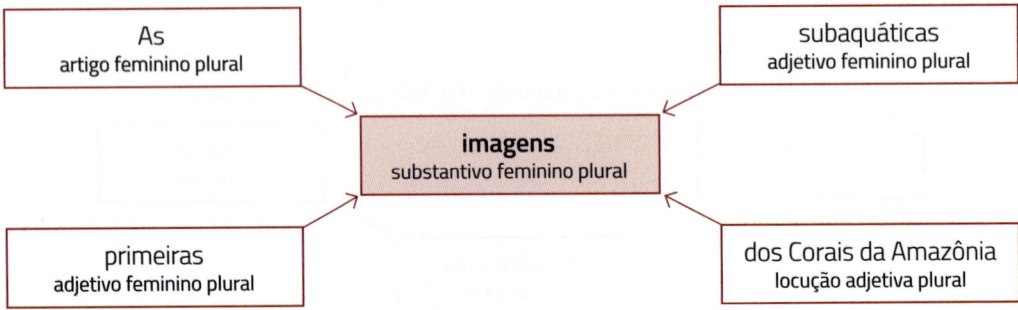

▶ Releia:

[...] apenas uma pequena **fração** dos corais [...].

Copie o esquema abaixo em seu caderno e preencha os quadros com os determinantes do substantivo destacado no trecho a seguir.

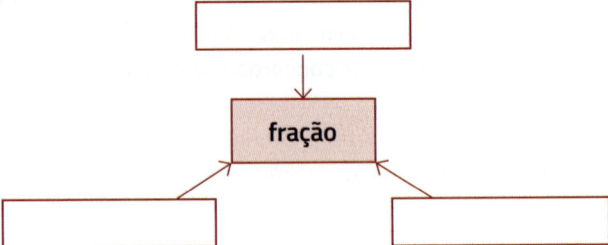

Outros casos de concordância nominal

Veja mais alguns casos de concordância nominal, segundo as regras da tradição gramatical.

- **Adjetivo posposto ao substantivo**

Quando um adjetivo qualifica dois ou mais substantivos e vem depois deles, há três formas de fazer a concordância.

▶ **posposto:** posto, colocado depois de algo.

- Se o gênero dos substantivos for o mesmo, o adjetivo vai para o plural, concordando com o gênero comum dos substantivos:

Filmes e *shows* **fantásticos** foram apresentados na semana cultural.

- Se o gênero dos substantivos for diferente, o adjetivo vai para o masculino plural:

Juros e *inflação* **altos** são obstáculos para o crescimento econômico.

Duas *garotas* e um *garoto* **estranhos** chegaram à festa.

- O adjetivo também pode concordar com o substantivo mais próximo:

> Juros e *inflação* **alta** são obstáculos para o crescimento econômico.

Há casos em que o adjetivo concorda com o mais próximo porque qualifica apenas esse substantivo, e não todos. Exemplo:

> Duas *garotas* e um *garoto* **estranho** chegaram à festa.

- **Adjetivo anteposto a dois ou mais substantivos**

  Concorda com o substantivo mais próximo. Exemplo:

> Não gostei muito da **imensa** barba e cabelo do seu namorado.

> **anteposto:** posto, colocado antes de algo.

- **Mais de um adjetivo posposto a um substantivo**
  - Com o substantivo no singular, seguido de dois adjetivos, ambos ficam no singular:

> Não se esqueça de trancar a *porta* **metálica pequena**.

  - Se o substantivo estiver no plural, os adjetivos que o seguem podem permanecer no singular se cada um deles se referir a um elemento diferente:

> Não se esqueça de trancar as *portas* **interna** e **externa**.

Nessa frase, é possível saber que há apenas duas portas, uma interna e outra externa.

  - Se cada adjetivo se referir a mais de um elemento, os adjetivos vão para o plural. Exemplo:

> Não se esqueça de trancar as *portas* **internas** e **externas**.

Nessa frase, é possível entender que há mais de uma porta interna e mais de uma porta externa.

Observe que, nesses casos, a concordância depende do sentido da frase.

Desafios da língua

Concordância específica de algumas palavras

- **Muito, bastante, pouco, meio**

  As palavras **muito**, **bastante**, **pouco**, **meio** podem ter função tanto de adjetivo quanto de advérbio.

  Se tiverem função de **adjetivo**, concordam com o nome (substantivo) a que se referem em gênero e em número. Exemplo:

  Há **muitas** falhas em seu trabalho.

  pron. adjetivo   substantivo
    fem. plural

  Se forem **advérbios**, permanecem invariáveis. Exemplo:

  O seu trabalho está **muito** falho.

             advérbio   adjetivo

Outros exemplos:

Tenho **bastantes** razões para negar seu pedido.
    ↓
pron. adjetivo

São **bastante** fortes os motivos que o levaram a viajar.
    ↓
advérbio

Bebi **meia** jarra de suco.
    ↓
adjetivo (= metade)

Camila ficou **meio** tonta depois do tombo.
    ↓
advérbio

- **Obrigado, anexo**

São palavras adjetivas e, portanto, devem concordar com a pessoa ou com o gênero do substantivo a que se referem. Exemplos:

> Muito **obrigado**, disse Pedro. ⟶ Seguem **anexos** *os documentos* que foram pedidos.
> Muito **obrigada**, disse Marina. ⟶ Vai **anexa** *a fotografia* do lugar.

A expressão *em anexo* funciona como adjunto adverbial que indica lugar, portanto, é invariável. Exemplo:

> Seguem **em anexo** *os documentos* e *as fotos* solicitados.

- **É proibido/é proibida, é necessário/é necessária, é bom/é boa**

Com esse tipo de predicado, formado pelo verbo *ser* e por um adjetivo, há duas construções possíveis, conforme indicado a seguir.

Se o sujeito não vem antecedido de determinante, a expressão fica invariável. Exemplos:

> É proibido entrada.   É bom paz.

Se o sujeito vem antecedido de determinante — por exemplo, um artigo —, faz-se a concordância com o sujeito. Exemplos:

> É proibida *a entrada*.   É boa *a paz*.

- **Menos**

Na linguagem formal, que segue a tradição gramatical, só existe o termo *menos*, que é invariável. Exemplos:

> Havia **menos** pessoas do que o esperado.

> Você trouxe muito **menos** coisas do que havia prometido.

 **Atenção**

Menos é uma palavra invariável, ou seja, que não se flexiona, que não varia em gênero (feminino/masculino) ou número (singular/plural).

Concordância nominal

1▸ Reescreva as frases a seguir no caderno, completando-as com o adjetivo entre parênteses e fazendo as concordâncias possíveis.

a) Carlos teve (**excelente**) ideia e atitudes para resolver o caso.

b) Você comprou carros e bicicletas (**antigo**).

c) Naquela situação, ele se encontrava de pés e mãos (**amarrado**).

d) (**Alto**) montanhas e rochedos compõem a vista das serras do Sul.

e) Para não atrasar a remessa, coloque (**anexo**) as embalagens necessárias.

f) (**Obrigado**) pela sua atenção, disse ela emocionada.

g) O governo exigia legumes e frutas (**orgânico**) para a merenda.

h) Ventos e ondas (**fortíssimo**) atingiram a costa da ilha na última tempestade.

i) Por favor, dê-me apenas (**meio**) fatia de *pizza*.

j) Maria ficou (**meio**) sem jeito quando a elogiaram.

2▸ Explique a concordância entre o substantivo e o(s) adjetivo(s) destacado(s) nas frases a seguir. Indique também os casos em que o destaque é usado em advérbio, e não em adjetivo.

a) As **literaturas brasileira** e **portuguesa** são riquíssimas.

b) A **sonegação** e o **planejamento tributário** são problemas a serem enfrentados no Brasil.

c) É **proibida a circulação** de animais pelo *shopping*.

d) **Imensas dunas** e **coqueiros** tomam conta das praias do Nordeste.

e) Traga **meia garrafa** de água **meio gelada**.

3▸ Leia esta piada:

A mãe,  idosa, recebeu presentes de Natal de seus filhos.

José deu-lhe uma casa imensa, Clara presenteou-a com um carro novo e Felipe caprichou no presente: ofereceu à mãe, já ▇ cega, um papagaio treinado por monges durante muitos anos, para cantar músicas natalinas para a mãe.

Depois do Natal, a mãe resolveu agradecer a todos por ▇ de uma carta que dizia assim:

José, obrigada! Só ocupo ▇ casa, porque ela é grande demais.

Clara, obrigada! Mas estou ▇ velha para dirigir um carro.

Felipe, você me deu o melhor presente. Já devorei ▇ galinha. Estava deliciosa!

Tradição popular.

a) Reescreva a piada em seu caderno substituindo o ▇ pela palavra *meio* ou *meia*, de acordo com sua função e considerando a concordância adequada.

b) Responda no caderno: Qual é o fato da piada que surpreende o leitor e provoca humor?

4▸ Observe ao lado um texto publicitário.

Releia o *slogan* do anúncio:

> Qualidade e conforto atestados pelos consumidores.

a) Em seu caderno, reescreva essa frase de duas outras maneiras, de acordo com as orientações de concordância indicadas pela gramática normativa e sem alterar o sentido do texto.

b) Explique a concordância feita em cada reescrita do *slogan* na resposta ao item anterior.

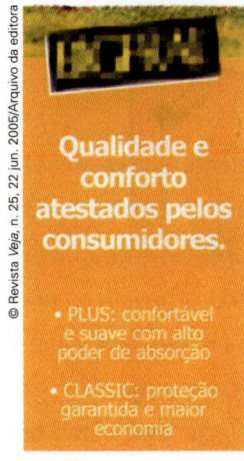

Qualidade e conforto atestados pelos consumidores.

• PLUS: confortável e suave com alto poder de absorção

• CLASSIC: proteção garantida e maior economia

Detalhe de anúncio publicado na revista *Veja*, 22 jun. 2005.

5▸ A seguir leia um trecho de reportagem sobre idosos de Okinawa, no Japão.

Okinawanos

Os idosos de Okinawa têm muito (menos) doenças e ataques cardíacos que os idosos americanos, e (menor) índices de câncer no seio e na próstata.

[...] Qual é o *ikigai*, a "razão de viver", de Fumiyasu Yamakawa, de 84 anos? Caminhadas e exercícios (diário), incluindo a ioga, um treino para o decatlo, que disputa todo ano. Os idosos desse (fértil) arquipélago nunca sofrem doenças (grave) e (incapacitante).

▸ **decatlo:** conjunto de 10 provas de atletismo.

National Geographic Brasil. São Paulo: Abril, nov. 2005, p. 64-65. Adaptado.

Reescreva em seu caderno o trecho da reportagem fazendo a concordância adequada das palavras que estão entre parênteses com o substantivo a que se referem ou mantenham sua forma invariável.

◤Outro texto do mesmo gênero

Alguns artistas brasileiros, durante a gravação de uma minissérie de televisão na região Amazônica, testemunharam o desmatamento da floresta e, sensibilizados com a causa, lançaram a campanha "Amazônia para sempre".

Leia a seguir a carta aberta escrita por esses artistas, que foi divulgada na internet para coletar assinaturas.

Carta aberta de artistas brasileiros sobre a devastação da Amazônia

Acabamos de comemorar o menor desmatamento da Floresta Amazônica dos últimos três anos: 17 mil quilômetros quadrados. É quase a metade da Holanda. Da área total já desmatamos 16%, o equivalente a duas vezes a Alemanha e três Estados de São Paulo. Não há motivo para comemorações. A Amazônia não é o pulmão do mundo, mas presta serviços ambientais importantíssimos ao Brasil e ao Planeta. Essa vastidão verde que se estende por mais de cinco milhões de quilômetros quadrados é um lençol térmico engendrado pela natureza para que os raios solares não atinjam o solo, propiciando a vida da mais exuberante floresta da Terra e auxiliando na regulação da temperatura do Planeta.

Logotipo da campanha "Amazônia para sempre".

▸ **térmico:** que conserva a temperatura.
▸ **engendrado:** gerado, produzido, criado.

Depois de tombada na sua pujança, estuprada por madeireiros sem escrúpulos, ateiam fogo às suas vestes de esmeralda abrindo passagem aos forasteiros que a humilham ao semear capim e soja nas cinzas de castanheiras centenárias. Apesar do extraordinário esforço de implantarmos unidades de conservação como alternativas de desenvolvimento sustentável, a devastação continua. Mesmo depois do sangue de Chico Mendes ter selado o pacto de harmonia homem/natureza, entre seringueiros e indígenas, mesmo depois da aliança dos povos da floresta "pelo direito de manter nossas florestas em pé, porque delas dependemos para viver", mesmo depois de inúmeras sagas cheias de heroísmo, morte e paixão pela Amazônia, a devastação continua.

Como no passado, enxergamos a Floresta como um obstáculo ao progresso, como área a ser vencida e conquistada. Um imenso estoque de terras a se tornarem pastos pouco produtivos, campos de soja e espécies vegetais para combustíveis alternativos ou então uma fonte inesgotável de madeira, peixe, ouro, minerais e energia elétrica. Continuamos um povo irresponsável. O desmatamento e o incêndio são o símbolo da nossa incapacidade de compreender a delicadeza e a instabilidade do ecossistema amazônico e como tratá-lo.

Um país que tem 165 000 km² de área desflorestada, abandonada ou semiabandonada, pode dobrar a sua produção de grãos sem a necessidade de derrubar uma única árvore. É urgente que nos tornemos responsáveis pelo gerenciamento do que resta dos nossos valiosos recursos naturais.

Portanto, a nosso ver, como único procedimento cabível para desacelerar os efeitos quase irreversíveis da devastação, segundo o que determina o § 4º, do Artigo 225 da Constituição Federal, onde se lê:

"A Floresta Amazônica é patrimônio nacional, e sua utilização far-se-á, na forma da lei, dentro de condições que **assegurem a preservação do meio ambiente**, inclusive quanto ao uso dos recursos naturais."

Assim, deve-se implementar em níveis Federal, Estadual e Municipal A INTERRUPÇÃO IMEDIATA DO DESMATAMENTO DA FLORESTA AMAZÔNICA. JÁ!

É hora de enxergarmos nossas árvores como monumentos de nossa cultura e história.

SOMOS UM POVO DA FLORESTA!

Disponível em: <http://ecoviagem.uol.com.br/noticias/ambiente/carta-aberta-de-artistas-brasileiros-sobre-a-devastacao-da-amazonia-6510.asp>. Acesso em: 3 nov. 2018.

Converse com os colegas sobre as questões a seguir.

1▸ Qual é o objetivo dessa carta aberta?

2▸ Cite alguns argumentos apresentados na carta para convencer os leitores a aderirem à causa defendida.

3▸ Releia as frases finais da carta aberta.

> É hora de enxergarmos nossas árvores como monumentos de nossa cultura e história.
> SOMOS UM POVO DA FLORESTA!

Qual é a provável intenção dos autores da carta com essas frases finais?

Chico Mendes (1944-1988), além de seringueiro, foi ativista ambiental. Acriano, lutava pela preservação da Floresta Amazônica e conseguiu dar projeção mundial à causa. Como não havia escolas nos seringais, só aprendeu a ler entre 19 e 20 anos. Aos 30, começou sua atuação como líder sindical e, desde então, participou de ações em defesa da Floresta Amazônica e de áreas indígenas. Em homenagem a suas ações, nomearam o instituto que protege o patrimônio natural no Brasil de Instituto Chico Mendes de Conservação da Biodiversidade (ICMBio).

▸ **pujança:** grandeza, força, vigor.

▸ **escrúpulo:** preocupação ética e moral, cuidado, zelo.

▸ **cabível:** adequado, que tem cabimento, que vale.

▸ **irreversível:** que não é possível reverter.

 Mundo virtual

<http://www.icmbio.gov.br/portal/>

O Instituto Chico Mendes de Conservação da Biodiversidade (ICMBio) vincula-se ao Ministério do Meio Ambiente. De acordo com o portal do instituto, sua missão é "proteger o patrimônio natural e promover o desenvolvimento socioambiental". Acesso em: 14 nov. 2018.

Carta aberta

Agora vocês vão produzir uma carta aberta para defender a causa de interesse da comunidade apresentada pelo grupo de vocês no seminário proposto na seção *Prática de oralidade*.

» Planejamento

1 › Relembre com os colegas o seminário "Por mim ou por todos", que organizaram sobre uma causa de interesse da comunidade, conforme proposto em *Prática de oralidade*.

2 › Retomem as anotações feitas para o seminário, que poderão ser usadas para a produção de uma carta aberta em defesa da causa selecionada por seu grupo.

3 › Pesquisem um pouco mais a causa que vocês selecionaram, procurando por notícias ou reportagens que possam ajudar na elaboração da carta aberta.

4 › Durante a pesquisa, verifiquem se as fontes consultadas são confiáveis.

5 › Planejem a carta aberta considerando as informações apresentadas no esquema a seguir.

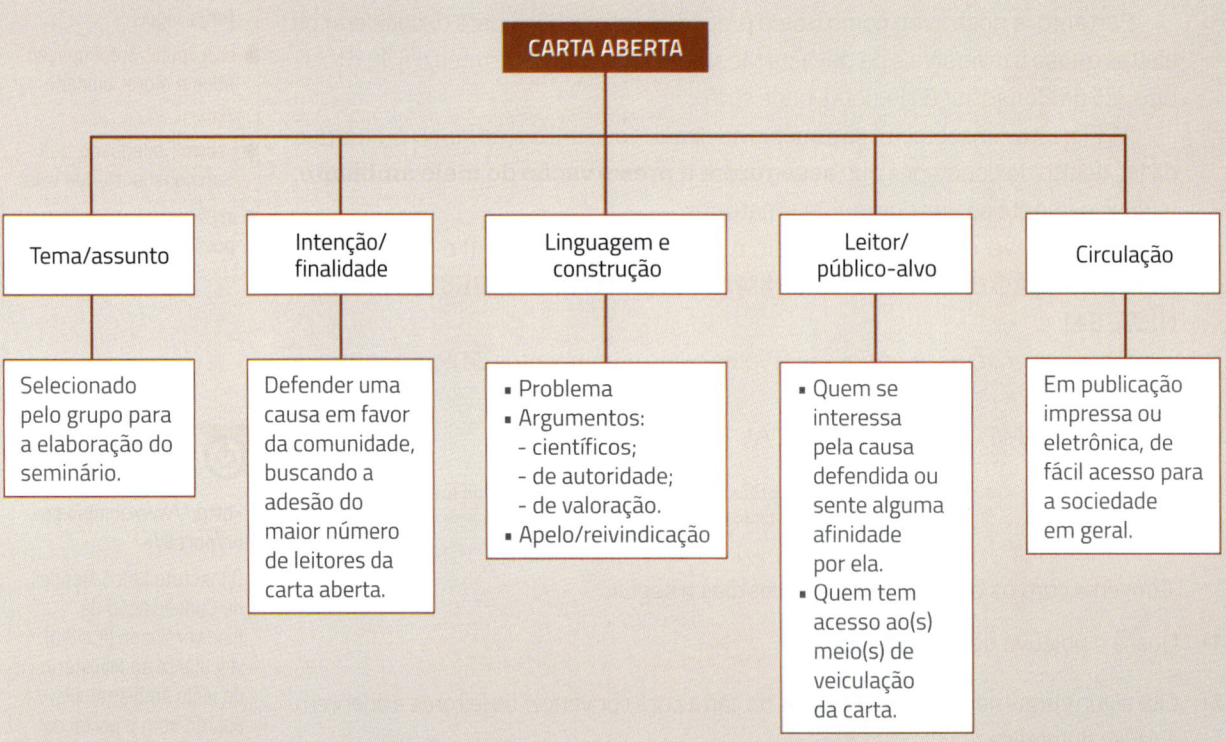

CARTA ABERTA

Tema/assunto	Intenção/finalidade	Linguagem e construção	Leitor/público-alvo	Circulação
Selecionado pelo grupo para a elaboração do seminário.	Defender uma causa em favor da comunidade, buscando a adesão do maior número de leitores da carta aberta.	▪ Problema ▪ Argumentos: – científicos; – de autoridade; – de valoração. ▪ Apelo/reivindicação	▪ Quem se interessa pela causa defendida ou sente alguma afinidade por ela. ▪ Quem tem acesso ao(s) meio(s) de veiculação da carta.	Em publicação impressa ou eletrônica, de fácil acesso para a sociedade em geral.

6 › Identifiquem o público que pretendem sensibilizar para essa causa e que, assim, poderá apoiar a proposta de vocês. Para isso, reflitam: Que grupo de pessoas é afetado pela causa do grupo? Quem costuma se interessar por propostas dessa natureza? Considerando isso, a quem a carta será dirigida: à comunidade escolar, à vizinhança do bairro ou a um grupo específico, como associações de moradores, etc.? De que maneira ela será divulgada?

7▸ Elaborem um roteiro para a escrita da carta aberta, organizando o texto de acordo com os itens a seguir.

a) A quem ela vai se dirigir.

b) Ancoragem e/ou apresentação do problema a ser solucionado.

c) Opinião ou posicionamento diante do problema.

d) Argumentos:

- ideias para fundamentar o posicionamento;
- dados estatísticos e informações pesquisadas;
- trechos de lei sobre o assunto abordado;
- depoimentos de autoridades e especialistas;
- algum exemplo de ação concreta que vocês conheçam.

e) Conclusão: convocação e mobilização da opinião pública para uma ação concreta.

8▸ Para o emprego da linguagem mais adequada, observem:

a) o público-alvo da carta: idade, grau de escolaridade, nível socioeconômico, localização geográfica, etc. No caso de grupos, o alvo pode ser a comunidade escolar, a vizinhança do bairro ou grupos específicos (por exemplo: associações de moradores);

b) o formato da carta aberta: texto escrito para publicação no mural da escola ou no jornal do bairro ou mesmo em *site* da escola/comunidade.

➠ Rascunho e revisão do texto

1▸ Façam um rascunho da carta aberta.

2▸ Leiam seu texto para a turma. Ouçam e analisem os comentários do professor e dos colegas sobre:

- a construção do texto (definição do problema, argumentos e proposta);
- a consistência e adequação dos argumentos;
- a adequação das escolhas de linguagem mais formal.

➠ Versão final

1▸ Escrevam a versão final da carta aberta fazendo os ajustes necessários.

2▸ A carta pode ser enriquecida com ilustrações e/ou ser acompanhada de um logotipo.

➠ Publicação

1▸ Organizem um painel com as cartas abertas elaboradas e escolham uma para ser veiculada com o objetivo de coletar assinaturas de apoio.

2▸ Se possível, encaminhem a carta aberta às pessoas da comunidade, às autoridades ou aos órgãos responsáveis pela resolução do problema exposto no documento.

3▸ Aguardem as providências do professor, necessárias à publicação da carta aberta no *site* ou página da escola (ou da comunidade) nas redes sociais.

Jean Galvão/Arquivo da editora

Chegou o momento de fazer um balanço de tudo o que foi estudado na Unidade 8. Leia o quadro de conteúdos para recordar o que estudou e, no caderno, avalie seu desempenho usando os tópicos propostos a seguir como orientação. Isso ajudará você na hora de organizar seus estudos.

Meu desempenho

- **Compreendi bem** (registre no caderno os itens que você compreendeu)
- **Avancei em** (registre no caderno os itens em que você melhorou)
- **Preciso rever** (registre no caderno os itens que você precisa estudar mais)
- **Outras observações e/ou outras atividades**

UNIDADE 8	
Gênero Carta aberta	**LEITURA E INTERPRETAÇÃO** · Leitura da "Carta aberta pela defesa dos Corais da Amazônia", do Greenpeace · Localização e identificação das partes da carta aberta: ancoragem, problema, argumentação, apelo/reivindicação, lista de signatários · Identificação dos recursos de linguagem adotados **PRODUÇÃO** **Oral** · Seminário: Por mim ou por todos? **Escrita** · Produção de carta aberta: tema apresentado pelo grupo no seminário
Ampliação de leitura	**CONEXÕES** · Outras linguagens: Cartaz e charge · Petição *on-line* · Poema em defesa de uma causa **OUTRO TEXTO DO MESMO GÊNERO** · "Carta aberta de artistas brasileiros sobre a devastação da Amazônia"
Língua: usos e reflexão	· Concordância nominal · Desafios da língua: concordância específica de algumas palavras
Participação em atividades	· Orais · Coletivas · Em grupo

Filipe Rocha/Arquivo da editora

Projeto de Leitura

Caro leitor

No dia a dia, de diferentes modos, utilizando diversas linguagens, expressamos ideias e defendemos opiniões ao reagirmos diante de um acontecimento ou diante de um ponto de vista expresso por outra pessoa.

Ao defendermos um ponto de vista, escolhemos a linguagem que consideramos mais apropriada para a circunstância comunicativa em que nos encontramos, isto é, levamos em conta nossa intenção e o contexto em que ocorre a comunicação. Assim, por exemplo, usamos uma linguagem mais objetiva no caso de redigirmos um artigo de opinião, ou mais subjetiva quando a intenção é produzir uma letra de canção, um poema ou uma narrativa; ao compartilharmos nossas ideias em uma conversa, levamos em consideração o interlocutor e suas características.

Muitas vezes empregamos a linguagem verbal para expressar ideias e defender pontos de vista; porém, outras linguagens também podem ser empregadas com essa finalidade. Por exemplo, a linguagem corporal, por meio de gestos e movimentos do corpo na dança ou na mímica; a linguagem visual, por meio de formas e cores na construção de imagens; a linguagem dos signos digitais, como ícones e *emoticons*, empregados nas redes sociais.

Convidar você a trocar ideias e opiniões a respeito de fatos que acontecem ou podem acontecer na sua comunidade, na sua cidade ou no mundo é o objetivo das atividades propostas ao longo da leitura — e da escuta — dos textos que compõem a coletânea deste Projeto de Leitura.

Vamos a ela!

As autoras

Um conto, outros gêneros e diferentes formas de defender a opinião

Coletânea

Sumário

O grande mentecapto

Relato das aventuras e desventuras de Viramundo e de suas inenarráveis peregrinações

Fernando Sabino

De como Viramundo colheu rosas e espinhos em Barbacena, indo parar num hospício de onde logrou fugir, graças a uma treta bem-sucedida, e acabou candidato a prefeito da cidade.

[...]

Ao dar entrada em sua nova residência, Geraldo Viramundo foi levado diretamente ao gabinete do diretor, um velhinho de cabeça branca e olhos azuis que atendia pelo nome de Dr. Pantaleão.

— Você o que é, meu filho? — perguntou o Dr. Pantaleão.

— Sou cristão pela graça de Deus — respondeu Viramundo.

— Isso! Assim é que serve. Esse pelo menos fala. Cada doido com sua mania. De médico e de louco todos temos um pouco. Eu estou perguntando qual é a sua encarnação.

Antes que Viramundo pensasse em responder, Dr. Pantaleão disparava a falar, muito depressinha:

— Napoleão ainda temos uns três ou quatro. Já tivemos uma porção. Nunca tivemos é um papa, mas santo temos vários. Temos também um que é grão de milho, não pode ver uma galinha, foge correndo. E tem outro que é justamente galinha, vive a perseguir o pobre grão de milho, cacarejando. Tem um que é cafeteira: passa o dia inteiro com um braço na cintura e

Sylvain Barré/Arquivo da editora

outro para cima, mas não serve café a ninguém, acho que está vazia. Tem de tudo. Dom Pedro temos dois. Pedro Segundo, digo. Não sei por que, mas Pedro Primeiro nunca mais apareceu. O último que tivemos, já faz tempo, morreu de tanto grito do Ipiranga que ele dava, proclamando a Independência. Independência ou morte! Independência ou morte! Independência ou morte! Ficava assim o tempo todo montado numa vassoura. Você o que é?

— Eu sou mais eu — respondeu Viramundo prontamente.

— Não pode. Se você fosse mais você, não estaria aqui. Você é menos você, isso sim. E noves fora, zero. Se eu fosse você, seria alguém mais, não seria eu. Portanto, você tem que ser alguém. Basta escolher. Só não escolha Tiradentes, que você pode se dar mal. Já tivemos um, e acabaram enforcando o coitado. Foi preciso que Caxias, o pacificador, viesse botar ordem nesta joça, que isto aqui estava uma verdadeira loucura. Se é que você me permite esta redundância, hi! hi! hi! Todo mundo aqui dentro tem de ser alguém ou alguma coisa. Você o que é?

Sem esperar resposta, o Dr. Pantaleão se aproximou dele e continuou a falar, baixando a voz e com um brilho de esperteza nos olhinhos:

— Vou lhe dar um conselho: seja coisa, não seja gente. Coisa é muito melhor. Uma coisa bem macia, bem leve, bem fofa… Uma nuvem, por exemplo. Eu vou lhe contar um segredo, peço que não conte para ninguém. Quando vim para cá, minha intenção era ser uma nuvem, mas não pude, porque tinha que andar pelado, o que era incompatível com a minha condição de diretor. E você já imaginou uma nuvem de calças? Hi! hi! hi!

[…]

SABINO, Fernando. *O grande mentecapto*: relato das aventuras e desventuras de Viramundo e de suas inenarráveis peregrinações. 56. ed. Rio de Janeiro: Record, 2000. p. 86-88.

Carlos Chicarino/Agência Estado

Fernando Tavares Sabino nasceu em Belo Horizonte (MG), em 1923. Desde criança, demonstrou apreço pela leitura. Com 13 anos já escrevia contos e crônicas para jornais mineiros. Exímio nadador, venceu vários campeonatos de nado de costas, sua especialidade.

Em 1941, custeou a publicação de seu primeiro livro, *Os grilos não cantam mais*, que obteve muito sucesso. Em 1943, serviu no quartel de cavalaria de Juiz de Fora, período que lhe inspirou o romance *O grande mentecapto*.

Formou-se em Direito e trabalhou no exterior como repórter especial. Teve várias obras suas transpostas para o cinema. O romance *O encontro marcado*, de sua autoria, foi publicado em vários países da Europa. Faleceu na cidade do Rio de Janeiro, em 2004.

Reprodução/Editora Record

Balada do louco

Rita Lee e Arnaldo Baptista

Dizem que sou louca
Por pensar assim
Se eu sou muito louca
Por eu ser feliz
Mais louco é quem me diz!
E não é feliz!
Não é feliz…

Se eles são bonitos
Eu sou Sharon Stone
Se eles são famosos
I'm Rolling Stone
Mais louco é quem me diz!
E não é feliz!
Não é feliz…

Eu juro que é melhor
Não ser um normal
Se eu posso pensar
Que Deus sou eu

Se eles têm três carros
Eu posso voar
Se eles rezam muito
Eu sou santa!
Eu já estou no céu
Mais louco é quem me diz!
E não é feliz!
Não é feliz…

Eu juro que é melhor
Não ser um normal
Se eu posso pensar
Que Deus sou eu…

Sim! Sou muito louca
Não vou me curar
Já não sou a única
Que encontrou a paz
Mais louco é quem me diz!
E não é feliz!
Eu sou feliz!…

LEE, Rita; BAPTISTA, Arnaldo. Balada do louco. In: LEE, Rita. *Acústico MTV*. DVD Universal Music, 1998.

Rita Lee nasceu em São Paulo, em 1947. É compositora e vocalista. Em meados dos anos 1960 formou, com os irmãos Arnaldo e Sérgio Dias Baptista, o grupo de música experimental Os Mutantes, que, em 1967, acompanhou Gilberto Gil no III Festival de Música Popular Brasileira da TV Record, na apresentação da música "Domingo no parque", marco do tropicalismo. As composições de Rita Lee caracterizam-se pelo senso de humor e pela irreverência.

Arnaldo Baptista nasceu em São Paulo, em 1948. Compositor e músico, foi líder do grupo Os Mutantes. É considerado uma figura de transição entre o tropicalismo de 1960 e o *rock* brasileiro dos anos 1970 e 1980. Atualmente, dedica-se também à literatura e à pintura.

Rita Lee. *Acústico MTV*. Universal Music, 1998.

Maluco beleza

Raul Seixas

Enquanto você
se esforça pra ser
um sujeito normal
e fazer tudo igual…

Eu do meu lado,
aprendendo a ser louco
Um maluco total
na loucura real…

Controlando
a minha maluquez
misturada
com minha lucidez

Vou ficar
ficar com certeza
maluco beleza

Esse caminho
que eu mesmo escolhi
É tão fácil seguir
por não ter onde ir…

Controlando
a minha maluquez
misturada
com minha lucidez

Vou ficar
ficar com certeza
maluco beleza
Eu vou ficar…

SEIXAS, Raul. Maluco beleza.
Enciclopédia musical brasileira:
Raul Seixas. CD Warner, 2000.

Raul Seixas nasceu em Salvador, em 1945. Foi compositor e vocalista. Desde criança gostava de ler, criar personagens e contar histórias em quadrinhos. Na adolescência, foi influenciado pelo *rock* da década de 1950 e pela música do compositor Luiz Gonzaga. Suas composições fundem *rock* com ritmos brasileiros, como o baião e o xaxado. Conhecido pelo tom irreverente e crítico de suas músicas, continua sendo um ícone do *rock* brasileiro. Faleceu na cidade de São Paulo, em 1989.

Raul Seixas. *Enciclopédia musical brasileira*. Warner, 2000.

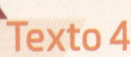

O alienista
Machado de Assis

I

De como Itaguaí ganhou uma Casa de Orates

As crônicas da vila de Itaguaí dizem que em tempos remotos vivera ali um certo médico, o Dr. Simão Bacamarte, filho da nobreza da terra e o maior dos médicos do Brasil, de Portugal e das Espanhas. Estudara em Coimbra e Pádua. Aos trinta e quatro anos regressou ao Brasil, não podendo el-rei alcançar dele que ficasse em Coimbra, regendo a universidade, ou em Lisboa, expedindo os negócios da monarquia.

— A ciência, disse ele a Sua Majestade, é o meu emprego único; Itaguaí é o meu universo.

Dito isto, meteu-se em Itaguaí, e entregou-se de corpo e alma ao estudo da ciência, alternando as curas com as leituras, e demonstrando os teoremas com cataplasmas. Aos quarenta anos casou com D. Evarista da Costa e Mascarenhas, senhora de vinte e cinco anos, viúva de um juiz de fora, e não bonita nem simpática. Um dos tios dele, caçador de pacas perante o Eterno, e não menos franco, admirou-se de semelhante escolha e disse-lho. Simão Bacamarte explicou-lhe que D. Evarista reunia condições fisiológicas e anatômicas de primeira ordem, digeria com facilidade, dormia regularmente, tinha bom pulso, e excelente vista; estava assim apta para dar-lhe filhos robustos, sãos e inteligentes. Se além dessas prendas, — únicas dignas da preocupação de um sábio, D. Evarista era mal composta de feições, longe de lastimá-lo, agradecia-o a Deus, porquanto não corria o risco de preterir os interesses da ciência na contemplação exclusiva, miúda e vulgar da consorte.

> **Casa de Orates:** no sentido próprio, 'casa de loucos'; por extensão, 'casa de gente insensata, onde ninguém se entende'. (N.E.)*

*Notas do editor da edição ASSIS, Machado de. *O alienista*. São Paulo: Ática, 1998.

Alexandre Camanho/Arquivo da editora

D. Evarista mentiu às esperanças do Dr. Bacamarte, não lhe deu filhos robustos nem mofinos. A índole natural da ciência é a longanimidade; o nosso médico esperou três anos, depois quatro, depois cinco. Ao cabo desse tempo fez um estudo profundo da matéria, releu todos os escritores árabes e outros, que trouxera para Itaguaí, enviou consultas às universidades italianas e alemãs, e acabou por aconselhar à mulher um regímen alimentício especial. A ilustre dama, nutrida exclusivamente com a bela carne de porco de Itaguaí, não atendeu às admoestações do esposo; e à sua resistência, — explicável, mas inqualificável, — devemos a total extinção da dinastia dos Bacamartes.

Mas a ciência tem o inefável dom de curar todas as mágoas; o nosso médico mergulhou inteiramente no estudo e na prática da medicina. Foi então que um dos recantos desta lhe chamou especialmente a atenção, — o recanto psíquico, o exame de patologia cerebral. Não havia na colônia, e ainda no reino, uma só autoridade em semelhante matéria, mal explorada, ou quase inexplorada. Simão Bacamarte compreendeu que a ciência lusitana, e particularmente a brasileira, podia cobrir-se de "louros imarcescíveis", — expressão usada por ele mesmo, mas em um arroubo de intimidade doméstica; exteriormente era modesto, segundo convém aos sabedores.

— A saúde da alma, bradou ele, é a ocupação mais digna do médico.

— Do verdadeiro médico, emendou Crispim Soares, boticário da vila, e um dos seus amigos e comensais.

A vereança de Itaguaí, entre outros pecados de que é arguida pelos cronistas, tinha o de não fazer caso dos dementes. Assim é que cada louco furioso era trancado em uma alcova, na própria casa, e, não curado, mas descurado, até que a morte o vinha defraudar do benefício da vida; os mansos andavam à solta pela rua. Simão Bacamarte entendeu desde logo reformar tão ruim costume; pediu licença à câmara para agasalhar e tratar no edifício que ia construir todos os loucos de Itaguaí e das demais vilas e cidades, mediante um estipêndio, que a câmara lhe daria quando a família do enfermo o não pudesse fazer. A proposta excitou a curiosidade de toda a vila, e encontrou grande resistência, tão certo é que dificilmente se desarraigam hábitos absurdos, ou ainda maus. A ideia de meter os loucos na mesma casa, vivendo em comum, pareceu em si mesma sintoma de demência e não faltou quem o insinuasse à própria mulher do médico.

— Olhe, D. Evarista, disse-lhe o padre Lopes, vigário do lugar, veja se seu marido dá um passeio ao Rio de Janeiro. Isso de estudar sempre, sempre, não é bom, vira o juízo.

D. Evarista ficou aterrada. Foi ter com o marido, disse-lhe "que estava com desejos", um principalmente, o de vir ao Rio de Janeiro e comer tudo o que a ele lhe parecesse adequado a certo fim. Mas aquele grande homem, com a rara sagacidade que o distinguia, penetrou a intenção da esposa e redarguiu-lhe sorrindo que não tivesse medo. Dali foi à câmara, onde os vereadores debatiam a proposta, e defendeu-a com tanta eloquência, que a maioria resolveu autorizá-lo ao que pedira, votando ao mesmo tempo um imposto destinado a subsidiar o tratamento, alojamento e mantimento dos doidos pobres. A matéria do imposto não foi fácil achá-la; tudo estava tributado em Itaguaí. Depois de longos estudos, assentou-se em permitir o uso de dois penachos nos cavalos dos enterros. Quem quisesse emplumar os cavalos de um coche mortuário pagaria dois tostões à câmara, repetindo-se tantas vezes esta quantia quantas fossem as horas decorridas entre a do falecimento e a da última bênção na sepultura. O escrivão perdeu-se nos cálculos aritméticos do rendimento possível da nova taxa; e um dos vereadores, que não acreditava na empresa do médico, pediu que se relevasse o escrivão de um trabalho inútil.

— Os cálculos não são precisos, disse ele, porque o Dr. Bacamarte não arranja nada. Quem é que viu agora meter todos os doidos dentro da mesma casa?

Enganava-se o digno magistrado; o médico arranjou tudo. Uma vez empossado da licença começou logo a construir a casa. Era na Rua Nova, a mais bela rua de Itaguaí naquele tempo; tinha cinquenta janelas por lado, um pátio no centro, e numerosos cubículos para os hóspedes. Como fosse grande arabista, achou no Corão que Maomé declara veneráveis os doidos, pela consideração de que Alá lhes tira o juízo para que não pequem. A ideia pareceu-lhe bonita e profunda, e ele a fez gravar no frontispício da casa; mas, como tinha medo ao vigário, e por tabela ao bispo, atribuiu o pensamento a Benedito VIII, merecendo com essa fraude, aliás pia, que o padre Lopes lhe contasse, ao almoço, a vida daquele pontífice eminente.

A Casa Verde foi o nome dado ao asilo, por alusão à cor das janelas, que pela primeira vez apareciam verdes em Itaguaí. Inaugurou-se com imensa pompa; de todas as vilas e povoações próximas, e até remotas, e da própria cidade do Rio de Janeiro, correu gente para assistir às cerimônias, que duraram sete dias. Muitos dementes já estavam recolhidos; e os parentes tiveram ocasião de ver o carinho paternal e a caridade cristã com que eles iam ser tratados. D. Evarista, contentíssima com a glória do marido, vestiu-se luxuosamente, cobriu-se de joias, flores e sedas. Ela foi uma verdadeira rainha naqueles dias memoráveis; ninguém deixou de ir visitá-la duas e três vezes, apesar dos costumes caseiros e recatados do século, e não só a cortejavam como a louvavam; porquanto, — e este fato é um documento altamente honroso para a sociedade do tempo, — porquanto viam nela a feliz esposa de um alto espírito, de um varão ilustre, e, se lhe tinham inveja, era a santa e nobre inveja dos admiradores.

Ao cabo de sete dias expiraram as festas públicas; Itaguaí tinha finalmente uma Casa de Orates.

> **Corão:** livro sagrado do Islã, escrito por Maomé e atribuído a Deus, isto é, Alá. Simão Bacamarte, evidentemente, esconde a sua preferência pelos textos árabes para evitar incompatibilidades entre suas predileções intelectuais e os princípios religiosos do padre Lopes. (N.E.)

II

Torrentes de loucos

Três dias depois, numa expansão íntima com o boticário Crispim Soares, desvendou o alienista o mistério do seu coração.

— A caridade, Sr. Soares, entra decerto no meu procedimento, mas entra como tempero, como o sal das coisas, que é assim que interpreto o dito de S. Paulo aos Coríntios: "Se eu conhecer quanto se pode saber, e não tiver caridade, não sou nada". O principal nesta minha obra da Casa Verde é estudar profundamente a loucura, os seus diversos graus, classificar-lhe os casos, descobrir enfim a causa do fenômeno e o remédio universal. Este é o mistério do meu coração. Creio que com isto presto um bom serviço à humanidade.

— Um excelente serviço, corrigiu o boticário.

— Sem este asilo, continuou o alienista, pouco poderia fazer; ele dá-me, porém, muito maior campo aos meus estudos.

— Muito maior, acrescentou o outro.

E tinha razão. De todas as vilas e arraiais vizinhos afluíam loucos à Casa Verde. Eram furiosos, eram mansos, eram monomaníacos, era toda a família dos deserdados do espírito. Ao cabo de quatro meses, a Casa Verde era uma povoação. Não bastaram os primeiros cubículos; mandou-se anexar uma galeria de mais trinta e sete. O padre Lopes confessou que não imaginara a existência de tantos doidos no mundo, e menos ainda o inexplicável de alguns casos. Um, por exemplo, um rapaz bronco e vilão, que todos os dias, depois do almoço, fazia regularmente um discurso acadêmico, ornado de tropos, de antíteses, de apóstrofes, com seus recamos de grego e latim, e suas borlas de Cícero, Apuleio e Tertuliano. O vigário não queria acabar de crer. Quê! um rapaz que ele vira, três meses antes, jogando peteca na rua!

— Não digo que não, respondia-lhe o alienista; mas a verdade é o que Vossa Reverendíssima está vendo. Isto é todos os dias.

— Quanto a mim, tornou o vigário, só se pode explicar pela confusão das línguas na torre de Babel, segundo nos conta a Escritura; provavelmente, confundidas antigamente as línguas, é fácil trocá-las agora, desde que a razão não trabalhe…

— Essa pode ser, com efeito, a explicação divina do fenômeno, concordou o alienista depois de refletir um instante, mas não é impossível que haja também alguma razão humana, e puramente científica, e disso trato…

— Vá que seja, e fico ansioso. Realmente!

Os loucos por amor eram três ou quatro, mas só dois espantavam pelo curioso do delírio. O primeiro, um Falcão, rapaz de vinte e cinco anos, supunha-se estrela-d'alva, abria os braços e alargava as pernas, para dar-lhes certa feição de raios, e ficava assim horas esquecidas a perguntar se o sol já tinha saído para ele recolher-se. O outro andava sempre, sempre, sempre, à roda das salas ou do pátio, ao longo dos corredores, à procura do fim do mundo. Era um desgraçado, a quem a mulher deixou por seguir um peralvilho. Mal descobrira a fuga, armou-se de uma garrucha, e saiu-lhes no encalço; achou-os duas horas depois, ao pé de uma lagoa, matou-os a ambos com os maiores requintes de crueldade.

O ciúme satisfez-se, mas o vingado estava louco. E então começou aquela ânsia de ir ao fim do mundo à cata dos fugitivos.

A mania das grandezas tinha exemplares notáveis. O mais notável era um pobre-diabo, filho de um algibebe, que narrava às paredes (porque não olhava nunca para nenhuma pessoa) toda a sua genealogia, que era esta:

— Deus engendrou um ovo, o ovo engendrou a espada, a espada engendrou Davi, Davi engendrou a púrpura, a púrpura engendrou o duque, o duque engendrou o marquês, o marquês engendrou o conde, que sou eu.

Dava uma pancada na testa, um estalo com os dedos, e repetia cinco, seis vezes seguidas:

— Deus engendrou um ovo, o ovo, etc.

Outro da mesma espécie era um escrivão, que se vendia por mordomo do rei; outro era um boiadeiro de Minas, cuja mania era distribuir boiadas a toda a gente, dava trezentas cabeças a um, seiscentas a outro, mil e duzentas a outro, e não acabava mais. Não falo dos casos de monomania religiosa; apenas citarei um sujeito que, chamando-se João de Deus, dizia agora ser o deus João, e prometia o reino dos céus a quem o adorasse, e as penas do inferno aos outros; e depois desse, o licenciado Garcia, que não dizia nada, porque imaginava que no dia em que chegasse a proferir uma só palavra, todas as estrelas se despegariam do céu e abrasariam a terra; tal era o poder que recebera de Deus.

Assim o escrevia ele no papel que o alienista lhe mandava dar, menos por caridade do que por interesse científico.

Cícero, Apuleio e Tertuliano: a leitura dos autores latinos antigos, como estes, era um dos requisitos indispensáveis de uma cultura clássica. Machado, na verdade, ironiza aqui a cultura de superfície que impressiona apenas pelos efeitos bombásticos da retórica tradicional e pelo recurso à citação dos clássicos. Veja que, em outros momentos do livro, o autor volta à carga contra o palavreado sonoro e vazio. (N.E.)

Que, na verdade, a paciência do alienista era ainda mais extraordinária do que todas as manias hospedadas na Casa Verde; nada menos que assombrosa. Simão Bacamarte começou por organizar um pessoal de administração; e, aceitando essa ideia ao boticário Crispim Soares, aceitou-lhe também dois sobrinhos, a quem incumbiu da execução de um regimento que lhes deu, aprovado pela câmara, da distribuição da comida e da roupa, e assim também da escrita, etc. Era o melhor que podia fazer, para somente cuidar do seu ofício. — A Casa Verde, disse ele ao vigário, é agora uma espécie de mundo, em que há o governo temporal e o governo espiritual. E o padre Lopes ria deste pio trocado, — e acrescentava, — com o único fim de dizer também uma chalaça: — Deixe estar, deixe estar, que hei de mandá-lo denunciar ao papa.

Uma vez desonerado da administração, o alienista procedeu a uma vasta classificação dos seus enfermos. Dividiu-os primeiramente em duas classes principais: os furiosos e os mansos; daí passou às subclasses, monomanias, delírios, alucinações diversas. Isto feito, começou um estudo acurado e contínuo; analisava os hábitos de cada louco, as horas de acesso, as aversões, as simpatias, as palavras, os gestos, as tendências; inquiria da vida dos enfermos, profissão, costumes, circunstâncias da revelação mórbida, acidentes da infância e da mocidade, doenças de outra espécie, antecedentes na família, uma devassa, enfim, como a não faria o mais atilado corregedor. E cada dia notava uma observação nova, uma descoberta interessante, um fenômeno extraordinário. Ao mesmo tempo estudava o melhor regímen, as substâncias medicamentosas, os meios curativos e os meios paliativos, não só os que vinham nos seus amados árabes, como os que ele mesmo descobria, à força de sagacidade e paciência. Ora, todo esse trabalho levava-lhe o melhor e o mais do tempo. Mal dormia e mal comia; e, ainda comendo, era como se trabalhasse, porque ora interrogava um texto antigo, ora ruminava uma questão, e ia muitas vezes de um cabo a outro do jantar sem dizer uma só palavra a D. Evarista.

III

Deus sabe o que faz

A ilustre dama, no fim de dois meses, achou-se a mais desgraçada das mulheres; caiu em profunda melancolia, ficou amarela, magra, comia pouco e suspirava a cada canto. Não ousava fazer-lhe nenhuma queixa ou reproche, porque respeitava nele o seu marido e senhor, mas padecia calada, e definhava a olhos vistos. Um dia, ao jantar, como lhe perguntasse o marido o que é que tinha, respondeu tristemente que nada; depois se atreveu um pouco, e foi ao ponto de dizer que se considerava tão viúva como dantes. E acrescentou:

— Quem diria nunca que meia dúzia de lunáticos…

Não acabou a frase; ou antes, acabou-a levantando os olhos ao teto, — os olhos, que eram a sua feição mais insinuante — negros, grandes, lavados de uma luz úmida, como os da aurora. Quanto ao gesto, era o mesmo que empregara no dia em que Simão Bacamarte a pediu em casamento. Não dizem as crônicas se D. Evarista brandiu aquela arma com o perverso intuito de degolar de uma vez a ciência, ou, pelo menos, decepar-lhe as mãos; mas a conjetura é verossímil. Em todo caso, o alienista não lhe atribuiu intenção. E não se irritou o grande homem, não ficou sequer consternado. O metal de seus olhos não deixou de ser o mesmo metal, duro, liso, eterno, nem a menor prega veio quebrar a superfície da fronte quieta como a água de Botafogo. Talvez um sorriso lhe descerrou os lábios, por entre os quais filtrou esta palavra macia como o óleo do Cântico:

— Consinto que vás dar um passeio ao Rio de Janeiro.

D. Evarista sentiu faltar-lhe o chão debaixo dos pés. Nunca dos nuncas vira o Rio de Janeiro, que posto não fosse sequer uma pálida sombra do que hoje é, todavia era alguma coisa mais do que Itaguaí. Ver o Rio de Janeiro, para ela, equivalia ao sonho do hebreu cativo. Agora, principalmente, que o marido assentara de vez naquela povoação interior, agora é que ela perdera as últimas esperanças de respirar os ares da nossa boa cidade; e justamente agora é que ele a convidava a realizar os seus desejos de menina e moça. D. Evarista não pôde dissimular o gosto de semelhante proposta. Simão Bacamarte pegou-lhe na mão e sorriu, — um sorriso tanto ou quanto filosófico, além de conjugal, em que parecia traduzir-se este pensamento: — "Não há remédio certo para as dores da alma; esta senhora definha, porque lhe parece que a não amo; dou-lhe o Rio de Janeiro, e consola-se". E porque era homem estudioso tomou nota da observação.

Mas um dardo atravessou o coração de D. Evarista. Conteve-se, entretanto; limitou-se a dizer ao marido que, se ele não ia, ela não iria também, porque não havia de meter-se sozinha pelas estradas.

— Irá com sua tia, redarguiu o alienista.

▶ **Cântico:** refere-se ao *Cântico dos Cânticos*, de Salomão. Parte do Antigo Testamento que trata do amor conjugal através dos diálogos poéticos entre o homem e a mulher. Observe em Simão Bacamarte o contraste irônico entre a dureza inflexível do cientista e a "maciez" interessada do marido. (N.E.)

Note-se que D. Evarista tinha pensado nisso mesmo; mas não quisera pedi-lo nem insinuá-lo, em primeiro lugar porque seria impor grandes despesas ao marido, em segundo lugar porque era melhor, mais metódico e racional que a proposta viesse dele.

— Oh! mas o dinheiro que será preciso gastar! suspirou D. Evarista sem convicção.

— Que importa? Temos ganho muito, disse o marido. Ainda ontem o escriturário prestou-me contas. Queres ver?

E levou-a aos livros. D. Evarista ficou deslumbrada. Era uma via-láctea de algarismos. E depois levou-a às arcas, onde estava o dinheiro.

Deus! eram montes de ouro, eram mil cruzados sobre mil cruzados, dobrões sobre dobrões; era a opulência.

Enquanto ela comia o ouro com os seus olhos negros, o alienista fitava-a, e dizia-lhe ao ouvido com a mais pérfida das alusões:

— Quem diria que meia dúzia de lunáticos…

Alexandre Camanho/Arquivo da editora

D. Evarista compreendeu, sorriu e respondeu com muita resignação:

— Deus sabe o que faz!

Três meses depois efetuava-se a jornada. D. Evarista, a tia, a mulher do boticário, um sobrinho deste, um padre que o alienista conhecera em Lisboa, e que de aventura achava-se em Itaguaí, cinco ou seis pajens, quatro mucamas, tal foi a comitiva que a população viu dali sair em certa manhã do mês de maio. As despedidas foram tristes para todos, menos para o alienista. Conquanto as lágrimas de D. Evarista fossem abundantes e sinceras, não chegaram a abalá-lo. Homem de ciência, e só de ciência, nada o consternava fora da ciência; e se alguma coisa o preocupava naquela ocasião, se ele deixava correr pela multidão um olhar inquieto e policial, não era outra coisa mais do que a ideia de que algum demente podia achar-se ali misturado com a gente de juízo.

— Adeus! soluçaram enfim as damas e o boticário.

E partiu a comitiva. Crispim Soares, ao tornar a casa, trazia os olhos entre as duas orelhas da besta ruana em que vinha montado; Simão Bacamarte alongava os seus pelo horizonte adiante, deixando ao cavalo a responsabilidade do regresso. Imagem vivaz do gênio e do vulgo! Um fita o presente, com todas as suas lágrimas e saudades, outro devassa o futuro com todas as suas auroras.

IV

Uma teoria nova

Ao passo que D. Evarista, em lágrimas, vinha buscando o Rio de Janeiro, Simão Bacamarte estudava por todos os lados uma certa ideia arrojada e nova, própria a alargar as bases da psicologia. Todo o tempo que lhe sobrava dos cuidados da Casa Verde era pouco para andar na rua, ou de casa em casa, conversando as gentes, sobre trinta mil assuntos, e virgulando as falas de um olhar que metia medo aos mais heroicos.

Um dia de manhã, — eram passadas três semanas, — estando Crispim Soares ocupado em <u>temperar um medicamento</u>, vieram dizer-lhe que o alienista o mandava chamar.

— Trata-se de negócio importante, segundo ele me disse, acrescentou o portador.

Crispim empalideceu. Que negócio importante podia ser, se não alguma notícia da comitiva, e especialmente da mulher? Porque este tópico deve ficar claramente definido, visto insistirem nele os cronistas; Crispim amava a mulher, e, desde trinta anos, nunca estiveram separados um só dia. Assim se explicam os monólogos que ele fazia agora, e que os fâmulos lhe ouviam muita vez: — "Anda, bem feito, quem te mandou consentir na viagem de Cesária? Bajulador, torpe bajulador! Só para adular ao Dr. Bacamarte. Pois agora aguenta-te; anda, aguenta-te, alma de lacaio, fracalhão, vil, miserável. Dizes *amém* a tudo, não é? aí tens o lucro, biltre!" — E muitos outros nomes feios, que um homem não deve dizer aos outros, quanto mais a si mesmo. Daqui a imaginar o efeito do recado é um nada. Tão depressa ele o recebeu como abriu mão das drogas e voou à Casa Verde.

Simão Bacamarte recebeu-o com a alegria própria de um sábio, uma alegria abotoada de circunspeção até o pescoço.

— Estou muito contente, disse ele.

— Notícias do nosso povo? perguntou o boticário com a voz trêmula.

O alienista fez um gesto magnífico, e respondeu:

— Trata-se de coisa mais alta, trata-se de uma experiência científica. Digo experiência, porque não me atrevo a assegurar desde já a minha ideia;

▶ **temperar um medicamento:** temperar não tem aqui o sentido culinário que é usual, mas significa preparar um remédio misturando proporcionalmente os elementos que o compõem. (N.E.)

nem a ciência é outra coisa, Sr. Soares, senão uma investigação constante. Trata-se, pois, de uma experiência, mas uma experiência que vai mudar a face da terra. A loucura, objeto dos meus estudos, era até agora uma ilha perdida no oceano da razão; começo a suspeitar que é um continente.

Disse isto, e calou-se, para ruminar o pasmo do boticário. Depois explicou compridamente a sua ideia. No conceito dele a insânia abrangia uma vasta superfície de cérebros; e desenvolveu isto com grande cópia de raciocínios, de textos, de exemplos. Os exemplos achou-os na história e em Itaguaí; mas, como um raro espírito que era, reconheceu o perigo de citar todos os casos de Itaguaí, e refugiou-se na história. Assim, apontou com especialidade alguns personagens célebres, Sócrates, que tinha um demônio familiar, Pascal, que via um abismo à esquerda, Maomé, Caracala, Domiciano, Calígula, etc., uma enfiada de casos e pessoas, em que de mistura vinham entidades odiosas, e entidades ridículas. E porque o boticário se admirasse de uma tal promiscuidade, o alienista disse-lhe que era tudo a mesma coisa, e até acrescentou sentenciosamente:

— A ferocidade, Sr. Soares, é o grotesco a sério.

— Gracioso, muito gracioso! Exclamou Crispim Soares, levantando as mãos ao céu.

Quanto à ideia de ampliar o território da loucura, achou-a o boticário extravagante; mas a modéstia, principal adorno de seu espírito, não lhe sofreu confessar outra coisa além de um nobre entusiasmo; declarou-a sublime e verdadeira, e acrescentou que era "caso de matraca". Esta expressão não tem equivalente no estilo moderno. Naquele tempo, Itaguaí, que como as demais vilas, arraiais e povoações da colônia, não dispunha de imprensa, tinha dois modos de divulgar uma notícia; ou por meio de cartazes manuscritos e pregados na porta da câmara e da matriz; — ou por meio de matraca.

Eis em que consistia este segundo uso. Contratava-se um homem, por um ou mais dias, para andar as ruas do povoado, com uma matraca na mão.

De quando em quando tocava a matraca, reunia-se gente, e ele anunciava o que lhe incumbiam, — um remédio para sezões, umas terras lavradias, um soneto, um donativo eclesiástico, a melhor tesoura da vila, o mais belo discurso do ano, etc. O sistema tinha inconvenientes para a paz pública; mas era conservado pela grande energia de divulgação que possuía. Por exemplo, um dos vereadores, — aquele justamente que mais se opusera à criação da Casa Verde, — desfrutava a reputação de perfeito educador de cobras e macacos, e aliás nunca domesticara um só desses bichos; mas tinha o cuidado de fazer trabalhar a matraca todos os meses. E dizem as crônicas que algumas pessoas afirmavam ter visto cascavéis dançando no peito do vereador; afirmação perfeitamente falsa, mas só devida à absoluta confiança no sistema. Verdade, verdade, nem todas as instituições do antigo regímen mereciam o desprezo do nosso século.

— Há melhor do que anunciar a minha ideia, é praticá-la, respondeu o alienista à insinuação do boticário.

E o boticário, não divergindo sensivelmente deste modo de ver, disse-lhe que sim, que era melhor começar pela execução.

— Sempre haverá tempo de a dar à matraca, concluiu ele.

Simão Bacamarte refletiu ainda um instante, e disse:

▶ **grande cópia de raciocínios:** *cópia* não quer dizer propriamente *reprodução*, nesse contexto, mas *abundância*; não se trata, pois, de "desenvolver uma ideia imitando pensamentos alheios", e sim de "desenvolver uma ideia com grande quantidade de exemplos". (N.E.)

▶ **demônio familiar:** o filósofo Sócrates acreditaria num espírito que acompanhava continuamente seus passos e dominava sua pessoa. (N.E.)

— Suponho o espírito humano uma vasta concha; o meu fim, Sr. Soares, é ver se posso extrair a pérola, que é a razão; por outros termos, demarquemos definitivamente os limites da razão e da loucura. A razão é o perfeito equilíbrio de todas as faculdades; fora daí insânia, insânia e só insânia.

O vigário Lopes, a quem ele confiou a nova teoria, declarou lisamente que não chegava a entendê-la, que era uma obra absurda; e, se não era absurda, era de tal modo colossal que não merecia princípio de execução.

— Com a definição atual, que é a de todos os tempos, acrescentou, a loucura e a razão estão perfeitamente delimitadas. Sabe-se onde uma acaba e onde a outra começa. Para que transpor a cerca?

Sobre o lábio fino e discreto do alienista roçou a vaga sombra de uma intenção de riso, em que o desdém vinha casado à comiseração; mas nenhuma palavra saiu de suas egrégias entranhas.

A ciência contentou-se em estender a mão à teologia, — com tal segurança, que a teologia não soube enfim se devia crer em si ou na outra. Itaguaí e o universo ficavam à beira de uma revolução.

V

O terror

Quatro dias depois, a população de Itaguaí ouviu consternada a notícia de que um certo Costa fora recolhido à Casa Verde.

— Impossível!

— Qual impossível! foi recolhido hoje de manhã.

— Mas, na verdade, ele não merecia… Ainda em cima! depois de tanto que ele fez…

Costa era um dos cidadãos mais estimados de Itaguaí. Herdara quatrocentos mil cruzados em boa moeda de el-rei Dom João V, dinheiro cuja renda bastava, segundo lhe declarou o tio no testamento, para viver "até o fim do mundo". Tão depressa recolheu a herança, como entrou a dividi-la em empréstimos, sem usura, mil cruzados a um, dois mil a outro, trezentos a este, oitocentos àquele, a tal ponto que, no fim de cinco anos, estava sem nada. Se a miséria viesse de chofre, o pasmo de Itaguaí seria enorme; mas veio devagar; ele foi passando da opulência à abastança, da abastança à mediania, da mediania à pobreza, da pobreza à miséria, gradualmente. Ao cabo daqueles cinco anos, pessoas que levavam o chapéu ao chão, logo que ele assomava no fim da rua, agora batiam-lhe no ombro, com intimidade, davam-lhe piparotes no nariz, diziam-lhe pulhas. E o Costa sempre lhano, risonho. Nem se lhe dava de ver que os menos corteses eram justamente os que tinham ainda a dívida em aberto; ao contrário, parece que os agasalhava com maior prazer, e mais sublime resignação. Um dia, como um desses incuráveis devedores lhe atirasse uma chalaça grossa, e ele se risse dela, observou um desafeiçoado, com certa perfídia: — "Você suporta esse sujeito para ver se ele lhe paga". Costa não se deteve um minuto, foi ao devedor e perdoou-lhe a dívida. — "Não admira, retorquiu o outro; o Costa abriu mão de uma estrela, que está no céu". Costa era perspicaz, entendeu que ele negava todo o merecimento ao ato, atribuindo-lhe a intenção de rejeitar o que não vinham meter-lhe na algibeira. Era também pundonoroso e inventivo; duas horas depois achou um meio de provar que lhe não cabia um tal labéu: pegou de algumas dobras, e mandou-as de empréstimo ao devedor.

— Agora espero que… — pensou ele sem concluir a frase.

Esse último rasgo do Costa persuadiu a crédulos e incrédulos; ninguém mais pôs em dúvida os sentimentos cavalheirescos daquele digno cidadão. As necessidades mais acanhadas saíram à rua, vieram bater-lhe à porta, com os seus chinelos velhos, com as suas capas remendadas. Um verme, entretanto, roía a alma do Costa: era o conceito do desafeto. Mas isso mesmo acabou; três meses depois veio este pedir-lhe uns cento e vinte cruzados com promessa de restituir-lhos daí a dois dias; era o resíduo da grande herança, mas era também uma nobre desforra: Costa emprestou o dinheiro logo, logo, e sem juros. Infelizmente não teve tempo de ser pago; cinco meses depois era recolhido à Casa Verde.

Imagina-se a consternação de Itaguaí, quando soube do caso. Não se falou em outra coisa, dizia-se que o Costa ensandecera, ao almoço, outros que de madrugada; e contavam-se os acessos, que eram furiosos, sombrios, terríveis, — ou mansos, e até engraçados, conforme as versões. Muita gente correu à Casa Verde, e achou o pobre Costa, tranquilo, um pouco espantado, falando com muita clareza, e perguntando por que motivo o tinham levado para ali. Alguns foram ter com o alienista. Bacamarte aprovava esses sentimentos de estima e compaixão, mas acrescentava que a ciência era a ciência, e que ele não podia deixar na rua um mentecapto. A última pessoa que intercedeu por ele (porque depois do que vou contar ninguém mais se atreveu a procurar o terrível médico) foi uma pobre senhora, prima do Costa. O alienista disse-lhe confidencialmente que este digno homem não estava no perfeito equilíbrio das faculdades mentais, à vista do modo como dissipara os cabedais que…

— Isso, não! isso, não! interrompeu a boa senhora com energia. Se ele gastou tão depressa o que recebeu, a culpa não é dele.

— Não?

— Não, senhor. Eu lhe digo como o negócio se passou. O defunto meu tio não era mau homem; mas quando estava furioso era capaz de nem tirar o chapéu ao Santíssimo. Ora, um dia, pouco tempo antes de morrer, descobriu que um escravo lhe roubara um boi; imagine como ficou. A cara era um pimentão; todo ele tremia, a boca escumava; lembra-me como se fosse hoje. Então um homem feio, cabeludo, em mangas de camisa, chegou-se a ele e pediu água. Meu tio (Deus lhe fale n'alma!) respondeu que fosse beber ao rio ou ao inferno. O homem olhou para ele, abriu a mão em ar de ameaça, e rogou esta praga: — "Todo o seu dinheiro não há de durar mais de sete anos e um dia, tão certo como isto ser o sino-salamão!" E mostrou o sino-salamão impresso no braço. Foi isto, meu senhor; foi esta praga daquele maldito.

Bacamarte espetara na pobre senhora um par de olhos agudos como punhais. Quando ela acabou, estendeu-lhe a mão polidamente, como se o fizesse à própria esposa do vice-rei, e convidou-a a ir falar ao primo. A mísera acreditou; ele levou-a à Casa Verde e encerrou-a na galeria dos alucinados.

A notícia desta aleivosia do ilustre Bacamarte lançou o terror à alma da população. Ninguém queria acabar de crer que, sem motivo, sem inimizade, o alienista trancasse na Casa Verde uma senhora perfeitamente ajuizada, que não tinha outro crime senão o de interceder por um infeliz. Comentava-se o caso nas esquinas, nos barbeiros; edificou-se um romance, umas finezas namoradas que o alienista outrora dirigira à prima do Costa, a indignação do Costa e o desprezo da prima. E daí a vingança. Era claro. Mas a austeridade do alienista, a vida de estudos que ele levava pareciam desmentir uma tal hipótese. Histórias! Tudo isso era naturalmente a capa do velhaco. E um dos mais crédulos chegou a murmurar que sabia de outras coisas, não as dizia, por não ter certeza plena, mas sabia, quase que podia jurar.

— Você, que é íntimo dele, não nos podia dizer o que há, o que houve, que motivo…!

▶ **sino-salamão:** ou *signo de salomão*, amuleto de onde proviria o poder ilimitado do profeta Salomão. Trata-se de um talismã circular com dois triângulos equiláteros gravados, que se sobrepõem formando um hexágono. (N.E.)

Crispim Soares derretia-se todo. Esse interrogar da gente inquieta e curiosa, dos amigos atônitos, era para ele uma consagração pública. Não havia duvidar; toda a povoação sabia enfim que o privado do alienista era ele, Crispim, o boticário, o colaborador do grande homem e das grandes coisas; daí a corrida à botica. Tudo isso dizia o carão jucundo e o riso discreto do boticário, o riso e o silêncio, porque ele não respondia nada; um, dois, três monossílabos, quando muito, soltos, secos, encapados no fiel sorriso, constante e miúdo, cheio de mistérios científicos, que ele não podia, sem desdouro nem perigo, desvendar a nenhuma pessoa humana.

"Há coisa", pensavam os mais desconfiados.

Um desses limitou-se a pensá-lo, deu de ombros e foi embora. Tinha negócios pessoais. Acabava de construir uma casa suntuosa. Só a casa bastava para deter e chamar toda gente; mas havia mais, — a mobília, que ele mandara vir da Hungria e da Holanda, segundo contava, e que se podia ver do lado de fora, porque as janelas viviam abertas, — e o jardim, que era uma obra-prima de arte e de gosto. Esse homem, que enriquecera no fabrico de albardas, tinha tido sempre o sonho de uma casa magnífica, jardim pomposo, mobília rara. Não deixou o negócio das albardas, mas repousava dele na contemplação da casa nova, a primeira de Itaguaí, mais grandiosa do que a Casa Verde, mais nobre do que a da câmara. Entre a gente ilustre da povoação havia choro e ranger de dentes, quando se pensava, ou se falava, ou se louvava a casa do albardeiro, — um simples albardeiro, — um simples albardeiro. Deus do céu!

— Lá está ele embasbacado, diziam os transeuntes, de manhã.

De manhã, com efeito, era costume do Mateus estatelar-se, no meio do jardim, com os olhos na casa, namorado, durante uma longa hora, até que vinham chamá-lo para almoçar. Os vizinhos, embora o cumprimentassem com certo respeito, riam-se por trás dele, que era um gosto. Um desses chegou a dizer que o Mateus seria muito mais econômico, e estaria riquíssimo, se fabricasse as <u>albardas para si mesmo</u>; epigrama ininteligível, mas que fazia rir às bandeiras despregadas.

— Agora lá está o Mateus a ser contemplado, diziam à tarde.

A razão deste outro dito era que, de tarde, quando as famílias saíam a passeio (jantavam cedo) usava o Mateus postar-se à janela, bem no centro, vistoso, sobre um fundo escuro, trajado de branco, atitude senhoril, e assim ficava duas e três horas até que anoitecia de todo. Pode crer-se que a intenção do Mateus era ser admirado e invejado, posto que ele não a confessasse a nenhuma pessoa, nem ao boticário, nem ao padre Lopes, seus grandes amigos. E entretanto não foi outra a alegação do boticário, quando o alienista lhe disse que o albardeiro talvez padecesse do amor das pedras, mania que ele Bacamarte descobrira e estudava desde algum tempo. Aquilo de contemplar a casa…

— Não, senhor, acudiu vivamente Crispim Soares.

— Não?

— Há de perdoar-me, mas talvez não saiba que ele de manhã examina a obra, não a admira; de tarde, são os outros que o admiram a ele e à obra. — E contou o uso do albardeiro, todas as tardes, desde cedo até o cair da noite.

Uma volúpia científica alumiou os olhos de Simão Bacamarte. Ou ele não conhecia todos os costumes do albardeiro, ou nada mais quis, interrogando o Crispim, do que confirmar alguma notícia incerta ou suspeita vaga. A explicação satisfê-lo; mas como tinha as alegrias próprias de um sábio, concentradas, nada viu o boticário que fizesse suspeitar uma intenção sinistra.

▶ **albarda para si mesmo:** 'sela grosseira para animais de carga'; assim, o epigrama, isto é, o dito satírico segundo o qual Mateus estaria rico "se fabricasse albardas para si mesmo" não é tão "ininteligível" como sugere ironicamente o texto de Machado. (N.E.)

Ao contrário, era de tarde, e o alienista pediu-lhe o braço para irem a passeio. Deus! era a primeira vez que Simão Bacamarte dava ao seu privado tamanha honra. Crispim ficou trêmulo, atarantado, disse que sim, que estava pronto. Chegaram duas ou três pessoas de fora, Crispim mandou-as mentalmente a todos os diabos; não só atrasavam o passeio, como podia acontecer que Bacamarte elegesse alguma delas, para acompanhá-lo, e o dispensasse a ele. Que impaciência! que aflição! Enfim, saíram. O alienista guiou para os lados da casa do albardeiro, viu-o à janela, passou cinco, seis vezes por diante, devagar, parando, examinando as atitudes, a expressão do rosto. O pobre Mateus, apenas notou que era objeto da curiosidade ou admiração do primeiro vulto de Itaguaí, redobrou de expressão, deu outro relevo às atitudes… Triste! triste, não fez mais do que condenar-se; no dia seguinte, foi recolhido à Casa Verde.

—A Casa Verde é um cárcere privado, disse um médico sem clínica.

Nunca uma opinião pegou e grassou tão rapidamente. Cárcere privado: eis o que se repetia de norte a sul e de leste a oeste de Itaguaí, — a medo, é verdade, porque durante a semana que se seguiu à captura do pobre Mateus, vinte e tantas pessoas, — duas ou três de consideração, — foram recolhidas à Casa Verde. O alienista dizia que só eram admitidos os casos patológicos, mas pouca gente lhe dava crédito. Sucediam-se as versões populares. Vingança, cobiça de dinheiro, castigo de Deus, monomania do próprio médico, plano secreto do Rio de Janeiro com o fim de destruir em Itaguaí qualquer germe de prosperidade que viesse a brotar, arvorecer, florir, com desdouro e míngua daquela cidade; mil outras explicações, que não explicavam nada, tal era o produto diário da imaginação pública.

Nisto chegou do Rio de Janeiro a esposa do alienista, a tia, a mulher do Crispim Soares, e toda a mais comitiva, — ou quase toda — que algumas semanas antes partira de Itaguaí. O alienista foi recebê-la, com o boticário, o padre Lopes, os vereadores e vários outros magistrados. O momento em que D. Evarista pôs os olhos na pessoa do marido é considerado pelos cronistas do tempo como um dos mais sublimes da história moral dos homens, e isto pelo contraste das duas naturezas, ambas extremas, ambas egrégias. D. Evarista soltou um grito, — balbuciou uma palavra e atirou-se ao consorte — de um gesto que não se pode melhor definir do que comparando-o a uma mistura de onça e rola. Não assim o ilustre Bacamarte; frio como diagnóstico, sem desengonçar por um instante a rigidez científica, estendeu os braços à dona que caiu neles e desmaiou. Curto incidente; ao cabo de dois minutos D. Evarista recebia os cumprimentos dos amigos e o préstito punha-se em marcha.

Alexandre Camanho/Arquivo da editora

D. Evarista era a esperança de Itaguaí; contava-se com ela para minorar o flagelo da Casa Verde. Daí as aclamações públicas, a imensa gente que atulhava as ruas, as flâmulas, as flores e damascos às janelas. Com o braço apoiado no do padre Lopes — porque o eminente confiara a mulher ao vigário e acompanhava-os a passo meditativo — D. Evarista voltava a cabeça a um lado e outro, curiosa, inquieta, petulante. O vigário indagava do Rio de Janeiro, que ele não vira desde o vice-reinado anterior, e D. Evarista respondia entusiasmada que era a coisa mais bela que podia haver no mundo. O Passeio Público estava acabado, um paraíso onde ela fora muitas vezes, e a Rua das Belas Noites, o chafariz das Marrecas… Ah! o chafariz das Marrecas! Eram mesmo marrecas — feitas de metal e despejando água pela boca fora. Uma coisa galantíssima. O vigário dizia que sim, que o Rio de Janeiro devia estar agora muito mais bonito. Se já o era noutro tempo! Não admira, maior do que Itaguaí e, demais, sede do governo… Mas não se pode dizer que Itaguaí fosse feio; tinha belas casas, a casa do Mateus, a Casa Verde…

— A propósito de Casa Verde, disse o padre Lopes escorregando habilmente para o assunto da ocasião, a senhora vem achá-la muito cheia de gente.

— Sim?

— É verdade. Lá está o Mateus…

— O albardeiro?

— O albardeiro; está o Costa, a prima do Costa, e Fulano, e Sicrano, e…

— Tudo isso doido?

— Ou quase doido, obtemperou o padre.

— Mas então?

O vigário derreou os cantos da boca, à maneira de quem não sabe nada ou não quer dizer tudo; resposta vaga, que se não pode repetir a outra pessoa por falta de texto. D. Evarista achou realmente extraordinário que toda aquela gente ensandecesse; um ou outro, vá; mas todos? Entretanto custava-lhe duvidar; o marido era um sábio, não recolheria ninguém à Casa Verde sem prova evidente de loucura.

— Sem dúvida… sem dúvida… ia pontuando o vigário.

Três horas depois cerca de cinquenta convivas sentavam-se em volta da mesa de Simão Bacamarte; era o jantar das boas-vindas. D. Evarista foi o assunto obrigado dos brindes, discursos, versos de toda a casta, metáforas, amplificações, apólogos. Ela era a esposa do novo <u>Hipócrates</u>, a musa da ciência, anjo, divina, aurora, caridade, vida, consolação; trazia nos olhos duas estrelas segundo a versão modesta de Crispim Soares e dois sóis no conceito de um vereador. O alienista ouvia essas coisas um tanto enfastiado, mas sem visível impaciência. Quando muito, dizia ao ouvido da mulher que a retórica permitia tais arrojos sem significação. D. Evarista fazia esforços para aderir a esta opinião do marido; mas, ainda descontando três quartas partes das louvaminhas, ficava muito com que enfunar-lhe a alma. Um dos oradores, por exemplo, Martim Brito, rapaz de vinte e cinco anos, pintalegrete acabado, curtido de namoros e aventuras, declamou um discurso em que o nascimento de D. Evarista era explicado pelo mais singular dos reptos. "Deus, disse ele, depois de dar o universo ao homem e à mulher, esse diamante e essa pérola da coroa divina (e o orador arrastava triunfalmente esta frase de uma ponta a outra da mesa), Deus quis vencer a Deus, e criou D. Evarista."

> **Hipócrates:** alusão elogiosa ao Dr. Simão Bacamarte, comparando-o ao mais ilustre médico da Antiguidade. Nessa passagem, ironiza-se novamente a volúpia retórica e o gosto pelas citações clássicas. [N.E.]

D. Evarista baixou os olhos com exemplar modéstia. Duas senhoras, achando a cortesanice excessiva e audaciosa, interrogaram os olhos do dono da casa; e, na verdade, o gesto do alienista pareceu-lhes nublado de suspeitas, de ameaças e provavelmente de sangue. O atrevimento foi grande, pensaram as duas damas. E uma e outra pediam a Deus que removesse qualquer episódio trágico — ou que o adiasse ao menos para o dia seguinte. Sim, que o adiasse. Uma delas, a mais piedosa, chegou a admitir consigo mesma que D. Evarista não merecia nenhuma desconfiança, tão longe estava de ser atraente ou bonita. Uma simples água-morna. Verdade é que, se todos os gostos fossem iguais, o que seria do amarelo? Esta ideia fê-la tremer outra vez, embora menos; menos, porque o alienista sorria agora para o Martim Brito, e, levantados todos, foi ter com ele e falou-lhe do discurso. Não lhe negou que era um improviso brilhante, cheio de rasgos magníficos. Seria dele mesmo a ideia relativa ao nascimento de D. Evarista ou tê-la-ia encontrado em algum autor que?... Não, senhor; era dele mesmo; achou-a naquela ocasião e pareceu-lhe adequada a um arroubo oratório. De resto, suas ideias eram antes arrojadas do que ternas ou jocosas. Dava para o épico. Uma vez, por exemplo, compôs uma ode à queda do Marquês de Pombal, em que dizia que esse ministro era o "dragão aspérrimo do Nada" esmagado pelas "garras vingadouras do Todo"; e assim outras mais ou menos fora do comum; gostava das ideias sublimes e raras, das imagens grandes e nobres...

Pobre moço! pensou o alienista. E continuou consigo: Trata-se de um caso de lesão cerebral: fenômeno sem gravidade, mas digno de estudo...

D. Evarista ficou estupefata quando soube, três dias depois, que o Martim Brito fora alojado na Casa Verde. Um moço que tinha ideias tão bonitas! As duas senhoras atribuíram o ato a ciúmes do alienista. Não podia ser outra coisa; realmente, a declaração do moço fora audaciosa demais.

Ciúmes? Mas como explicar que, logo em seguida, fossem recolhidos José Borges do Couto Leme, pessoa estimável, o Chico das cambraias, folgazão emérito, o escrivão Fabrício e ainda outros? O terror acentuou-se. Não se sabia já quem estava são, nem quem estava doido. As mulheres, quando os maridos saíam, mandavam acender uma lamparina a Nossa Senhora; e nem todos os maridos eram valorosos, alguns não andavam fora sem um ou dois capangas. Positivamente o terror. Quem podia emigrava. Um desses fugitivos chegou a ser preso a duzentos passos da vila. Era um rapaz de trinta anos, amável, conversado, polido, tão polido que não cumprimentava alguém sem levar o chapéu ao chão; na rua, acontecia-lhe correr uma distância de dez a vinte braças para ir apertar a mão a um homem grave, a uma senhora, às vezes a um menino, como acontecera ao filho do juiz de fora. Tinha a vocação das cortesias. De resto, devia as boas relações da sociedade, não só aos dotes pessoais, que eram raros, como à nobre tenacidade com que nunca desanimava diante de uma, duas, quatro, seis recusas, caras feias, etc. O que acontecia era que, uma vez entrado numa casa, não a deixava mais, nem os da casa o deixavam a ele, tão gracioso era o Gil Bernardes. Pois o Gil Bernardes, apesar de se saber estimado, teve medo quando lhe disseram um dia que o alienista o trazia de olho; na madrugada seguinte fugiu da vila, mas foi logo apanhado e conduzido à Casa Verde.

— Devemos acabar com isto!

— Não pode continuar!

— Abaixo a tirania!

— Déspota! violento! Golias!

Não eram gritos na rua, eram suspiros em casa mas não tardava a hora dos gritos. O terror crescia: avizinhava-se a rebelião. A ideia de uma petição ao governo, para que Simão Bacamarte fosse capturado e deportado, andou por algumas cabeças, antes que o barbeiro Porfírio a expendesse na loja com grandes gestos de indignação. Note-se — e essa é uma das laudas mais puras desta sombria história — note-se que o Porfírio, desde que a Casa Verde começara a povoar-se tão extraordinariamente, viu crescerem-lhe os lucros pela aplicação assídua de sanguessugas que dali lhe pediam; mas o interesse particular, dizia ele, deve ceder ao interesse público. E acrescentava: — é preciso derrubar o tirano! Note-se mais que ele soltou esse grito justamente no dia em que Simão Bacamarte fizera recolher à Casa Verde um homem que trazia com ele uma demanda, o Coelho.

— Não me dirão em que é que o Coelho é doido? bradou o Porfírio.

E ninguém lhe respondia; todos repetiam que era um homem perfeitamente ajuizado. A mesma demanda que ele trazia com o barbeiro, acerca de uns chãos de vila, era filha da obscuridade de um alvará e não da cobiça ou ódio. Um excelente caráter o Coelho. Os únicos desafeiçoados que tinha eram alguns sujeitos que, dizendo-se taciturnos, ou alegando andar com pressa, mal o viam de longe dobravam as esquinas, entravam nas lojas, etc. Na verdade, ele amava a boa palestra, a palestra comprida, gostada a sorvos largos, e assim é que nunca estava só, preferindo os que sabiam dizer duas palavras, mas não desdenhando os outros. O padre Lopes, que cultivava o Dante, e era inimigo do Coelho, nunca o via desligar-se de uma pessoa que não declamasse e emendasse este trecho:

La bocca sollevò dal fiero pasto
Quel "seccatore"…

mas uns sabiam do ódio do padre, e outros pensavam que isto era uma oração em latim.

"La bocca sollevò dal fiero pasto / Quel 'seccatore'…": trata-se da citação, modificada, de versos da *Divina comédia*, de Dante Alighieri, em que se narram os suplícios de dois traidores políticos no inferno: o conde Ugolino e o arcebispo de Pisa, Ruggieri degli Ubaldini. Na passagem referida, Ugolino aparece condenado a roer eternamente a nuca de Ruggieri (Inferno, XXXIII; 1-3: "La bocca sollevò dal fiero pasto / quel peccator, forbendola à cappelli / del capo ch'elli avea di retro guasto", que quer dizer: "aquele pecador (Ugolino) ergueu a boca do fero pasto (a nuca de Ruggieri), limpando-a (a boca) nos cabelos da cabeça cuja nuca ele estragara". Em *O alienista*, o padre Lopes faz um trocadilho mordaz, substituindo *peccator* por *seccatore* "a boca ergueu do fero pasto, aquele chato" (isto é, o Coelho, quando largava finalmente as pessoas que prendia em conversas intermináveis). (N.E.)

VI

A rebelião

Cerca de trinta pessoas ligaram-se ao barbeiro, redigiram e levaram uma representação à câmara.

A câmara recusou aceitá-la, declarando que a Casa Verde era uma instituição pública, e que a ciência não podia ser emendada por votação administrativa, menos ainda por movimentos de rua.

— Voltai ao trabalho, concluiu o presidente, é o conselho que vos damos.

A irritação dos agitadores foi enorme. O barbeiro declarou que iam dali levantar a bandeira da rebelião, e destruir a Casa Verde; que Itaguaí não podia continuar a servir de cadáver aos estudos e experiências de um déspota; que muitas pessoas estimáveis, algumas distintas, outras humildes mas dignas de apreço, jaziam nos cubículos da Casa Verde; que o despotismo científico do alienista complicava-se do espírito de ganância, visto que os loucos ou supostos tais não eram tratados de graça: as famílias, e em falta delas, a câmara pagavam ao alienista…

— É falso! interrompeu o presidente.

— Falso?

— Há cerca de duas semanas recebemos um ofício do ilustre médico em que nos declara que, tratando de fazer experiências de alto valor psicológico, desiste do estipêndio votado pela câmara, bem como nada receberá das famílias dos enfermos.

A notícia deste ato tão nobre, tão puro, suspendeu um pouco a alma dos rebeldes. Seguramente o alienista podia estar em erro, mas nenhum interesse alheio à ciência o instigava; e para demonstrar o erro, era preciso alguma coisa mais do que arruaças e clamores. Isto disse o presidente, com aplauso de toda a câmara. O barbeiro, depois de alguns instantes de concentração, declarou que estava investido de um mandato público e não restituiria a paz a Itaguaí antes de ver por terra a Casa Verde — "essa Bastilha da razão humana" — expressão que ouvira a um poeta local, e que ele repetiu com muita ênfase. Disse, e a um sinal todos saíram com ele.

Imagine-se a situação dos vereadores; urgia obstar ao ajuntamento, à rebelião, à luta, ao sangue. Para acrescentar ao mal, um dos vereadores que apoiara o presidente, ouvindo agora a denominação dada pelo barbeiro à Casa Verde — "Bastilha da razão humana", — achou-a tão elegante, que mudou de parecer. Disse que entendia de bom aviso decretar alguma medida que reduzisse a Casa Verde; e porque o presidente, indignado, manifestasse em termos enérgicos o seu pasmo, o vereador fez esta reflexão:

— Nada tenho que ver com a ciência; mas, se tantos homens em quem supomos juízo são reclusos por dementes, quem nos afirma que o alienado não é o alienista?

> **"essa Bastilha da razão humana"**: a Bastilha, antiga construção parisiense do século XIV que fora transformada por Richelieu em prisão, tornou-se o símbolo da tirania e da opressão monárquica quando foi tomada pelo povo em 1789, em episódio (Queda da Bastilha) que marcou o advento da Revolução Francesa e que é comemorado até hoje no 14 de julho. Dizer que a Casa Verde é uma "Bastilha da razão humana" já é, pois, um convite a derrubá-la. (N.E.)

Sebastião Freitas, o vereador dissidente, tinha o dom da palavra e falou ainda por algum tempo, com prudência mas com firmeza. Os colegas estavam atônitos; o presidente pediu-lhe que, ao menos, desse o exemplo da ordem e do respeito à lei, não aventasse as suas ideias na rua, para não dar corpo e alma à rebelião, que era por ora um turbilhão d'átomos dispersos. Esta figura corrigiu um pouco o efeito da outra: Sebastião Freitas prometeu suspender qualquer ação, reservando-se o direito de pedir pelos meios legais a redução da Casa Verde. E repetia consigo, namorado: — Bastilha da razão humana!

Entretanto a arruaça crescia. Já não eram trinta, mas trezentas pessoas que acompanhavam o barbeiro, cuja alcunha familiar deve ser mencionada, porque ela deu o nome à revolta: chamavam-lhe o Canjica, — e o movimento ficou célebre com o nome de revolta dos Canjicas. A ação podia ser restrita, visto que muita gente, ou por medo, ou por hábitos de educação, não descia à rua; mas o sentimento era unânime, ou quase unânime, e os trezentos que caminhavam para a Casa Verde, — dada a diferença de Paris a Itaguaí, — podiam ser comparados aos que tomaram a Bastilha.

D. Evarista teve notícia da rebelião antes que ela chegasse; veio dar-lha uma de suas crias. Ela provava nessa ocasião um vestido de seda, — um dos trinta e sete que trouxera do Rio de Janeiro, — e não quis crer.

— Há de ser alguma patuscada, dizia ela mudando a posição de um alfinete. Benedita, vê se a barra está boa.

— Está, sinhá, respondia a mucama de cócoras no chão, está boa. Sinhá vira um bocadinho. Assim. Está muito boa.

— Não é patuscada, não, senhora; eles estão gritando: — Morra o Dr. Bacamarte! o tirano! dizia o moleque assustado.

— Cala a boca, tolo! Benedita, olha aí do lado esquerdo; não parece que a costura está um pouco enviesada? A risca azul não segue até abaixo; está muito feio assim; é preciso descoser para ficar igualzinho e… — Morra o Dr. Bacamarte! Morra o tirano! uivaram fora trezentas vozes. Era a rebelião que desembocava na Rua Nova.

D. Evarista ficou sem pinga de sangue. No primeiro instante não deu um passo, não fez um gesto; o terror petrificou-a. A mucama correu instintivamente para a porta do fundo. Quanto ao moleque, a quem D. Evarista não dera crédito, teve um instante de triunfo súbito, imperceptível, entranhado, de satisfação moral, ao ver que a realidade vinha jurar por ele.

— Morra o alienista! — bradavam as vozes mais perto.

D. Evarista, se não resistia facilmente às comoções de prazer, sabia entestar com os momentos de perigo. Não desmaiou; correu à sala interior onde o marido estudava. Quando ela ali entrou, precipitada, o ilustre médico escrutava um texto de Averróis, os olhos dele, empanados pela cogitação, subiam do livro ao teto e baixavam do teto ao livro, cegos para a realidade exterior, videntes para os profundos trabalhos mentais. D. Evarista chamou pelo marido duas vezes, sem que ele lhe desse atenção; à terceira, ouviu e perguntou-lhe o que tinha, se estava doente.

> **Averróis:** lendo os escritos desse médico e filósofo andaluz do século XII, Simão Bacamarte denuncia mais uma vez sua preferência pela sabedoria árabe. As doutrinas filosóficas de Averróis, tendentes ao materialismo e ao panteísmo, foram condenadas pela Santa Sé e pela Universidade de Paris. (N.E.)

— Você não ouve esses gritos? Perguntou a digna esposa em lágrimas.

O alienista atendeu então; os gritos aproximavam-se, terríveis, ameaçadores; ele compreendeu tudo. Levantou-se da cadeira de espaldar em que estava sentado, fechou o livro, e a passo firme e tranquilo, foi depositá-lo na estante. Como a introdução do volume desconcertasse um pouco a linha dos dois tomos contíguos, Simão Bacamarte cuidou de corrigir esse defeito mínimo, e, aliás, interessante. Depois disse à mulher que se recolhesse, que não fizesse nada.

— Não, não, implorava a digna senhora, quero morrer ao lado de você…

Simão Bacamarte teimou que não, que não era caso de morte; e ainda que o fosse, intimava-lhe, em nome da vida, que ficasse. A infeliz dama curvou a cabeça, obediente e chorosa.

— Abaixo a Casa Verde! bradavam os Canjicas.

O alienista caminhou para a varanda da frente e chegou ali no momento em que a rebelião também chegava e parava, defronte, com as suas trezentas cabeças rutilantes de civismo e sombrias de desespero. — Morra! morra! bradaram de todos os lados, apenas o vulto do alienista assomou na varanda. Simão Bacamarte fez um sinal pedindo para falar; os revoltosos cobriram-lhe a voz com brados de indignação. Então o barbeiro, agitando o chapéu, a fim de impor silêncio à turba, conseguiu aquietar os amigos, e declarou ao alienista que podia falar, mas acrescentou que não abusasse da paciência do povo como fizera até então.

— Direi pouco, ou até não direi nada, se for preciso. Desejo saber primeiro o que pedis.

— Não pedimos nada, replicou fremente o barbeiro; ordenamos que a Casa Verde seja demolida, ou pelo menos despojada dos infelizes que lá estão.

— Não entendo.

— Entendeis bem, tirano; queremos dar liberdade às vítimas do vosso ódio, capricho, ganância…

O alienista sorriu, mas o sorriso desse grande homem não era coisa visível aos olhos da multidão; era uma contração leve de dois ou três músculos, nada mais. Sorriu e respondeu:

— Meus senhores, a ciência é coisa séria, e merece ser tratada com seriedade. Não dou razão dos meus atos de alienista a ninguém, salvo aos mestres e a Deus. Se quereis emendar à administração da Casa Verde, estou pronto a ouvir-vos; mas, se exigis que me negue a mim mesmo, não ganhareis nada. Poderia convidar alguns de vós em comissão dos outros a vir ver comigo os loucos reclusos; mas não o faço, porque seria dar-vos razão do meu sistema, o que não farei a leigos nem a rebeldes.

Disse isto o alienista, e a multidão ficou atônita; era claro que não esperava tanta energia e menos ainda tamanha serenidade. Mas o assombro cresceu de ponto quando o alienista, cortejando a multidão com muita gravidade, deu-lhe as costas e retirou-se lentamente para dentro. O barbeiro tornou logo a si, e, agitando o chapéu, convidou os amigos à demolição da Casa Verde; poucas vozes e frouxas lhe responderam. Foi nesse momento decisivo que o barbeiro sentiu despontar em si a ambição do governo; pareceu-lhe então que, demolindo a Casa Verde e derrocando a influência do alienista, chegaria a apoderar-se da câmara, dominar as demais autoridades e constituir-se senhor de Itaguaí. Desde alguns anos que ele forcejava por ver o seu nome incluído nos pelouros para o sorteio dos vereadores, mas era recusado por não ter uma posição compatível com tão grande cargo. A ocasião era agora ou nunca. Demais fora tão longe na arruaça que a derrota seria a prisão, ou talvez a forca ou o degredo. Infelizmente, a resposta do alienista diminuíra o furor dos sequazes. O barbeiro, logo que o percebeu, sentiu um impulso de indignação, e quis bradar-lhes: — Canalhas! covardes! — mas conteve-se, e rompeu deste modo:

— Meus amigos, lutemos até o fim! A salvação de Itaguaí está nas vossas mãos dignas e heroicas. Destruamos o cárcere de vossos filhos e pais, de vossas mães e irmãs, de vossos parentes e amigos, e de vós mesmos. Ou morrereis a pão e água, talvez a chicote, na masmorra daquele indigno.

E a multidão agitou-se, murmurou, bradou, ameaçou, congregou-se toda em derredor do barbeiro. Era a revolta que tornava a si da ligeira síncope, e ameaçava arrasar a Casa Verde.

— Vamos! bradou Porfírio agitando o chapéu.

— Vamos! repetiram todos.

Deteve-os um incidente: era um corpo de dragões que, a marche-marche, entrava na Rua Nova.

VII

O inesperado

Chegados os dragões em frente aos Canjicas houve um instante de estupefação: os Canjicas não queriam crer que a força pública fosse mandada contra eles; mas o barbeiro compreendeu tudo e esperou. Os dragões pararam, o capitão intimou à multidão que se dispersasse; mas, conquanto uma parte dela estivesse inclinada a isso, a outra parte apoiou fortemente o barbeiro, cuja resposta consistiu nestes termos alevantados:

— Não nos dispersaremos. Se quereis os nossos cadáveres, podeis tomá-los; mas só os cadáveres; não levareis a nossa honra, o nosso crédito, os nossos direitos, e com eles a salvação de Itaguaí.

Nada mais imprudente do que essa resposta do barbeiro; e nada mais natural. Era a vertigem das grandes crises. Talvez fosse também um excesso de confiança na abstenção das armas por parte dos dragões; confiança que o capitão dissipou logo, mandando carregar sobre os Canjicas. O momento foi indescritível. A multidão urrou furiosa; alguns, trepando às janelas das casas, ou correndo pela rua fora, conseguiram escapar; mas a maioria ficou bufando de cólera, indignada, animada pela exortação do barbeiro. A derrota dos Canjicas estava iminente, quando um terço dos dragões, — qualquer que fosse o motivo, as crônicas não o declaram, — passou subitamente para o lado da rebelião. Este inesperado reforço deu alma aos Canjicas, ao mesmo tempo que lançou o desânimo às fileiras da legalidade. Os soldados fiéis não tiveram coragem de atacar os seus próprios camaradas, e, um a um, foram passando para eles, de modo que, ao cabo de alguns minutos, o aspecto das coisas era totalmente outro. O capitão estava de um lado, com alguma gente, contra uma massa compacta que o ameaçava de morte. Não teve remédio, declarou-se vencido e entregou a espada ao barbeiro.

A revolução triunfante não perdeu um só minuto; recolheu os feridos às casas próximas, e guiou para a câmara. Povo e tropa fraternizavam, davam vivas a el-rei, ao vice-rei, a Itaguaí, ao "ilustre Porfírio". Este ia na frente, empunhando tão destramente a espada, como se ela fosse apenas uma navalha um pouco mais comprida. A vitória cingia-lhe a fronte de um nimbo misterioso. A dignidade de governo começava a enrijar-lhe os quadris.

Os vereadores, às janelas, vendo a multidão e a tropa, cuidaram que a tropa capturara a multidão, e sem mais exame, entraram e votaram uma petição ao vice-rei para que mandasse dar um mês de soldo aos dragões, "cujo denodo salvou Itaguaí do abismo a que o tinha lançado uma cáfila de rebeldes". Esta frase foi proposta por Sebastião Freitas, o vereador dissidente cuja defesa dos Canjicas tanto escandalizara os colegas. Mas bem depressa a ilusão se desfez. Os vivas ao barbeiro, os morras aos vereadores e ao alienista vieram dar-lhes notícia da triste realidade. O presidente não desanimou:
— Qualquer que seja a nossa sorte, disse ele, lembremo-nos que estamos ao serviço de Sua Majestade e do povo. — Sebastião insinuou que melhor se poderia servir à coroa e à vida saindo pelos fundos e indo conferenciar com o juiz de fora, mas toda a câmara rejeitou esse alvitre.

Daí a nada o barbeiro, acompanhado de alguns de seus tenentes, entrava na sala da vereança e intimava à câmara sua queda. A câmara não resistiu, entregou-se e foi dali para a cadeia. Então os amigos do barbeiro propuseram-lhe que assumisse o governo da vila em nome de Sua Majestade. Porfírio aceitou o encargo, embora não desconhecesse (acrescentou) os espinhos que trazia; disse mais que não podia dispensar o concurso dos amigos presentes; ao que eles prontamente anuíram. O barbeiro veio à janela, e comunicou ao povo essas resoluções, que o povo ratificou, aclamando o barbeiro. Este tomou a denominação de — "Protetor da vila em nome de Sua Majestade, e do povo". — Expediram-se logo várias ordens importantes, comunicações oficiais do novo governo, uma exposição minuciosa ao vice-rei, com muitos protestos de obediência às ordens de Sua Majestade; finalmente uma proclamação ao povo, curta, mas enérgica:

Itaguaienses!

"Uma Câmara corrupta e violenta conspirava contra os interesses de Sua Majestade e do povo. A opinião pública tinha-a condenado; um punhado de cidadãos, fortemente apoiados pelos bravos dragões de Sua Majestade, acaba de a dissolver ignominiosamente, e por unânime consenso da vila, foi-me confiado o mando supremo, até que Sua Majestade se sirva ordenar o que parecer melhor ao seu real serviço. Itaguaienses! não vos peço senão que me rodeeis de confiança, que me auxilieis em restaurar a paz e a fazenda pública, tão desbaratada pela câmara que ora findou às vossas mãos. Contai com o meu sacrifício, e ficai certos de que a coroa será por nós.

O protetor da vila em nome de Sua Majestade e do povo
PORFÍRIO CAETANO DAS NEVES."

Toda a gente advertiu no absoluto silêncio desta proclamação acerca da Casa Verde; e, segundo uns, não podia haver mais vivo indício dos projetos tenebrosos do barbeiro. O perigo era tanto maior quanto que, no meio mesmo desses graves sucessos, o alienista metera na Casa Verde umas sete ou oito pessoas, entre elas duas senhoras e sendo um dos homens aparentado com o Protetor. Não era um repto, um ato intencional; mas todos o interpretaram dessa maneira; e a vila respirou com a esperança de que o alienista dentro de vinte e quatro horas estaria a ferros e destruído o terrível cárcere.

O dia acabou alegremente. Enquanto o arauto da matraca ia recitando de esquina em esquina a proclamação, o povo espalhava-se nas ruas e jurava morrer em defesa do ilustre Porfírio. Poucos gritos contra a Casa Verde, prova de confiança na ação do governo. O barbeiro fez expedir um ato declarando feriado aquele dia, e entabulou negociações com o vigário para a celebração de um *Te--Deum*, tão conveniente era aos olhos dele a conjunção do poder temporal com o espiritual; mas o padre Lopes recusou abertamente o seu concurso.

— Em todo caso, Vossa Reverendíssima não se alistará entre os inimigos do governo? disse-lhe o barbeiro, dando à fisionomia um aspecto tenebroso.

Ao que o padre Lopes respondeu, sem responder:

— Como alistar-me, se o novo governo não tem inimigos?

O barbeiro sorriu; era a pura verdade. Salvo o capitão, os vereadores e os principais da vila, toda a gente o aclamava. Os mesmos principais, se o não aclamavam, não tinham saído contra ele. Nenhum dos <u>almotacés</u> deixou de vir receber as suas ordens. No geral, as famílias abençoavam o nome daquele que ia enfim libertar Itaguaí da Casa Verde e do terrível Simão Bacamarte.

> **almotacés:** funcionários encarregados de inspecionar os pesos e as medidas dos gêneros alimentícios, assim como de fixar seu preço e providenciar sua distribuição. (N.E.)

VIII

As angústias do boticário

Vinte e quatro horas depois dos sucessos narrados no capítulo anterior, o barbeiro saiu do palácio do governo, — foi a denominação dada à casa da câmara, — com dois ajudantes de ordens, e dirigiu-se à residência de Simão Bacamarte. Não ignorava ele que era mais decoroso ao governo mandá-lo chamar; o receio, porém, de que o alienista não obedecesse, obrigou-o a parecer tolerante e moderado.

Não descrevo o terror do boticário ao ouvir dizer que o barbeiro ia à casa do alienista. — Vai prendê-lo, pensou ele. E redobraram-lhe as angústias. Com efeito, a tortura moral do boticário naqueles dias de revolução excede a toda a descrição possível. Nunca um homem se achou em mais apertado lance: — a privança do alienista chamava-o ao lado deste, a vitória do barbeiro atraía-o ao barbeiro. Já a simples notícia da sublevação tinha-lhe sacudido fortemente a alma, porque ele sabia a unanimidade do ódio ao alienista; mas a vitória final foi também o golpe final. A esposa, senhora máscula, amiga particular de D. Evarista, dizia que o lugar dele era ao lado de Simão Bacamarte; ao passo que o coração lhe bradava que não, que a causa do alienista estava perdida, e que ninguém, por ato próprio, se amarra a um cadáver. Fê-lo Catão, é verdade, *sedvicta Catoni*, pensava ele, relembrando algumas palestras habituais do padre Lopes; mas Catão não se atou a uma causa vencida, ele era a própria causa vencida, a causa da república; o seu ato, portanto, foi de egoísta, de um miserável egoísta; minha situação é outra. Insistindo, porém, a mulher, não achou Crispim Soares outra saída em tal crise senão adoecer; declarou-se doente e meteu-se na cama.

— Lá vai o Porfírio à casa do Dr. Bacamarte, disse-lhe a mulher no dia seguinte à cabeceira da cama; vai acompanhado de gente.

—Vai prendê-lo, pensou o boticário.

Uma ideia traz outra; o boticário imaginou que, uma vez preso o alienista, viriam também buscá-lo a ele na qualidade de cúmplice. Esta ideia foi o melhor dos vesicatórios. Crispim Soares ergueu-se, disse que estava bom, que ia sair; e, apesar de todos os esforços e protestos da consorte, vestiu-se e saiu. Os velhos cronistas são unânimes em dizer que a certeza de que o marido ia colocar-se nobremente ao lado do alienista consolou grandemente a esposa do boticário; e notam com muita perspicácia o imenso poder moral de uma ilusão; porquanto, o boticário caminhou resolutamente ao palácio do governo e não à casa do alienista. Ali chegando, mostrou-se admirado de não ver o barbeiro, a quem ia apresentar os seus protestos de adesão, não o tendo feito desde a véspera por enfermo. E tossia com algum custo. Os altos funcionários que lhe ouviam esta declaração, sabedores da intimidade do boticário com o alienista, compreenderam toda a importância da adesão nova e trataram a Crispim Soares com apurado carinho; afirmaram-lhe que o barbeiro não tardava; Sua Senhoria tinha ido à Casa Verde, a negócio importante, mas não tardava. Deram-lhe cadeira, refrescos, elogios; disseram-lhe que a causa do ilustre Porfírio era a de todos os patriotas; ao que o boticário ia repetindo que sim, que nunca pensara outra coisa, que isso mesmo mandaria declarar a Sua Majestade.

IX

Dois lindos casos

Não se demorou o alienista em receber o barbeiro; declarou-lhe que não tinha meios de resistir, e portanto estava prestes a obedecer. Só uma coisa pedia, é que o não constrangesse a assistir pessoalmente à destruição da Casa Verde.

—Engana-se Vossa Senhoria, disse o barbeiro depois de alguma pausa, engana-se em atribuir ao governo intenções vandálicas. Com razão ou sem ela, a opinião crê que a maior parte dos doidos ali metidos estão em seu perfeito juízo, mas o governo reconhece que a questão é puramente científica e não cogita em resolver com posturas as questões científicas. Demais, a Casa Verde é uma instituição pública; tal a aceitamos das mãos da câmara dissolvida. Há entretanto — por força que há de haver um alvitre intermédio que restitua o sossego ao espírito público.

O alienista mal podia dissimular o assombro; confessou que esperava outra coisa, o arrasamento do hospício, a prisão dele, o desterro, tudo, menos...

—O pasmo de Vossa Senhoria, atalhou gravemente o barbeiro, vem de não atender à grave responsabilidade do governo. O povo, tomado de uma cega piedade que lhe dá em tal caso legítima indignação, pode exigir do governo certa ordem de atos; mas este, com a responsabilidade que lhe incumbe, não os deve praticar, ao menos integralmente, e tal é a nossa situação. A generosa revolução que ontem derrubou uma câmara vilipendiada e corrupta, pediu em altos brados o arrasamento da Casa Verde; mas pode entrar no ânimo do governo eliminar a loucura? Não. E se o governo não a pode eliminar, está ao menos apto para discriminá-la, reconhecê-la? Também não; é matéria de ciência. Logo, em assunto tão melindroso, o governo não pode, não quer dispensar o concurso de Vossa Senhoria. O que lhe pede é que de certa maneira demos alguma satisfação ao povo. Unamo-nos, e o povo saberá obedecer. Um dos alvitres aceitáveis, se Vossa Senhoria não indicar outro, seria fazer retirar da Casa Verde aqueles enfermos que estiverem quase curados e bem assim os maníacos de pouca monta, etc. Desse modo, sem grande perigo, mostraremos alguma tolerância e benignidade.

— Quantos mortos e feridos houve ontem no conflito? perguntou Simão Bacamarte depois de uns três minutos.

O barbeiro ficou espantado da pergunta, mas respondeu logo que onze mortos e vinte e cinco feridos.

— Onze mortos e vinte e cinco feridos! repetiu duas ou três vezes o alienista.

E em seguida declarou que o alvitre lhe não parecia bom, mas que ele ia catar algum outro, e dentro de poucos dias lhe daria resposta. E fez-lhe várias perguntas acerca dos sucessos da véspera, ataque, defesa, adesão dos dragões, resistência da câmara, etc., ao que o barbeiro ia respondendo com grande abundância, insistindo principalmente no descrédito em que a câmara caíra. O barbeiro confessou que o novo governo não tinha ainda por si a confiança dos principais da vila, mas o alienista podia fazer muito nesse ponto. O governo, concluiu o barbeiro, folgaria se pudesse contar não já com a simpatia senão com a benevolência do mais alto espírito de Itaguaí e seguramente do reino. Mas nada disso alterava a nobre e austera fisionomia daquele grande homem que ouvia calado, sem desvanecimento nem modéstia, mas impassível como um deus de pedra.

— Onze mortos e vinte e cinco feridos, repetiu o alienista depois de acompanhar o barbeiro até à porta. Eis aí dois lindos casos de doença cerebral. Os sintomas de duplicidade e descaramento deste barbeiro são positivos. Quanto à toleima dos que o aclamaram, não é preciso outra prova além dos onze mortos e vinte e cinco feridos. — Dois lindos casos!

— Viva o ilustre Porfírio! bradaram umas trinta pessoas que aguardavam o barbeiro à porta.

O alienista espiou pela janela e ainda ouviu este resto de uma pequena fala do barbeiro às trinta pessoas que o aclamavam:

— … porque eu velo, podeis estar certos disso, eu velo pela execução das vontades do povo. Confiai em mim; e tudo se fará pela melhor maneira. Só vos recomendo ordem. E ordem, meus amigos, é a base do governo…

— Viva o ilustre Porfírio! bradaram as trinta vozes, agitando os chapéus.

— Dois lindos casos! murmurou o alienista.

X

A restauração

Dentro de cinco dias, o alienista meteu na Casa Verde cerca de cinquenta aclamadores do novo governo. O povo indignou-se. O governo, atarantado, não sabia reagir. João Pina, outro barbeiro, dizia abertamente nas ruas que o Porfírio estava "vendido ao ouro de Simão Bacamarte", frase que congregou em torno de João Pina a gente mais resoluta da vila. Porfírio, vendo o antigo rival da navalha à testa da insurreição, compreendeu que a sua perda era irremediável, se não desse um grande golpe; expediu dois decretos, um abolindo a Casa Verde, outro desterrando o alienista. João Pina mostrou claramente com grandes frases que o ato de Porfírio era um simples aparato, um engodo, em que o povo não devia crer. Duas horas depois caía Porfírio ignominiosamente e João Pina assumia a difícil tarefa do governo. Como achasse nas gavetas as minutas da proclamação, da exposição ao vice-rei e de outros atos inaugurais do governo anterior, deu-se pressa em os fazer copiar e expedir; acrescentam os cronistas, e aliás subentende-se, que ele lhes mudou os nomes, e onde o outro barbeiro falara de uma câmara corrupta, falou este de "um intruso eivado das más doutrinas francesas e contrário aos sacrossantos interesses de Sua Majestade", etc.

Alexandre Camanho/Arquivo da editora

Nisto entrou na vila uma força mandada pelo vice-rei, e restabeleceu a ordem. O alienista exigiu desde logo a entrega do barbeiro Porfírio, e bem assim a de uns cinquenta e tantos indivíduos que declarou mentecaptos; e não só lhe deram esses como afiançaram entregar-lhe mais dezenove sequazes do barbeiro, que convalesciam das feridas apanhadas na primeira rebelião.

Este ponto da crise de Itaguaí marca também o grau máximo da influência de Simão Bacamarte. Tudo quanto quis, deu-se-lhe; e uma das mais vivas provas do poder do ilustre médico achamo-la na prontidão com que os vereadores, restituídos a seus lugares, consentiram em que Sebastião Freitas também fosse recolhido ao hospício. O alienista, sabendo da extraordinária inconsistência das opiniões desse vereador, entendeu que era um caso patológico, e pediu-o. A mesma coisa aconteceu ao boticário. O alienista, desde que lhe falaram da momentânea adesão de Crispim Soares à rebelião dos Canjicas, comparou-a à aprovação que sempre recebera dele ainda na véspera, e mandou capturá-lo. Crispim Soares não negou o fato, mas explicou-o dizendo que cedera a um movimento de terror ao ver a rebelião triunfante, e deu como prova a ausência de nenhum outro ato seu, acrescentando que voltara logo à cama, doente. Simão Bacamarte não o contrariou; disse, porém, aos circunstantes que o terror também é pai da loucura, e que o caso de Crispim Soares lhe parecia dos mais caracterizados.

Mas a prova mais evidente da influência de Simão Bacamarte foi a docilidade com que a câmara lhe entregou o próprio presidente. Este digno magistrado tinha declarado, em plena sessão, que não se contentava, para lavá-la da afronta dos Canjicas, com menos de trinta almudes de sangue: palavra que chegou aos ouvidos do alienista por boca do secretário da câmara, entusiasmado de tamanha energia. Simão Bacamarte começou por meter o secretário na Casa Verde, e foi dali à câmara, à qual declarou que o presidente estava padecendo da "demência dos touros", um gênero que ele pretendia estudar, com grande vantagem para os povos. A câmara a princípio hesitou, mas acabou cedendo.

Daí em diante foi uma coleta desenfreada. Um homem não podia dar nascença ou curso à mais simples mentira do mundo, ainda daquelas que aproveitam ao inventor ou divulgador, que não fosse logo metido na Casa Verde. Tudo era loucura. Os cultores de enigmas, os fabricantes de charadas, de anagramas, os maldizentes, os curiosos da vida alheia, os que põem todo o seu cuidado na tafularia, um ou outro almotacé enfunado, ninguém escapava aos emissários do alienista. Ele respeitava as namoradas e não poupava as namoradeiras, dizendo que as primeiras cediam a um impulso natural e as segundas a um vício. Se um homem era avaro ou pródigo, ia do mesmo modo para a Casa Verde; daí a alegação de que não havia regra para a completa sanidade mental. Alguns cronistas creem que Simão Bacamarte nem sempre procedia com lisura, e citam em abono da afirmação (que não sei se pode ser aceita) o fato de ter alcançado da câmara uma postura autorizando o uso de um anel de prata no dedo polegar da mão esquerda, a toda a pessoa que, sem outra prova documental ou tradicional, declarasse ter nas veias duas ou três onças de sangue godo. Dizem esses cronistas que o fim secreto da insinuação à câmara foi enriquecer um ourives amigo e compadre dele; mas, conquanto seja certo que o ourives viu prosperar o negócio depois da nova ordenação municipal, não o é menos que essa postura deu à Casa Verde uma multidão de inquilinos; pelo que, não se pode definir, sem temeridade, o verdadeiro fim do ilustre médico. Quanto à razão determinativa da captura e aposentação na Casa Verde de todos quantos usaram do anel, é um dos pontos mais obscuros da história de Itaguaí; a opinião mais verossímil é que eles foram recolhidos por andarem a gesticular, à toa, nas ruas, em casa, na igreja. Ninguém ignora que os doidos gesticulam muito. Em todo caso, é uma simples conjetura; de positivo, nada há.

— Onde é que este homem vai parar? Diziam os principais da terra. Ah! se nós tivéssemos apoiado os Canjicas...

Um dia de manhã — dia em que a câmara devia dar um grande baile, — a vila inteira ficou abalada com a notícia de que a própria esposa do alienista fora metida na Casa Verde. Ninguém acreditou; devia ser invenção de algum gaiato. E não era: era verdade pura. D. Evarista fora recolhida às duas horas da noite. O padre Lopes correu ao alienista e interrogou-o discretamente acerca do fato.

— Já há algum tempo que eu desconfiava, disse gravemente o marido. A modéstia com que ela vivera em ambos os matrimônios não podia conciliar-se com o furor das sedas, veludos, rendas e pedras preciosas que manifestou logo que voltou do Rio de Janeiro. Desde então comecei a observá-la.

Suas conversas eram todas sobre esses objetos; se eu lhe falava das antigas cortes, inquiria logo da forma dos vestidos das damas; se uma senhora a visitava na minha ausência, antes de me dizer o objeto da visita, descrevia-me o trajo, aprovando umas coisas e censurando outras. Um dia, creio que Vossa Reverendíssima há de lembrar-se, propôs-se a fazer anualmente um vestido para a imagem de Nossa Senhora da matriz. Tudo isto eram sintomas graves; esta noite, porém, declarou-se a total demência. Tinha escolhido, preparado, enfeitado o vestuário que levaria ao baile da câmara municipal; só hesitava entre um colar de granada e outro de safira. Anteontem perguntou-me qual deles levaria; respondi-lhe que um ou outro lhe ficava bem. Ontem repetiu a pergunta ao almoço; pouco depois de jantar fui achá-la calada e pensativa. — Que tem? perguntei-lhe. — Queria levar o colar de granada, mas acho o de safira tão bonito! — Pois leve o de safira. —Ah! Mas onde fica o de granada? — Enfim, passou a tarde sem novidade. Ceamos, e deitamo-nos. Alta noite, seria hora e meia, acordo e não a vejo; levanto-me, vou ao quarto de vestir, acho-a diante dos dois colares, ensaiando-os ao espelho, ora um ora outro. Era evidente a demência; recolhi-a logo.

O padre Lopes não se satisfez com a resposta, mas não objetou nada. O alienista, porém, percebeu e explicou-lhe que o caso de D. Evarista era de "mania suntuária", não incurável e em todo caso digno de estudo.

— Conto pô-la boa dentro de seis semanas, concluiu ele.

E a abnegação do ilustre médico deu-lhe grande realce. Conjeturas, invenções, desconfianças, tudo caiu por terra desde que ele não duvidou recolher à Casa Verde a própria mulher, a quem amava com todas as forças da alma. Ninguém mais tinha o direito de resistir-lhe — menos ainda o de atribuir-lhe intuitos alheios à ciência.

Era um grande homem austero, Hipócrates forrado de Ciatão.

XI

O assombro de Itaguaí

E agora prepare-se o leitor para o mesmo assombro em que ficou a vila ao saber um dia que os loucos da Casa Verde iam todos ser postos na rua.

— Todos?

— Todos.

— É impossível; alguns sim, mas todos...

— Todos. Assim o disse ele no ofício que mandou hoje de manhã à câmara.

De fato o alienista oficiara à câmara expondo: — 1º que verificara das estatísticas da vila e da Casa Verde que quatro quintos da população estavam aposentados naquele estabelecimento; 2º que esta deslocação de população levara-o a examinar os fundamentos da sua teoria das moléstias cerebrais, teoria que excluía da razão todos os casos em que o equilíbrio das faculdades não fosse perfeito e absoluto; 3º que, desse exame e do fato estatístico, resultara para ele a convicção de que a verdadeira doutrina não era aquela, mas a oposta, e portanto, que se devia admitir como normal e exemplar o desequilíbrio das faculdades e como hipóteses patológicas todos os casos em que aquele equilíbrio fosse ininterrupto; 4º que à vista disso declarava à câmara que ia dar liberdade aos reclusos da Casa Verde e agasalhar nela as pessoas que se achassem nas condições agora expostas; 5º que, tratando de descobrir a verdade científica, não se pouparia a esforços de toda a natureza, esperando da câmara igual dedicação; 6º que restituía à câmara e aos particulares a soma do estipêndio recebido para alojamento dos supostos loucos, descontada a parte efetivamente gasta com a alimentação, roupa, etc.; o que a câmara mandaria verificar nos livros e arcas da Casa Verde.

O assombro de Itaguaí foi grande; não foi menor a alegria dos parentes e amigos dos reclusos. Jantares, danças, luminárias, músicas, tudo houve para celebrar tão fausto acontecimento. Não descrevo as festas por não interessarem ao nosso propósito; mas foram esplêndidas, tocantes e prolongadas.

E vão assim as coisas humanas! No meio do regozijo produzido pelo ofício de Simão Bacamarte, ninguém advertia na frase final do § 4º, uma frase cheia de experiências futuras.

XII

O final do § 4º

Apagaram-se as luminárias, reconstituíram-se as famílias: tudo parecia reposto nos antigos eixos. Reinava a ordem, a câmara exercia outra vez o governo sem nenhuma pressão externa; o presidente e o vereador Freitas tornaram aos seus lugares. O barbeiro Porfírio, ensinado pelos acontecimentos, tendo "provado tudo", como o poeta disse de Napoleão, e mais alguma coisa, porque Napoleão não provou a Casa Verde, o barbeiro achou preferível a glória obscura da navalha e da tesoura às calamidades brilhantes do poder; foi, é certo, processado; mas a população da vila implorou a clemência de Sua Majestade; daí o perdão. João Fina foi absolvido, atendendo-se a que ele derrocara um rebelde. Os cronistas pensam que deste fato é que nasceu o nosso adágio: — ladrão que furta ladrão tem cem anos de perdão; — adágio imoral, é verdade, mas grandemente útil.

Não só findaram as queixas contra o alienista, mas até nenhum ressentimento ficou dos atos que ele praticara; acrescendo que os reclusos da Casa Verde, desde que ele os declarara plenamente ajuizados, sentiram-se tomados de profundo reconhecimento e férvido entusiasmo. Muitos entenderam que o alienista merecia uma especial manifestação e deram-lhe um baile, ao qual se seguiram outros bailes e jantares. Dizem as crônicas que D. Evarista a princípio tivera ideia de separar-se do consorte, mas a dor de perder a companhia de tão grande homem venceu qualquer ressentimento de amor-próprio e o casal veio a ser ainda mais feliz do que antes.

Não menos íntima ficou a amizade do alienista e do boticário. Este concluiu do ofício de Simão Bacamarte que a prudência é a primeira das virtudes em tempos de revolução e apreciou muito a magnanimidade do alienista, que ao dar-lhe a liberdade estendeu-lhe a mão de amigo velho.

— É um grande homem, disse ele à mulher, referindo àquela circunstância.

Não é preciso falar do albardeiro, do Costa, do Coelho, do Martim Brito e outros especialmente nomeados neste escrito; basta dizer que puderam exercer livremente os seus hábitos anteriores. O próprio Martim Brito, recluso por um discurso em que louvara enfaticamente D. Evarista, fez agora outro em honra do insigne médico —"cujo altíssimo gênio, elevando as asas muito acima do sol, deixou abaixo de si todos os demais espíritos da terra".

—Agradeço as suas palavras, retorquiu-lhe o alienista, e ainda me não arrependo de o haver restituído à liberdade.

Entretanto, a câmara, que respondera ao ofício de Simão Bacamarte com a ressalva de que oportunamente estatuiria em relação ao final do § 4º, tratou enfim de legislar sobre ele. Foi adotada sem debate uma postura, autorizando o alienista a agasalhar na Casa Verde as pessoas que se achassem no gozo do perfeito equilíbrio das faculdades mentais. E porque a experiência da câmara tivesse sido dolorosa, estabeleceu ela a cláusula de que a autorização era provisória, limitada a um ano, para o fim de ser experimentada a nova teoria psicológica, podendo a câmara, antes mesmo daquele prazo, mandar fechar a Casa Verde, se a isso fosse aconselhada por motivos de ordem pública. O vereador Freitas propôs também a declaração de que, em nenhum caso, fossem os vereadores recolhidos ao asilo dos alienados: cláusula que foi aceita, votada e incluída na postura apesar das reclamações do vereador Galvão. O argumento principal deste magistrado é que a câmara, legislando sobre uma experiência científica, não podia excluir as pessoas dos seus membros das consequências da lei; a exceção era odiosa e ridícula. Mal proferira estas duas palavras, romperam os vereadores em altos brados contra a audácia e insensatez do colega; este, porém, ouviu-os e limitou-se a dizer que votava contra a exceção.

— A vereança, concluiu ele, não nos dá nenhum poder especial nem nos elimina do espírito humano.

Simão Bacamarte aceitou a postura com todas as restrições. Quanto à exclusão dos vereadores, declarou que teria profundo sentimento se fosse compelido a recolhê-los à Casa Verde; a cláusula, porém, era a melhor prova de que eles não padeciam do perfeito equilíbrio das faculdades mentais. Não acontecia o mesmo ao vereador Galvão, cujo acerto na objeção feita, e cuja moderação na resposta dada às invectivas dos colegas mostravam da parte dele um cérebro bem organizado; pelo que rogava à câmara que lho entregasse. A câmara, sentindo-se ainda agravada pelo proceder do vereador Galvão, estimou o pedido do alienista e votou unanimemente a entrega.

Compreende-se que, pela teoria nova, não bastava um fato ou um dito para recolher alguém à Casa Verde; era preciso um longo exame, um vasto inquérito do passado e do presente. O padre Lopes, por exemplo, só foi capturado trinta dias depois da postura, a mulher do boticário quarenta dias. A reclusão desta senhora encheu o consorte de indignação. Crispim Soares saiu de casa espumando de cólera e declarando às pessoas a quem encontrava que ia arrancar as orelhas ao tirano. Um sujeito, adversário do alienista, ouvindo na rua essa notícia, esqueceu os motivos de dissidência, e correu à casa de Simão Bacamarte a participar-lhe o perigo que corria. Simão Bacamarte mostrou-se grato ao procedimento do adversário, e poucos minutos lhe bastaram para conhecer a retidão dos seus sentimentos, a boa-fé, o respeito humano, a generosidade; apertou-lhe muito as mãos, e recolheu-o à Casa Verde.

— Um caso destes é raro, disse ele à mulher pasmada. Agora esperemos o nosso Crispim.

Crispim Soares entrou. A dor vencera a raiva, o boticário não arrancou as orelhas ao alienista. Este consolou o seu privado, assegurando-lhe que não era caso perdido; talvez a mulher tivesse alguma lesão cerebral; ia examiná-la com muita atenção; mas antes disso não podia deixá-la na rua. E, parecendo-lhe vantajoso reuni-los, porque a astúcia e velhacaria do marido poderiam de certo modo curar a beleza moral que ele descobrira na esposa, disse Simão Bacamarte:

— O senhor trabalhará durante o dia na botica, mas almoçará e jantará com sua mulher, e cá passará as noites, e os domingos! E dias santos.

A proposta colocou o pobre boticário na situação do <u>asno de Buridan</u>. Queria viver com a mulher, mas temia voltar à Casa Verde; e nessa luta esteve algum tempo, até que D. Evarista o tirou da dificuldade, prometendo que se incumbiria de ver a amiga e transmitiria os recados de um para outro. Crispim Soares beijou-lhe as mãos agradecido. Este último rasgo de egoísmo pusilânime pareceu sublime ao alienista.

▶ **asno de Buridan:** ao ser colocado entre feno e água, um asno sentindo fome e sede precisará escolher entre um dos dois ou morrerá de fome e de sede. Essa é a situação atribuída ao filósofo Jean Buridan (séc. XIV) para exemplificar seus argumentos em favor da ponderação, ou seja, da busca pela melhor decisão quando se está diante de duas alternativas. (N.E.)

Ao cabo de cinco meses estavam alojadas umas dezoito pessoas; mas Simão Bacamarte não afrouxava; ia de rua em rua, de casa em casa, espreitando, interrogando, estudando; e quando colhia um enfermo levava-o com a mesma alegria com que outrora os arrebanhava às dúzias. Essa mesma desproporção confirmava a teoria nova; achara-se enfim a verdadeira patologia cerebral. Um dia conseguiu meter na Casa Verde o juiz de fora; mas procedia com tanto escrúpulo que o não fez senão depois de estudar minuciosamente todos os seus atos e interrogar os principais da vila. Mais de uma vez esteve prestes a recolher pessoas perfeitamente desequilibradas; foi o que se deu com um advogado, em quem reconheceu um tal conjunto de qualidades morais e mentais que era perigoso deixá-lo na rua. Mandou prendê-lo; mas o agente, desconfiado, pediu-lhe para fazer uma experiência; foi ter com um compadre, demandado por um testamento falso, e deu-lhe de conselho que tomasse por advogado o Salustiano; era o nome da pessoa em questão.

— Então, parece-lhe…

— Sem dúvida: vá, confesse tudo, a verdade inteira, seja qual for, e confie-lhe a causa.

O homem foi ter com o advogado, confessou ter falsificado o testamento e acabou pedindo que lhe tomasse a causa. Não se negou o advogado; estudou os papéis, arrazoou longamente, e provou a todas as luzes que o testamento era mais que verdadeiro. A inocência do réu foi solenemente proclamada pelo juiz e a herança passou-lhe às mãos. O distinto jurisconsulto deveu a esta experiência a liberdade.

Mas nada escapa a um espírito original e penetrante. Simão Bacamarte, que desde algum tempo notava o zelo, a sagacidade, a paciência, a moderação daquele agente, reconheceu a habilidade e o tino com que ele levara a cabo uma experiência tão melindrosa e complicada, e determinou recolhê-lo imediatamente à Casa Verde; deu-lhe todavia um dos melhores cubículos.

Os alienados foram alojados por classes. Fez-se uma galeria de modestos; isto é, os loucos em quem predominava esta perfeição moral; outra de tolerantes, outra de verídicos, outra de símplices, outra de leais, outra de magnânimos, outra de sagazes, outra de sinceros, etc. Naturalmente as famílias e os amigos dos reclusos bradavam contra a teoria; e alguns tentaram compelir a câmara a cassar a licença. A câmara, porém, não esquecera a linguagem do vereador Galvão, e se cassasse a licença, vê-lo-ia na rua e restituído ao lugar; pelo que, recusou. Simão Bacamarte oficiou aos vereadores, não agradecendo, mas felicitando-os por esse ato de vingança pessoal.

Desenganados da legalidade, alguns principais da vila recorreram secretamente ao barbeiro Porfírio e afiançaram-lhe todo o apoio de gente, de dinheiro e influência na corte, se ele se pusesse à testa de outro movimento contra a câmara e o alienista. O barbeiro respondeu-lhes que não; que a ambição o levara da primeira vez a transgredir as leis, mas que ele se emendara, reconhecendo o erro próprio e a pouca consistência da opinião dos seus mesmos sequazes; que a câmara entendera autorizar a nova experiência do alienista, por um ano: cumpria, ou esperar o fim do prazo, ou requerer ao vice-rei, caso a mesma câmara rejeitasse o pedido. Jamais aconselharia o emprego de um recurso que ele viu falhar em suas mãos e isso a troco de mortes e ferimentos que seriam o seu eterno remorso.

— O que é que me está dizendo? Perguntou o alienista quando um agente secreto lhe contou a conversação do barbeiro com os principais da vila.

Dois dias depois o barbeiro era recolhido à Casa Verde. — Preso por ter cão, preso por não ter cão! exclamou o infeliz.

Chegou o fim do prazo, a câmara autorizou um prazo suplementar de seis meses para ensaio dos meios terapêuticos. O desfecho deste episódio da crônica itaguaiense é de tal ordem, e tão inesperado, que merecia nada menos de dez capítulos de exposição; mas contento-me com um, que será o remate da narrativa, e um dos mais belos exemplos de convicção científica e abnegação humana.

XIII

Plus ultra!

Era a vez da terapêutica. Simão Bacamarte, ativo e sagaz em descobrir enfermos, excedeu-se ainda na diligência e penetração com que principiou a tratá-los. Neste ponto todos os cronistas estão de pleno acordo: o ilustre alienista fez curas pasmosas, que excitaram a mais viva admiração em Itaguaí.

Com efeito, era difícil imaginar mais racional sistema terapêutico. Estando os loucos divididos por classes, segundo a perfeição moral que em cada um deles excedia às outras, Simão Bacamarte cuidou em atacar de frente a qualidade predominante. Suponhamos um modesto. Ele aplicava a medicação que pudesse incutir-lhe o sentimento oposto; e não ia logo às doses

Plus ultra!: expressão latina que pode ser traduzida por 'ainda mais', 'além de'. Como se não bastassem os seus esforços anteriores para chegar à causa e à cura da demência, Simão Bacamarte prepara um lance inusitado para acercar-se do seu objetivo, quando tudo já parecia resolvido. (N.E.)

máximas, —graduava-as, conforme o estado, a idade, o temperamento, a posição social do enfermo. Às vezes bastava uma casaca, uma fita, uma cabeleira, uma bengala para restituir a razão ao alienado; em outros casos a moléstia era mais rebelde; recorria então aos anéis de brilhantes, às distinções honoríficas, etc. Houve um doente poeta que resistiu a tudo. Simão Bacamarte começava a desesperar da cura, quando teve de mandar correr matraca para o fim de o apregoar como um rival de Garção e de Píndaro.

— Foi um santo remédio, contava a mãe do infeliz a uma comadre; foi um santo remédio.

Outro doente, também modesto, opôs a mesma rebeldia à medicação; mas, não sendo escritor (mal sabia assinar o nome), não se lhe podia aplicar o remédio da matraca. Simão Bacamarte lembrou-se de pedir para ele o lugar de secretário da Academia dos Encobertos, estabelecida em Itaguaí. Os lugares de presidente e secretários eram de nomeação régia, por especial graça do finado rei Dom João V, e implicavam o tratamento de Excelência e o uso de uma placa de ouro no chapéu. O governo de Lisboa recusou o diploma; mas, representando o alienista que o não pedia como prêmio honorífico ou distinção legítima, e somente como um meio terapêutico para um caso difícil, o governo cedeu excepcionalmente à súplica; e ainda assim não o fez sem extraordinário esforço do ministro da marinha e ultramar, que vinha a ser primo do alienado. Foi outro santo remédio.

— Realmente, é admirável! dizia-se nas ruas, ao ver a expressão sadia e enfunada dos dois ex-dementes.

Tal era o sistema. Imagina-se o resto. Cada beleza moral ou mental era atacada no ponto em que a perfeição parecia mais sólida; e o efeito era certo. Nem sempre era certo. Casos houve em que a qualidade predominante resistia a tudo; então, o alienista atacava outra parte, aplicando à terapêutica o método da estratégia militar, que toma uma fortaleza por um ponto, se por outro o não pode conseguir.

No fim de cinco meses e meio estava vazia a Casa Verde; todos curados! O vereador Galvão, tão cruelmente afligido de moderação e equidade, teve a felicidade de perder um tio; digo felicidade, porque o tio deixou um testamento ambíguo, e ele obteve uma boa interpretação corrompendo os juízes e embaçando os outros herdeiros. A sinceridade do alienista manifestou-se nesse lance; confessou ingenuamente que não teve parte na cura: foi o simples *vis medicatrix* da natureza. Não aconteceu o mesmo com o padre Lopes. Sabendo o alienista que ele ignorava perfeitamente o hebraico e o grego, incumbiu-o de fazer uma análise crítica da versão dos Setenta; o padre aceitou a incumbência, e em boa hora o fez; ao cabo de dois meses possuía um livro e a liberdade. Quanto à senhora do boticário, não ficou muito tempo na célula que lhe coube, e onde aliás lhe não faltaram carinhos.

— Por que é que o Crispim não vem visitar-me? dizia ela todos os dias.

Respondiam-lhe ora uma coisa, ora outra; afinal disseram-lhe a verdade inteira. A digna matrona não pôde conter a indignação e a vergonha. Nas explosões da cólera escaparam-lhe expressões soltas e vagas, como estas:

Alexandre Camanho/Arquivo da editora

—Tratante!… velhaco!… ingrato!… Um patife que tem feito casas à custa de unguentos falsificados e podres… Ah! tratante!…

Simão Bacamarte advertiu que, ainda quando não fosse verdadeira a acusação contida nestas palavras, bastavam elas para mostrar que a excelente senhora estava enfim restituída ao perfeito desequilíbrio das faculdades; e prontamente lhe deu alta.

Agora, se imaginais que o alienista ficou radiante ao ver sair o último hóspede da Casa Verde, mostrais com isso que ainda não conheceis o nosso homem. *Plus ultra!* era a sua divisa. Não lhe bastava ter descoberto a teoria verdadeira da loucura; não o contentava ter estabelecido em Itaguaí o reinado da razão. *Plus ultra!* Não ficou alegre, ficou preocupado, cogitativo; alguma coisa lhe dizia que a teoria nova tinha, em si mesma, outra e novíssima teoria.

—Vejamos, pensava ele; vejamos se chego enfim à última verdade.

Dizia isto, passeando ao longo da vasta sala, onde fulgurava a mais rica biblioteca dos domínios ultramarinos de Sua Majestade. Um amplo chambre de damasco, preso à cintura por um cordão de seda, com borlas de ouro (presente de uma Universidade) envolvia o corpo majestoso e austero do ilustre alienista. A cabeleira cobria-lhe uma extensa e nobre calva adquirida nas cogitações quotidianas da ciência. Os pés, não delgados e femininos, não graúdos e mariolas, mas proporcionados ao vulto, eram resguardados por um par de sapatos cujas fivelas não passavam de simples e modesto latão. Vede a diferença: — só se lhe notava luxo naquilo que era de origem científica; o que propriamente vinha dele trazia a cor da moderação e da singeleza, virtudes tão ajustadas à pessoa de um sábio.

Era assim que ele ia, o grande alienista, de um cabo a outro da vasta biblioteca, metido em si mesmo, estranho a todas as coisas que não fosse o tenebroso problema da patologia cerebral. Súbito, parou. Em pé, diante de uma janela, com o cotovelo esquerdo apoiado na mão direita, aberta, e o queixo na mão esquerda, fechada, perguntou ele a si:

—Mas deveras estariam eles doidos, e foram curados por mim, —ou o que pareceu cura não foi mais do que a descoberta do perfeito desequilíbrio do cérebro?

E cavando por aí abaixo, eis o resultado a que chegou: os cérebros bem organizados que ele acabava de curar eram desequilibrados como os outros. Sim, dizia ele consigo, eu não posso ter a pretensão de haver-lhes incutido um sentimento ou uma faculdade nova; uma e outra coisa existiam no estado latente, mas existiam.

Chegado a esta conclusão, o ilustre alienista teve duas sensações contrárias, uma de gozo, outra de abatimento. A de gozo foi por ver que, ao cabo de longas e pacientes investigações, constantes trabalhos, luta ingente com o povo, podia afirmar esta verdade: — não havia loucos em Itaguaí; Itaguaí não possuía um só mentecapto. Mas tão depressa esta ideia lhe refrescara a alma, outra apareceu que neutralizou o primeiro efeito; foi a ideia da dúvida. Pois quê! Itaguaí não possuiria um único cérebro concertado? Esta conclusão tão absoluta não seria por isso mesmo errônea, e não vinha, portanto, destruir o largo e majestoso edifício da nova doutrina psicológica?!

A aflição do egrégio Simão Bacamarte é definida pelos cronistas itaguaienses como uma das mais medonhas tempestades morais que têm desabado sobre o homem. Mas as tempestades só aterram os fracos; os fortes enrijam-se contra elas e fitam o trovão. Vinte minutos depois alumiou-se a fisionomia do alienista de uma suave claridade.

Sim, há de ser isso, pensou ele.

Isso é isto. Simão Bacamarte achou em si os característicos do perfeito equilíbrio mental e moral; pareceu-lhe que possuía a sagacidade, a paciência, a perseverança, a tolerância, a veracidade, o vigor moral, a lealdade, todas as qualidades enfim que podem formar um acabado mentecapto.

Duvidou logo, é certo, e chegou mesmo a concluir que era ilusão; mas, sendo homem prudente, resolveu convocar um conselho de amigos, a quem interrogou com franqueza. A opinião foi afirmativa.

— Nenhum defeito?

— Nenhum, disse em coro a assembleia.

— Nenhum vício?

— Nada.

— Tudo perfeito?

— Tudo.

— Não, impossível, bradou o alienista. Digo que não sinto em mim essa superioridade que acabo de ver definir com tanta magnificência. A simpatia é que vos faz falar. Estudo-me e nada acho que justifique os excessos da vossa bondade.

A assembleia insistiu; o alienista resistiu; finalmente o padre Lopes explicou tudo com este conceito digno de um observador:

— Sabe a razão por que não vê as suas elevadas qualidades, que aliás todos nós admiramos? É porque tem ainda uma qualidade que realça as outras: a modéstia.

Era decisivo. Simão Bacamarte curvou a cabeça juntamente alegre e triste, e ainda mais alegre do que triste. Ato contínuo, recolheu-se à Casa Verde. Em vão a mulher e os amigos lhe disseram que ficasse, que estava perfeitamente são e equilibrado: nem rogos nem sugestões nem lágrimas o detiveram um só instante.

— A questão é científica, dizia ele; trata-se de uma doutrina nova, cujo primeiro exemplo sou eu. Reúno em mim mesmo a teoria e a prática.

— Simão! Simão! meu amor! dizia-lhe a esposa com o rosto lavado em lágrimas.

Mas o ilustre médico, com os olhos acesos da convicção científica, trancou os ouvidos à saudade da mulher, e brandamente a repeliu. Fechada a porta da Casa Verde, entregou-se ao estudo e à cura de si mesmo. Dizem os cronistas que ele morreu dali a dezessete meses, no mesmo estado em que entrou, sem ter podido alcançar nada. Alguns chegam ao ponto de conjeturar que nunca houve outro louco além dele em Itaguaí; mas esta opinião, fundada em um boato que correu desde que o alienista expirou, não tem outra prova senão o boato; e boato duvidoso, pois é atribuído ao padre Lopes, que com tanto fogo realçara as qualidades do grande homem. Seja como for, efetuou-se o enterro com muita pompa e rara solenidade.

ASSIS, Machado de. *O alienista*. São Paulo: Ática, 1998.

Joaquim Maria **Machado de Assis** (Rio de Janeiro, 1839-1908) é um dos mais importantes escritores brasileiros. De origem humilde, foi autodidata, recebeu na escola apenas a formação básica. Em 1858, começou a colaborar em jornais e revistas. Casou-se em 1869 com Carolina Augusta Xavier de Novais. Foi tipógrafo, cronista, contista, dramaturgo, jornalista, poeta, novelista, romancista, crítico e ensaísta.

Parte II – Outros textos, outros gêneros

Texto 1

loucura

substantivo feminino

1 distúrbio, alteração mental caracterizada pelo afastamento mais ou menos prolongado do indivíduo de seus métodos habituais de pensar, sentir e agir

2 sentimento ou sensação que foge ao controle da razão

2.1 paixão, gosto desmedido por alguém ou por algo. Ex.: *sua l. é o caçula; tem l. por livros*

3 ato ou fala extravagante, que parece desarrazoado; atitude, comportamento que denota falta de senso, de juízo, de discernimento. Ex.: *como pode cometer tais l.?*

4 atitude imprudente, insensata. Ex.: *será uma l. se consentirem com aquele absurdo*

5 caráter de tudo que ultrapassa o convencional, de quanto foge às regras sociais. Ex.: *a festa será uma l.*

6 alegria extravagante, insana; desatino, desvario

7 caráter do que é extraordinário, excepcional, maravilhoso. Ex.: *l. de verão; l. de vestido*

INSTITUTO ANTONIO HOUAISS. *Dicionário eletrônico Houaiss da língua portuguesa 2009.3*. Rio de Janeiro: Objetiva, 2009.

Texto 2

Loucos pela liberdade

Os manicômios ainda existem, mas uma revolução silenciosa transforma em cidadãos os brasileiros com sofrimento mental

Em 1991, o deputado federal Paulo Delgado apresentou um projeto de lei que determina o fim da construção de novos hospitais psiquiátricos públicos e do financiamento, pelo SUS, de novos leitos psiquiátricos. A lei propõe a extinção progressiva dos manicômios e sua substituição por outros recursos assistenciais. Passou pela Câmara mas acabou dormindo numa gaveta do Senado. A boa notícia é que, apesar do projeto de lei parado, o país vive uma revolução psiquiátrica silenciosa. Perde terreno o modelo de manicômios de portas fechadas. Ganha espaço o modelo aberto, que trata os loucos como cidadãos.

Em diversos estados, surgiram soluções alternativas aos hospitais, como os Núcleos de Assistência Psicossocial (NAPs), com atendimento 24 horas por dia, sem que o louco tenha de ficar internado, à margem da sociedade. Vive-se uma situação curiosa em que os costumes, por força da organização da sociedade, avançaram mais que a lei. A mudança de comportamento pode ser medida pelos números do Ministério da Saúde. Em 1991, havia 313 hospitais psiquiátricos no país. Em 1996, eles eram apenas 269.

Tanto a lei de Paulo Delgado como a redução de asilos e leitos nasceram de uma experiência pioneira em Santos, no litoral paulista. Ela foi a gênese que deflagrou o crescimento do Movimento da Luta Antimanicomial, hoje com direito a assento no Conselho Federal de Saúde. Em maio de 1989, a prefeitura da cidade interveio na Casa de Saúde Anchieta — manicômio conhecido como "A Casa de Horrores" pelo péssimo tratamento dedicado aos pacientes. Em cinco anos, o Anchieta foi liquidado e, em seu lugar, criada uma rede de NAPs para abrigar os pacientes sem destiná-los, irremediavelmente, aos hospitais. Os loucos voltaram a conviver com suas famílias, permanecendo durante o dia nos ambulatórios. Para os que não tinham família (vinte anos de internação rompem qualquer laço familiar), foram criados os Lares Abrigados. Travou-se, ao mesmo tempo, uma batalha para intervir na cultura e nos preconceitos da sociedade a respeito da loucura e dos loucos.

Nasceu o projeto Tam-Tam — referência ao instrumento musical africano e à gíria brasileira —, que incluiu rádio (criado pelos próprios pacientes) e programas de vídeo. Foi criada a grife Tam-Tam, com camisetas pintadas à mão, bijuterias e gravatas, cuja venda gerava dinheiro para os pacientes. Desde o início trabalhou-se com teatro, e daí surgiu o Grupo Biruta.

Formaram-se cooperativas, grupos de pacientes que cuidavam dos jardins, trabalhavam na construção civil, separavam o lixo reciclado, cultivavam e vendiam flores. Santos foi a primeira cidade brasileira livre de manicômios e tornou-se referência internacional. Há na Itália apenas outras duas cidades sem asilos psiquiátricos — mas nenhuma com o tamanho de Santos, com 420 mil habitantes. "Dizia-se que a cidade não seria capaz de acabar com a poluição das praias e com o problema dos loucos", diz o psiquiatra Roberto Tykanori, coordenador de saúde mental da cidade na época da reforma. "As duas coisas foram feitas."

Da experiência santista, percebeu-se que o fim dos manicômios poderia sair do papel. Os NAPs espalharam-se pelo país. Não se deve supor, contudo, que o problema do maluco como presidiário tenha sido superado. Não se vive, ainda, num país feito de gente como Simão Bacamarte, o personagem alienista de Machado de Assis, que detectou a insensatez de seu asilo, abriu suas portas e colocou a turma sintomática de volta à rua. Mas Santos impulsionou outros caminhos de tratamento dignos:

- Em São Paulo, a psicóloga Isabel Cristina Lopes e o maestro Julio Cézar Giúdice Maluf comandam o Coral Cênico de Saúde Mental. Os integrantes são usuários dos serviços de psiquiatria e seus parentes. O repertório reúne canções da MPB e textos dos próprios pacientes.
- O Pazzo a Pazzo é um grupo de teatro cujos atores são portadores de problemas mentais. Pazzo, em italiano, significa "louco". O diretor Sérgio Penna recrutou os artistas nos NAPs de Santos e na instituição A Casa, de São Paulo, nome dado ao Serviço de Saúde Mental do Hospital Dia, pioneiro na assistência ambulatorial aos malucos paulistanos. Um dos grandes sucessos do grupo foi a adaptação da *Odisseia*, de Homero.
- Melancolia não é a marca da TV Pinel, do Rio de Janeiro, criada pelos internos do Instituto Philippe Pinel há três anos. O que eles prezam é o humor. A trilha sonora da vinheta de abertura é o clássico "Maluco beleza", de Raul Seixas.

Pequena história da loucura

Como a medicina identificou e tratou o louco ao longo dos séculos

Antiguidade

- A loucura era obra dos deuses, para os gregos. Nos poemas de Homero, os heróis não enlouquecem — são tornados loucos por decisão divina.

- A loucura é vista como um acidente de percurso e não um mal em si — e por isso mesmo não acarreta nenhum estigma. Não há necessidade de cura, já que não existe, a rigor, doença alguma a ser tratada. A terapia limita-se à reordenação das relações do sujeito tido como transgressor com o grupo social a que ele pertence.

- O pai da Medicina, o grego **Hipócrates**, entendia a loucura como um desarranjo de natureza orgânica e corporal do ser humano. A causa dela era algum desequilíbrio do estado físico. As alterações de comportamento ou mentais eram meros sintomas.

- Acreditava-se que muitos casos de loucura eram resultado do acúmulo indevido de substâncias no cérebro ou em outros órgãos; portanto, a terapia ideal seria a que assegurasse a diluição ou a expulsão dessas substâncias.

Idade Média

- Um documento escrito em 1484, o *Malleus Maleficarum*, estabelece a crença na intervenção dos demônios na vida dos seres humanos. Diz um dos trechos da obra: "O diabo, ademais, é capaz de possuir o ser humano em sua essência corpórea, como fica claro no caso dos loucos".

- A terapia recomendada para os loucos preconizava jejuns, orações, visita a igrejas e o exorcismo feito por algum sacerdote especialmente preparado para a empreitada.

Século XVIII

- Em maio de 1798, o médico francês **Philippe Pinel** tira as correntes de 49 pacientes loucos internados no Hospital Biclêtre, em Paris. Os hospícios deixam de funcionar como prisões.

- O diagnóstico da loucura passa a ser resultado de observação prolongada, rigorosa e sistemática das transformações na vida biológica, nas atividades mentais e no comportamento social do paciente.

Século XX

- As ideias do austríaco **Sigmund Freud** revolucionam a compreensão da loucura. Com a psicanálise, a visão psicológica do funcionamento mental se consagra.

- Nos anos 1970, o psiquiatra italiano Franco Basaglia propõe a experiência de fechar os asilos e manicômios em seu país.

Época. São Paulo: Globo, 14 set. 1998. Adaptado.

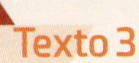

Texto 3

Quem gosta de ficar trancado?

Psicanalista diz por que a rua trata os loucos melhor que os hospitais psiquiátricos

Época: Por que os asilos e manicômios não servem ao tratamento efetivo dos loucos?

Flávio Carvalho Ferraz: A instituição asilar, ainda que movida pela melhor das intenções, não parece ter captado a importância fundamental da liberdade de vagar livremente para os loucos. O movimento antimanicomial, surgido com o advento da antipsiquiatria, fundamenta-se na constatação de que a instituição fechada não trata verdadeiramente o louco, mas o exclui do convívio social.

Época: Qual é o papel da rua para o louco?

Ferraz: Em primeiro lugar, a rua é capaz de tratar o louco melhor que as instituições feitas para isso. O louco clama por liberdade e, por isso, a rua é seu habitat natural. A liberdade de circular é o equivalente à liberdade de pensar e fantasiar. Mesmo sabendo que a rua obriga o psicótico a passar por uma série de sofrimentos, ela ainda é o agente privilegiado para lhe dar suporte.

Época: Entre a rua e os asilos tradicionais há alguma alternativa de tratamento para a loucura?

Ferraz: Sim. Trata-se do "acompanhamento terapêutico". É uma técnica auxiliar no tratamento da psicose em que o profissional sai pelas ruas com o louco, permitindo a ele participar de tudo o que a cidade oferece. Essa técnica não apenas devolve ao louco o direito de usufruir o espaço público como cidadão, mas é efetivamente terapêutica, já que o trata.

Época: O senhor falou da importância da rua para o louco. E para a sociedade, o louco oferece alguma coisa ou não passa de um estorvo?

Ferraz: Ele pode ser visto como um estorvo quando não temos instrumentos para compreendê-lo e com ele conviver. Mas é evidente que a loucura exerce forte atração sobre todos nós. É uma espécie de espelho que nos mostra aquilo que temos mas nem sempre sabemos que nos pertence. Os instintos, as fantasias e as ideias inconscientes no psicótico se tornam visíveis. Por isso o louco fascina. Todo mundo gosta de olhá-lo com curiosidade.

Época: Qual é a diferença entre o louco de rua e o louco trancado em casa ou num asilo qualquer?

Ferraz: A diferença fundamental é que o louco excluído da sociedade vê negado seu próprio direito à cidadania. Além do mais, nada indica que o isolamento ou a prisão o recupere. Já a liberdade de andar pela cidade e a participação na vida da comunidade, por si mesmo, têm efeitos terapêuticos. E, ainda que não os tivessem, ao menos diminuiriam o sofrimento. Será que alguém gosta de ficar trancado?

Época: O isolamento e o tratamento à base de remédios podem significar a cura da loucura?

Ferraz: Cura é uma expressão muito forte. Existem alguns indivíduos que passam por surtos esporádicos, mas fora desses períodos podem levar uma vida absolutamente normal, sem problemas. Em certos casos mais severos, porém, o que importa é providenciar uma situação na qual exista o maior bem-estar possível tanto do paciente quanto de sua família. É fundamental encontrar algum tipo de conforto.

Época. São Paulo: Globo, 14 set. 1998. Adaptado.

Liberdade acima de tudo

Thiago Castanho e Chorão

Deixa eu ser como eu sou!
Deixa eu ser quem eu sou!

Se quiserem me internar não deixem
Deixem-me exercer minha loucura em paz
Se quiserem me internar não deixem
Deixem-me exercer minha loucura em paz
Porque eu nasci pra ser maluco
E te fazer a tradução
Do que é ser um bom maluco
Do que é ser um maluco sangue bom

Porque eu nasci pra ser maluco
E te fazer a tradução
Do que é ser um bom maluco
Do que é ser um maluco sangue bom
Yeah!

Deixa eu ser como eu sou!

Se quiserem me internar não deixem
Deixem-me exercer minha loucura em paz
Se quiserem me internar não deixem
Deixem-me exercer minha loucura em paz

Porque eu nasci pra ser maluco
E te fazer a tradução
Do que é ser um bom maluco
Do que é ser um maluco sangue bom

Porque eu nasci pra ser maluco
E te fazer a tradução
Do que é ser um bom maluco
Do que é ser um maluco sangue bom
Yeah!

Liberdade acima de tudo
De bem com a vida e de bem com o mundo
Liberdade acima de tudo
Yeah!

Se quiserem me internar não deixem
Deixem-me exercer minha loucura em paz
Se quiserem me internar não deixem
Deixem-me exercer minha loucura em paz

Porque eu nasci pra ser maluco
E te fazer a tradução
Do que é ser um bom maluco
O que é ser um maluco sangue bom (2x)
Yeah!

CASTANHO, Thiago; CHORÃO. Liberdade acima de tudo. In: *Ritmo, ritual e responsa*. EMI, 2007.

JF Diorio/Agência Estado

Charlie Brown Jr. foi uma banda brasileira de *rock* formada na cidade de Santos (SP), em 1992. Alexandre Magno Abrão, mais conhecido como Chorão, foi o letrista, vocalista e principal expoente do conjunto, que teve várias formações ao longo dos anos — a mais clássica contou com outros músicos famosos, como o baixista Champignon. A banda lançou dez discos e vendeu milhões de cópias. Esteve em atividade até 2013, ano em que Chorão faleceu, em São Paulo.

Museu Osório César/Hospital do Juqueri, Franco da Rocha, SP

Texto 6

© Succession H. Matisse / AUTVIS, Brasil, 2019.

Texto 7

The Pollock-Krasner Foundation / AUTVIS, Brasil, 2019.

Texto 8

Museu de Imagens do Inconsciente/Centro Psiquiátrico Pedro II, Rio de Janeiro, RJ.

Apoios

Material 1

Contexto sócio-histórico de Machado de Assis

Período	Machado de Assis: vida e obra	Contexto sócio-histórico brasileiro
1839/1940	- Joaquim Maria Machado de Assis nasce no Rio de Janeiro em 21 de junho de 1839.	- D. Pedro II assume o Império do Brasil aos 14 anos.
Década de 1850	- Publica seu primeiro trabalho no jornal *Marmota Fluminense*. - Colabora em vários jornais e revistas.	- Eusébio de Queirós assina a lei que proíbe o tráfico de escravos para o Brasil. - Inaugurada a primeira estrada de ferro brasileira.
Década de 1860	Publica seu primeiro livro, *Crisálidas* (poesias). - Casa-se com Carolina Augusta Xavier de Novaes. - **Obras:** muitas peças teatrais, tais como: *Hoje avental, amanhã luva* (1861).	- O Brasil entra em guerra contra o Paraguai: Batalha do Riachuelo, batalha do Tuiuti, retirada de Laguna, Dezembrada, Batalha de Itororó e Batalha do Avaí.
Década de 1870	- Nomeado 1º Oficial da Secretaria do Estado do Ministério da Agricultura. - **Obras:** **Poesia:** *Falenas*; *Americanas*. **Romances:** *Ressurreição*; *A mão e a luva*; *Helena*; *Iaiá Garcia*. **Contos:** *Contos fluminenses*; *Histórias da meia-noite*.	- Fim da Guerra do Paraguai. - Início da exportação do café pelo Brasil. - Lei do Ventre Livre. - Início da imigração italiana.
Década de 1880	- Nomeado oficial de gabinete do ministro da Agricultura. - Diretor da Diretoria do Comércio. - **Obras:** **Romance:** *Memórias póstumas de Brás Cubas*. **Contos:** *Papéis avulsos*; *Histórias sem data*. **Teatro:** *Tu, só tu, puro amor*.	- Manaus é o centro mundial de exportação de borracha. - A Lei dos Sexagenários liberta escravos com mais de 60 anos. - A Lei Áurea liberta todos os escravos. - O marechal Deodoro da Fonseca proclama a República e torna-se o primeiro presidente do Brasil.
Década de 1890	- Eleito presidente da Academia Brasileira de Letras. - **Obras:** **Romances:** *Quincas Borba*; *Dom Casmurro*. **Contos:** *Várias histórias*; *Páginas recolhidas*.	- O país mergulha no caos econômico. - Aprovada a nova Constituição (a primeira republicana). - Renúncia do marechal Deodoro da Fonseca. - O marechal Floriano Peixoto assume o poder. - Movimento militar pretende depor o marechal Floriano Peixoto. - É eleito o primeiro presidente civil do Brasil: Prudente de Morais. - Guerra de Canudos, na Bahia (destaca-se a figura de Antônio Conselheiro). - Campos Salles é eleito presidente. - Cândido Rondon inicia a construção de linhas telegráficas de comunicação.
Década de 1900	- Eleito membro da Academia de Ciências de Lisboa. - Carolina, sua esposa, falece em 1904. - Machado falece no Rio de Janeiro em 29 de setembro de 1908. - **Obras:** **Romances:** *Esaú e Jacó*; Memorial de Aires. **Contos:** *Relíquias da casa velha*. **Teatro:** Teatro coligido. Várias obras póstumas.	- Rodrigues Alves é eleito presidente da República. - Queda da exportação da borracha provocada pela concorrência da borracha da Malásia. - Afonso Pena toma posse na Presidência. - Chegam ao Brasil os primeiros imigrantes japoneses.

Material 2

Personagens de *O alienista*

1. **Dr. Simão Bacamarte:** origem nobre, médico amante da Ciência, estuda na Europa, mas não aceita exercer a medicina na corte de Portugal. Volta ao Brasil, estabelece-se em Itaguaí, casa-se aos 40 anos. Funda a Casa de Orates, origem da Casa Verde, como é conhecido o lugar onde ficam os "pacientes" tratados por ele.

2. **Dona Evarista da Costa Mascarenhas:** com 25 anos, viúva, casa-se com o Dr. Simão Bacamarte. Não é bonita, nem simpática.

3. **Crispim Soares:** boticário em Itaguaí, amigo fiel do Dr. Bacamarte. Segundo seu próprio julgamento, é "bajulador, lacaio, fraco, miserável...". É casado com Cesária, grande amiga da esposa de Simão Bacamarte.

4. **Porfírio:** barbeiro em Itaguaí, comanda a primeira rebelião contra Simão Bacamarte, mas, assim que assume o poder — o governo da vila —, começa a agir movido por interesses políticos, traindo a causa pela qual lutava.

5. **Padre Lopes:** vigário do lugar, acompanha todos os acontecimentos de perto e tenta interceder em favor de algumas pessoas.

6. **João Pina:** outro barbeiro, também assume o governo em determinada revolta contra o poder de Simão Bacamarte.

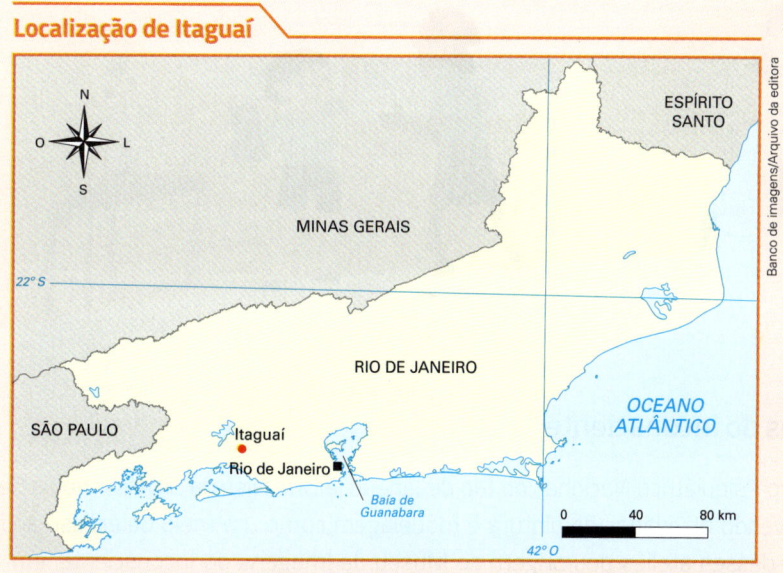

Localização de Itaguaí

Fonte: elaborado com base em EQUIPAMENTO URBANO: IPPUC (SEUC), 2014. *Mapa dos equipamentos municipais do bairro Centro*. Disponível em: <www.ippuc.org.br/nossobairro/anexos/01-Centro.pdf>. Acesso em: 11 abr. 2018.

Material 3

Características do texto teatral

O texto teatral é escrito de um modo particular e tem estas características:

- roteiro técnico: elementos de orientação sobre personagens, cenário e figurino;
- discurso direto (as falas) e rubricas;
- personagens;
- elementos e momentos da narrativa;
- geralmente, não há narrador.

O texto organiza-se em atos (unidade de ação) e cenas (subdivisões de cada ato, indicadas pela entrada e pela saída de personagens).

Material 4

Representação do texto teatral

Chave do gênero: diálogo Elemento do teatro por excelência: voz Voz + gesto = linguagem do teatro	
Diálogo	Limita cada cena; anima as ações; desencadeia os conflitos.
Voz	**Tom** (grave, dramático, arrogante, desesperado) **Entonação, ritmo, intensidade**
Gesto	Importância da mímica, da *performance*.
Cenário	Determina o espaço, a época histórica.
Iluminação	Facho de luz que indica o local da ação.
Movimento cênico	Posição no palco, saídas, entradas.
Música	Acompanha o movimento em cena e pode mostrar o estado interior do personagem.
Figurino	Revela o clima e a época histórica.

Gustavo Ramos/Arquivo da editora

Material 5

Museu de Imagens do Inconsciente

Em 1946, no Centro Psiquiátrico Nacional, no Rio de Janeiro, a Dra. Nise da Silveira criou a Seção de Terapêutica Ocupacional, desenvolvendo atividades de pintura e modelagem como um meio de acesso ao mundo interno dos pacientes. A produção desses ateliês deu origem ao Museu de Imagens do Inconsciente, em 1952. Esse museu transformou-se em um centro de estudos psiquiátricos de reputação mundial. Seu acervo conta com mais de 300 mil telas, desenhos e esculturas.

Dra. Nise da Silveira

Natural de Maceió (AL), a psiquiatra Nise da Silveira realizou trabalho inovador no tratamento da esquizofrenia. Além disso, aboliu a palavra *loucura* de seu vocabulário, trocando-a por "inúmeros estados do ser", e posicionou-se contra os procedimentos cruéis de tratamento psiquiátrico.

Defendendo a ideia de que os doentes têm emoções a revelar, preferiu criar ateliês de pinturas nos quais adotou técnicas livres de desenho, pintura e modelagem como formas de tratamento e de acesso ao inconsciente dos pacientes. Seu objetivo era compreender as vivências internas dos doentes expressas pela arte. Assim teve origem o Museu de Imagens do Inconsciente.

Ela também escreveu um livro contando suas experiências: *O mundo das imagens*, publicado pela editora Ática, em 1992.

Foi a pioneira na revolução mundial por que passou o tratamento psiquiátrico e revelou em várias entrevistas concedidas que seu interesse pela alma humana surgiu da experiência da leitura de Machado de Assis.

1. Livros

ABREU, Antônio Suárez. *Gramática mínima:* para o domínio da língua padrão. Cotia: Ateliê, 2003.

BAGNO, Marcos. *Gramática de bolso do português brasileiro*. São Paulo: Parábola, 2013.

_____. *Gramática pedagógica do português brasileiro*. São Paulo: Parábola, 2011.

_____. *Não é errado falar assim!:* em defesa do português brasileiro. São Paulo: Parábola, 2009.

_____. *Preconceito linguístico*. 54. ed. São Paulo: Loyola, 2011.

_____. *Sete erros aos quatro ventos:* a variação linguística no ensino de português. São Paulo: Parábola, 2013.

BAKHTIN, Mikhail. *Estética da criação verbal*. Tradução de Maria Ermantina G. G. Pereira. 2. ed. São Paulo: Martins Fontes, 1997.

_____. *Marxismo e filosofia da linguagem*. 16. ed. São Paulo: Hucitec, 2009.

BECHARA, Evanildo. *Moderna gramática portuguesa*. 38. ed. rev. e ampl. Rio de Janeiro: Nova Fronteira, 2015.

BORBA, Francisco da Silva. *Dicionário de usos do português do Brasil*. São Paulo: Ática, 2002.

BRANDÃO, Helena Nagamine (Coord.). *Gêneros do discurso na escola:* mito, conto, cordel, discurso político, divulgação científica. 5. ed. São Paulo: Cortez, 2012. (Aprender e Ensinar com Textos, v. 5).

BRASIL. Ministério da Educação. *Base Nacional Comum Curricular*. Educação é a base. Brasília, 2017.

_____. Ministério da Educação. Secretaria de Educação Fundamental. *Parâmetros Curriculares Nacionais:* terceiro e quarto ciclos do Ensino Fundamental — Língua Portuguesa. Brasília, 1998.

_____. Ministério da Educação. Secretaria de Educação Básica. *Plano de Desenvolvimento da Educação:* Prova Brasil — Ensino Fundamental: matrizes de referência, tópicos e descritores. Brasília, 2008.

CAMPS, Anna et al. *Propostas didáticas para aprender a escrever*. Tradução de Valério Campos. Porto Alegre: Artmed, 2006.

CARVALHO, Nelly. *O texto publicitário na sala de aula*. São Paulo: Contexto, 2014.

CASCUDO, Luís da Câmara. *Contos tradicionais do Brasil*. 11. ed. Rio de Janeiro: Ediouro, 1998.

CASTILHO, Ataliba T. de (Org.). *Gramática do português falado*. Campinas: Ed. da Unicamp, 2002. v. 3.

CASTILHO, Ataliba T. de. *Nova gramática do português brasileiro*. São Paulo: Contexto, 2012.

_____; ELIAS, Vanda Maria. *Pequena gramática do português brasileiro*. São Paulo: Contexto, 2012.

CITELLI, Adilson. *Linguagem e persuasão*. 16. ed. rev. e atual. São Paulo: Ática, 2004.

_____. *O texto argumentativo*. São Paulo: Scipione, 1994. (Ponto de Apoio).

COELHO, Nelly N. *Literatura infantil*. São Paulo: Ática, 1997.

COLL, César et al. *Os conteúdos na reforma:* ensino e aprendizagem de conceitos, procedimentos e atitudes. Tradução de Beatriz Affonso Neves. Porto Alegre: Artmed, 1998.

COLOMER, Teresa. *Andar entre livros:* a leitura literária na escola. São Paulo: Global, 2007.

COSTA, Sérgio Roberto. *Dicionário de gêneros textuais*. Belo Horizonte: Autêntica, 2008.

CUNHA, Celso; CINTRA, Luís F. Lindley. *Nova gramática do português contemporâneo*. 6. ed. Rio de Janeiro: Lexikon, 2013.

DIONÍSIO, Ângela P.; MACHADO, Anna R.; BEZERRA, Maria A. (Org.). *Gêneros textuais e ensino*. São Paulo: Parábola, 2010. (Estratégias de Ensino).

ELIAS, Vanda Maria (Org.). *Ensino de língua portuguesa:* oralidade, escrita e leitura. São Paulo: Contexto, 2014.

FÁVERO, Leonor Lopes. *Coesão e coerência textuais*. 9. ed. São Paulo: Ática, 2002.

_____; ANDRADE, Maria Lúcia C. V. O.; AQUINO, Zilda G. O. *Oralidade e escrita:* perspectivas para o ensino da língua materna. 8. ed. São Paulo: Cortez, 2012.

FAZENDA, Ivani C. A. *Dicionário em construção:* interdisciplinaridade. 2. ed. São Paulo: Cortez, 2002.

HERNÁNDEZ, Fernando. *Transgressão e mudança na educação:* os projetos de trabalho. Porto Alegre: Artmed, 1998.

HOFFMANN, Jussara. *Avaliação:* mito & desafio — uma perspectiva construtivista. Porto Alegre: Mediação, 2008. p. 57.

_____; JANSSEN, Felipe da Silva; ESTEBAN, Maria Teresa (Org.). *Práticas avaliativas e aprendizagens significativas em diferentes áreas do currículo*. 6. ed. Porto Alegre: Mediação, 2008.

ILARI, Rodolfo (Org.). *Gramática do português falado*. Campinas: Ed. da Unicamp, 1992.

ILARI, Rodolfo. *Introdução à semântica:* brincando com a gramática. São Paulo: Contexto, 2001.

_____. *Introdução ao estudo do léxico:* brincando com as palavras. São Paulo: Contexto, 2002.

_____; BASSO, Renato. *O português da gente:* a língua que estudamos, a língua que falamos. 2. ed. São Paulo: Contexto, 2012.

KLEIMAN, Angela. *Leitura:* ensino e pesquisa. 2. ed. Campinas: Pontes, 1996.

_____. *Oficina de leitura:* teoria e prática. 14. ed. Campinas: Pontes, 2012.

_____. *Os significados do letramento:* uma nova perspectiva sobre a prática social da escrita. Campinas: Mercado de Letras, 1995.

_____. *Texto e leitor:* aspectos cognitivos da leitura. 9. ed. Campinas: Pontes, 2005.

KLEIMAN, Angela; MORAES, Silvia. *Leitura e interdisciplinaridade*: tecendo redes nos projetos da escola. Campinas: Mercado de Letras, 1999.

_____; SEPÚLVEDA, Cida. *Oficina de gramática*: metalinguagem para principiantes. Campinas: Pontes, 2012.

KOCH, Ingedore Villaça. *A coesão textual*. 17. ed. São Paulo: Contexto, 2002.

_____. *As tramas do texto*. 2. ed. São Paulo: Contexto, 2014.

_____. *Desvendando os segredos do texto*. São Paulo: Cortez, 2002.

_____. *O texto e a construção dos sentidos*. 9. ed. São Paulo: Contexto, 2007.

_____. *Texto e coerência*. 13. ed. São Paulo: Cortez, 2011.

_____; ELIAS, Vanda Maria. *Escrever e argumentar*. São Paulo: Contexto, 2016.

_____; ELIAS, Vanda Maria. *Ler e compreender os sentidos do texto*. São Paulo: Contexto, 2006.

_____; ELIAS, Vanda Maria. *Ler e escrever*: estratégias de produção textual. 2. ed. São Paulo: Contexto, 2011.

_____; TRAVAGLIA, Luiz C. *A coerência textual*. 16. ed. São Paulo: Contexto, 1990.

_____; VILELA, Mário. *Gramática da língua portuguesa*: gramática da palavra, gramática da frase, gramática do texto/discurso. Porto: Almedina, 2001.

KOUDELA, I. D. *Ciências humanas em revista*. São Luís, v. 3, n. 2, dez. 2005.

LAGE, Nilson. *Estrutura da notícia*. 5. ed. São Paulo: Ática, 2002. (Série Princípios).

LERNER, Délia. *Ler e escrever na escola*: o real, o possível e o necessário. Porto Alegre: Artmed, 2002.

MACHADO, Irene A. *Literatura e redação*: os gêneros literários e a tradição oral. São Paulo: Scipione, 1994.

MARCUSCHI, Luiz Antônio. *Análise da conversação*. 6. ed. São Paulo: Ática, 2007. (Série Princípios).

_____. *Da fala para a escrita*: atividades de retextualização. 8. ed. São Paulo: Cortez, 2007.

_____. *Produção textual, análise de gêneros e compreensão*. São Paulo: Parábola, 2008.

_____; XAVIER, Antônio Carlos (Org.). *Hipertexto e gêneros digitais*: novas formas de construção de sentido. 3. ed. São Paulo: Cortez, 2010.

MARQUESI, Sueli Cristina; PAULIUKONIS, Aparecida Lino; ELIAS, Vanda Maria. *Linguística textual e ensino*. São Paulo: Contexto, 2017.

MORAIS, Artur Gomes de. *Ortografia*: ensinar e aprender. São Paulo: Ática, 2000.

MORAIS, José de. *A arte de ler*. São Paulo: Ed. da Unesp, 1996.

NEVES, Maria Helena de Moura. *Gramática de usos do português*. 2. ed. São Paulo: Ed. da Unesp, 2000.

_____. *Que gramática estudar na escola?*: norma e uso na língua portuguesa. 3. ed. São Paulo: Contexto, 2008.

NOVAK, J. D.; GOWIN, D. B. *Aprendiendo a aprender*. Barcelona: Martínez Roca, 1988.

OTHERO, Gabriel de Ávila. *Mitos de linguagem*. São Paulo: Parábola, 2015.

PALO, Maria José; OLIVEIRA, Maria Rosa. *Literatura infantil*: voz de criança. 3. ed. São Paulo: Ática, 2003.

PEÑA, Antonio Ontoria. *Mapas conceituais*. São Paulo: Loyola, 2006.

_____ et al. *Aprender com mapas mentais*. 3. ed. São Paulo: Madras, 2008.

PRETI, Dino. *A gíria e outros temas*. São Paulo: Edusp, 1984.

RANGEL, Egon de Oliveira; ROJO, Roxane (Coord.). *Língua Portuguesa*: Ensino Fundamental. Brasília: Ministério da Educação/Secretaria da Educação Básica, 2007. (Explorando o Ensino, v. 19).

ROJO, Roxane (Org.). *A prática da linguagem em sala de aula*: praticando os PCN. São Paulo: Educ; Campinas: Mercado de Letras, 2001.

_____; MOURA, Eduardo (Org.). *Multiletramentos na escola*. São Paulo: Parábola, 2012.

SANTAELLA, Lucia. *Por que as comunicações e as artes estão convergindo?*. São Paulo: Paulus, 2005.

SANT'ANNA, Afonso Romano de. *Paródia, paráfrase & cia*. 5. ed. São Paulo: Ática, 1995.

SCHNEUWLY, Bernard; DOLZ, Joaquim. Os gêneros escolares: das práticas de linguagem aos objetos de ensino. In: ROJO, Roxane; CORDEIRO, Glaís Sales (Org.). *Gêneros orais e escritos na escola*. Tradução de Roxane Rojo e Glaís Sales Cordeiro. Campinas: Mercado de Letras, 2004.

SOARES, Magda. *Alfabetização e letramento*. São Paulo: Contexto, 2003.

SOLÉ, Isabel. *Estratégias de leitura*. Tradução de Cláudia Schilling. 6. ed. Porto Alegre: Artmed, 1998.

TRAVAGLIA, Luiz Carlos. *Gramática e interação*: uma proposta para o ensino de gramática no 1º e 2º graus. 2. ed. São Paulo: Cortez, 2005.

_____. *Gramática*: ensino plural. 5. ed. São Paulo: Cortez, 2011.

VYGOTSKY, L. S. *Pensamento e linguagem*. 4. ed. São Paulo: Martins Fontes, 2008.

2. *Sites*

Base Nacional Comum Curricular (BNCC): <http://basenacionalcomum.mec.gov.br/>

Centro de Referência em Educação Mário Covas: <www.crmariocovas.sp.gov.br>.

Ministério da Educação (Secretaria de Educação Básica): <http://portal.mec.gov.br/seb/arquivos/pdf/Ensfund/noveanorienger>.

Portal do Professor: <http://portaldoprofessor.mec.gov.br/index.html>.

Revista *Nova Escola*: <https://novaescola.org.br>.

Todos pela Educação: <www.todospelaeducacao.org.br>.

(Acessos em: 25 set. 2018.)